Trayectoria de la Novela en México

MANUEL PEDRO GONZALEZ
Professor of Spanish-American Literature
University of California
Los Angeles 24, California

TRAYECTORIA
de la Novela en México

EDICIONES BOTAS LIBRERIA

1951

Primera edición
2.000 ejemplares

Impresora "Juan Pablos" — Donato Guerra 5 — México, D. F.

Prefacio

Aclaraciones pertinentes

Este libro no es una historia detallada de la novela mexicana ni siquiera un panorama metódico de su desarrollo hasta el presente. Pero si no aspira a tan alta jerarquía académica, sí pretende ser un índice de su evolución vista a través de sus diferentes etapas, escuelas y expresiones individuales más sobresalientes. Sólo me he detenido en los autores de mayor significación y en los libros menos deleznables. La producción novelesca mexicana es abundantísima. Quien lo ponga en duda puede consultar las cuatro bibliografías más importantes que del género existen: la de Juan B. Iguíniz. Bibliografía de novelistas mexicanos (obra fundamental que cierto conocido pirata plagió despreocupadamente); la Bibliografía de novelistas de la Revolución Mexicana del malogrado Ernest Moore; las Guías bibliográficas volumen II de Literatura Mexicana. Siglo XX, por José Luis Martínez y los cuatro volúmenes de Bibliografía de la Revolución Mexicana publicados por Roberto Ramos. Los títulos con que el género cuenta suman ya varios miles, pero desdichadamente los dignos de leerse y de estudiarse por su mérito intrínseco y por su vigencia actual son escasísimos. El procedimiento selectivo, era, pues, el único que lógicamente debía emplearse en un libro de esta índole. Por consiguiente, he preferido hacer pausas más o menos largas en torno a los autores que estimo representativos que abrumar al lector con una interminable lista de nombres y de obras que ya nadie lee y que nada significan.

Otra aclaración que deseo hacer ab initio es la relativa al método crítico o manera de enfocar los problemas que aquí se emplea, tan radicalmente distinto del tradicional y académico. La literatura hispanoamericana toda se caracteriza por su rico contenido social, particularmente la producida en lo que de siglo llevamos andado. De todas las formas literarias, la novela es la

*más enraizada en la vida y en la realidad económica
y social que aspira a reflejar, y resulta absurdo —particularmente tratándose de la novela— pretender expli-
carla en el vacío y sin relacionarla con el ambiente
social, económico, político, religioso y cultural en que
se gestó. Por eso en este libro se ha procurado señalar
las condiciones ambientales en que el novelista se forma
en cada etapa, a fin de poner al lector en antecedentes
de las fuerzas que moldearon su idiosincrasia, sus ideas
y sus prejuicios para que pueda entender el espíritu y la
ideología de la obra literaria que se le invita a leer.
Bien sé que no es éste el método más generalmente
aceptado en los círculos académicos y mucho menos
por los críticos que por una razón u otra prefieren
explicar la obra de arte como si se hubiera producido
en el vacío de una campana neumática.*

*El empleo de este método interpretativo exige hon-
radez y franqueza en el análisis del ambiente que forma
y condiciona al novelista. En ningún momento he rehuído
la verdad —lo que yo entiendo como verdad histórica y
social— ni he acudido a eufemismos para disfrazarla.
Por eso es probable que este libro no satisfaga ni a tirios
ni a troyanos porque la sinceridad y la franqueza con
que en él se llama a las cosas por su nombre, chocará
con la sensibilidad patriotera de unos, con los prejuicios
clasistas de otros y con el ignaro y rancio fanatismo
de muchos que confunden lo espiritual con lo temporal,
el dogma con el poder económico y político. Por último, desagradará también a los falsos revolucionarios, a
los que por beneficiarse en alguna forma al amparo
de los gobiernos surgidos de la Revolución, resienten
cualquier censura que se haga de la desvergüenza y del
latrocinio que en las últimas tres décadas se han entro-
nizado en México. Nada de esto me preocupa. Ningún
libro de la índole del presente merece el papel en que
está escrito si no responde a una profunda sinceridad
y si el autor no expresa franca y honradamente su pensamiento —su verdad— aunque éste sea parcial o equi-
vocado. Disimular el criterio propio y tergiversarlo o si-
lenciarlo por temor o por cualquiera otra razón, me ha
parecido siempre una cobardía y una abdicación del deber más elemental y primario de todo crítico. No soy
mexicano de nacimiento, pero amo a México como
si en él hubiera nacido y me duelen sus lacras, sus limitaciones y sus miserias —morales y económicas— porque
me siento emocionalmente vinculado a él como a toda*

Hispanoamérica. En México he vivido por largas tempora-
das y a divulgar sus valores en el extranjero y a expli-
car su cultura a la juventud norteamericana me he con-
sagrado durante un cuarto de siglo ya. Glosando la co-
nocida anécdota de Unamuno y el ciego cuando aquél
le leía las páginas de Sarmiento relativas a España,
puedo decir que hablo de México y de sus hombres
como si fuera mexicano —ex abundantia cordis—. Lo
que en estas páginas se dice, podrá parecer apasionado
o erróneo a unos, indiscreto o injusto a otros, pero es
mi verdad. Tal es mi visión de México, de su novela y de
sus novelistas. Ni siquiera tratándose de autores a quie-
nes tanto quiero y admiro como el doctor Mariano
Azuela, he dejado de señalar lo que estimo graves de-
fectos de su obra. El único mérito de este libro es, qui-
zá, su honda sinceridad.

Deseo también prevenir falsas interpretaciones por
parte de los lectores imbuídos de un catolicismo belige-
rante y cerrado. Ninguna de las muchas referencias a
la iglesia católica que en el libro se encontrarán pueden
ni deben interpretarse como otros tantos ataques al
dogma ni a la institución espiritual, ni mucho menos a
las creencias de sus fieles. Para mí el dogma católico es
tan respetable como el de cualquiera otra secta, ya sea
cristiana o musulmana, judía o budista. Ni mejor ni
peor. El sentimiento religioso —cuando es sincero— me
ha parecido siempre sagrado, ya se manifieste en formas
cristianas o paganas, lo mismo en el que adora a Confu-
cio que en el que venera a un totem cualquiera. La emo-
ción religiosa es algo profundamente subjetivo y perso-
nalísimo digno siempre de respeto. Sólo cuando una secta
organizada cualquiera se aprovecha de este noble senti-
miento y lo explota económicamente en beneficio propio
y crea un ambiente de intolerancia y fanatismo que
impide la convivencia cordial y civilizada de diversas
creencias, tenemos derecho a combatirla y a responsabi-
lizarla, porque en tal caso ha trascendido los límites
de lo puramente espiritual para convertirse en una fuerza
social, económica y política como cualquiera otra organi-
zación temporal.

Ahora bien, no hay ningún aspecto de la vida o de
la cultura españolas o hispanoamericanas que pueda
explicarse debidamente sin traer a colación a la iglesia
católica. Tanto en España como en la América ibera
durante siglos, la iglesia católica ha sido la más omni-
potente fuerza modeladora del carácter y de las cos-

tumbres, de la moral social y la individual de todos sus habitantes. Hasta años muy recientes, la iglesia no ha permitido, allá ni acá, la libertad de cultos ni de creencias, y aunque ambas están ya sancionadas por las leyes en todas partes, todavía en la práctica se hostiliza y se persigue en muchas regiones de España y de América a los representantes y a los devotos de otras sectas. Todavía en el momento actual la intransigencia y el fanatismo católicos injurian y apedrean a los ministros y a los fieles de otras religiones para baldón y vergüenza de los hombres civilizados de los países hispánicos.

Durante cuatrocientos años, la iglesia fué, no solamente la institución más rica y poderosa de España y de América, sino también el poder espiritual único y todopoderoso que moldeó la conciencia hispana. A mayor abundamiento, la corona española encargó a la iglesia de la misión de educar a las masas y durante siglos le pagó crecidas sumas de dinero para que desempeñara este cometido. Lo mismo sucedió en México después de la independencia. Hacia mediados del siglo pasado, la iglesia era riquísima en tanto que el estado mexicano se encontraba en bancarrota y el ochenta por ciento de la población del país vivía en la miseria más espantosa. En varias ocasiones, el estado tuvo que pedir auxilio económico a la iglesia. Quien ponga en duda lo antedicho, debe leer los escritos de don José María Luis Mora, un ejemplar sacerdote católico y probo historiador, además de los de otros muchos escritores de la época. Si se cita especialmente a Mora es porque nadie podrá negarle su carácter de virtuoso miembro de la iglesia y esta circunstancia añade autoridad a sus escritos. Tan incontrastable y tan peligroso llegó a ser el poder económico y político de la iglesia durante la centuria pasada en México, que las guerras más crueles y más cruentas que durante cien años asolaron al país, tuvieron por objeto acabar con el monopolio y la dictadura de la iglesia.

La posición de la iglesia, y por ende su conducta, en los Estados Unidos ha sido completamente distinta a la observada en los países hispánicos. En los Estados Unidos la iglesia católica ha sido siempre una minoría —una minoría débil al principio y hasta obstaculizada y perseguida en ciertas épocas. Desde que se estableció tuvo que aceptar y respetar la libertad de cultos, lo mismo que la de conciencia, y por lo tanto, su conducta allí ha sido diametralmente opuesta a la observada en los países hispánicos en los cuales monopolizó siempre las conciencias, la enseñanza popular y en gran parte la economía y el poder político. El estudiante norteamericano a quien principalmente está destinado este libro —y muy especialmente el católico norteamericano— ignora el papel que la iglesia ha desempeñado en los países hispanos y cree ingenuamente que su conducta en ellos ha sido similar a la observada en los Estados Unidos. No sabe que durante siglos, la iglesia ha sido en la otra América la más irresistible fuerza política y económica que allí ha existido, además de constituir un poder espiritual incontrastable y único.

Durante la primera mitad del siglo XVI, llegaron a México algunos miembros de la iglesia que fueron admirables modelos. La mayor parte de ellos eran franciscanos, pero no todos. Los nombres de Bartolomé de las Casas, Toribio de Benavente, Bernardino de Sahagún, Pedro de Gante, obispos Juan de Zumárraga y Vasco de Quiroga, Alonso de la Veracruz y otros varios, quedarán en la historia como ejemplos de hombres piadosos, conmiserativos y dignos representantes de la pristina y generosa doctrina que Cristo predicó. Pero ya hacia fines del mismo siglo y durante los siguientes, las órdenes monásticas, lo mismo que los obispados, las catedrales y cabildos eclesiásticos de todo el país se enriquecieron fabulosamente y con la riqueza sobrevino la inmoralidad, la corrupción, el afán de lucro y los escándalos que estas órdenes dieron disputándose la riqueza. La historia y las crónicas de aquellos siglos están llenas de estas desavenencias, rencillas, odios e intrigas entre las órdenes monásticas o entre éstas y los obispos o entre ambos y el poder real. Así fueron acaparando la riqueza mexicana y con ella el poder político hasta constituirse en una seria amenaza para la corona, primero, y luego para los gobiernos republicanos.

Por las razones expuestas, es imposible explicar ningún aspecto de la vida mexicana ni de sus manifestaciones culturales sin responsabilizar a la iglesia. Pero entiéndase bien que aquí no se trata del dogma ni se alude para nada a la doctrina, sino al omnímodo poder económico, político y social que la iglesia ha sido siempre en México desde fines del siglo XVI. Es necesario deslindar los campos y distinguir entre lo espiritual y lo temporal, entre lo que atañe a la doctrina y los poderosísimos intereses económicos que a la sombra de ella se acumularon y traicionaron su espíritu y su letra. Como el lector católico norteamericano por lo general está muy poco enterado de la historia hispanoamericana, he creído necesario detenerme a explicar estos detalles para que las alusiones a estos temas que en el libro encontrará no le sorprendan ni las interprete erróneamente. Ni siquiera con el pensamiento se ha querido lastimar en este libro el sentimiento religioso de nadie. Aquí se apuntan hechos históricos y sociales que son los únicos que al lector podrían interesar. Los temas religiosos quedan, pues, excluídos de este estudio.

En los Estados Unidos, tanto como en Hispanoamérica, interesa mucho la literatura mexicana actualmente y en particular la novela. Con esta monografía he intentado darle a los lectores de ambos continentes un índice del desarrollo de este género en México para facilitarle su conocimiento y estudio. Huelga decir que no escribo para los mexicanos a quienes, por estar demasiado familiarizados con el tema, acaso estas notas críticas les parezcan obvias o demasiado pueriles. Aparte la disposición ingenua y veraz con que el tema se ha desarrollado, el libro tiene el muy relativo mérito de constituir la única monografía completa que del desarrollo de la novela mexicana existe. Todos los demás estudios son parciales y están limitados a una época o a una manifestación especial. Este, en cambio, es total y abarca el devenir de la novela desde Lizardi hasta la promoción que se dió a conocer entre 1940 y 1950. Pero debo repetirlo: más que una historia detallada, es un repertorio de temas, un "muestrario" de los libros y autores más acreedores a nuestra atención.

Algún lector acaso se sorprenda al descubrir que se le consagra más atención y espacio a las manifestaciones novelísticas producidas a partir de 1900 que a las de la centuria anterior. Las razones de esta aparente anomalía son varias. En primer lugar, la novela del décimonono está ya mucho más y mejor estudiada que la del siglo XX. En segundo lugar, esta última es la que más interesa fuera de México, y puesto que el libro está consagrado al lector extranjero, era lógico dedicarle preferente atención al período contemporáneo. Por último, en el período que se inicia con el doctor Mariano Azuela, se ha producido la novela más original y de espíritu más auténticamente mexicano que el país ha engendrado hasta ahora. Con todos sus defectos de forma, su improvisación, su anecdotismo, su impresionismo periodístico y demás limitaciones que desdoran al género en las últimas cuatro décadas, la novela mexicana contemporánea tiene el mérito de haberse enfrentado con la realidad nacional y la ha reflejado lealmente aunque por lo general este esfuerzo se haya traducido en relatos mediocres y carentes de la dignidad artística que Delgado y Portillo y Rojas, por ejemplo, le dieron a sus obras. La novela finisecular era mimética y falsa, escrita siguiendo pautas europeas y de espaldas a la circunstancia en que los autores se movían; pero estaba bien escrita —acaso demasiado bien escrita y con excesiva preocupación académica. Los contemporáneos, en cambio, se despreocupan demasiado de los problemas de forma, y el arte, cualquiera que sea su expresión, no puede prescindir impunemente de este aspecto capital. Claro que hay excepciones: Guzmán, Romero, Yáñez, etc., como el lector comprobará. Pero son eso, excepciones, y con unas tres o cuatro excepciones no se forma una corriente literaria ni se dignifica y prestigia todo un género.

Otra aclaración pertinente. Algún lector pensará —y con razón— que en este libro se le otorga excesivo espacio al análisis de la obra del doctor Azuela, y que no hay proporción entre el mérito intrínseco de su labor en relación con otros autores anteriores y posteriores, y la atención que en el libro se le concede. Creo conveniente explicar este aparente desequilibrio.

A mi modestísimo entender, México ha producido dos narradores de gran talla y de fuerte originalidad: José Joaquín Fernández de Lizardi y Mariano Azuela. Son las dos personalidades que más hondo influjo han ejercido en la novelística mexicana. El primero le marcó norte al género durante la primera centuria (1816-1916). Por los cauces costumbristas y moralizantes que Lizardi le abrió a la novela con su Periquillo, se deslizaron todos los que en pos de él vinieron, hasta que Azuela, a un siglo justo de distancia, le desvió el rumbo y le señaló otros derroteros al género. Siendo el que más se aproxima a Lizardi en lo que éste tiene de valor actual y permanente, fué el primero que reaccionó contra él y lo superó. El mejor discípulo es siempre el que acaba por negar y aventajar a su maestro. La influencia de Azuela en la novela mexicana posterior a él —sobre todo en la producida entre 1930 y 1940— es tan honda como la que Lizardi ejerció sobre la escrita en el siglo anterior.

A mayor abundamiento, Azuela es el novelista más fecundo que en México se ha dado desde José Tomás de Cuéllar. Gran parte de su producción es poco menos que desconocida fuera de México y me interesaba demostrar que Azuela escribió otras muchas novelas, tan dignas de leerse algunas de ellas como Los de abajo. Por eso se estudia con cierto detenimiento su producción hasta 1941, año en que apareció Nueva burguesía. Tanto por el valor intrínseco de su obra como por el benéfico y renovador influjo que ha ejercido sobre sus congéneres, Azuela es la figura más destacada de la novelística mexicana actual. Es también el más traducido y el que más interesa fuera de México. Su nombre surge siempre apareado con el de Gallegos, Rivera y Güiraldes como las cuatro más altas cimas de la novela hispanoamericana.

Otras dos razones me indujeron a detenerme en Azuela. La crítica mexicana fué en extremo injusta con este probo creador hasta 1930, y me propuse señalar —y reparar— el desdén con que le trató. He leído centenares de relatos desmayados y sin vitalidad artística ninguna que ni siquiera menciono en este libro. Concederles beligerancia equivaldría a traicionar al lector y a México. Pero me detengo deleitado ante la obra de Lizardi —el más actual de todos los novelistas mexicanos del siglo pasado y el más próximo a nosotros por su sensibilidad social, por su enfoque de los problemas y por la clarísima visión con que los percibió. Lo mismo me ocurre con Azuela, con Martín Luis Guzmán o con José Rubén Romero, por ejemplo, tan disímiles entre sí —como hombres y como creadores. Por último, en Azuela admiro no sólo al artista sino al ciudadano y su insobornable probidad. En él el valor humano es tan acrisolado como el literario. Los mismos defectos y limitaciones que en su labor pueden señalarse —y no se disimulan ni se excusan en este libro— son hijos de su integridad y de la rectitud de su conducta. La misma ética que rige su vida preside también su obra. En él, el hombre y el creador se identifican. Ojalá pudiera decirse lo mismo de todos sus colegas del pasado y del presente. Por desdicha, en toda nuestra América abundan más los hombres de talento y de cultura que los caracteres dignos y honrados. Lo que más se prodiga por nuestras tierras son los intelectuales enterados y hasta los eruditos, pero cuán excepcional resulta descubrir entre ellos al hombre cabal. Rarísimo es el que resiste el análisis

*más elemental. Los Lizardi, los Montalvo, los González
Prada, los Sarmiento, los Martí y tantos otros grandes
del pasado por el temple moral y la virtud, constituyen
hogaño una especie poco menos que extinguida...*

*La novela mexicana de los últimos cuarenta años
viene dando la cara a los problemas nacionales y en-
frentándose con ellos con transida sinceridad, pero sin
hondura y sin arte. La temática social en México es
riquísima y está apenas explorada. Lo mismo el venero
histórico, para no decir nada de la novela psicológica,
la novela fantástica, la de ideas, etc., que permanecen
casi intactas todavía. Las posibilidades novelísticas de
México son infinitas y lo único que se necesita es que
los autores se adentren en sus temas sin apresuramientos
y con ánimo de captarlos en toda su hondura y tragicidad. Mientras no se abandone la fácil improvización,
el impresionismo epidérmico, el afán impaciente y repen-
tista con que los narradores de hoy redactan sus obras
para enviarlas a los varios concursos oficiales y privados que distribuyen premios; mientras los novelistas no
abandonen el concepto —y la ejecución— periodística con
que realizan su labor, la novela mexicana carecerá de la
dignidad artística que ha alcanzado ya en Venezuela
y la Argentina, por ejemplo. Ni el campo ni la selva
mexicanos han inspirado todavía a los mexicanos obras
de la talla de* Canaima, Cantaclaro, Doña Bárbara, La
Vorágine, El inglés de los güesos o Don Segundo
Sombra. *Tampoco se descubre en México una novela de
ambiente histórico del calibre de* El camino de El
Dorado *o un estudio psicológico de la fineza y hondura
de* El Hermano asno, *pongamos por caso, ni una realización artística tan acabada como* El embrujo de Sevilla
o La gloria de don Ramiro.

*Y sin embargo, la cantera de materiales novelables
que México atesora es la más rica y variada que pudiera descubrirse en toda la América ibera. Los temas
trascendentales sobran. Lo que allí faltan son los novelistas de gran vuelo imaginativo que sepan dramatizarlos
en obras de largo aliento. De cuantos hasta ahora han
novelado la realidad mexicana, quizás los dos más geniales son dos extranjeros: D. H. Lawrence y ese fantástico personaje que esconde su identidad tras el seudónimo de Bruno Traven. Hasta el presente, ningún
nativo ha aprisionado la tragedia del indio con la intensidad y la simpatía con que lo ha hecho Traven en sus
novelas, particularmente en* La carreta, Puente en la

selva o La rebelión de los colgados, por ejemplo. Es el
único que ha sabido plasmar en obra de arte superior
el horror de la vida del indio y del proletariado en las
haciendas, en las monterías, en las minas y en todos los
distritos rurales bajo el porfiriato.

No obstante, la novela indianista es la variante que
con más esmero y prestancia artística se ha cultivado
en México en los últimos dos lustros. Es muy probable
que los dos novelistas foráneos que acabo de mencionar
sean en gran parte responsables del interés que el tema
indigenista despierta hoy en varios novelistas nativos
y de la seriedad con que en él se adentran. Ambos precedieron a López y Fuentes que fué el primer mexicano
en tratarlo con dignidad artística. De todos los motivos
novelables que la vida y la historia de México ofrecen,
quizá éste sea el que más valiosas posibilidades brinda
a la imaginación creadora. La mentalidad indígena —y
la mestiza— con sus terribles complejos, con sus conflictos psicológicos, religiosos y sociales; con sus teogonías,
sus ritos de magia, sus leyendas y tradiciones; con su
sincretismo religioso y cultural; con su tragedia íntima,
sus resentimientos, sus represiones emocionales, su personalidad espiritual dividida y solicitada por dos culturas y
dos religiones incompatibles, dos formas de vida y de economía que se excluyen y no pueden conjugarse, constituyen un tema altamente seductor para cualquier fantasía
creadora que en él penetre con simpatía animosa y des-
provista de prejuicios de clase o culturales. Por desdicha, el tema del indio se enfoca en México desde dos
ángulos opuestos y apasionados ambos, dos actitudes
extremas e igualmente exclusivistas. En unos predomina
todavía el concepto positivista de los "científicos" de la
era porfiriana: el indio es rémora, impedimento, lastre
inútil y retrogradante en el devenir económico y cultural de México. Es una raza muerta, que se deleita
en su mugre y en su miseria, feliz con su hambre y sus
piojos, irredimible, incapaz de mejoramiento y de asimi-
larse la cultura y las formas de vida europeas. Este criterio fatalista, despiadado y peyorativo es compartido por
las clases acomodadas cuya mentalidad está condicio-
nada por la educación, el ambiente y el interés económico.
En muchos de los que sostienen este punto de vista, se
percibe un margen de resentimiento por las mejoras que
el indio ha logrado. Ellos lo quisieran esclavo para seguir
gozando de mano de obra gratuita.

Frente a esta actitud y en abierto conflicto con ella,

encontramos la de los indianófilos e indianistas para quienes esta raza es reserva espiritual y esperanza de México, venero de posibilidades de todo orden y matriz fecunda que algún día engendrará los grandes valores que han de definir la cultura mexicana. La indiofilia como la indiofobia han cundido en México desde la Revolución. Entre ambas representan su farsa los políticos corrompidos y los fariseos del liderismo obrero que pretendiendo amar al indio y defenderlo, lo que en realidad hacen es engañarlo y explotarlo. Mientras tanto, el indio permanece impasible, impenetrable en su mutismo, embotada su sensibilidad por tantos siglos de criminal expoliación, de maltrato y de befa. Las dos vías de escape para su hambre y su dolor siguen siendo el alcohol y el fanatismo religioso. Ambas lo esclavizan y depauperan, física, moral y económicamente.

No es de fácil ni rápida solución para México este gravísimo problema. Aparte la actitud abúlica, fatalista, resignada y fanática del indio, son muchos y muy poderosos los intereses que —hoy como ayer— conspiran contra su redención. Y sin embargo, el país necesita elevar el nivel económico y cultural de este importantísimo sector de su población y redimirlo de la presente postración en que yace si aspira a ser un pueblo unido, integrado, progresista y fuerte. Mientras las masas indias y mestizas y el proletariado urbano, lo mismo que el campesinado, no se liberten de la miseria, del fanatismo, de la supina ignorancia y de las lacras físicas y morales de que hoy son víctimas, México seguirá siendo un pueblo escindido y minado por el odio que la injusticia fomenta. Hoy, como en la época de don Porfirio, se observa allí un trágico contraste entre la opulenta riqueza acumulada por un escaso sector de la población y la terrible depauperación de las grandes masas. En ninguna parte del país es más ostensible ni más odiosa esta inicua disparidad en el reparto de la riqueza del país. Hoy, como durante la era porfiriana, asistimos al desarrollo de "colonias" o barriadas de suntuosos palacetes en los que se derrochan centenares de millones de pesos anuales en un lujo ofensivo y superfluo, en tanto que las masas de la población padecen hambre, se visten con harapos y los niños, por millares, viven desnutridos, andan descalzos y tiritan de frío. A unos cuantos minutos de las ostentosas y opulentas "colonias", la población de los arrabales habita en tugurios pestilentes y destartalados que apenas sirven para alojar

puercos o borricos, y se alimenta con magras tortillas,
un chile picante y un puñado de frijoles. Si de la capital
se pasa a los distritos rurales, el contraste disminuye
porque los ricos han emigrado a las grandes ciudades.
pero el cuadro de suciedad y de miseria se acentúa
hasta herir nuestra sensibilidad y provocar la indignación de cualquier observador con algún sentido de justicia. ¡Y esto tras cuatrocientos años de predominio
y de prédica cristianas y en nombre de aquél que con-
denó la injusticia y le negó el cielo a los ricos!...

Pero la tragedia de las masas mexicanas no ha
encontrado todavía un novelista nativo de talla que la
sepa captar en todo su horror y en su terrible desolación sin esperanza. El único que la ha visto con la necesaria simpatía para poderla transformar en obra de arte,
y ha escrito varias novelas de una intensidad tal que
nos hieren y nos conmueven como la realidad misma, es
Bruno Traven —un extranjero. En las tres novelas
precitadas y en otras, Traven ha plasmado —el único— el horror de la vida del indio y la crueldad y el
egoísmo de que es capaz el hombre blanco. Acaso el
escritor mexicano esté condicionado por su filiación clasista, por su educación y por su misma familiaridad
con la indigencia y el infortunio de los humildes, para
no conmoverse frente a ellos. Acaso exista también un
complejo de culpabilidad en muchos. Mas sea la que
fuere la razón, lo cierto es que ninguno ha sabido o ha
podido conmoverse frente a. tanta desventura y retratarla
con la tremenda intensidad con que Traven lo ha hecho. Ni siquiera en los sectores de izquierda que por
su ideología de signo redentor debieran sentirse identifi-
cados con la masa, ha surgido un escritor de médula
capaz de elevar el tema en una obra de aliento perdurable.

Actualmente se acentúa la tendencia al cultivo de
la novela de sátira política en la que aparecen por vía de
contraste cuadros de miseria, de injusticia y de angustia; pero ni un tema ni el otro están tratados con el vigor
necesario en ninguna obra. Por el momento se escriben
muchísimas novelas, mas no se descubre ningún gran
novelista. Los estímulos oficiales y de carácter privado
establecidos en años recientes, tales como el Premio
Nacional de Literatura, el Premio Ciudad de México, el
Premio Lanz Duret, el Premio Avila Camacho, etc., y los
creados en provincias con igual fin, han fomentado la
proliferación novelesca, pero es dudoso que hayan pro-

piciado la calidad de las creaciones. Quizá se otorgan
con excesiva generosidad. Los jurados no siempre han
insistido con la firmeza deseable en demandar envergadura artística. Acaso convendría declarar desiertos los
premios de cuando en cuando y acumular su contenido
para gratificar en concursos futuros las obras de positivo
mérito. La eficacia de estos estímulos es muy dudosa
en todo caso, pero si no se otorgan con cierto rigor
y con espíritu de severa selección, lejos de fomentar una
producción de calidad, propugnarán la chata medianía
y la insulsez novelera, sin nervio ni trascendencia.

Quisiera aclarar, por último, que con excepción
del comentario sobre Huasteca, de López y Fuentes, y
de otros cinco sobre el doctor Mariano Azuela, publicados en distintas revistas iberoamericanas, el resto de
los trabajos que integran este libro es inédito. Las sendas
notas que se le consagran a las novelas de Azuela fueron escritas entre 1930 y 1950. De ahí la tautología
de conceptos y aun de palabras que en ellas echará de
ver el lector. De haberme alcanzado el tiempo, las habría re-escrito para ahorrarle al leyente cansadas repeti-
ciones. Otros varios comentarios sobre diversos autores
y novelas fueron también concebidos como reseñas y
escritos en épocas diversas y distantes ya. Se incluyen
aquí para no dejar sin glosa a significados autores y
para completar el panorama del desarrollo de la novela
en México.

El propósito original fué no rebasar el año de 1940
con el cual se cierra el período en que con mayor
profusión se cultivó la novela de tema revolucionario,
mas desde entonces han surgido algunos novelistas
que mucho prometen y se han publicado varias novelas
dignas de mención. En esta última década, además, el
género se ha enriquecido con centenares de obras, muy
mediocres casi todas, pero de temática y de técnica muy
variada, y me pareció pertinente señalar esta proliferación de raquítico alcance y la multiplicidad de temas
y formas en que la novela se ha ramificado en los últimos años. Uno de los aspectos más curiosos —y más
inusitados— de esta exuberancia novelesca es la profusión de mujeres que actualmente escriben narraciones
o relatos en México. Es un factor nuevo en la novela mexicana. Antes de 1930, el número de damas
que habían escrito novelas de algún mérito era en extremo exiguo y dudo que llegara a la media docena. En la actualidad, en cambio, son legión —unas

2

*veinticinco o treinta por lo menos—. Este aporte feme-
nino, no obstante, sólo ha acrecido la avalancha de
novelas chirles que se publican anualmente sin enrique-
cer la calidad. Hasta ahora, México no cuenta todavía
con una Teresa de la Parra ni con una Clorinda Matto
de Turner. Es otra singularidad de la literatura mexicana: la endeblez de la contribución femenina. El país
de mayor población de la América hispana que en el
siglo XVII nos dió el prodigio de Sor Juana, en el siglo
XX no ha producido una sola mujer de letras de la
talla de las que han aparecido en la Argentina, Chile,
Uruguay y Venezuela. Es otra de las paradojas que México nos ofrece...*

*Acaso a muchos sorprenda desagradablemente la
independencia y la franqueza con que aquí aparecen en-
focados los temas. Mi residencia por más de un cuarto
de siglo en los Estados Unidos, en contacto con su cultura, y el hecho de haberme consagrado por muchos años
a la enseñanza de la literatura hispanoamericana, me
permiten cierta libertad de criterio y a la vez me ofrece
ocasión para apreciar la novela mexicana a cierta distancia y comparativamente. No pretendo haber acertado
en el juicio ni haber sido justo con todos los autores
en el libro reseñados. Lo he procurado, sin embargo.
Allí donde he descubierto el talento de un autor —o el
mérito artístico de una obra— no le he mezquinado el
elogio por más divorciado que me sienta de sus ideas
o de sus creencias. Mi más acendrado empeño ha consis-
tido en ser honrado y consecuente con mis propias ideas,
y justo con los libros y autores que gloso, pero bien sé
que no siempre lo he logrado.*

Capítulo I

1816-1916

Antecedentes: mestizaje étnico y sincretismo religioso y cultural

México es un país mágico, múltiple y vario, complejo y contradictorio. Un pequeño cosmos en su infinita diversidad de matices étnicos, lingüísticos y culturales. Es un verdadero mosaico de contrastes, una taracea de elementos raciales disímiles, de modalidades de vida opuestas, de expresiones culturales divergentes, rico de color y pletórico de discrepancias. Comparados con él, países como la Argentina, el Uruguay o Cuba, por ejemplo, resultan de una uniformidad simple y elemental. México es heterogéneo y complicado. En eso consiste su encanto seductor y —acaso— su tragedia. Por eso nadie ha podido captarlo íntegro en un solo libro. Hay tantos Méxicos como zonas culturales, tantas tonalidades como regiones. Sus manifestaciones literarias y artísticas y sus peculiaridades de vida van desde las más refinadas, aristocráticas y quintaesenciadas, hasta las más elementales y primitivas. México es, pues, inabarcable, inaccesible. Quien se empeñe en atraparlo en su totalidad, fracasará lamentablemente. Un novelista inglés de genio, David H. Lawrence, se propuso esta tarea en su novela *The plumed serpent,* y no lo consiguió. Entre los nativos nadie lo ha intentado siquiera.

Y tan complicado como el país, es el hombre mexicano, siempre hermético, complejo, contradictorio a veces. Es un hombre siempre en guardia, "a la defensiva", que dijera Ortega y Gasset refiriéndose al porteño. En guardia contra los demás y contra sí mismo. El mexicano no se entrega nunca; jamás abre su intimidad emocional o psicológica a la observación ni a la simpatía de los demás. Discreto, introvertido, formalista, preocupado siempre de las apariencias y de las fórmulas externas, recata su propia alma con un celo y un

pudor casi morbosos. Su principal defensa y su arma
más peligrosa —entre los elementos cultivados y metro-
politanos— es la ironía. La ironía, en boca o en la
pluma del mexicano es escudo y estilete a la vez.
En las regiones cálidas de las provincias suele darse
el tipo opuesto, el que se asemeja al venezolano, al cubano, al argentino, por ejemplo: franco, espontáneo,
extravertido y campechano, pero jamás en la meseta
ni entre el indio y el mestizo. Los que procedemos de
otros países de idiosincrasia disímil y somos despreocupados y hasta confianzudos —como el cubano, por
ejemplo— locuaces y poco dados al formulismo social,
debemos producir una impresión poco grata en este hombre un poco ritualista, que se vierte hacia dentro y
esconde y vigila su intimidad con un pudor casi enfermizo. En la novela de Lawrence ya citada, hay atisbos
psicológicos y geniales intuiciones, a vuelta de no pocas
hipérboles, fantasmagorías y errores. Otro libro que
el lector poco familiarizado con la idiosincrasia mexicana puede leer con gran provecho es *El perfil del hombre
y la cultura en México,* de Samuel Ramos. Es uno de los
análisis más penetrantes y definidores que del tema
se han escrito. Recientemente, un joven poeta y pensador ha procurado sondear el alma del mexicano y
develar su misterio en un libro medular y luminoso:
El laberinto de la soledad, por Octavio Paz. Una cuarta
referencia utilizable es el largo estudio de Agustín Yáñez que precede a la antología de "El Pensador Mexicano" que publicó la Universidad Nacional en la
colección "Biblioteca del Estudiante". De índole más
técnica quizá, pero muy revelador es "Imagen del mexicano", del doctor José Gómez Robleda. Digno de
leerse es también un estudio mucho más corto que los
citados, pero que contiene valiosas sugerencias. Refiérome a "Ensayo de una ontología del mexicano", por
Emilio Uranga, aparecido en *Cuadernos Americanos,* N⁰
2, marzo-abril de 1949. El lector extranjero poco familiarizado con México y con el carácter mexicano, haría
bien en auxiliarse de tales guías si aspira a orientarse
y a comprender el misterio que vela el alma del mexicano.

Al producirse el hecho histórico que llamamos conquista de México, se produjo el choque violento de dos
culturas, dos conceptos de vida y dos economías de signo
contrario que no podían conjugarse aunque coincidieran
en ciertos aspectos. Como ocurre siempre que dos civi-
lizaciones de grado dispar de desarrollo se ponen en

contacto estrecho y forzado, la técnica más avanzada predominó. Por razones psicológicas, religiosas y económicas, este predominio de la cultura europea sobre la autóctona de los nativos, fué exclusivista y despótico, y desde el primer momento procuró el total aniquilamiento de las culturas vernaculares que allí encontraron los españoles. La conquista, pues, no representa un maridaje o fusión de culturas disímiles, sino la superposición —imposición— forzada y violenta de una civilización sobre la otra. No fué un injerto lo que se intentó sino una tala y una suplantación. El proceso fué de estrangulación, primero, y de fanática extirpación después —en la intención por lo menos—. Pero la empresa era demasiado ardua para que pudiera consumarse en todo el ámbito del país.

Al total exterminio de la mejor y más admirable tradición cultural indígena, contribuyeron por igual el carácter exclusivista, voluntarioso e intransigente del español, el fanatismo desaforado de la iglesia católica española y la concupiscencia y el desmedido afán de riqueza de los conquistadores. El contubernio vituperable de estos tres elementos —idiosincrasia, iglesia e interés económico de clase— dará la tónica de la vida mexicana durante tres siglos y será factor determinante de la organización político-social, no sólo durante la colonia sino a lo largo de todo el siglo XIX.

Mas el territorio conquistado era demasiado extenso y el número de indios demasiado grande para que el fenómeno de estrangulación cultural pudiera ser absoluto y total. Lo que sí se consiguió fué un vago sincretismo religioso, el suficiente para mantener al indio subordinado al encomendero y sumiso a la autoridad moral de su aliada, la iglesia. De ahí que un estudio detenido de la vida colonial mexicana, descubra, por lo menos, tres zonas culturales perfectamente bien definidas, con un gran número de variantes en una de ellas.

La zona más ostensible y valiosa es de perfiles europeos —españoles— en la que los elementos psicológicos, formas y temas autóctonos se filtran tan sutilmente que son apenas perceptibles. Es la cultura y modos de vida de las ciudades y pueblos más importantes. En ella predomina un mimetismo desvitalizado y anémico que sólo aspira a reflejar —como en un espejo— la decadencia cultural española y a confundirse con ella. Tómese, por ejemplo, las tres floraciones máximas que en esta zona se producen: Alarcón, Sor Juana y Carlos de

Sigüenza y Góngora. He aquí las tres personalidades más
originales, más diferenciadas y de mayor aptitud creadora que México produjo durante los tres siglos de
modorra colonial. Pues bien, los tres son producto genuino de la cultura peninsular, cuyo espíritu y cuya
técnica reproducen con heroica ejemplaridad. Ni siquiera
Sor Juana, acaso el temperamento más original, más independiente y más ventajosamente dotado de este largo
sopor colonial, deja de ser española por los cuatro costados, por más que nos empeñemos en hacerla aparecer
como distinta y mexicana. Lo único que a los tres los
distancia de España es el grado en que reaccionan contra
el complejo de superioridad con que los peninsulares
vejaban a los nativos de América y cierta divergente
sensibilidad que la herencia psicológica y el contacto con
el indio les imprimió.

No era posible —ni sería justo exigirles— otra cosa.
México permaneció aislado del resto del mundo y de
las culturas europeas hasta bien entrado el siglo
XVIII. Su única ventana se abría sobre España y de
España le llegaba el escaso e impuro oxígeno que
respiraba. Como ha dicho Alfonso Reyes, llegamos al
banquete de la civilización cuando la mesa estaba ya
servida y al criollo no le fué dable variar el menú.
Lo más que pudo hacerse fué añadirle la salsa de chile
de su individualidad —como en el caso de Sor Juana
—al desmedrado condumio espiritual que España nos
servía. Por consiguiente, la zona de cultura que pudiéramos llamar urbana o criolla, se caracteriza por la
proclividad mimética, por el remedo sin sustancia ni
vida propias. Ya veremos cómo esta propensión al calco
se prolonga durante el siglo XIX en las clases alta y
media y viene a ser una constante de la novela en aquella centuria.

Frente a esta primera zona, y en el extremo opuesto
del panorama social de México, encontramos otra zona
de cultura, otro clima de civilización, hasta la cual
llegaba muy atenuada, la influencia española. Está representada por las numerosas tribus indígenas que habi-
taban las regiones montañosas y remotas en donde la
vida apenas se alteró con el fenómeno de la conquista,
en donde el indio vivió prácticamente incontaminado
por la cultura hispana. En muy dilatados ámbitos del
país centenares de miles de indígenas continuaron vivien-
do como antes, hablando su respectivo idioma en forma
pura, observando sus ritos y cultivando su técnica rudi-

mentaria. La vida y las formas de expresión artística de estas tribus no sufrieron adulteración ni injertos hispanos hasta muy avanzado ya el siglo XIX. Es ésta una zona que no cuenta aparentemente a los fines de la alta cultura de la cual se mantiene divorciada por la ignorancia, el aislamiento y por el apego a sus propias tradiciones primitivas. Sin embargo, en esta zona vilipendiada y un poco bárbara, desdeñada y abandonada por las clases dominantes tanto como por la iglesia, es donde se mantiene más viva y férvida la profunda corriente de cultura indigenista que andando el tiempo vendrá a fundirse con la otra de raíz europea para fecundizar el genio creador del mexicano y darle tipicidad y carácter. En estas regiones aisladas y distantes se descubren tantos matices de vida con sus respectivos idiomas, tradiciones, teogonías, leyendas y fábulas como grupos étnicos hay.

Equidistante de ambas encontramos una tercera zona, híbrida o mestiza, lo mismo en sus componentes étnicos que en sus manifestaciones culturales. Conviven en ella, durante mucho tiempo, los ritos católicos y las supersticiones indígenas, la lengua importada y mal aprendida con la heredada, la técnica europea que modifica pero que no logra desterrar del todo la vernacular. Por todas partes y en todas las modalidades expresivas, las dos culturas andan maridadas a pesar del esfuerzo de gobernantes y eclesiásticos por extirpar la nativa. Hasta en un rincón del techo de la catedral metropolitana se deslizó, como un diablejo divertido o burlón, un Tonatiúh indígena. Un estudio somero de las artes manuales, la lengua, los instrumentos de trabajo, la música, la coreografía, las fiestas, los vestidos, etc., de este tercer estado que es el mestizo durante la colonia, nos revelaría que fué aquí donde se produjo la cópula cultural, en formas rudimentarias si se quiere, pero evidentes. A despecho del español orgulloso y peyorativo y del esfuerzo de la iglesia, la cultura española se pigmenta de influjo indígena desde muy temprano en esta zona. Al cruzamiento racial correspondió el acoplamiento cultural y, como ayuntamiento al fin resultó fecundo y creador. En esta cópula humilde y hasta vergonzosa de las dos culturas que se produce desde muy temprano en la colonia, encontramos el antecedente más remoto de la producción literaria y artística del México actual. Durante siglos, el alma del indio

pugnó por expresarse y sobrevivir, y fueron inútiles todos los artilugios y todos los empeños para aniquilarla.

La sangre en las dos primeras zonas mentadas
era bastante pura: hispano-criolla en la primera e india en la segunda. Pero en la tercera, al sincretismo
cultural precedió el mestizaje étnico. Este proceso de
hibridación racial se inició tan pronto Cortés y sus
rijosos compañeros de aventura pisaron tierra mexicana
en 1519 y dura todavía. Es el hecho más trascendente
de la historia de México y el que define su perfil étnico y
cultural hoy. El fusionamiento de la sangre hispana con
la indígena determina la dinámica social del país y da
carácter inconfundible al mexicano actual. Lo que sí
es de lamentar es que no se haya podido superar allí
el complejo de inferioridad que este hecho fomentó.
Mucho se ha andado en este sentido desde la Revolución y día llegará en que México conquiste esta tara
psicológica y sienta orgullo de su procedencia indígena.
El indio mexicano tiene grandes reservas espirituales
y aptitudes magníficas para todos los empeños de la
inteligencia. La mayoría de sus grandes figuras nacionales, lo mismo en la política que en las artes o en las
letras, son indios puros o mestizos. Todo consistirá en
elevar el nivel económico y cultural del indio. La sencilla fórmula que Joaquín Costa prescribió para España,
es la que redimirá a México: "escuela y despensa". Esa
es la vía y por ella se transita desde 1920, pero queda
mucho que andar todavía. Lo importante ahora es acele-
rar el proceso.

Capítulo II

Aparición de la novela

José Joaquín Fernández de Lizardi

Los géneros novela y drama no pueden surgir más que en sociedades culturalmente adultas y en ambientes con cierta densidad de población. Ambos necesitan de la cooperación del medio en que se producen. A diferencia de la poesía, la novela y el drama no pueden aparecer en sociedades embrionarias y demográficamente pobres. Por eso ni el drama ni la novela hicieron acto de presencia en México en la época colonial más que en forma rudimentaria y mimética. Por lo que a la novela concierne, las escasas tentativas que durante el período colonial se registran, ni siquiera merecen el nombre de tales. Los títulos mismos nos revelan su escaso o nulo mérito. Señalemos algunos: *Los Sirgueros de la Virgen sin original pecado,* del bachiller Francisco Bramón; *El peregrino con guía, y medicina universal de la alma,* de Reynel Hernández, *et sic de coetaris.* —Quizá lo más legible hoy de lo poco que en el género se escribió en aquel período sea el curioso relato —más histórico que novelesco, por lo menos en la intención del autor —titulado *Infortunios de Alonso Ramírez,* escrito por Carlos de Sigüenza y Góngora hacia fines del siglo XVII.

La novela, pues, no existe en América durante los tres siglos que duró el período colonial. No sólo no existe sino que por mucho tiempo se prohibió su importación y lectura —prohibición que, por lo demás, nadie hacía caso de ella, como ocurre con todas las prohibiciones desde que nuestra madre Eva mandó a paseo la que le impedía comer la manzana. La novela nace en América —en nuestra América— en 1816 y lo interesante es el hecho de que al surgir por primera vez, aparece ya *hecha,* adulta, y con todos los requisitos que el género reclama, maguer maculada por una pesada impedimenta moralizante. El honor de haber dado vida al género en el continente, le corresponde a México y a José Joaquín Fernández de Lizardi, hijo legítimo del enciclopedismo francés y de su discípulo, el regalismo español.

José Joaquín Fernández de Lizardi (1776-1827), es la figura más interesante que México produjo durante la primera mitad del siglo XIX, y una de las más valiosas de toda América en este período. Los hubo más artistas, como el cubano José María de Heredia, de más sólida y disciplinada cultura y de labor más trascendente, como el venezolano Andrés Bello; pero ninguno lo superó en tenacidad, en anhelo renovador, en el empeñoso esfuerzo de crear una literatura independiente y de espíritu nacional, en el ansia de reforma y mejoramiento de las costumbres y de la educación, en la perseverancia heroica con que propició el advenimiento de una vida más progresista, equitativa y justa. Nadie en América durante los primeros cincuenta años de vida republicana, señaló con tanto ahinco y tan sagaz perspicacia las taras de la sociedad colonial ni combatió tan denodadamente la corrupción y la hipocresía del clero, la inmoralidad de las costumbres, el atraso y la negligencia de la docencia —pública y privada— ni propugnó con tan tesonera valentía una total renovación de métodos, hábitos y costumbres, lo mismo públicos que privados.

Como Cervantes, Lizardi era hijo de un "físico" o médico sin clientela y por ende pobre, y como Cervantes también, no pudo cursar ninguna carrera liberal. Ni siquiera alcanzó a recibir el grado de bachiller en artes aunque sí estudió latín, debió conocer suficiente francés para leer los libros prohibidos en dicha lengua. Es probable, sin embargo, que a la mayoría de ellos llegara a través de las traducciones españolas. La muerte de su padre interrumpió sus estudios y le forzó a enfrentarse con la vida por su cuenta y riesgo. Hasta 1812, es decir, hasta vencidos los primeros treinta y seis años de su corta vida, se sabe muy poco de él. Ni siquiera don Luis González Obregón que le consagró la suya a estudiarlo, consiguió despejar muchas incógnitas de su precaria existencia hasta esta fecha. Mejor se conoce la vida de Cervantes que la de Lizardi. Sabemos que nació en la ciudad de México, que de párvulo fué con su padre a residir en Tepozotlán. Allí tenían los jesuitas un gran colegio, pero Lizardi no pudo aprovecharse de esta ventaja, no embargante que su padre era el médico del mismo. (Educar a los niños pobres no entraba en los planes de la Compañía ni formaba parte de su lema: *Ad majorem Dei gloriam*). Viene luego a México y estudia latín con un oscuro mágister de nombre Manuel Enríquez. A poco debió ingresar en el colegio de San Ildefonso en donde lo atiborraron de teología, pero no alcanzó a recibir el grado de bachiller, aunque don Federico Gamboa afirme lo contrario. Muerto su padre, quedó trunca su carrera académica. Muy poco se sabe de él desde entonces hasta 1805 o 1806 cuando contrajo matrimonio para compartir su parco acomodo. ("La miseria repartida toca a menos", reza irónicamente el viejo refrán español). De 1808 parece datar su primera publicación conocida, una pedestre *Polaca en honor de nuestro católico monarca el señor don Fernando Séptimo*. El profesor Jefferson Rea Spell consiguió añadir algunos detalles bibliográficos en su acucioso libro *The life and works of J. J. F. de L.* a los encontrados por don Luis González Obregón.

El año de 1812 marca en realidad el comienzo del período de intensa actividad literaria para Lizardi. Antes había publicado muchos folletos, además de la *Polaca* aludida, pero fué en 1812 cuando, aprovechando la libertad de imprenta y de pensamiento que garantizaba la constitución de Cádiz en este año proclamada en México, lanzó su más famoso periódico, *El Pensador Mexicano* —1812-1814—. Esta publicación constituye un hito fundamental en la historia del periodismo americano. No es un noticiero que informa de las trivialidades de la vida diaria, sino más bien una revista o "espectador" que aspira a enseñar, a adoctrinar, a corregir vicios y a mejorar costumbres. Lizardi, que es su director, redactor único, administrador y distribuidor —todo en una pieza— hace de *El Pensador Mexicano* una publicación doctrinaria, seria, aunque los temas que en él trata los enfoque a veces socarronamente, en tono jocoso otras, y con frecuencia con ironía zumbona, según lo exigieran el asunto y las circunstancias en que escribía. El repertorio de temas que allí analizó Lizardi es cuantioso y el propósito levantado y noble siempre. Adolece esta publicación —como toda la ingente obra del autor— de propensión sermonera. Es la marca del tiempo y del medio en que se educó, el marchamo que la educación católica y catolizante le impuso y del cual no pudo libertarse nunca. Pero descontado este bagaje moralizante en demasía, tan en pugna con el temperamento alegre y regocijado, volteriano y burlón de Lizardi, todavía hay que reconocer que *El Pensador Mexicano* es la publicación periódica más trascendente que por los años de 1812 a 1814 apareció en nuestra América. Tan hondo caló en la observación y el análisis de los problemas de su hora, tanto se identificó con el pueblo y tan bien imitó su peculiar manera de expresarse, que los lectores acabaron por identificar el título del periódico con su director y redactor. El propio Lizardi adoptó poco después el seudónimo de "Pensador Mexicano", y como tal le conocen las masas hoy en México. "Pensador Mexicano" se lee también en las placas de la calle que la municipalidad de la capital le dedicó.

La penuria económica hizo que *El Pensador Mexicano* pasara a mejor vida en 1814, pero al año siguiente apareció *Alacena de frioleras*, de corta vida también; en 1819 publicó los *Ratos entretenidos* y en 1820 *El Conductor eléctrico* y dos años más tarde *El hermano del perico*. En 1824 sacó *Las conversaciones del payo y el sacristán* y un año antes de morir, en 1826, inició el *Correo semanario de México*. Tales fueron las publicaciones periódicas a las que Lizardi dió vida efímera, no por carencia de esfuerzo sino de recursos. El número de personas que en el México de la época sabía leer era muy exiguo y no todos podían permitirse el lujo de suscribirse a un periódico. Por lo demás, el carácter satírico de todas estas publicaciones en las que el "Pensador" enristraba contra todos los convencionalismos, contra la hipocresía de las clases dirigentes y contra el clero, debió restarle muchos lectores entre la clase acomodada que prefería otros periódicos más "discretos" y respetuosos.

Al margen de estas labores periodísticas, publicó Lizardi unos doscientos folletos sobre infinito número de temas. La mayor parte de ellos se ha perdido. Es probable que muchos fuesen de carácter polémico y carecen de interés hoy fuera del campo puramente histórico o biográfico. Pero en no pocos de los que se conocen, Lizardi plantea problemas sociales, políticos, religiosos, educacionales, etc., y revelan su honda preocupación patriótica y la lucidez con que enfocaba estas cuestiones. Esta enorme masa de literatura panfletista que el "Pensador" publicó, era una especie de complemento a su labor periodística y no pocos aparecieron como apéndices de alguno de sus periódicos.

Antes de estudiar su labor más perdurable —sus
novelas— hay que mencionar todavía otras manifestaciones de su asombrosa actividad como escritor: sus *Fábulas* y sus piezas dramáticas. Las primeras las dió a
luz en 1817 y en ellas se revela discípulo no muy aven-
tajado de Tomás de Iriarte y Nicolás de Samaniego que
en la centuria anterior habían cultivado el género con
mayor fortuna. En cuanto al teatro, nos dejó *El negro
sensible, El auto mariano, La noche más venturosa,
La tragedia del Padre Arenas* y *El impersonal don
Agustín de Iturbide*, aunque de las dos últimas no hay
certeza de que le pertenezcan. Lizardi carecía de aptitudes poéticas tanto como de genio dramático. Por eso
sus fábulas y sus piezas teatrales escritas también en
verso, resultan prosaicas y tediosas para el lector actual. Lo mismo la poesía que el drama se avenían mal
con su genio satírico y su capacidad para la pintura
de tipos y costumbres. Por eso, de toda su copiosísima
labor, lo único que hoy puede leerse por puro deleite
o por entretenimiento es su primera novela: *El Periquillo
Sarniento*.

Si prescindimos de sus obras en verso, el estilo de
Lizardi es uniforme y presenta las mismas características
en su labor periodística, en los folletos y en las novelas. Entre los muchos méritos de este denodado obrero de la pluma, uno de los más relevantes consiste
en haber llevado a la literatura mexicana el lenguaje
popular. Toda la literatura anterior está escrita en estilo
repulido y alambicado. Fué Lizardi quien la despojó
del empaque académico y de falaces remilgamientos
arcádicos y pastoriles para dar entrada en ella al populismo lingüístico del "pelado", del "catrín" y del "lépero". Lizardi amaba y comprendía al pueblo humilde,
entre el cual se movía y actuaba. Conocía, además, sus
ricas modalidades expresivas, tan pintorescas y hasta
elocuentes a veces. Por otra parte, la suya no era
una literatura para los "fifíes" almidonados y las seño-
ritas pudibundas de la aristocracia. El escribía para el
pueblo, para la gran masa, a la que deseaba educar
y mejorar. Por eso bajó hasta ella y del pueblo recogió su lenguaje rudo, incorrecto, no siempre pulcro
y con frecuencia chocarrero, pero vivo y gráfico como
ninguno. Del pueblo tomó giros, símiles y metáforas
crudos y hasta procaces de vez en cuando, que hacen
de su prosa una imagen viva y precisa de las formas lingüísticas usadas por las clases populares mexicanas de

principios del siglo pasado. Lizardi entró, sin miramientos ni respeto, en el museo apergaminado y polvoriento que era la literatura anterior y desparramó y echó a los vientos los vejestorios de las pelucas carcomidas de polilla dieciochesca; abrió las ventanas y permitió que el aura popular renovara aquella atmósfera irrespirable por la ausencia de oxígeno. De la misma manera que retrató las costumbres y la vida mexicana con realismo insuperable, copió también la lengua viva de su época y la incorporó a la literatura del país. Así creó lo que podríamos llamar la literatura propiamente nacional mexicana. De la misma manera que Hidalgo y Morelos sublevaron la indiada y realizaron la independencia y echaron los cimientos de la nacionalidad mexicana con las masas analfabetas que los seguían, así Lizardi *crea* la literatura mexicana con estos mismos elementos y con los modos expresivos que les eran peculiares. Con su estilo arbitrario, incorrecto, anárquico y con frecuencia desvergonzado, pero vigorizante y renovador, Lizardi arrinconó para siempre el lenguaje embalsamado y carcomido de comején, sin vitalidad y sin impulso vivificador que en su época se empleaba. ¿Qué significan hoy los Navarretes, los Sartorios, los Ochoa, los Castros y tanto *Martilo, Batilio, Anfriso, Damón* y *Dametes,* como antes se prodigaban en pedestres clisés en versos desmedrados y canijos junto a este torrente vivo que es el estilo y el pensamiento renovador de Lizardi? Lizardi es a la literatura lo que Hidalgo y Morelos son a la nación mexicana: un fundador, un creador, un libertador.

Los críticos académicos —con don Marcelino Menéndez y Pelayo a la cabeza —se horrorizan y hacen aspavientos de beata ante esta irrupción del lenguaje procaz del "pelado" en la literatura. Ellos preferirían la académica inocuidad de un Ortega, o la anémica corrección de un Navarrete, o la insulsa y soporífera perfección formal de un Ochoa. Mas lo cierto es que toda esta caterva de versificadores neoclásicos y prerrománticos, como los citados, y otros como Sánchez de Tagle y Quintana Roo, han quedado relegados a las bibliotecas y a las clases de literatura, en tanto que a Lizardi se le edita y se le lee todavía, lo mismo por el pueblo que por la *élite* culta y preocupada por los destinos de México. El renovó y enriqueció las formas literarias al identificar la lengua escrita con la hablada en su época. Si pecó de excesivo realismo y despreocupación retórica, culpa fué de la sociedad y no suya. Lizardi no inventó nada. El se limitaba a copiar sus modelos tal cual la realidad se los ofrecía. El se inspiraba en el pueblo y escribía para el pueblo, no para los tertulianos aristocráticos. Necesitaba llegar a la inteligencia de las masas y por eso les hablaba en el único estilo que ellas podían comprender y el único que les interesaba, que era el popular.

En su, por muchos conceptos valiosa *Historia de la literatura mexicana*, el señor Carlos González Peña, al definir la filiación literaria de Lizardi dice que "fué ante todo, un periodista". Si al mero quehacer o faena nos atenemos, no carece de justificación el encasillamiento en que lo confina el docto historiador, ya que no sólo publicó por lo menos siete periódicos, sino que muchos de sus folletos aparecieron en función de editoriales o de artículos de polémica periodística. Su mismo estilo descuidado y llano parece dar la razón al señor González Peña. Sin embargo, para rendirle debida justicia al "Pensador" habría que prescindir de las apariencias y tomar en cuenta el contenido de su obra toda y los propósitos que lo guiaban. Si al fondo nos atenemos, entonces el perfil esencial de Lizardi no es el de periodista ni panfletista ni novelista sino el de *reformador*. Aun el aspecto más endeble y caduco de su labor que es la de la proclividad sermonera, tan raquítica y tediosa, está usada en toda su obra en función de *reformador*. Del periódico como del panfleto, de la novela como del sermón se vale el "Pensador" para *reformar*, para corregir y rectificar. Todas las formas literarias que empleó están subordinadas a este fin y a su servicio. (Tal es su falla principal como novelista). Lizardi se valió del periódico por ser la expresión literaria más asequible a las masas y la más al alcance de su magro peculio. Pero la finalidad, la intención o el propósito con que publicaba sus periódicos difería muy poco de la que lo guió al escribir sus dos primeras novelas: *El Periquillo* y *La Quijotita*. El carácter moralizante y sermonero de sus escritos todos, es un valor adjetivo y subalterno también, al servicio del designio reformista. Lizardi procedía en línea recta del enciclopedismo francés y del regalismo español —como ya se apuntó— y procuraba aplicar a la circunstancia mexicana las doctrinas y los métodos que había aprendido en sus mentores.

De la misma manera que se valió del periódico y del folleto para llegar al corazón y a la mentalidad de las masas y educarlas, se sirvió del género novela para adoctrinarlas y reformar sus hábitos y costumbres. El mismo nos dijo cuál fué su objeto al escribir sus dos primeras y más importantes novelas, *El Periquillo Sarniento* (1816) y La *Quijotita y su prima* (1818). Pero si bien en *La Quijotita* el "Pensador" no logró trascender el propósito reformador que la dictó, en *El Periquillo,* en cambio, nos dejó un cuadro de la vida mexicana de principios del siglo que nadie ha superado, ni siquiera igualado hasta ahora. En esta obra, Lizardi rebasa el objetivo que se propuso y traspone los límites reformistas y moralizantes que se había fijado, y nos da una creación plena de dinamismo y de color, de atisbos psicológicos y de sagaces observaciones, a pesar de la impedimenta ejemplarizante que la afea. En *El Periquillo* hay verdadera —aunque fragmentada— intuición artística, tanto en la elección del género picaresco como en la elaboración. La filosofía estoica y cínica del pícaro español se acoplaba perfectamente con el genio del "Pensador". Por lo demás la realidad social mexicana debió ofrecerle más que suficiente material psicológico para su fantasía creadora.

Nace, pues, la novela hispanoamericana con un acentuado perfil realista que se complace en la copia fiel del ambiente que retrata. Lizardi adopta la vieja fórmula de la novela picaresca española combinándola con el dinamismo del *Gil Blas,* pero el contenido de *El Periquillo* es auténticamente mexicano. La elección de la modalidad picaresca fué un gran acierto. Ningún otro estilo o género de novela se adaptaba tan bien al temperamento del autor y a lo que se proponía, que era darnos el panorama completo de la vida metropolitana, desde sus clases más encumbradas hasta las más humildes. Lizardi, seguramente, conocía todas las otras categorías o variedades narrativas que antes de él se habían cultivado en España y Francia y su preferencia por la picaresca no fué un mero accidente.

El patrón que emplea no le pertenece, pero él supo vaciar en el viejo molde esencias nuevas. Todo en *El Periquillo* es autóctono: el ambiente, las costumbres, los tipos, los vicios, el lenguaje, hasta la miseria y la roña que describe son de legítima e inconfundible prosapia mexicana. Como dice Julio Jiménez Rueda: *"El Periquillo Sarniento* es un escaparate de tipos interesantes y curiosos: escribanos, doctores, licenciados, frailes, léperos, serenos, currutacos, toda la galería criolla de sujetos que cuentan sus penas y planean sus trampas, desfila por las páginas de la novela".

Si el "Pensador" hubiera prescindido de las digresiones sermoneras, su novela contaría hoy entre las mejores de la variedad picaresca, inferior sólo al *Lazarillo*. Así y todo, es la obra de más aliento y más original que durante el siglo XIX se produjo en toda la América ibera en el género narrativo. Todas las calidades de Lizardi como hombre y como escritor resaltan en *El Periquillo* más que en ningún otro de sus escritos. Su humor punzante, su capacidad satírica, su sagacidad para observar tipos y costumbres y retratarlos, su dominio del lenguaje popular, su ironía y hasta su ínsita bondad y simpatía humana contribuyen a hacer de este libro una lectura regocijada y entretenida aun hoy. La prédica moralizante que lo desdora hay que achacársela al medio y al género de educación que recibió.

Ninguna de estas virtudes encontramos en *La Quijotita* que puede definirse como un tedioso y soporífero sermón de setecientas páginas. En ningún otro escrito de Lizardi falló tan lamentablemente su limitada intuición artística. El autor ahora se vale de una antítesis que sugiere ya una posible influencia romántica, para adoctrinarnos sin compasión. Pomposita —en la intención de su progenitor— es un compendio o síntesis de banalidad, coquetería, frivolidad, etc., etc., y lo mismo sus padres; en tanto que su prima Prudenciana, como ya el nombre sugiere, es un dechado de todas las virtudes imaginables que pueden adornar a una mujer. La antítesis por supuesto, se extiende a los padres de ambas heroínas. Pero lo que Lizardi no intuyó es que el lector acaba por simpatizar con Pomposita y con el viva la Virgen de su padre, a pesar de los defectos que sobre ambos acumula con la ingenua intención de hacérnoslos odiosos. En ambos hay mucha más levadura humana y son más reales que los dos paradigmas opuestos. Decía Oscar Wilde que los buenos consejos desmoralizan siempre a quien los recibe. La paradoja tiene exacta aplicación en este caso.

Don Catrín de la Fachenda, publicada póstumamente en 1832, aunque de índole picaresca también es muy inferior a *El Periquillo* aunque menos narcotizante que *La Quijotita*. El "catrín" de aquella época

—heredero del "fifí" colonial— era algo así como
un pícaro de clase más elevada, imbuído por lo tanto
de vanidades y prejuicios de los que el pícaro auténtico está generalmente horro. Las vanidades y prejuicios contra el trabajo que caracterizaban a lo que
podría llamarse clase media de la época, obligan al
héroe a recurrir a trampas y artilugios propios del pícaro para mantener las apariencias. Pero la imaginación creadora de Lizardi está ya poco menos que agotada y la novela no pasa de ser una tentativa mediocre.

El cuarto libro que Lizardi publicó, *Noches tristes
y día alegre* (1818), no es exactamente una novela.
Más que sugerido por las *Noches lúgubres* de José Ca-
dalso es una imitación no muy feliz de esta obra del
escritor español. El tema es autobiográfico, pero no con-
genia con el temperamento lizardiano. Tiene, sin embargo, la relativa importancia de ser una de las primeras manifestaciones prerrománticas que aparecieron en
México.

Como en los casos de otros muchos novelistas americanos —Altamirano, Delgado, Portillo y Rojas, Manuel
Gálvez, etc.—, la primera novela de Lizardi fué la
más lograda. Tan grande fué su éxito que su influencia
sobre la novela posterior se prolongará a lo largo de todo
el siglo XIX. Las dos características esenciales de *El Periquillo* —la propensión moralizante y la descripción
costumbrista— van a ser constantes de la novela mexicana durante toda una centuria. Ambas la definen y
la distancian de la novela de los otros países hermanos.

"Escritor constante y desgraciado" se definió Lizardi con exacta y adolorida concisión. No lo hubo
más laborioso y perseverante en toda la historia de
México ni que más amara a su Patria. Nadie luchó
con más heroica tenacidad por enaltecerla y redimirla
de las taras de todo género que sobre ella gravitaban.
Sus ideas filosóficas no eran originales ni de muy alto
vuelo, pero fué un espíritu progresista y renovador.
Tan hondo caló en el diagnóstico de los males que
aquejaban a México, que muchas de sus ideas tienen
aplicación todavía hoy. Todavía no tenemos un esquema de la ideología lizardiana, pero el día que se escriba
se verá que fué el espíritu de más honda y larga
visión que México produjo en la primera mitad del
siglo. Por eso —y a pesar de la cancelación definitiva
de su bagaje moralizante— lo sentimos tan próximo en
muchos respectos, tan actual en su inquietud patriótica,

en su anhelo superador, en su simpatía por los humildes,
en su empeño tesonero por redimirlos y, sobre todo, en
sus ansias de una sociedad más equilibrada y justa.
Hasta la aparición de su verdadero continuador y legítimo heredero de su primacía en la novela mexicana,
Mariano Azuela, ninguno lo superó, aunque todos le
son deudores. Azuela, en cambio, por ser el que más se
le aproxima en el espíritu y en los aspectos más perdurables y valiosos, fué precisamente el que lo negó
—como todo buen discípulo— en lo que en él había de
caduco, de deleznable, de postizo y falso, en lo que
en él no era auténtico sino concesión al espíritu del
tiempo y del medio en que escribió y por ambos impuesto: su manía moralizante y sermonera, sin virtud
artística y sin eficacia docente.

Capítulo III

Proclividad periodística de la novela mexicana

A las dos constantes de la novela mexicana ya señaladas —la propensión moralizante y la tendencia a la descripción costumbrista excesiva —hay que añadir otra peculiaridad. Ya vimos cómo la novela nació en México —y tanto vale decir en Hispanoamérica— bajo el signo del periodismo. José Joaquín Fernández de Lizardi fué el primer novelista y también el primer periodista profesional que por acá tuvimos. La escasa densidad de nuestra cultura, la precaria vida económica de los países y las urgencias de la acción político-social, son las causas de que muchos de nuestros hombres de letras mejor dotados para la labor creadora, lo mismo en el ensayo que en la novela, en el cuento como en la poesía o la crítica literaria, hayan derivado hacia el periodismo. Así Sarmiento, Lastarria, Montalvo, Palma, González Prada, Martí, Varona, Darío, Gutiérrez Nájera, Urbina, Lugones, Sanín Cano y tantos otros que hicieron de la prensa diaria un heraldo de ideas o un *modus vivendi*. Para la mayoría de estos hombres, el periódico fué un vehículo de doctrinas renovadoras; para otros como Darío, Gutiérrez Nájera y Urbina, por ejemplo, fué casi su único medio de vida. Pero todos lo han ennoblecido con su genio y su cultura. En las efímeras planas de nuestros cotidianos han aparecido, pues, muchas de nuestras obras de mayor vigor y perdurabilidad, desde el *Facundo* de Sarmiento y las páginas más nutridas y vibrantes de Montalvo y González Prada, hasta las prédicas apostólicas de Martí y los magistrales ensayos del gran don Baldomero Sanín Cano.

Concretándome a México y al campo de la novela, diré que la influencia del periodismo sobre este género es mayor quizá allí que en ningún otro país americano, y se ha acentuado cada día más por razones políticas y económicas principalmente. Desde su fundador Fernández de Lizardi, hasta Gregorio López y Fuentes, gran número de novelistas mexicanos han sido periodistas más o menos profesionales. Otros, en cambio, que han vivido alejados de la redacción y de la atmósfera de los grandes diarios, han escrito para ellos o en ellos han publicado una o varias novelas. Así, por ejemplo, en las páginas de los rotativos o en revistas aparecieron por primera vez, novelas como *El fistol del diablo*, de Payno; *Clemencia* y *La Navidad en las monñas*, de Altamirano; *La rumba*, de Angel del Campo (Micrós); *Los de abajo* y *Las tribulaciones de una familia decente*, de Azuela; *El águila y la serpiente, La sombra del caudillo* y las *Memorias de Pancho Villa*, de Martín Luis Guzmán; *Vámonos con Pancho Villa*, de Rafael F. Muñoz, y otras muchas que omito para no hacer la lista más cansada.

No titubeo en afirmar, pues, que la novela mexicana adolece, más que la argentina o la chilena, pongamos por caso, de propensión periodística, característica que lleva anexos todos los defectos de estilo y toda la improvisación y superficialidad peculiares al reportaje informativo. Hechas todas las salvedades justas y necesarias, todavía habrá que reconocer como ley de la novela mexicana este contubernio con la prensa diaria, alianza perniciosa que se ha subrayado aún más en los últimos treinta años. Y mientras no se saque el género del plano periodístico hacia el cual ha gravitado desde su inicio, la novela mexicana no adquirirá la potencialidad artística y el valor universal y permanente que toda obra de arte auténtica implica. Es necesario prescindir del impresionismo y la transitoriedad, de la anécdota y el propósito inmediato de propaganda o de lucro, para situar la novela en un plano superior de creación más trabajado y profundo. (Quiero decir que es necesario bucear en el alma, en el ambiente y en el paisaje mexicanos para captarlos artísticamente en todas sus magníficas posibilidades estéticas y psicológicas. La patria, decía Martí, no es más que aquella porción del planeta más próxima y mejor conocida porque en ella nos tocó nacer. Y si el novelista mexicano logra dar forma artística a esa humanidad doliente que lo circunda y a ese paisaje físico y moral que lo aprisiona, habrá hecho una obra tan universal y valedera como la que pueda hacerse desde París o Moscú. El problema consiste en adentrarse en el espíritu de México con hondura y sin apresuramientos limitadores).

Eclipse transitorio

Desde la muerte de Lizardi hasta la caída de
Maximiliano y su tinglado imperial de opereta, la novela
mexicana sufrió un eclipse inevitable —como todas las
demás expresiones literarias y artísticas. Fueron cuarenta años de caos político, de total desorganización y
de pauperismo. Al consumarse la independencia, los
intereses económicos que hasta entonces habían tenido
escasa intervención en el gobierno colonial —exceptuada
la iglesia— ahora se sintieron amenazados en sus
privilegios y se apresuraron a agruparse para la mutua
defensa. Primero se formó el partido centralista que
andando el tiempo se convertirá en partido conservador. Bajo esta bandera se cobijaron los llamados "elementos de orden": propietarios, comerciantes, rentistas,
hacendados, y profesionales acomodados, respaldados
y sostenidos por la iglesia, que en opinión de su máximo
leader e historiador por estos años, don Lucas Alamán,
poseía más de la mitad de la riqueza nacional. El verdadero aglutinante y máximo director y punto de
apoyo de esta facción, era en realidad la iglesia católica, muy poderosa y beligerante por aquellas calendas.
Defendían los componentes de este partido reaccionario —ayer como hoy— sus privilegios económicos y su
aspiración a explotar el trabajo de las grandes masas
proletarias en provecho propio. Nada ventajoso podía resultarles de un cambio en las instituciones del
país. Por eso eran retardatarios y quietistas. La revolución de la independencia no había alterado la organización económica y social del país y los conservadores
aspiraban a mantenerla intacta. Debido a la influencia
espiritual de la iglesia y a la ignorancia de las grandes
masas proletarias y campesinas, este partido contaba,
además, con el apoyo de gran parte del campesinado
fanático y cerril.

Frente a esta organización de los grandes intereses
económicos se formó otra agrupación de espíritu progresista y renovador, compuesta por los elementos más
avanzados y liberales. Denominóse federal, primero, y
liberal después. Aspiraba este grupo a transformar la
vida institucional de México y a establecer una más
equitativa distribución del bienestar económico. Blanco
de sus ataques y objeto principal de las reformas
que proponían, era el máximo acaparador de la riqueza nacional —la iglesia—. No se impugnaba a la

iglesia como institución espiritual o religiosa, pues todos eran católicos, con la única excepción de Ignacio Ramírez ("El Nigromante") que se había proclamado ateo. Lo que se combatía y atacaba era su poderío económico y político y el privilegio de educar a las masas. La pugna de estos dos partidos fué constante, violenta y cruenta. Entre ambos fluctuaba el ejército en equilibrio inestable y no siempre unido e imparcial. Ambas facciones contaron con el apoyo de parte de las fuerzas armadas en todas las revueltas. A la sombra de la lucha armada y de la pugnacidad doctrinaria entre las dos ideologías que se disputaban el poder, surgieron muchos pescadores de río revuelto que sólo aspiraban al lucro personal y que con sus trapisondas contribuyeron al confusionismo y a la desorientación. Las sublevaciones y las "bolas" armadas se sucedían casi sin interrupción y el país se depauperaba cada día más. La iglesia ante la amenaza creciente al tranquilo goce de sus privilegios y de su fantástica riqueza, acabó —como siempre, y como lo ha hecho recientemente— empleando su artillería de más grueso calibre: la guerra religiosa. Acusó a los liberales de ateos y anticatólicos y esto hizo la lucha aún más cruel y sangrienta.

Tras las revueltas civiles sobrevino la guerra con los Estados Unidos, luego la de la Reforma —la más enconada y cruenta de todas— que terminó con el triunfo de los liberales y la constitución del mismo nombre. México parecía entrar, por fin, en un período de paz y de reformas necesarias. Pero los reaccionarios y la iglesia no se resignaron con su derrota y buscaron un aliado en el extranjero. En la estúpida ambición de Napoleón III encontraron eco acogedor las maquinaciones de estos traidores mexicanos y sobrevino la invasión francesa que los reaccionarios apoyaron contra Benito Juárez y su gobierno legítimo. La guerra fué aun más terrible y desoladora que todas las anteriores. Vino luego el efímero y ridículo imperio de Maximiliano que se desmoronó tan pronto le faltó el punto de apoyo de las bayonetas francesas, pero no sin guerra crudelísima. La lucha contra el imperio no fué más que una prolongación de la guerra contra el invasor, sólo que ahora, al convertirse en guerra civil, la crueldad cobró aspectos terribles.

Durante estos cuarenta años de conflictos y guerras civiles e internacionales constantes, los escritores luchaban también con las armas y con su pluma, afilia-

dos a una facción o a la otra. Todos ellos escribían
en función política, y en defensa de su respectiva ideología. Los románticos eran liberales, en tanto que los de
educación y espíritu clásico o académico, eran conservadores, con la sola excepción, otra vez, de "El Nigromante" que luchó siempre junto a los liberales. Las
circunstancias no permitían holgura de tiempo ni serenidad del espíritu para realizar la pura creación estética.
Ahora había otro quehacer más urgente y más importante que era la consolidación de la patria misma y su
defensa, después, contra los invasores y los traidores
domésticos. Por eso durante estos cuarenta años no se
produce en México una sola novela que merezca leerse
hoy ni un solo poeta de cierta talla ni un dramaturgo
de significación. (El caso de Manuel Eduardo de Go-
rostiza no es excepción porque se formó en España y regresó ya maduro a México). Son cuarenta años de esterilidad intelectual por lo que a la creación artística pura
respecta. Las dos figuras de verdadera talla intelectual
que después de Lizardi y antes del cincuenta, surgen
allí, no son creadores sino historiadores: don Lucas Alamán, conservador y catolizante, y don José María
Luis Mora, el liberal, aunque había sido sacerdote, una
de las mentes más lúcidas y orientadoras que México ha
producido. Otras dos figuras que hacia la mitad del siglo
empiezan a destacarse —Ignacio Ramírez y Guillermo
Prieto— pertenecen en realidad al período posterior a la
Reforma.

Los cuarenta años aludidos constituyen el período
romántico de la literatura mexicana. Dentro de la
sensibilidad y del estilo romántico se produjeron tres
novelistas en extremo mediocres que acaso se hubieran
superado de haber alcanzado más larga vida: uno
murió a los 21 años, otro a los 29 y el tercero a los
35. Fernando de Orozco y Berra (1822-1851), médico,
comediógrafo, periodista, poeta y novelista, todo en
una pieza, dejó sólo una novela, muy popular en su
época pero ilegible hoy: La guerra de treinta años
(1850). Como buen romántico, Orozco y Berra es el
héroe de su novela en la que relata sus propias experiencias con las mujeres a las que el título alude.

Como Orozco y Berra, Florencio M. del Castillo
(1828-1863) estudió también medicina, fué periodista,
liberal, patriota y como él desdichado. Durante la guerra
con los franceses, cayó prisionero de éstos que lo en-
viaron al castillo de San Juan de Ulúa con la piadosa

esperanza de que la fiebre amarilla lo matara, y así sucedió. Es el más prolífico de los tres novelistas románticos, quizás porque fué el que más años vivió. Además de la novela, cultivó la narración corta. En su época se le sobrevaloró, al extremo de que se le llamó el Balzac mexicano. ¡Pobre Balzac! ¡Cuántas veces se ha mancillado su nombre en América con estas comparaciones tontas! Sólo los profesores de literatura leen hoy —por estricta obligación— al "Balzac mexicano".

Mucho mejor dotado para el cultivo de la novela que sus dos congéneres precitados, estaba Juan Díaz Covarrubias (1837-1859). Como ellos estudió medicina también, aunque la barbarie de la guerra civil no le dió tiempo a terminar su carrera. Hecho prisionero mientras curaba a los heridos, fué fusilado por el general católico y reaccionario, Márquez, junto con otros médicos liberales. Fué éste uno de los crímenes más repugnantes de la historia de México.

Juan Díaz Covarrubias escribió poesías, cuentos, novelas, pero es mejor conocido por su labor en el último género que fué el que más trabajó. Debió ser un talento precoz, ya que habiendo muerto a los 21 años, dejó un libro de cuentos y narraciones fantásticas *Impresiones y Sentimientos,* (1857), y cuatro novelas: *La sensitiva, Gil Gómez el insurgente* y *La clase media,* las tres publicadas el año de su muerte, y *El diablo en México,* aparecida póstumamente, en 1860. Covarrubias, a fuer de romántico, cultivó de preferencia, la novela amorosa; pero con *Gil Gómez el insurgente* invadió el campo de la novela histórica —el período de la independencia— en tanto que en *El diablo en México* se reveló como apto costumbrista. Más que obras logradas, estas cuatro novelas representan una gran promesa. A la luz de la adolescencia del autor hay que juzgarlas para hacerle justicia. Es posible que de haber vivido veinte o treinta años más, Díaz Covarrubias hubiera sido uno de los mejores novelistas que México ha producido.

He dicho que los cuarenta años que van de la muerte de Lizardi a la de Maximiliano (1827-1867) representan el período de furor romántico en México, pero es necesario recordar que esta escuela tuvo un largo crepúsculo, tanto en aquel país como en el resto de la América ibera. De hecho se prolongó —atenuado— hasta fines del siglo. Por eso los novelistas que vamos a señalar, sin ser románticos puros, están profundamente

influídos por la sensibilidad y la concepción romántica
de la novela, aunque ambas habían pasado a mejor
vida en casi toda Europa hacía ya mucho tiempo.

Manuel Payno nació el año de la proclamación de
la independencia (1810-1894). Como novelista pertenece
más bien a la segunda mitad del siglo, aunque su primera novela data de 1845. Al contrario de los tres cofrades últimamente citados, militó en las filas conservadoras, ocupó varios cargos con diferentes gobiernos,
entre otros, los de secretario de hacienda, senador,
secretario de legación, cónsul, etc. Como casi todos los
novelistas y poetas mexicanos, fué periodista muy activo,
pero hoy se le recuerda principalmente, como autor de
Los bandidos de Río Frío.

En Payno se prolonga la tradición costumbrista
que Lizardi había iniciado, pero con él hace su aparición en México otra variante novelística; la novela de
folletín, que ya se había puesto en boga en Europa.
El concepto que de la novela tenía Payno era similar
al que rige —o regía— la elaboración de las películas en
serie hace algunos años, y como éstas, algunas de sus
novelas son interminables. *Los bandidos de Río Frío*
(1889-1891), por ejemplo, excede de dos mil páginas.
Payno es chabacano y descuidado en el estilo tanto
como en la técnica, si es que se puede llamar así a esta
acumulación aluviónica de episodios y fantásticos sucedidos, hacinados y superpuestos y hasta cambiados de
una edición a otra en alguna de sus novelas. A Payno
lo único que le interesa es mantener el interés y la
curiosidad de sus lectores. Carecía de fineza literaria
y de sentido de autocrítica. El y su coetáneo, Riva
Palacio, son los dos novelistas mexicanos que durante
cincuenta años suplieron a las masas analfabetas
del país con el inocente entretenimiento novelesco que
era casi su única vía de escape —exceptuando el pulque— para su mísera existencia. (Al presente es el cine,
con lo cual no han ganado mucho).

Aun hoy es Payno muy leído por las clases humildes. Además de la citada, publicó *El fistol del diablo*
(1845-46), *El hombre de la situación* (1861), y un
volumen de cuentos, *Tardes nubladas* (1871), en que
reaparece el costumbrista.

No era mucho más artista ni más respetuoso de
la técnica novelística que Payno, el general Vicente Riva
Palacio (1832-1896), hombre de actividades múltiples
y de múltiples aptitudes. En los 64 años que vivió, fué

sucesiva y hasta simultáneamente, general, abogado, ministro del gobierno federal, gobernador varias veces, magistrado de la Corte Suprema, ministro plenipotenciario; y como escritor, periodista, dramaturgo, crítico, escritor de leyendas, novelista, historiador, cuentista, poeta, etc. Fué la suya una de las vidas más activas y dispersas que se han dado en Hispanoamérica. Era hombre de cultura histórica y de una gracia y simpatía personales contagiosas. Como militar combatió la invasión francesa y el imperio junto a Juárez, y luego colaboró con Porfirio Díaz, aunque alguna vez inspiró sospechas al dictador. Fué muy leído en su época como novelista por las masas de gusto poco exigente. De sus muchos novelones, le ha sobrevivido *Martín Garatuza,* el menos pedestre quizás. Cultivó de preferencia el género histórico, folletinesco y de ambiente. Fué influído por Alejandro Dumas (padre), por Eugenio Sue y por el estrafalario Manuel Fernández y González. Con decir que éste último solía dictar tres novelas simultáneamente a sus secretarios, se tiene idea clara del concepto artístico que del género tenían estos autores y con ellos el famoso y prolífero general mexicano. Otro dato que nos sirve de guía para definir sus novelas es el mero título de algunas de ellas: *Monja y casada, virgen y mártir; Calvario y Tabor; Las dos emparedadas; La vuelta de los muertos; Los piratas del golfo,* etc. Lo que de todo este fárrago de fantasmagorías, sin enjundia psicológica y sin respeto por la inteligencia del lector, interesa hoy al leyente culto, son sus amenos *Cuentos del general* (1896) y algunas de sus leyendas.

Por esta época aparecerá la novela más interesante y valiosa que desde *El Periquillo* se había publicado en México: *Astucia, el Jefe de los hermanos de la Hoja o los charros contrabandistas de la Rama* (1865). Escribióla Luis G. Inclán (1816-1875), hombre de escasa cultura literaria, pero de cierta intuición novelística y profundo conocedor de la vida y las costumbres campesinas. *Astucia* es a la vida rural lo que *El Periquillo* a la urbana en los comienzos del siglo. El realismo crudo con que Lizardi había retratado la vida y costumbres de la metrópoli, resucita ahora aplicado a la vida rural. Como Lizardi, Inclán es un escritor descuidado, poco correcto, antiacadémico, pero sabe pintar con vigor y gran colorido la vida del campo. *Astucia* es una de las novelas más genuinamente mexicanas que se escribieron en el siglo XIX, tanto por el tema como por el lenguaje

que el autor emplea. Aunque el título alude a la vida
azarosa de los contrabandistas de tabaco, gente arries-
gada y valiente, que lo mismo se batía con la policía que
los perseguía que con los bandidos que pululaban por sus
pagos, el cuadro de la novela se amplía hasta abarcar
las modalidades de vida, costumbres y el lenguaje de la
gente de campo. Astucia es uno de los mejores documentos —sociológicos y filológicos— que hoy poseemos
para conocer la vida y la lengua rurales de México
hacia mediados del siglo. "Por sus páginas —dice don
Federico Gamboa al analizarla en *La novela mexicana*—
congestionadas de colorido y de la cruda luz de nuestro
sol indígena, palpita la vida nuestra, nuestras cosas
y nuestras gentes; el amo y el peón, el pulcro y el
bárbaro, el educado y el instintivo; se vislumbra el gran
cuadro nacional, el que nos pertenece e idolatramos..."
En su libro *Cien años de novela mexicana*, el doctor
Mariano Azuela la proclama una de las cinco o seis obras
más valiosas que en el género se han producido en el
país, y esto a pesar de la forma descuidada, de la total
ausencia de técnica y pulimento. El mérito de *Astucia*
—como el de *El Periquillo*— radica en su autenticidad,
en la fidelidad del retrato.

Capítulo IV

RENOVACION

Ignacio Manuel Altamirano.—La dictadura porfiris-
ta.—Aspectos constructivos de la misma.—La litera-
tura en esta época.—Aspectos negativos de la dictadura

Por lo dicho hasta ahora puede verse que la novela
escrita con preocupación artística no apareció en México hasta después de la caída del imperio maximiliánico. Las circunstancias político-sociales lo habían im-
pedido. Estas circunstancias van a cambiar ahora y
ejercerán influencia decisiva y benéfica para la alta
cultura mexicana. Entre el triunfo definitivo de los patriotas frente a la intromisión extranjera y a la traición
de las clases acomodadas del país (1867), y la vuelta
al poder de los intereses privilegiados con don Porfirio
Díaz a la cabeza, en 1877, transcurre una década de
gran actividad cultural que renovará la vida intelectual
de México y en particular la novela. Todas las expresiones literarias y artísticas que florecerán bajo el "porfiriato" —1877-1911— arrancan del impulso vivificador
de aquella década.

La figura más destacada y que más benéfica influencia tuvo en estos dos lustros de interinidad, fué el indio
Ignacio Manuel Altamirano (1834-1893). Era Altamirano
de humildísima extracción y de raza india pura. Tuvo
la gran fortuna de que la ruta de su destino se cruzara
con la de otro gran patriota, como él, y como Juárez,
indio puro también: Ignacio Ramírez, el consejero y
colaborador leal de Juárez. Ignacio Ramírez era una de
las mentes más disciplinadas, lúcidas y cultivadas de su
época. Su saber era extraordinario y su gusto literario
refinado. Habíase formado en el comercio directo con
los clásicos griegos, latinos y españoles y su estilo
era impecable aunque un poco frío. Pero además de ser
un humanista serio, poseía amplios conocimientos en varias ciencias.

Altamirano fué discípulo de Ramírez y heredero
de su magisterio orientador. Como Ramírez antes, Altamirano ejercerá una especie de rectorado de la inteligencia y de la cultura durante los diez años precitados. Fué mentor y guía, maestro y elemento aglutinador
y estimulador de toda una generación. A nadie, quizás,
deba tanto la alta cultura mexicana como a este humilde indio. Su influencia fué mayor como maestro, como
mentor y como crítico que como creador puro, por
más que su contribución a la novela y a la poesía diste
mucho de ser desdeñable.

Altamirano peleó contra los reaccionarios durante
la guerra de la Reforma, contra los franceses después
y por último, contra el imperio. Al restablecerse la
paz a la muerte de Maximiliano, Altamirano publicó la
revista literaria más importante que hasta entonces había
aparecido en México: *El Renacimiento* (1869). El influjo
de esta revista y de la labor que desde ella realizó
su fundador y director, fué de gran trascendencia para
las letras y para el intelecto mexicano. Altamirano,
que antes había sido un enemigo implacable de los reaccionarios y traidores, ahora se mostró conciliador y generoso. Consciente de que era necesario restablecer, no
sólo la paz política, sino la moral, y de que la patria y
la cultura necesitaban tanto de los escritores clásicos
que habían defendido al invasor y al imperio como de los
que los habían combatido, hizo de *El Renacimiento* un
centro —y una tribuna— de neutralidad y de armonía, de convivencia y de tolerancia para todos los credos
y todas las ideologías. Allí colaboraron conservadores
y liberales, católicos y escépticos, indios y criollos. Lo
único que se les exigía era capacidad y cultura. *El
Renacimiento* no fué sólo una gran revista que sirvió
los intereses de la inteligencia y fomentó la literatura
mexicana, orientándola hacia un espíritu más original
y autóctono, sino también un centro de tolerancia, de
convivencia civilizada, de respeto a todos los credos, lo
mismo políticos que religiosos.

Altamirano era un maestro nato, un mentor por
naturaleza. En la cátedra y en la tribuna, en su casa
como en el periódico, en la tertulia como en las columnas de su revista, era siempre el orientador y el
guía, el maestro que inspiraba y alentaba vocaciones
y estimulaba aptitudes. A su lado y bajo su benéfico
influjo se formaron muchos de los que años más tarde
van a dar esplendor literario a la era porfiriana. Patriota

acrisolado, Altamirano propugnó siempre y en todas las formas a su alcance, el desarrollo de una literatura de espíritu nacional, mexicano. Siendo él mismo hombre de vasta cultura que leía varias lenguas extranjeras, aconsejó siempre el estudio de lo vernacular para poder captarlo artísticamente, tanto el paisaje como el ambiente social, la idiosincrasia lo mismo que las costumbres, tradiciones y leyendas nacionales. Como creador, predicó con el ejemplo también, tanto en su producción poética como novelística, en la leyenda como en el cuento.

Otro hecho cultural de grandes consecuencias acontecido en esta década a que me vengo refiriendo, fué la introducción del positivismo en las instituciones docentes por don Gabino Barreda. En ningún otro país de América despertó esta escuela filosófica tantos fervores ni tuvo aplicaciones y consecuencias prácticas de tan honda trascendencia. El positivismo sirvió de base a toda la filosofía política, económica y social de la era porfiriana. En él se apoyaron los "científicos" para justificar, no sólo la dictadura misma, sino también los privilegios y aun los latrocinios que a su sombra se perpetraron. Ni siquiera los novelistas finiseculares escaparon a la influencia del positivismo que se había convertido en una especie de filosofía oficial.

La dictadura porfirista

Antes de discutir la novela del último tercio del siglo, es pertinente añadir unas palabras relativas al ambiente político, económico y social en que se gesta. La dictadura porfiriana es todavía tema candente y apasionante en México y aun hoy es motivo de ataques y defensas furibundos. Es que el porfirismo, no sólo creó y dañó muchos intereses, sino que es también toda una filosofía política para muchos, una concepción sociológica de la vida, de la economía, del gobierno, etc. No es la intención del que escribe terciar en este viejo debate. Pero es imposible comprender la novela de la era porfiriana sin ubicarla en el ambiente que le dió vida.

Es tradicional en los críticos e historiadores académicos explicar la obra literaria como si se hubiera producido en el vacío de una campana neumática, sin lo que en inglés se llama *frame of references*, es decir, sin relacionarla con el medio económico, social, político y religioso en que la obra tuvo origen y se supone que refleja. Como el lector habrá notado, el procedimiento seguido en esta sinopsis es exactamente el opuesto.

Dentro de la dinámica de la historia de México, la dictadura porfirista fué poco menos que inevitable y en cierto modo necesaria para el progreso material e intelectual del país. El error capital consistió en el concepto clasista y de privilegio que la oligarquía dominadora tenía del gobierno, y en el hecho de no hacer extensivos a las grandes masas los beneficios del progreso cultural y de la riqueza económica que a su sombra se desarrollaron, para beneficio exclusivo de una insignificante minoría.

Fué poco menos que inevitable porque al concluir la guerra contra el imperio, el país estaba exhausto de energías y económicamente depauperado. La bancarrota económica era total tras sesenta años de luchas intestinas y de guerras internacionales feroces. Físicamente estaba también agotado. Por otra parte, la muerte de Juárez privó al país del único héroe civil, con suficiente prestigio y energía para impedir la reconquista y el entronizamiento en el poder de los intereses económicos que habían apoyado a los franceses y a Maximiliano y combatido a Juárez con una furia y un odio que nunca conocieron los invasores. Don Sebastián Lerdo de Tejada que sucedió al "Impasible", fué un presidente débil y muy mediocre, y a la reacción le fué fácil la reconquista en cuanto encontró "su hombre". El país en realidad ansiaba paz y don Porfirio se la dió. Al progreso, tanto material como cultural, era también indispensable un largo período de tranquilidad, aunque fuese impuesta y forzada. Las reformas necesarias que la constitución de este nombre, la de 1857, consagraba, no pudieron llevarse todas a vías de hecho por la terrible guerra civil que la siguió y las otras dos que luego se sucedieron —en realidad sólo dos fases distintas de un solo conflicto— aunque se les apellide guerra contra los franceses y guerra contra el imperio maximiliánico. Cuando por fin triunfaron los liberales, en 1867, la muerte de Juárez, por una parte, y la postración económica del país por otra, no permitieron llevar a la práctica de inmediato todas las reformas que en la constitución se habían establecido. La reacción, derrotada pero no vencida, aprovechó el estado de agotamiento en que el país se encontraba y la debilidad, la desorientación y la incapacidad del gobierno de Lerdo, para recuperar el poder en 1877. En él se mantuvo hasta 1911, cuando minada por sus propios abusos e injusticias, fué fácilmente desplazada por la revolución que encabezó Francisco I. Madero.

La dictadura porfirista no fué ni tan sangrienta ni tan despótica como otras muchas que han asolado a no pocos países hermanos, antes y después de don Porfirio. Don Porfirio, en realidad, no era más que la cabeza visible del régimen y ejecutor leal de las maquinaciones de las fuerzas económicas que lo respaldaban. Estas estaban integradas por los mismos elementos que antes se habían agrupado en los partidos contralista y conservador, y luego combatieron a Juárez y se colocaron del lado del invasor y del imperio. Eran los grandes latifundistas que bajo don Porfirio ampliaron sus dominios y prácticamente acabaron con la organización ejidal que España había respetado y con los pequeños propietarios. Apoyábanlo también los comerciantes, los rentistas, los banqueros e industriales y la alta burguesía en general: burócratas y profesionales prósperos. Contó, además, con el apoyo incondicional del ejército y de los intereses extranjeros en México radicados. Pero su principal sostenedor y máximo colaborador y usufructuario fué la iglesia, que a pesar de las leyes de la Reforma —no derogadas, *de juris*, la mayoría de ellas— y a pesar del positivismo, al parecer anticatólico, en que los "científicos" se apoyaban, esta institución recobró su prepotencia económica y política bajo la dictadura.

En el haber de la dictadura hay que apuntarle varios beneficios que reportó al país. El primero y más importante, por ser base de todos los otros, es el hecho de haber establecido un largo período de paz. Con el advenimiento de don Porfirio al poder, se acabaron los pronunciamientos de generalotes ambiciosos, las sublevaciones parciales del ejército, las revueltas iniciadas por caudillos o jefezuelos políticos y las "bolas" de todo género. Con la paz llegó la inmigración de capital extranjero del que México estaba muy urgido, aunque don Porfirio y sus colaboradores no supieron —o no quisieron— ponerle coto y hacer que el país se beneficiara de él en la proporción y medida que le correspondía y era justo, como se hizo después de la Revolución. Con la paz y las garantías al capital extranjero, se establecieron nuevas industrias, se desarrolló el comercio, se abrieron vías de comunicación —carreteras y ferrocarriles— y se restableció el crédito nacional al nivelarse los presupuestos, cosa que jamás se había visto en la historia de la era republicana en México. Por último,

durante este período, las ciencias, la literatura y las
artes adquirieron un desarrollo nunca antes conocido
allí. El porfiriato desdeñó y abandonó la educación elemental de las masas, pero respondiendo a su concepción
clasista del estado y del gobierno, favoreció la alta
cultura, protegió en forma directa o indirecta a los escritores y poetas que se mantenían sumisos o adictos al
régimen, fomentó el estudio de las ciencias aplicadas
mediante créditos a las facultades profesionales, reorga-
nizó la Universidad, concedió fuertes sumas para la
publicación de libros monumentales, lujosamente impre-
sos, que reflejaran el adelanto técnico del país y demos-
traran los progresos que bajo el régimen se habían alcanzado.

La literatura en esta época

Especial atención dedicó la dictadura a los hombres
de letras. A casi todos los protegió en una forma o en
otra, y si bien los intelectuales de más valía nunca se
convirtieron en turiferarios y propagandistas del régimen, tampoco lo combatieron, y con su tácita aproba-
ción lo justificaron ante el mundo. Payno, el más viejo
de todos, fué diputado, senador, cónsul, y senador de
nuevo ya en su ancianidad; Altamirano murió de
cónsul en Europa y Riva Palacio de ministro en España, tras ocupar otros muchos cargos; Francisco A.
de Icaza fué también ministro plenipotenciario por muchos años y lo mismo Federico Gamboa; a Manuel
Gutiérrez Nájera se le premió su talento literario con
una curul en el Congreso durante un período; a Amado
Nervo se le incorporó, todavía joven, al servicio diplomático en París, primero, y luego en España; Díaz Mirón fué diputado y, según se ha dicho, el dictador lo
silenció mediante el soborno; Alfredo Chavero ocupó
varios cargos importantes y lo mismo Francisco Bulnes, Carlos Pereyra, Manuel Puga y Acal; López Portillo
y Rojas que por su cuantiosa fortuna personal no había
menester de ayuda económica, ocupó varios cargos re-
tribuídos, entre ellos el de ministro de relaciones exteriores. Justo Sierra fué secretario de educación varios
años, y subsecretario del mismo ramo, Ezequiel A.
Chávez durante tres lustros; Victoriano Salado Alvarez ocupó cargos políticos y diplomáticos; Emilio Rabasa fué senador, catedrático, gobernador, etc.; Manuel José
Othón era juez de paz; Rafael Delgado fué catedrático

toda su vida; Angel del Campo fué profesor y empleado también. Y así todos o casi todos los intelectuales, novelistas y poetas de más prestigio. Escasísimos fueron los que directa o indirectamente no se beneficiaron del régimen. Este hecho hay que tenerlo en cuenta para entender el carácter de la producción literaria de esta era y explicarnos la anuencia de los escritores a los aspectos negativos del régimen, lo mismo que su ceguera y su silencio ante el hambre y la desesperación de las grandes masas.

La paz y la riqueza nacional que a su amparo se desarrolló concentrada en una limitada oligarquía y de la cual se beneficiaron los hombres de ciencia, los escritores y poetas, permitió un inusitado desarrollo de la alta cultura. Por primera vez en la historia republicana de México, los hombres de letras gozaron de suficiente holgura económica y de serenidad de espíritu para consagrarse al estudio y a la obra de creación pura. Florecen en esta etapa finisecular todos los géneros y todos alcanzan una seriedad y perfección de forma nunca vista antes en México, con la sola excepción de los estudios históricos que contaban ya con cultivadores tan eminentes como Francisco Javier Clavijero en el siglo XVIII, y Lucas Alamán y José María Luis Mora, en el XIX.

Un poco *grosso modo*, podemos dividir en siete grupos o manifestaciones literarias principales las que durante el porfiriato se desarrollaron. Algunas de estas expresiones contaban ya con una larga tradición, pero culminan bajo don Porfirio. Así, por ejemplo, los estudios históricos que ahora se enriquecen con las valiosas aportaciones de Vicente Riva Palacio, Ignacio M. Altamirano, Justo Sierra, Francisco Bulnes, Francisco del Paso y Troncoso, Joaquín García Icazbalceta, Luis González Obregón, Carlos Pereyra, Genaro García y otros muchos.

El teatro que venía languideciendo desde la época colonial y que desde Juan Ruiz de Alarcón no había producido una sola figura de mérito permanente, cobra nuevos bríos con la producción no desdeñable de José Rosas Moreno, Alfredo Chavero, José Peón y Contreras, Juan A. Mateos, Joaquín Gamboa y varios otros de menor cuantía.

Los estudios filosóficos no alcanzan gran brillo en esta época, pero dentro de la corriente positivista, merecen citarse a Porfirio Parra, Ezequiel A. Chávez, Agustín Aragón y varios otros que si bien no desdeñan la filosofía, se especializaron más en otras disciplinas.

En el campo de la poesía se advierten tres corrientes en esta etapa. Dos de ellas representan la culminación y extinción de una añeja tradición, en tanto que la tercera constituye una renovación —innovación, mejor— fecunda y valiosa, cuya influencia no ha desaparecido todavía. Bajo la influencia de un poeta romántico, muerto en agraz cuando apenas alcanzaba la primera juventud, Manuel Acuña (1849-1873), se produjo en la primera etapa de la era porfiriana lo que podríamos llamar el grupo de los poetas neo-románticos que integran Manuel M. Flores, Juan de Dios Peza, José Rosas Moreno, Luis G. Ortiz y varios otros aún más pedestres que ellos.

Frente a este tardío reverdecer de la sensibilidad romántica y opuesto a él, como siempre lo había estado desde que empezaron a escribir sus iniciadores, Manuel Carpio y José Joaquín Pesado, aparece el grupo de los poetas humanistas y clásicos por la forma y el temperamento. Dentro de esta clasificación podemos agrupar a figuras que no se definieron esencialmente como poetas: tales como José María Roa Bárcena y José María Vigil. Los que mejor representan esta modalidad clasicista son los obispos Ignacio Montes de Oca y Joaquín Arcadio Pagaza, Joaquín D. Casasús, Enrique Fernández Granados y dos poetas poco menos que inclasificables, Manuel José Othón, de sentimiento romántico pero clásico de educación y forma, y Francisco A. de Icaza, mejor conocido como investigador y crítico histórico, pero delicado poeta y hombre de amplísima y disciplinada cultura.

La tercera y más valiosa expresión poética de esta era, ya no es una culminación de viejas corrientes, como en los dos casos precitados, sino una renovación total y profunda de los temas y las formas, lo mismo que de la sensibilidad y hasta del léxico. Es el aspecto mexicano de un movimiento continental de gran trascendencia en las letras hispanoamericanas que afectó todas las variantes de la creación literaria: el modernismo. En México alcanzó esta manifestación una importancia mayor que en ningún otro país y dentro de ella se dieron los más altos poetas que México ha producido hasta ahora. Generalmente se considera a Manuel Gutiérrez Nájera como su iniciador allí aunque esto sea discutible. Lo que sí está fuera de duda es que fué él quien lo impulsó con su producción poética, con su prosa de acentuada influencia francesa y con su *Revista Azul*. Coetáneo, pero muy distinto, fué Salvador Díaz Mirón —como Icaza y como Othón inclasificable pero a quien suele encasillarse entre los modernistas. Vinieron luego poetas de tan alto vuelo y de tan fina sensibilidad como Luis G. Urbina, Amado Nervo, José Juan Tablada y Enrique González Martínez, que habiendo surgido como modernista puro, marcó luego la transición hacia un nuevo concepto más hondo, más humano y filosófico de la poesía. Dentro de la modalidad modernista habría que ubicar también a otros bardos de menor categoría como Jesús E. Valenzuela, Balbino Dávalos, Rubén M. Campos, Efrén Rebolledo y otros.

Coetáneamente con todos los grupos consabidos, aparece el de los novelistas representado por cinco figuras de relieve que luego se analizarán más en detalle. Llegaron a México casi simultáneamente dos conceptos afines de la novela, ambos originados en Francia, pero sólo uno de ellos —el naturalismo— arribó a México directamente. El otro —el realismo— llegó por los caminos de España y ya muy modificado.

El introductor del concepto realista de la novela, como técnica nueva y como filosofía del género, fué Emilio Rabasa, quien publicó su primera novela exactamente treinta años después de que Gustavo Flaubert lo había inaugurado en Francia con *Madame Bovary*, en 1857. Pero Rabasa no procede de Flaubert, sino de los realistas españoles y lo mismo sus continuadores mexicanos José López Portillo y Rojas y Rafael Delgado. Federico Gamboa, en cambio, procede directamente de Emilio Zola a quien se mantuvo fiel hasta su muerte. La quinta figura de cierta importancia en esta época, fué Angel del Campo (Micrós), mejor conocido como cuentista y pintor de la vida y costumbres mexicanas en sus formas humildes. Es quizás el más genuinamente mexicano por la sensibilidad, por el espíritu y por la fidelidad con que retrata el ambiente de la clase media y pobre en los detalles de la vida cotidiana. Hay otras expresiones novelísticas en esta época, pero son de mucha menor categoría.

Entre todos los que con don Porfirio colaboraron, la personalidad más robusta y la que más honda huella dejó en la cultura mexicana, fué don Justo Sierra (1848-1912). Además de Secretario de Educación, último cargo que ocupó bajo la dictadura, había sido antes

diputado y miembro de la Corte Suprema de Justicia.
Al producirse el derrumbe del régimen, el presidente
Madero lo nombró ministro plenipotenciario en España, donde falleció a poco de llegar. Había sido discípulo de Altamirano y colaborador de *El Renacimiento* y, en cierto modo, heredero y continuador del
rectorado que sobre la inteligencia y la cultura mexicanas había ejercido su maestro. Su actividad intelectual fué múltiple y trascendente: periodista, poeta, cuentista, historiador, sociólogo y, más que nada, maestro.
Colaboró con el régimen porfirista, pero no se mezcló
en sus crímenes ni en sus latrocinios. Con Ignacio
Ramírez y Altamirano forma la trilogía de los más
grandes mentores y orientadores que México produjo
en el siglo pasado. Su memoria es universalmente re-
verenciada en México y hoy su benéfica influencia perdura todavía.

Innecesario parece insistir en el brillo que las letras alcanzaron durante el porfiriato. Es pertinente, sin
embargo, señalar ciertas características comunes a casi
todos estos escritores. Lo primero que hay que mencionar es el *espíritu colonial* que los define. Es ésta una
literatura que no se ha cortado el cordón umbilical todavía. Casi todos estos creadores —pero muy especialmente los novelistas— se inician siguiendo las normas de escritores extranjeros, en su mayoría españoles
o franceses, y permanecen leales a sus modelos. Luego
habría que indicar también el sentido clasista de su
obra. Todos ellos —con la posible excepción de "Micrós"— son hombres afiliados en espíritu y en sus
actividades con la alta burguesía que rige los destinos
de México y usufructúa su riqueza. Todos escriben
para las clases media y alta, cuya moral y cuya filosofía de la vida reflejan. Todos escriben de espaldas a
la trágica realidad mexicana, todos ignoran al indio
y lo desdeñan y lo excluyen de sus obras. Al contrario
de Lizardi y de Guillermo Prieto, por ejemplo, tratan
de escribir en formas elegantes, refinadas, académicas.
El lenguaje del pueblo humilde, sus formas de vida, su
idiosincrasia, y su miseria están desterrados de esta literatura de empaque académico y de inspiración foránea.
(Otra vez hay que exceptuar a Angel del Campo que
alguna vez en sus "cuadros" de la vida vulgar se
asomó con simpatía a la desdicha de los desheredados
de la fortuna). Esta ceguera, esta total ausencia de
sensibilidad humana para percibir y reflejar el drama

que viven las grandes masas bajo el porfiriato, en
hombres fundamentalmente buenos y hasta piadosos como eran todos los susocitados, es uno de los fenómenos
que más nos sorprenden hoy. La explicación es, quizás,
triple: por una parte, el espíritu clasista ya aludido que
los identificaba con la moral hipócrita y egoísta de la
burguesía adinerada. Por la otra, las dos filosofías de
la vida en que se apoyaba ideológicamente el porfirismo, contradictorias y opuestas entre sí, pero afines en
este aspecto en la realidad social. El positivismo justificaba el triunfo de los más aptos y fuertes y su derecho
a la expoliación y al gobierno de los humildes. Coexis-
tiendo con esta filosofía "oficial", encontramos la más
importante y de mayor arraigo en México, la de la
iglesia católica que *predica* —pero no practica— la bien-
aventuranza de los pobres, de los que "han hambre
y sed de justicia" y hace del dolor y la miseria virtudes y privilegios que Dios premiará después de la
muerte. Católicos practicantes todos ellos, estos intelectuales estaban imbuídos de esta doctrina, la cual les
predicaba a diario que Dios hizo a los ricos y a los
pobres, y que éstos debían resignarse —y alegrarse—
con su hambre y su dolor porque ambos eran pasa-
portes seguros para ganar el cielo. (Mientras tanto, esa
misma iglesia ganaba la tierra y se apropiaba inmensas
riquezas).

Los novelistas de esta época serían figuras trágicas
si no resultaran ridículas. Es un escritor que no puede
admitir su circunstancia. Dado su "europeísmo" mimético, su circunstancia lo deprime y trata de evadirse,
de fugarse de ella, ignorándola y pretiriéndola de sus
libros. Su madre india le sonroja y le humilla y procura
esconderla, como esas familias de los países tropicales
que quieren pasar por blancas, pero que tienen una
abuela mulata a quien jamás se ve en las reuniones
sociales. Por eso se produce en la novela de esta época
un fenómeno de "inhibición". El novelista se encuentra
en conflicto con su ambiente y lo resuelve por la fuga
que lo liberta de la circunstancia que lo degrada y
afrenta a sus propios ojos y a los de sus paradigmas
europeos. Admite al indio y aun al mestizo que ha sobresalido en la historia o en el orden de la cultura
—un Morelos, un Juárez, un Ramírez o un Altamirano— pero el indio y el mestizo humildes, el "pelado"
de huarache o sin huarache, su roña y su miseria, lo
abochornan porque hay en él un complejo de culpabilidad

—un "guilty complex"— que no puede admitir. Por eso resulta tan falsa, tan artificiosa la novela de esta época que se refugia en la clase media —en un país y en una época en que en realidad no había clase media en el sentido económico que el término tiene en países como Inglaterra, Francia y Estados Unidos.

Los escritores posteriores a la Revolución resolvieron el problema aceptándolo francamente, dándole la cara y admitiendo sin disimulo ni vergüenza el hecho de que México es un país indio o mestizo en el ochenta por ciento de su población y reconociendo los valores reales, tanto culturales como psicológicos, de la herencia indígena. Por eso la novela a partir del doctor Mariano Azuela y comenzando con él, es más auténtica, más mexicana, más original y valiosa. Antes de Azuela, sólo Lizardi había tenido la visión, la sinceridad y el coraje necesarios para no renegar de lo autóctono. Mas en la época porfirista, mimética y apócrifa por definición, se intentó añadir a la realidad social una superestructura importada y falsa que desvirtuaba el perfil de México. De ahí que la novela de aquellos días sea un producto híbrido de formas imitadas y temas que quieren ser mexicanos, pero que no alcanzan la mexicanidad genuina.

Aspectos negativos de la dictadura

La síntesis que precede representa el saldo constructivo o positivo de la era porfiriana. Veamos ahora en rápido esquema sus aspectos negativos. En lo antedicho están ya implícitas y hasta aludidas algunas de las lacras que minaron aquel régimen y acabaron por hacerlo odioso al pueblo. Lo primero que se percibe es la burla o farsa política que las elecciones representaron en México desde 1877 en que don Porfirio derribó el gobierno de Lerdo hasta que a su turno fué desplazado por la sublevación de Madero en 1911. Con el cortísimo interinato del llamado presidente González, mero instrumento de don Porfirio a quien ni siquiera se le permitió concluir su turno en la alta magistratura, don Porfirio se hizo reelegir y designaba él mismo a los paniaguados que debían integrar el congreso. La libertad y la democracia fueron escarnecidas en México durante estos treinta y cuatro años. Por consiguiente, al terminar la dictadura, el pueblo no tenía más experiencia política que al comenzar.

Don Porfirio no incurrió en los excesos y asesinatos sistemáticos de Rosas en la Argentina, Francia en Paraguay, Gómez en Venezuela, Machado en Cuba o actualmente Laureano Gómez en Colombia. Pero el crimen político y el asesinato de obreros cuando se rebelaban contra los jornales de hambre que los potentados pagaban, no estuvieron ausentes de su gobierno. "Fusílelos en caliente" ordenó él al jefe de sus fuerzas en Veracruz, cuando los sublevados se rindieron en cierta ocasión. La frase ha quedado en la historia de México como un símbolo y una definición de los métodos porfiristas. Pero más que los perpetrados por su orden directa, abundan los homicidios que a su sombra y con su anuencia se realizaban en los grandes latifundios. El horror que era la vida del campesinado en estos antros de miseria y dolor, no ha sido estudiado todavía por la historia ni captado en toda su repugnante enormidad por la novela.

A la sombra del porfirismo se hicieron grandes fortunas privadas, no siempre honradamente. El latrocinio político y la piratería de la tierra abundaban. Se desarrolló por aquellos años una especie de feudalismo rural que de hecho resucitó al antiguo encomendero español y sus métodos en relación con los indios y mestizos que en sus dominios agonizaban. La famosa tienda de rayas y las leyes criminales que autorizaban a este nuevo encomendero a retener al trabajador y a sus hijos y a los hijos de sus hijos hasta que pagaran las deudas, resucitó de hecho la esclavitud. Las fuerzas de policía rural, al servicio —no del pueblo sino del latifundista— se encargaban de mantener al vasallaje sumiso y disciplinado. Con las fuerzas coercitivas del ejército, colaboraba, en favor del latifundista, la fuerza moral de la iglesia, el "padrecito" o capellán del señor feudal —a su servicio ahora como antes al del encomendero.

El concepto que de las funciones públicas del gobierno, de la riqueza nacional y de la cultura se desarrolló bajo don Porfirio, era esencialmente oligárquico. Su base o justificación filosófica la encontró en las dos doctrinas ya indicadas —la positivista y la católica. Así, mientras en la metrópoli y en otras capitales se multiplicaban las "colonias" de palacetes lujosos que reflejaban el mal gusto y el rastacuerismo de estos nuevos ricos, y se levantaban edificios públicos monumentales y costosos, el pueblo sufría hambre —hambre de pan y de justicia. El símbolo de aquella era es el mamarracho arquitectónico que se llamó primero Teatro Nacional y hoy Palacio de Bellas Artes. El pueblo, es decir, el 75 por ciento de la población, no contaba para nada. La función que se le asignaba, era *servir* y *obedecer* a los oligarcas. De ahí la furia vindicativa y destructora que se desató cuando se desmoronó el tinglado porfirista.

Por último, la dictadura pretirió o abandonó lamentablemente la educación popular. El banquete de la cultura le estaba vedado al pueblo y tras los treinta y cuatro años que el régimen duró, la gran masa era tan analfabeta y tan ignorante como en 1877, cuando asumió el poder. Más escuelas rurales y urbanas, y más reformas de beneficio popular se establecieron durante los seis años que duró la presidencia del general Lázaro Cárdenas, por ejemplo, que durante los treinta y cuatro de la dictadura— a pesar de la rapiña que caracterizó aquélla como todas las administraciones revolucionarias que después de don Porfirio se han sucedido. Este fué uno de los más graves errores cometidos por la dictadura. Si don Porfirio hubiera sido capaz de poner coto al desmedido afán predatorio y a las injusticias que a su amparo y con su anuencia cometían los intereses económicos que lo apoyaban, y hubiera hecho extensivos a las masas los beneficios de la riqueza nacional y de la cultura, no sólo se hubiera evitado la catástrofe que a su caída sobrevino, sino que la historia lo habría absuelto de su despotismo y de sus crímenes, y hoy se le consideraría como un benefactor de la patria. Mas esto es ingenuo y utópico. Si tal cosa hubiera intentado, no habrían sido las masas sino los intereses privilegiados los que contra él se hubieran confabulado, porque en tal caso no habría sido un gobierno oligárquico sino un déspota ilustrado y justo, como aquellos "buenos tiranos" de la antigüedad. Los dioses ciegan a los que quieren perder, afirmaban los griegos, o dicho con otro refrán más moderno, "la avaricia rompe el saco". La ceguera y el egoísmo de la oligarquía porfirista, hicieron inevitable el caos de sangre que la liquidó.

Capítulo V

*La novela de 1867 a 1887.—Altamirano.—José To-
más de Cuéllar.—La novela bajo la dictadura.—Realismo y naturalismo*

El primer autor que en México escribió novelas
con preocupación artística, fué Ignacio Manuel Altamirano, maestro en éste como en tantos otros aspectos.
En Altamirano encontramos un anhelo de perfección
artística y una aspiración al empleo de una técnica superada, que inútilmente trataríamos de descubrir en sus
predecesores. En él la novela deja de ser ya —por lo
menos en la intención— una obra de puro entretenimiento de mentes poco cultivadas y exigentes para convertirse en obra de arte. Altamirano no fué un gran
novelista ni mucho menos, pero escribió con sentido y
aspiración estéticos, prestando la debida atención a la
forma, al estudio de los caracteres, al desarrollo de la
trama, que en sus novelas ya no es una simple acumulación de episodios hilvanados sin arte y sin lógica,
a veces, como antes de él se acostumbraba. Altamirano
tuvo sentido de la medida y de autocrítica, supo *podar,*
limitar y escoger. Aspiraba a escribir un español elegante y correcto, si bien la honda influencia romántica que
nunca pudo eludir, lo hizo caer con frecuencia en el
sentimentalismo y hasta cierto punto, en la retórica
característica de aquella escuela.

Dejó dos novelas y varias narraciones cortas del
tipo y extensión de *La navidad en las montañas,* la más
conocida y editada, quizás, de sus producciones. Escribió también cuentos y leyendas muy interesantes. La
primera de dichas novelas en aparecer, y la más extensa
es *Clemencia* (1869) cuya acción está ubicada en Guadalajara en su mayor parte y se desenvuelve en la
época de la guerra contra los franceses. Ya el título denuncia el influjo romántico en el autor, aunque aspira
a la pintura realista de las costumbres y de los perso-

najes. Pero Altamirano no puede dejar de ver la vida a
través del prisma romántico. En esta obra encontramos
una de las más acusadas —y multiplicadas— antítesis
a las que tan adictos eran los novelistas y poetas de
aquella escuela. Esta antítesis se da en las dos heroínas
tanto como en los dos protagonistas. Ambas parejas
están contrapuestas entre sí; pero Altamirano no se
contenta con oponer la morena a la rubia con todos
los atributos simbólicos que él les concede, y colocar
a Enrique frente a Fernando con intención antitética
también, sino que al final del libro, los cuatro personajes centrales —pero en particular los dos protagonistas—
resultan antítesis de sí mismos cada uno de ellos.

Estos y la prédica moralizante, si bien mucho más
atenuada que en otros congéneres previos y ulteriores,
son los defectos capitales de *Clemencia*. Técnicamente,
los episodios se desarrollan con lógica, pero la obra es
poco dinámica y el *tempo* de su acción demasiado lento.
Se insiste también demasiado en el enredo amoroso.

El Zarco fué escrito unos veinte años más tarde
y permaneció inédita hasta 1901. Aunque el tema principal que en ella se desarrolla es romántico, no está
tratado a la manera romántica. En *El Zarco* igual que
en *Clemencia*, Altamirano dramatiza una complicada historia amorosa percibida y retratada románticamente.
Pero lo que en la obra nos interesa más no son las
relaciones de la protagonista con el bandido que da
nombre al libro, sino la descripción de las costumbres de
esta pandilla de malhechores que realizaban sus fechorías en el Estado de Morelos a los cuales se apellidaba
"los plateados". Altamirano conocía bien esta región y
las costumbres de los bandoleros por haber participado
—según se ha dicho— en su persecución y exterminio.
De ahí el retrato realista y fuerte que del paisaje y de la
vida de estos forajidos nos da. La propensión romántica no ha desaparecido, pero sí se ha mitigado en esta
novela y lo mismo puede decirse de la intención moralizante. Además, ya sea porque el tema mismo se lo
impone o porque el autor está más desprendido de la
influencia romántica, lo cierto es que el enredo o argumento de *El Zarco* se desarrolla con más viveza e interés que el de *Clemencia*. Aquí hay dinamismo, y la acción progresa sin aquellos lapsos de descripciones sentimentales que abundan en su primera novela y que tanto
aburren al lector actual.

La navidad en las montañas (1870), es otro cuadro de costumbres de proporciones más limitadas, pero interesante por el ambiente de arcadia que en él pinta y el idilio romántico que le sirve de pretexto para retratar las costumbres y el paisaje. Todavía hoy se lee con gusto particularmente por la juventud poco exigente.

José Tomás de Cuéllar (1830-1894), mejor conocido en su tiempo por el seudónimo de *Facundo*, cultivó —como todos los demás novelistas— el periodismo, y como la mayoría de sus cofrades, no se limitó a un solo género, sino que además del periodismo y la novela, escribió también poesía y dramas. Y como casi todos sus colegas de los siglos XIX y XX, ocupó diferentes cargos en el gobierno durante su vida.

(Es una desdichada y lamentable característica de la cultura hispanoamericana que el creador no pueda vivir del fruto de su ingenio. Todos tienen que acudir al periodismo, a la burocracia o a las profesiones para subsistir. Creo que el único creador —si así puede llamársele— que en Hispanoamérica podría vivir de los *royalties* de sus libros, es Gustavo Martínez Zuviría (Hugo Wast), lo cual no revela un muy alto nivel intelectual en el público lector ni puede envanecernos).

Luis G. Urbina, Federico Gamboa, Carlos González Peña, Julio Jiménez Rueda y todos los demás críticos e historiadores de la literatura mexicana, están contestes y coinciden en asignar a "Facundo" un lugar de alta significación en la novela mexicana. Hasta un escritor —y novelista de fuerte personalidad— tan distante de los gustos, de los temas y de la técnica de Cuéllar, como Agustín Yáñez, en un enjundioso y erudito ensayo reciente —*El contenido social de la literatura iberoamericana*— convalida la estimativa de los críticos precitados y descubre en la obra de Cuéllar una gran sagacidad para observar y poner en solfa las ridiculeces, los prejuicios y costumbres de la clase media mexicana. En este coro de elogios, sólo hay una nota discordante: la del doctor Mariano Azuela quien, en el libro aludido, afirma: "Con permiso de los sabios y de los eruditos, yo absuelvo con la mayor caridad a los que no hayan leído *La linterna mágica*".

Injusto sería negar valor documental a la proliferación novelística de "Facundo", el más exhuberante de cuantos allí cultivaron el género en el siglo pasado. Veinticuatro tomos cuenta la serie que tituló *"La lin-*

terna mágica", pero aún dió a luz otras varias, que por
su índole diversa no podían cobijarse bajo este rótulo
ni promiscuirse con las allí incluídas.

Nadie niega que Cuéllar conociera admirablemente
la vida de la clase media mexicana por los años del
70 al 90 y que su ingente labor constituya hoy uno
de los testimonios más fehacientes que nos quedan para
el estudio de este sector de la vida mexicana en aquella
época. Pero la novela debe ser algo más que la pintura de costumbres o que un tratado de psicología social
—si es que a tanto pudiera llegar la facundia de este
soporífero e impenitente "relator" de las manías, estul-
teces, prejuicios, beaterías y nimiedades de una sociedad
gazmoña, hipócrita y egoísta. Los sermones de Lizardi
pueden disculparse —o explicarse— leyéndolo con sentido histórico. Ellos forman parte integrante de la vida
y de la sociedad de su tiempo. Sobre todo que Lizardi
es honrado y sincero y nos advierte que sermonea porque quiere reformar, educar y responsabilizar a una
sociedad manida por la ignorancia y el ejemplo corruptor
de sus directores, tanto gubernamentales como espirituales. Pero "Facundo" escribe sesenta años más tarde,
cuando ya la novela ha alcanzado madurez y perfección en toda Europa, y aun en España, con cuya literatura estaba él familiarizado. Sin embargo, entre el copioso repertorio de este infatigable —y fatigoso— narrador, no existe una obra que pueda leerse hoy por puro
deleite estético. Para resistirlo es necesario auxiliarse
del interés por las costumbres de la época. Es decir, se
le admite como "documento", pero no como obra de
arte. Costumbristas fueron Mariano José de Larra, en
España y Ricardo Palma, en América, pero ambos supieron infundir aliento artístico en sus relatos y hacer
de ellos una lectura deleitosa a la vez que instructiva.
Pero en la obra de Cuéllar no se rebasan los límites de
la descripción costumbrista y moralizante. Forzado por
su obligación de conocerlo, puesto que se dedica a explicar
e interpretar la literatura hispanoamericana a los estudiantes norteamericanos, el que escribe trató de leerlo
hace muchos años y a fuer de honrado debe confesar
que no pudo resistir más que cuatro novelas de "Facundo".

A Cuéllar se le hace descender directamente de
"Fígaro" y el Mesonero Romanos. Me inclino a creer
que procede más directamente de Lizardi que de los consabidos escritores españoles. Las dos máculas que des-

doran la labor lizardiana reaparecen en toda la obra
de "Facundo": la insistencia pegajosa —ahora agra-
vada— en la descripción nimia de hábitos, costumbres
y prejuicios, y la intención moralizante. Pero lo que
en Lizardi es descubrimiento de un mundo poco menos
que inexplorado e incógnito, y férvido propósito reformador que a veces da en lo volteriano y radical —a
pesar de su educación clerical— en "Facundo" es reiteración, remedo y moralina burguesa, carente de la
hondura y la trascendencia de la prédica lizardiana.

La novela bajo la dictadura: Realismo y Naturalismo

El periodismo ha servido en México, no sólo como vehículo de ideas y medio fácil para los escritores incipientes ensayar sus aptitudes literarias y darse a conocer, sino también como trampolín desde el cual se daba —y se da— el salto a la conquista de posiciones políticas y cargos burocráticos, o al cultivo de otros géneros más serios, como la novela. Emilio Rabasa (1856-1930), no fué excepción a la regla. Además de periodista, fué jurisconsulto eminente, gobernador de Chiapas, senador federal, catedrático, etc. Durante su vida, sólo publicó en volumen una novela dividida en cuatro pequeños tomos que tituló respectivamente: *La bola, La gran ciencia* (1887) y al año siguiente *El cuarto poder y Moneda falsa,* publicados bajo el pseudónimo de "Sancho Polo". En 1891 apareció en los folletines de *El Universal,* una segunda novela suya titulada *La guerra de tres años* no recogida en libro hasta 1931. En el momento en que se escriben estas páginas, desconozco todavía esta última obra de Rabasa a pesar de que he procurado conseguirla por varios años.

Como arriba se indicó, con Emilio Rabasa hace su aparición en México el realismo como una técnica o concepción nueva y distinta de la novela. Pero como dicho queda, el influjo de esta escuela no llega a México directamente de Francia y de su creador, Gustavo Flaubert, sino a través de España y ya muy adulterado por el temperamento y el genio españoles. De hecho, ni España ni la América latina produjeron un solo novelista que se ajustara a los cánones flaubertianos. Nuestro temperamento es demasiado emocional y subjetivo para alcanzar el grado de objetividad, de absoluta imparcialidad, que Flaubert demandaba del novelista. Quizás ni el propio autor de *Salambó* alcanzó a cumplir fielmente sus preceptos, aunque es probable que nadie se haya aproximado tanto al impersonalismo que exigía del novelista como él.

Los historiadores de la literatura mexicana están
de acuerdo en que Rabasa procede directamente de Galdós. Sin negar la posible —y aun probable— influencia
galdosiana, estimo que "Sancho Polo" debe más a José
J. Fernández de Lizardi que al autor de los *Episodios
Nacionales*, y sorprende que nadie haya parado mientes
en la estrecha consanguinidad de Rabasa como novelista
con su compatriota de principios del siglo. Juzgándolo
sólo por su primera novela que fué la que lo definió y
le dió fama, Rabasa desciende de Lizardi mucho más
que de Galdós. Los puntos de contacto que con aquél
guarda son mucho más estrechos que con el autor de
Nazarín, y podrían clasificarse como fortuitos, unos, y
directos o sugeridos, otros.

Lo primero que se percibe es el íntimo parentesco
en la concepción picaresca de la novela, tanto en *El
Periquillo* como en la primera obra de Rabasa, género
que nunca cultivó Galdós. Los cuatro tomitos en que se
divide la creación de "Sancho Polo" son de legítima
prosapia picaresca, no sólo por la forma autobiográfica
en que la obra fué concebida y escrita, sino por su filosofía un poco cínica y estoica a la vez, por la situación
y la actitud del joven protagonista y narrador que observa la tramoya de la politiquería mexicana y filosofa
sobre ella en forma humorística y desenfadada. La vida
aquí está vista "en pícaro" y con la actitud del pícaro
tradicional, aunque limitado el ámbito de su observación
a las martingalas y trapisondas del ambiente político
mexicano hacia los comienzos del porfiriato.

Como *El Periquillo* y la novela picaresca en general, la obra es autobiográfica y está escrita en primera
persona. Esta condición no es, naturalmente, exclusiva
del género picaresco y podría considerarse como una
de las circunstancias que antes apellidé "fortuitas"; mas
lo que ya no puede estimarse como mera casualidad, es
el hecho de que, como *El Periquillo*, la novela de Rabasa
fuera concebida como memorias, como narración de auto-
experiencias, como visión restrospectiva, ya en la madurez del protagonista, cuando se ha casado y abandonado la vida picaresca para convertirse en persona respetable y respetada. Tampoco es pura coincidencia la
intención ejemplificadora y sermonera que priva en la
obra de Lizardi y caracteriza el último tomo —*Moneda
falsa*— de la obra de "Sancho Polo". La circunstancia
de haber extendido a cuatro tomos —como *El Periquillo*—
la narración de un tema que bien pudo desarrollarse en

uno o dos, acentúa la afinidad en la concepción tanto
como en la ejecución de ambas novelas, afinidad que
a mi entender dista mucho de ser fortuita. De hecho,
a Rabasa se le había agotado el tema en el tercer
tomito y con él debió haber concluido la obra. Pero
la sugestión de *El Periquillo* era tan honda que lo forzó
a añadir una especie de apéndice, innecesario y pesadí-
simo, en el que por carencia de material novelístico
tanto como por el influjo de su modelo, cayó en la prédica
moralizante, vicio del cual se había librado hasta ahora.
Aun podrían señalarse otros detalles que contribuyen
a robustecer la teoría de que Rabasa es más deudor de
Lizardi que de Galdós y que guarda mucha mayor afinidad con él que con el famoso novelista canario.

Hay que añadir, sin embargo, que tal afinidad
y tal influencia lizardiana en nada menoscaban la originalidad y el mérito de la primera creación de Rabasa.
En opinión del que escribe, es preferible ser deudor a
Lizardi que a Galdós. El influjo de éste lo habría
desviado de la mexicanidad, en tanto que el de "El
Pensador" la acentuó. Hace años resumí el concepto
que Rabasa me merece en las siguientes líneas que reproduzco aquí para no repetirme:

"En Rabasa había madera de novelista genuino y
para el cultivo de este género estaba mucho más generosamente dotado que no pocos de sus congéneres que
gozan de gran popularidad y de mucho predicamento entre los críticos. La agudeza con que supo observar —y
retratar— el ambiente en los inicios de la era porfiriana,
su capacidad de ironía y de humor de buena ley, su
sátira regocijada —en los primeros tres tomitos de su
única novela— sin dar jamás en el sermón, lo acreditan
como narrador nato. El supo esquivar —en los tres primeros tomos y mientras no se le agotó el tema— los dos
escollos en que naufragaron casi todos los novelistas
mexicanos anteriores a Azuela: la pedestre moralización
y el costumbrismo ramplón que Lizardi les impuso.
Rabasa es casi el único novelista mexicano del siglo
XIX que sabe reír —sonreír, mejor— y prodiga el humor
generosamente. Si se tiene en cuenta que escribió esta
obra cuando apenas rebasaba los años juveniles, y que la
concibió como un simple pasatiempo y hasta un poco
vergonzantemente, al margen de tareas que él estimaba
más dignas y serias, al extremo de que ni siquiera se
dignó prohijarla con su nombre sino con el pseudónimo
de "Sancho Polo", podremos comprender que no hay

hipérbole en lo antedicho. Cuando Rabasa renunció a seguir cultivando la novela, México perdió en él al creador mejor dotado que entonces poseía. De haber continuado escribiendo novelas probablemente habría superado a Portillo y Rojas, a Gamboa y a Delgado".

Coetáneo de Rabasa y continuador de la técnica realista fué José López Portillo y Rojas. Nació en Guadalajara al mediar el siglo (1850). Era hijo de familia acaudalada y esto le permitió largos viajes por Europa y por Asia. Su desahogada posición económica le brindó la posibilidad de adquirir extensa cultura. Sabía varias lenguas extranjeras y conocía bien las literaturas de Inglaterra y Francia. Estudió la carrera de derecho y aunque no lo necesitaba, no desdeñó los cargos públicos. Participó en las farsas políticas de la era porfiriana, fué miembro del congreso, catedrático, gobernador de Jalisco, y, por último, secretario de relaciones exteriores por largo tiempo. Fué, en fin, uno de los personajes más influyentes y que más brillo dieron a la dictadura. Murió en 1923.

Como escritor cultivó casi todos los géneros: el periodismo, la poesía, el teatro, el relato de viajes, la historia, la crítica literaria, el cuento y la novela. De toda esta ingente producción, lo que hoy más se estima es su labor novelesca, incluyendo las narraciones cortas con las cuales se inició en el género. Dejó cuatro tomos de cuentos largos, o "novelas cortas", como él prefirió llamarlos, y tres novelas extensas al estilo de entonces. Portillo y Rojas figura entre los más afortunados cuentistas mexicanos del siglo pasado, aunque en la actualidad apenas se conocen estas producciones por carencia de ediciones recientes.

De las tres novelas que publicó, las más importantes son probablemente la primera y la última, muy desiguales en el mérito artístico y aun en su valor como documento para conocer la realidad social mexicana de la época porfiriana.

La primera, y sin duda la más interesante y mejor escrita, es La Parcela (1898), muy leída todavía hoy. Es ésta una novela del ambiente rural de Jalisco en la que Portillo y Rojas dramatiza una disputa entre dos estancieros colindantes —don Pedro y don Miguel— por una faja de terreno —"la parcela"— improductivo y casi sin valor ninguno. A pesar de los resabios románticos que en ella se perciben, La Parcela se deja leer por lo bien concatenados que están los episodios, por la pintura de las costumbres, la rapidez de la acción y por el dibujo de algunos caracteres. Está escrita con pulcritud y mesura académicas, aunque de vez en cuando admita algún localismo idiomático para añadir color al cuadro de ambiente y de costumbres.

La Parcela es novela de filiación artística y de muy escaso valor probatorio como documento. La descripción de la vida en la hacienda de don Pedro es una verdadera arcadia en la que el hacendado es un bondadoso padre, comprensivo y generoso, para con los peones que allí trabajan. Es muy dudoso que tal utopía existiera en México en ninguna hacienda por aquellas calendas. El propio autor se encargó de darnos un retrato verídico —y de gran valor probatorio por venir de quien viene— de la realidad de la vida en las haciendas bajo don Porfirio. En la última de sus novelas, Fuertes y débiles (1919), el autor rectifica la idealización que del tema había hecho en La Parcela y nos ofrece un cuadro realista y crudo de las verdaderas relaciones que existían entre el latifundista y la peonada.

Veintiún años transcurrieron entre la publicación de estas dos novelas. Durante ellos culminó y se derrumbó la dictadura, y tuvo lugar el cataclismo revolucionario. A mayor abundamiento, el doctor Mariano Azuela había publicado ya todas sus novelas del ciclo revolucionario en las que describe con vivo colorido la injusticia social bajo el régimen porfiriano. Una de ellas —Mala yerba— publicada en 1909 dramatiza el mismo tema que diez años más tarde va a novelar Portillo y Rojas en Fuertes y débiles. Azuela es jalisciense también y le enviaba sus libros a Portillo y Rojas, y no creo aventurado afirmar que éste conocía bien las novelas del galeno laguense. No se pretende insinuar siquiera la idea de que el autor de Fuertes y débiles haya plagiado ni imitado en esta obra la antes citada de Azuela. Lo que sí me atrevo a afirmar es que tanto Mala yerba como las otras novelas de Azuela anteriores a 1919, unidas al hecho histórico de la Revolución, sirvieron para abrirle los ojos a don José López Portillo y Rojas y le ayudaron a ver la verdadera realidad mexicana — sobre todo la realidad rural— en todo su horror. Por eso ahora pudo escribir esta novela cansada y mal urdida, pero que por haber sido escrita por un leal colaborador de don Porfirio, hombre acaudalado, católico y hacendado él mismo, tiene una fuerza probatoria mayor que ninguno de los documentos de ataque publicados por los enemigos del régimen.

A Portillo y Rojas se le ha querido emparentar con Dickens. Más le debe a los novelistas finiseculares españoles, y en particular a Pereda, que al famoso narrador británico. Por lo que a *Fuertes y débiles* respecta, recuerda vagamente *I promessi sposi,* de Manzoni, pero la principal influencia que en ella se advierte, estimo que es la de *Mala yerba.*

Con Rafael Delgado (1853-1914) se cierra el trío de los llamados "realistas mexicanos". Ya se habrá notado que esta variante realista —como su progenitora, la española— tiene muy poco que ver con la técnica realista según la concibió Flaubert. Hay en ellos demasiado subjetivismo, demasiada moralina catolizante, y están demasiado saturados de influjo romántico todavía para que puedan alcanzar la objetividad que el fundador de la escuela demandaba. Por otra parte, tanto Portillo y Rojas como Delgado, tomaron como modelo al menos realista —en el sentido flaubertiano— de los narradores españoles del último tercio de siglo. En Pereda se continúa la prédica moralizante de Fernán Caballero en una forma agresiva y beligerante que no encontramos ni en Galdós, ni en Palacio Valdés ni en la de Pardo Bazán ni mucho menos en Blasco Ibáñez, para citar sólo sus coetáneos más destacados. El ambiente clerical de la era porfiriana propiciaba el cultivo de esta forma de novela predicadora y sensiblera. El que más se aparta de ella es "Sancho Polo" que logró escribir tres volúmenes sin sermones, aunque en el cuarto se rindiera al influjo lizardiano y a la presión de la tradición y del ambiente.

Modesta y sencilla fué la vida de Rafael Delgado. Consagróse a la docencia y catedrático fué toda su vida. Era católico por los cuatro costados y católicas a marcha martillo sus novelas. Nacido en Córdoba, en el Estado de Veracruz, en esta ciudad y en Orizaba localiza de preferencia la trama de sus obras, aunque una de ellas —*Los parientes ricos*— se desarrolle en gran parte en la ciudad de México. Como su maestro, el autor de *Peñas arriba,* es el novelista de ambiente provinciano por antonomasia en México. Al contrario de sus congéneres, no fué periodista ni político ni ocupó cargos burocráticos, a excepción de su cátedra. Pero siguiendo la tradición hispanoamericana, se multiplicó en diversos géneros literarios. Escribió varias obras tea-

trales y no desdeñó la crítica, la literatura preceptiva
ni la poesía. Pero en ninguno de estos géneros alcanzó
preeminencia. Su principal aporte a las letras mexicanas
fué su labor como novelista que es el único aspecto que
le ha sobrevivido y por el cual se le recuerda hoy.

Seis libros nos dejó Delgado en el género narrativo:
uno de cuentos de muy escaso relieve, y cinco novelas. En orden cronológico de aparición son: *La Calandria* (1891), *Angelina* (1895), *Los parientes ricos* (1903)
e *Historia vulgar* (1904). La quinta, titulada *La apostá-
sía del Padre Arteaga*, no se ha publicado todavía.
Delgado es un novelista de escasa imaginación creadora
y de aun más limitada originalidad en la elección de los
temas. En *La Calandria*, la más interesante y más elaborada de sus obras, y la que más fortuna ha tenido
ya · que todavía se la reimprime y lee, el autor dramatiza un tema muy trillado y explotado en las literaturas
europeas, particularmente en España y Francia: el de la
muchacha bella y pobre solicitada por un joven honrado
de su misma clase que desea hacerla su esposa, y simultáneamente por un pisaverde de la clase adinerada que
sólo aspira a gozar su belleza física para luego aban-
donarla. Ni siquiera en la solución al problema se
aparta Delgado de la tradición. El final de la obra es de
un romanticismo estilo 1830 en Europa o 1850 en
América. Lo que en realidad salva esta obra es la
pintura del ambiente y las costumbres locales y la plasticidad de las descripciones paisajistas. Pero aun en
esto, el autor se detiene demasiado y da en la nimiedad
pormenorizada.

No es más original ni más nuevo el tema de *Los
parientes ricos*, sólo que ahora la lectura se hace mucho
más ardua por la mayor extensión de la obra, por la
ausencia de la frescura y el aliento poético que alivian
el tedio del detallismo costumbrista y moralizante de
La Calandria, y porque ahora se ha acentuado la propensión sermonera.

En *Angelina*, Delgado trasciende los límites permi-
sibles e incurre en la imitación directa —bastante pedestre por cierto— de otra novela hispanoamericana que
a su vez era ya un remedo de *Atala* de Chateaubriand.
Si hubiera superado al modelo, podríamos disculparle
la ausencia de originalidad, pero desdichadamente para
él, *María* continúa siendo la mejor y más leída de
nuestras novelas románticas.

Delgado, por lo general, es escritor académico, co-

rrecto y no exento de elegancia. Pero en él se funden— más aún que en los dos últimamente citados— la
corriente romántica con la realista. A veces cae en lo
trivialmente sentimental y hasta en la retórica romántica. La proclividad moralizante está también más acentuada en él que en los dos contemporáneos ya aludidos.
Son los mismos defectos que vamos a encontrar en don
Federico Gamboa.

Menos fortuna aun que el realismo tuvo el naturalismo, tanto en España como en América. Al concepto
del realismo flaubertiano añadió Emilio Zola una buena dosis de las teorías positivistas de su época y del
materialismo científico tan en boga entonces. El naturalismo es una especie de sincretismo en el que Zola trató
de armonizar y fundir la teoría novelística de Flaubert
con las sociológicas de Augusto Comte y las científicas
de Claudio Bernard. Nada bueno auguraba para la
novela este hibridismo pseudo-literario y pseudo-cientí-
fico. Al impersonalismo y a la objetividad flaubertiana
agrególe Zola el determinismo fatalista y la teoría de la
herencia, y de la suma de estos tres elementos derivó
su concepto de la novela como laboratorio, lo que
él llamó la "novela experimental". El novelista ya no
es un fotógrafo que retrata la realidad tal cual se le
ofrece, sin permitir que la personalidad del autor —su
idiosincrasia, su temperamento, su educación, sus prejuicios, sus gustos, etc., intervengan en la recreación
artística de la realidad social. Tal era el concepto que
de la novela nos había dejado Flaubert. Pero Zola,
sin renunciar a esta concepción impersonal, busca otro
símil. El novelista ya no debe ser únicamente el fotógrafo, sino el hombre de ciencia, el químico, el psicólogo,
el físico o el biólogo, que experimentan en el laboratorio
para descubrir las leyes que rigen los fenómenos de
la naturaleza y la vida. La novela ahora se identifica
con el laboratorio y el novelista con el hombre de ciencia. La utopía imposible de Flaubert se convierte ahora
en otra más irrealizable aún.

A las razones ya apuntadas que impidieron que el
concepto flaubertiano de la novela arraigara en el
mundo hispano, se agregarán otras que dificultarán aun
más el cultivo de la novela naturalista pura que ni el
mismo Zola pudo escribir. El concepto experimental de la
novela naturalista exigía el empleo de materiales humanos de ínfima calidad —degenerados, prostitutas, anormales, inadaptados, ladrones, etc.—y un ambiente en

oposición franca con la moral y la hipocresía de la sociedad católica y burguesa del mundo hispano. De ahí que a pesar de la enorme boga y de la honda influencia que esta escuela tuvo en toda Hispanoamérica en los años finiseculares y en las dos primeras décadas del presente siglo, no se produjera una sola novela que respondiera fielmente a la teoría zolesca. Ni Gamboa, ni Manuel Gálvez, ni Javier de Viana, ni Eduardo Barrios, ni Edwards Bello, ni Miguel de Carrión, ni Carlos Loveira, ni José Antonio Ramos, ni nigún otro de los muchos que se propusieron cultivar este género, lograron llevar con éxito a la práctica la teoría naturalista. El que más se aproximó a ella fué Carlos Reyles en su primera novela —*Beba*—. Lo mismo, y por idénticas razones, ocurrió en España.

Don Federico Gamboa (1864-1939), fué, sin embargo, el émulo más fervoroso y leal que a Zola le nació en el mundo hispanoamericano y en España. Bajo su influencia —y la de los hermanos Goncourt— empezó a escribir en 1888 y les fué fiel hasta la muerte. Era, no obstante, el menos capacitado para cultivar la novela naturalista de cuantos la intentaron por acá. Oponíanse a ello su temperamento romántico y su catolicismo sincero. Romántico era también en el fondo Emilio Zola y por eso no pudo ser el creador "experimental" y "objetivo" que se propuso ser. Lo mismo exactamente le ocurrió al inefable don Federico. Sus novelas todas son un amasijo de teorías e impulsos contradictorios. Por una parte, aspiraba a ser impersonal, pero su incurable romanticismo lo traicionaba; quería "experimentar" con la psicología y las costumbres de los bajos fondos sociales, pero su catolicismo muy arraigado y hondo se lo impedía; era un temperamento sensual y erótico en contraposición con su moral de católico practicante y convencido; los temas y los personajes que novelaba exigían un lenguaje crudo y realista, pero era director de la Academia Mexicana de la Lengua, con pujos de escritor castizo y aun arcaizante, a quien repugnaba la jerga popular y las formas vivas que el pueblo bajo empleaba. De ahí la mezcolanza y la confusión de elementos opuestos y contradictorios que se advierte en sus novelas, en las que junto al cuadro sensual y erótico encontramos el sermón edificante, junto a la técnica que aspiraba al impersonalismo, el enfoque subjetivo y romántico.

Nació don Federico Gamboa en la ciudad de México. Al cumplir los veinticuatro años, en 1888, se decide su doble destino —el de su carrera vital y el de escritor. En este año ingresó en el servicio diplomático y publicó también su primer libro —*Del natural*. En el servicio diplomático permaneció casi todo el resto de su vida. En él recorrió todas las escalas, desde el humilde cargo de segundo secretario de legación, hasta las jerarquías de embajador y secretario de relaciones exteriores. Al jubilarse pasó a dictar una cátedra de literatura en la Universidad Nacional. Fué director de la Academia de la Lengua hasta su muerte. Sus cargos diplomáticos lo llevaron a muchos países y en todas partes se relacionó con gentes de letras. Tenía una rica experiencia vital y era delicioso en la conversación íntima.

Don Federico fué escritor prolífico. En tres géneros muy diversos se ejercitó principalmente su talento y su facundia: la novela, el teatro y el "diario", recuerdos y memorias, de los cuales quedaron varios volúmenes inéditos al morir. Como novelista, su modelo más venerable es Zola, pero en *Mi diario* sigue más de cerca el ejemplo de los hermanos Goncourt que habían escrito uno de los libros más famosos en este género. Pero no es del caso discutir aquí los méritos de estos libros de los cuales sólo publicó cinco volúmenes, además del primero que tituló *Impresiones y recuerdos*. Es, sin embargo, uno de los aspectos más interesantes de la labor de don Federico, acaso el más interesante para el lector culto. Lo mismo puede decirse de su producción dramática, porque en ella no imita ni sigue a nadie. Cuatro piezas escribió don Federico para el teatro y alguna de ellas cuenta entre lo mejor que en México se ha escrito en el género. Por otra parte, el estilo que emplea en estas dos manifestaciones, es más llano y sencillo y no abunda tanto en ellas el empaque académico que tanto prodigó en sus novelas.

Don Federico escribió cinco novelas largas —demasiado largas algunas de ellas— además de la colección de novelas cortas que publicó en 1888, ya mencionada, y de *Apariencias* (1892) que fué su primera tentativa de novela extensa. La que le ganó prestigio de novelista fué *Suprema Ley* (1896). En ella desciende su autor al ambiente de la cárcel de Belén y del juzgado y nos describe con detallismo cansado —como la teoría naturalista exigía— la atmósfera de estos bajos fondos sociales. Esta minuciosidad en las descripciones es una

de las constantes de la novela naturalista en general,
pero está más exagerada quizás, en don Federico que
en ningún otro naturalista americano. En *Metamorfosis*
(1899) el autor nos relata la transformación de una
monja que llevada del instinto sexual, hasta ahora inhibido, acaba por abandonar el convento para casarse
con el hombre que despertó en ella su eroticidad adormecida. La tercera de las novelas de Gamboa es la que
más fama le ha valido y la que más se ha leído y se
lee, a pesar de ser una de las más endebles. Es la *Nana*
mexicana porque *Nana* fué su modelo. (En su estudio
*Influence de la litterature francaise sur la litterature
mexicaine*, Alberto I. Altamirano hace descender a
Santa de "La fille Elisa" de Edmond de Goncourt. Sin
negar la posible influencia de esta obra en la creación
de *Santa*, todavía me parece más consanguíneo su parentesco con *Nana*). Mas la popularidad de que aún
gozan ambas, nada tiene que ver con el mérito artístico.
De hecho las dos son pedestres y el lector de gusto
cultivado apenas las resiste hoy. Casi podría establecerse este principio: la popularidad de una novela
está siempre en razón inversa de su valía. Ya se dijo
más arriba que el novelista más leído del mundo hispano hoy es Hugo Wast, Thomas Mann, en cambio,
es absolutamente desconocido de la masa lectora en los
Estados Unidos, donde reside desde hace muchos años.

La endeblez de *Santa* (1903) arranca ya del título
en el cual se evidencian las contradicciones y los conflictos psicológicos y religiosos de don Federico a que
antes se aludía. La heroína de la novela es una prostituta
y al autor no se le ocurre otro nombre que el de Santa.
Ya en esta denominación contrapuesta a la profesión poco
edificante de quien la lleva, tenemos la antítesis tan
dilecta a los románticos —y romántico empedernido era
don Federico y romántico es su enfoque de la vida y de
las pasiones humanas. Dentro de esta novela se dan
otras varias antítesis, como por ejemplo, la vida que
lleva la protagonista y su aspiración y supuesta nobleza
de espíritu; la fealdad física y la belleza moral de
Hipólito, etc. Por lo demás, el final es digno de un novelista de 1830. Por otra parte el ambiente de prostíbulo
que en esta obra constituye el tema novelado, está en
abierta oposición con la conciencia moral y religiosa
del autor y este conflicto lo hace caer en la prédica
edificante tan en pugna con la técnica naturalista que se
propone emplear.

Reconquista (1908), viene a ser algo así como el reverso o la antítesis de *Metamorfosis*. En ésta la monja evoluciona hacia la mujer impelida por el instinto erótico; en *Reconquista*, en cambio, el proceso es inverso. Es de todas las novelas de don Federico la de mayor contenido religioso. Su última novela, *La llaga* (1910), es una de las más extensas y tediosas. En ella reincide el autor en todos los defectos señalados . —detallismo fatigoso, contradicciones, romanticismo exagerado, sermones, etc. El ambiente ahora es el presidio de San Juan de Ulúa con sus asesinos, ladrones, monederos falsos, etc., y luego los garitos de la capital. Es, de las cinco principales, la peor urdida y aquélla en que aparecen más evidentes las fallas que se notan en todas sus novelas. Aquí el autor no parecía tener un plan bien definido cuando empezó a escribir y da la impresión durante más de cien páginas de que no sabe quién va a ser el protagonista. Luego, llevado por la necesidad de "experimentar" para observar la reacción de los caracteres, no se le ocurre otra cosa que presentarnos con descripciones detalladísimas el parto de una rata y, naturalmente, la reacción de cada uno de los concurrentes al edificante espectáculo. La escena, no sólo es de pésimo gusto, sino irreal y absurda. Una sabandija de esta naturaleza, en trances tales, no busca la compañía de los seres humanos, sobre todo en grupo, sino el aislamiento y la soledad. Por último, ya hacia el final de la obra, Gamboa reincide en su incurable romanticismo. He aquí a un ex-presidiario y ex-empleado de los garitos de la capital, todavía joven, y a una muy apetitosa viuda, dueña de estanco y mujer de experiencia también. Estos dos seres se aman —y se supone que se desean— intensamente, viven en un mismo cuarto, separados sólo por una cortina; sin embargo, no ocurre nada, absolutamente nada, ni siquiera un beso. Ni Alfonso de Lamartine hubiera superado la pureza angelical de este idilio. . .

Todavía falta por señalar otra quiebra artística en estas novelas. Refiérome al estilo. Todos los que conocieron a don Federico en la intimidad están contestes en que era un conversador chispeante y amenísimo. Yo tuve ocasión de tratarlo sólo tres o cuatro veces, en 1932 y 1938, pero estos breves contactos fueron suficientes para confirmar la opinión de los que le conocían bien. Era sencillo, ingenioso, agudo y no carecía de humor y de gracia. Hablaba en un estilo diametralmente opuesto al que empleaba en sus novelas. Su lenguaje en la conversación estaba salpimentado con expresiones populares, y se caracterizaba por la ironía y la llaneza campechana. Pero en sus novelas, hacía "literatura" en el sentido peyorativo en que Verlaine usaba el término. Pocos estilos hay entre los novelistas hispanoamericanos de los últimos cincuenta años más campanudos, tan atiborrados de palabrería y de retórica —pésima retórica— como el de don Federico en las novelas. Había en él un prurito, no ya casticista sino arcaizante, que lo llevaba a emular a los prosistas más inflados, retóricos y vanos de la España clásica. A veces ensartaba cuatro y hasta cinco adjetivos seguidos. Sus descripciones son de las más soporíferas que conozco. Justo es reiterar que de este pesado lastre están en gran parte aligerados *Mi diario* y las cuatro piezas dramáticas que nos dejó.

Parte de los defectos señalados son de origen temperamental y otros habría que achacárselos a la técnica novelística que empleó careciendo de aptitudes idiosincrásicas para aplicarla con relativa eficacia. Por último, los defectos de estilo, me inclino a creer que se deben, en parte, por lo menos, al hecho de haber presidido la Academia de la Lengua. Si don Federico no hubiera sido académico, lo probable es que hubiera escrito como hablaba y eso habríamos salido ganando todos.

Por las razones precitadas el lector cultivado prefiere hoy sus obras dramáticas y su "diario", porque en estas dos manifestaciones no se le ve en contradicción consigo mismo ni sermoneando a cada paso. Tampoco descubrimos en ellas esas descripciones nimias y fatigantes como aquélla que aparece al principio de *Santa,* si no ando muy trascordado, en que nos pinta prolijamente una carnicería o expendio de carne al menudeo, con su enjambre de moscas, y demás aspectos olfativos y visuales comunes a tales tugurios. Como ocurre casi siempre en las imitaciones, don Federico imita lo más deleznable que hay en Zola, pero no puede emularlo en aquellos aspectos imperecederos en que Zola se reveló un gran narrador. Zola alcanza una tonalidad épica a veces que don Federico no pudo ni siquiera imitar porque carecía de la imaginación plástica y del genio que indudablemente poseía el autor de *Germinal.*

El quinto novelista que dió brillo con su labor a la dictadura porfirista fué Ángel del Campo (1868-1908).

Fué el último de los cinco en aparecer y el primero
en partir. Se hicieron muy populares dos de los varios
seudónimos que usó, "Tic-Tac" y "Micrós", particularmente el último. Nació y murió "Micrós" en la ciudad
de México cuya clase media —y en parte la pobre—
retrató en sus aspectos nimios y humildes. Su vida carece
de trascendencia social o política. Según los que lo
conocieron, fué hombre de grandes prendas morales y
muy desdichado, condición esta última que se advierte
en su obra de escritor. Ocupó, además de sus funciones docentes, un cargo de escasa importancia en la
Secretaría de Hacienda. Toda su labor de escritor está
vinculada al periodismo y se resiente precisamente de
este contubernio que tan funesto ha sido para los novelistas mexicanos. Toda la obra de "Micrós" fué escrita
para los rotativos o la revista, y aún la única novela
que publicó —La rumba— apareció en los folletines de
El Nacional, sin que hasta el presente se haya recogido en volumen.

"Micrós", respondiendo a la semántica de este
término y de "Tic-Tac", veía la vida en pequeño, en
sus formas y manifestaciones microscópicas, humildes
y fragmentarias, y fragmentaria es su obra —con excepción de las novelas que según su amigo íntimo y
compañero de aulas, don Federico Gamboa, dejó escritas.
En este sentido es un precursor de "Azorín" y, en
cierto modo, un continuador de Ricardo Palma. El género que más cultivó es poco menos que inclasificable.
Se aproxima al cuento sin serlo y no alcanza la categoría de "novelas homeopáticas", como definió el genial
limeño sus deliciosas tradiciones. Los relatos de "Micrós"
son como "instantáneas" —"close ups"— de manifestaciones vitales, de hechos, tipos, costumbres, aconte-
cidos, incidentes, experiencias autobiográficas, animales
y dramas grotescos de la vida vulgar que él observaba
en la clase a que pertenecía o en la cotidianidad arrabalera. Tanto los temas como la forma un poco descuidada en que los aprisionaba eran intrascendentes.
Lo que ennoblece estos relatos o bosquejos impresionistas
es la sensibilidad, la simpatía y la ternura con que
"Micrós" se adentra en estos motivos para cuentos, lo
que en ellos pone él de su propia individualidad. Es
la "actitud", la enternecida cordialidad con que "Micrós" percibe —y retrata— estas minúsculas manifestaciones de la vida diaria lo que más nos interesa.
El retrato mismo, es decir, la técnica es generalmente

pobre, desmedrada de contenido artístico y con frecuencia cae en lo romántico y sentimental. Acaso esta despreocupación formal se deba, en gran parte, a la filiación periodística del autor y al destino que esperaba a estas narraciones. El las concebía —y escribía— como faena periodística, como una especie de comentario marginal a la vida cotidiana, destinado a ser leído en las páginas de los grandes rotativos y olvidado. No sentía la responsabilidad del artista que escribe con miras al futuro. Escribía con la despreocupación y el apresuramiento del periodista. Pero observaba con sagacidad y era fiel en la pintura.

Con el característico afán de aquella época por entroncar con Europa y emparentarse con ella, don Federico Gamboa le asignaba una ilustre prosapia y con toda seriedad afirmaba que "El abolengo literario de Micrós es indudable, desciende derechamente de Carlos Dickens y de Alfonso Daudet..." y procede luego a justificar tan encumbrada alcurnia. No ha menester la modestísima labor de "Micrós" de tales linajes para merecer un lugar distinguido en la historia de las letras mexicanas. En él se continúa la tradición costumbrista autóctona que se inicia con Lizardi y ni remotamente sugiere su obra la posibilidad de un cotejo con la de Dickens o Daudet. Más se aproxima a los costumbristas nativos, en particular a Guillermo Prieto y a "Facundo" que a ninguna figura europea.

En ninguna parte he visto mencionada la afinidad de "Micrós" con "El Duque Job", ni la posible influencia de éste sobre aquél. Es un hecho que me ha llamado la atención siempre. Sus respectivas vidas fueron muy afines en muchos aspectos. Ambos fueron desdichados, periodistas y poetas; ambos murieron a temprana edad; ambos cultivaron —en prosa— géneros similares. Hasta físicamente eran parecidos: ambos raquíticos, feos y con nariz descomunal. La afinidad se extiende a lo moral también: los dos eran esencialmente buenos, pero en tanto Gutiérrez Nájera buscaba en el alcohol una vía de escape a su angustia y a su pobreza, "Micrós" era austero y no lo probaba. Pero el lazo que los mancomuna y que a mí más me interesa es la sensibilidad afín que en ellos se descubre, el romanticismo atenuado y la propensión sentimental —casi sensiblera, a veces— presente en los dos; la predilección por ciertos temas y la manera de tratarlos común también. Nájera era mucho más artista que "Micrós" y como escritor le prece-

dió diez o doce años porque había nacido nueve antes
que él y fué muy precoz. Sería interesante dilucidar la
posible influencia de "El Duque Job" sobre Angel del
Campo. Sin haberla investigado, a mí se me antoja muy
probable y mucho más eficaz que la de Daudet, Dickens
y otras figuras europeas con las cuales se le ha querido
emparentar.

"Micrós" recogió en tres pequeños volúmenes sólo
parte de su extensa labor fragmentaria: *Ocios y apuntes*
(1890), *Cosas vistas* (1894) del cual se hizo otra edición en 1905 en Morelia y *Cartones* (1897). En 1946,
la editorial Nueva Cultura publicó una especie de antología con el título de *Micrós* en la que aparecen sus
poemas hasta entonces inéditos y una selección de sus
relatos, precedidos de un largo prólogo de su pariente
Antonio Fernández del Castillo, que arroja mucha luz
sobre la vida y la familia de "Tic-Tac". Además, queda
la novela ya mencionada, *La rumba*, nunca recogida en
volumen, y otras dos que don Federico Gamboa dice
haber leído manuscritas, pero sólo menciona el título
de una, *La sombra de Medrano*, "que es una preciosidad"
según el generoso criterio de don Federico.

El que escribe no ha leído ninguna de las tres
novelas aludidas por no ser asequibles hoy, pero sí *ha
releído* gran parte de su labor fragmentaria antes de
comentarla. Y a fuer de veraz y franco tiene que admitir
que a "Micrós" se le ha sobrevalorado, lo mismo que
a todos sus congéneres del siglo pasado. Es defecto de la
crítica estrechamente nacionalista y con frecuencia hiperbólica en la sobreestimación de los valores locales
en toda Hispanoamérica. "Micrós" es más un valor histórico que actual, y lo mismo puede decirse de todos sus
colegas del siglo anterior. Nada nos dicen a nuestra
sensibilidad y a nuestras preocupaciones. Para gozarlos
hay que leerlos con sentido histórico y de época.

Podrían señalarse todavía otros novelistas que
escribieron durante el porfiriato, tales como Victoriano
Salado Alvarez, Manuel H. San Juan, María Enriqueta y varios más, pero todos son figuras de segundo
o tercer orden. De ellos, el más interesante, dentro de
la evolución del género en México, es Heriberto Frías
(1870-1928) y esto no tanto por el mérito intrínseco
de su labor novelesca como por el hecho de constituir
una especie de precursor de la nueva novela y ser punto
de enlace entre la modalidad que fenecía con don
Porfirio y la que ya alboreaba con Azuela a la cabeza.

Se ha dicho muchas veces que Frías ejerció influencia no escasa, en la nueva generación. Tengo
mis dudas al respecto. Heriberto Frías era periodista de
profesión y mediocre en extremo como novelista. *Tomochic*, su obra más conocida y la que se supone haber
influído sobre los que más tarde llegaron al campo de la
novela, es técnicamente muy pobre y típicamente periodística desde el punto de vista del estilo. Es una serie
de episodios superpuestos en los que Frías dramatiza
la rebelión del Yaqui en las montañas del norte contra
el tirano. Las fases del conflicto militar están narradas
con evidente simpatía hacia los indios rebeldes y valientes. A pesar de los muchos elogios que en la obra se
le tributan al tirano, el lector percibe fácilmente la intención que los dictó y con cuál de los dos bandos están
las íntimas simpatías del autor. Tampoco pasaron estas
circunstancias desapercibidas para el déspota o para
los jefes de su ejército, y Frías fué expulsado del
mismo.

El mérito de *Tomochic* consiste, pues, en la viveza
y el realismo con que describió el heroísmo de los sublevados y en haberse atrevido —el primero— a levantar la
punta del espeso velo que cubría las injusticias que el
régimen porfirista amparaba. Es posible que haya tenido
cierta influencia sobre el doctor Mariano Azuela que por
aquellos mismos años comenzaba a planear sus primeras
obras, pero es muy dudoso que esta influencia se exten-
diera a los que no empezaron a escribir hasta un cuarto
de siglo más tarde.

Capítulo VI

LA TRAGEDIA

Reflexiones sobre la Revolución Mexicana *

En los 127 años de trágica vida independiente que registra la historia de México, aquel país ha sufrido más de un centenar de mal llamadas "revoluciones" que en el fondo no fueron otra cosa que pronunciamientos de generalotes semi-analfabetos, rebeliones militares, golpes de estado de camarillas aliadas con fracciones del ejército y con la iglesia, o simples revueltas promovidas por caciques políticos o caudillos provincianos que en aquel país reciben el pintoresco nombre de "bolas". Sólo tres de estos numerosísimos conflictos armados merecen el nombre de revoluciones: la de la independencia, que fué puramente política, como en el resto de Hispanoamérica (1810-1821), la llamada de la Reforma, que culminó en la constitución del mismo nombre en 1857 y en el triunfo de los liberales acaudillados por Benito Juárez, cuyo carácter fué más bien social y económico que político, y la por antonomasia llamada la Revolución, con mayúscula, que inició Francisco I. Madero en noviembre de 1910 y cristalizó en la constitución de 1917, tras una larga evolución y diez años de caos y de sangre.

* Estas reflexiones se escribieron durante unas semanas de asueto en las montañas, en el verano de 1948, y permanecían inéditas hasta ahora. Provocólas la lectura de dos libros de Jesús Silva Herzog: *Un ensayo sobre la Revolución mexicana* y *Meditaciones sobre México. Ensayos y notas.* "Cuadernos Americanos" México, 1946 y 1948, respectivamente. Destinado este libro a lectores no mexicanos, y consagrada la mayor parte de él a comentar novelas en la Revolución o en la post-Revolución inspiradas, el autor ha estimado pertinente reproducir aquí este ensayo para dar idea al lector poco enterado de la parábola recorrida por la Revolución, tanto en su fase violenta como en la civil.

6

Esta última, que siguiendo la tradición mexicana denominaremos desde ahora la Revolución, sin más calificativos, no hizo otra cosa que actualizar y poner al día —reconociéndoles beligerancia a las nuevas circunstancias económicas y sociales del país— los ideales propugnados por la Reforma. La Reforma se frustró en gran parte porque contra ella se coaligaron la iglesia, los intereses privilegiados y los reaccionarios todos que no titubearon en aliarse, primero, con el invasor francés, y luego con el emperador Maximiliano, contra sus propios compatriotas, los liberales. Retirados los franceses y vencido Maximiliano en 1867, parecía que había llegado el momento de viabilizar y hacer efectivos los principios renovadores consagrados en la constitución diez años antes. Mas las fuerzas reaccionarias, si momentáneamente derrotadas, no estaban vencidas, y en 1877 lograron sublevar parte del ejército con Porfirio Díaz a la cabeza y derrocar al presidente liberal, don Sebastián Lerdo de Tejada, sucesor de Juárez, con lo cual los ideales reformistas quedaron irremisiblemente frustrados durante los próximos cuarenta años. Porfirio Díaz no fué más que el instrumento de las fuerzas reaccionarias y los elementos ultramontanos que en él encontraron a su más fiel valedor.

La Revolución Mexicana es, sin duda, el movimiento económico-social de mayor significación que se ha producido en nuestra América, por lo menos en teoría. Fué una terrible conmoción auténticamente mexicana, sin nexo ni influencias foráneas, tanto en sus causas como en su desarrollo ideológico y su culminación jurídica. Ni la ideología socialista ni mucho menos la marxista o comunista —ambas muy divulgadas ya en Europa hacia 1910— ejercieron particular influjo en la promoción del movimiento ni, al vencer éste, en la legislación en que cuajó. De hecho la Revolución surgió sin ideales bien definidos, sin programa concreto y hasta sin líderes conscientes y capaces de encauzarla. Madero que fué su iniciador y su primer mártir destacado, era un hombre bueno, generoso y bien intencionado, pero carecía en absoluto de la visión y de las aptitudes indispensables para resolver los gravísimos problemas planteados por los treinta años de dictadura porfirista y el régimen de privilegio, expoliación e injusticia por ella creado. De ahí que su "revolución" (1910-1913) se limitara al orbe político exclusivamente y aspirara sólo a restablecer la libertad y a restaurar el juego democrático: sufragio efectivo y no reelección. De ahí también su inevitable fracaso. Pero si como revolucionario y gobernante Francisco I. Madero fué un desdichado fiasco, su muerte alevosamente perpetrada por la reacción, sirvió de aglutinante, estímulo y bandera para realizar la verdadera e inevitable revolución que ya se gestaba y la cual Madero ni vislumbró siquiera.

Lo apuntado anteriormente no quiere decir que este hecho epónimo no tuviera precursores y aun conatos de expresión ideológica más o menos bien definida. Entre los primeros pueden —y deben— señalarse a los hermanos Flores Magón, Antonio I. Villarreal, Pascual Orozco, Emiliano Zapata, el propio Madero y otros. Por lo que a los segundos se refiere citaremos el "Programa del Partido Liberal y Manifiesto a la Nación" que desde San Luis, Missouri, en los Estados Unidos, dieron a conocer varios prominentes mexicanos exiliados en 1906. Firmábanlo los hermanos Flores Magón, Antonio I. Villarreal, los hermanos Sarabia y varios más. Este "Programa" constituye una denuncia valiente y franca del régimen de abusos, injusticia y privilegio de la dictadura porfirista y no carece de bases ideológicas constructivas. En él se señalan ya muchas de las reformas, no sólo políticas sino económicas y sociales, que urgía implantar en la legislación nacional. El "Plan de San Luis" (Potosí) lanzado por Madero en 1910 tiene mucho menos alcances económico-sociales, pues apenas trasciende la esfera de lo político. En cambio, el "Plan de Ayala" que en 1911 proclamó Emiliano Zapata, representa una ideología mucho más avanzada que la de ninguno de los dos manifiestos ya citados. Zapata era de extracción humilde y entre todos los caudillos revolucionarios fué el que mejor encarnó las aspiraciones de las masas expoliadas y hambrientas, y el que más fiel se mantuvo a los anhelos redentores del pueblo. Fué también el más sincero y, acaso, el que más honda y duradera huella dejó en el corazón de los humildes tanto como en la legislación revolucionaria ulterior. Al año siguiente, en 1912, Pascual Orozco, que como Zapata desconfiaba de la aptitud y de los propósitos reformistas de Madero, y como Zapata también, se había negado a licenciar sus fuerzas al ser elegido Madero presidente en 1911, publicó el "Plan de Chihuahua" en el que se resumen las reformas que los "planes" de 1906 y 1911 demandaban, y se señalan en fórmulas más definidas y concretas las innovaciones que la legislación revolucionaria debía implantar, tanto en el campo económico como en el social. Por último, tras el odioso asesinato de Madero y Pino Suárez, el vicepresidente, Venustiano Carranza, político marrullero y sin escrúpulos, que por largo tiempo había colaborado con la dictadura porfirista y que ahora ocupaba la gobernaduría del estado de Coahuila, desconoció el gobierno del traidor y asesino de Madero, Victoriano Huerta, y promulgó el "Plan de Guadalupe", en 1913. Carranza, de hecho, representaba la contrarrevolución y sólo se propuso aprovechar la oportunidad en beneficio propio. De ahí que el "Plan de Guadalupe" sea un documento innocuo, sin valor programático ninguno del que está ausente la ideología renovadora que caracteriza los "planes" de 1906, 1911 y 1912, ya aludidos. Siendo el último en aparecer fué el que menos contribuyó a la formación de la conciencia y el credo revolucionarios.

Tales son los principales antecedentes ideológicos de carácter documental que precedieron a la constitución de 1917. En ellos encontramos el germen de las reformas que en ésta se plasmaron y no hay duda de que influyeron hondamente en el devenir revolucionario. Mas nótese que los autores o firmantes de estos "planes" son hombres de acción más que ideólogos. Casi todos ellos son generales o caudillos, y con la excepción del "Programa" de 1906 y el "Plan" maderista de 1910, los otros tres son producto del fermento revolucionario ya en plena acción bélica.

A diferencia de otras grandes revoluciones, la mexicana careció de apóstoles que la normaran. No se dió allí esa larga prédica que precedió a las guerras de independencia y civil, en los Estados Unidos, o a la revolución francesa y a la rusa de 1917, por ejemplo. Huérfana está también la Revolución de líderes auténticos, como un Thomas Paine, un Jefferson o un Lincoln, en Norteamérica; un Mirabeau o un Robespierre, en Francia; un Bolívar, un Sarmiento o un Martí, en América, o más recientemente, un Lenin, un Trosky o un Stalin, en Rusia. Los equivalentes mexicanos de la Revolución, es decir, los ideólogos puros, no sólo no anteceden ni canalizan la ideología revolucionaria, sino que todos son en extremo mediocres y muchos de dudosa filiación revolucionaria. Entre los más destacados habría que mencionar a Luis Cabrera, Antonio Díaz Soto y Gama, José Vasconcelos, Alberto J. Pani, Felix

Palavicini, etc. Quienes hayan seguido la trayectoria política y los escritos de éstos y otros *soi-disant* rebeldes
de antaño, habrán podido constatar cuán precaria era
su prédica revolucionaria. Vistos a esta luz, algunos de
ellos se nos antojan verdaderos farsantes o pescadores
de río revuelto, tan mendaces e impostores como los
generalotes y politicastros manidos que han usufructuado
la Revolución —traicionándola.

No, la Revolución fué, esencialmente, un fenómeno
de masa, un movimiento de protesta y liberación contra
una serie de férreas dictaduras combinadas y sintetizadas
o personificadas en Porfirio Díaz que era sólo su
testaferro y polizonte y, por consiguiente, su cabeza ostensible. Los verdaderos tiranos y explotadores de las masas
hambrientas y desesperadas eran los grandes latifundistas, los poderosos comerciantes, industriales y banqueros, los intereses extranjeros y la iglesia, máxima be-
neficiaria del régimen porfirista y su principal soporte.
(Don Porfirio y muchos de los hombres que con él
colaboraron, tales como José López Portillo y Rojas,
Justo Sierra, Emilio Rabasa, Ezequiel A. Chávez y otros,
eran personalmente honrados y tras luengos años en el
poder lo abandonaron sin enriquecerse a costa del erario
público). Don Porfirio, por ejemplo, tras 33 años de regir
despóticamente los destinos de México, dejó, según se
afirma, 700 mil pesos, fortuna ridícula que en los años
de la post-Revolución cualquier pelagatos que ha ocupado por una corta temporada una curul en el congreso
o un cargo de gobernador o ministro, ha apañado sin
grave dificultad y sin riesgo ni sanción legal ni moral.
(Recientemente se hizo público el testamento de cierto
político, hermano de un alto funcionario. En seis años
que le duró la privanza, este diligente y aprovechado
"servidor" del pueblo acumuló más de 120 millones de
pesos).

De ahí la furia destructora y ciega con que las masas
indigentes y fanatizadas asolaron al país durante los
años que duró el caos que fué la Revolución en su fase
castrense o guerrera. Más que por ideales redentores
de los que no tenían conciencia clara, aquellos famélicos
parias eran impulsados por el odio y la sed de venganza
contra sus expoliadores. Los anhelos renovadores y constructivos no existían más que en una minoría culta y
limitadísima o en ciertos líderes, más intuitivos que conscientes, como Zapata, por ejemplo. La Revolución en
su parábola épica nos deja la sensación de un terremoto

o de un ciclón devastador, guiado solamente por la furia destructora. Esta impresión de fuerza demoledora y ciega se acentúa cuando al vencer al enemigo común —Huerta— la vemos revolverse contra sí misma y comenzar el ciclo más sangriento y terrible que fué la lucha entre sus principales caudillos: Carranza, Villa y Zapata.

Por desdicha para México triunfó el sector menos limpio, el que acaudillaba un político mancillado por sus nexos y componendas con don Porfirio, Venustiano Carranza, antítesis del espíritu renovador y purificador que las circunstancias exigían. Carranza era simplemente un político ambicioso y astuto, reaccionario y maquiavélico, carente en absoluto de escrúpulos éticos. En su torno se congregaron elementos intrigadores y maleantes, —los famosos "licenciados"— que lo adulaban e impelían —o por lo menos condonaban— sus latrocinios. Tal fué de inmoral la conducta del carrancismo o "constitucionalismo" —fórmula fementida con que Carranza disfrazó su dictadura— que el humorismo popular añadió una nueva palabra a las infinitas con que en nuestro léxico se designa la acción de robar, dilapidar, desfalcar o malgastar en provecho propio los fondos públicos o los haberes privados: "Carrancear". Vencido Pancho Villa en Celaya y vilmente asesinado a traición Emiliano Zapata por las fuerzas del tenebroso general Pablo González, de triste memoria, quedó triunfante el "Constitucionalismo" y con su "primer jefe", Venustiano Carranza, en la presidencia de la república, se liquidó el período más cruento de la Revolución y se inició su fase civil. Liquidado el conflicto épico, ahora el "primer jefe" y la camarilla de lisonjeros turiferarios que lo rodeaba, encontraron más amplio campo y oportunidad para "carrancear" a sus anchas. Bajo tales auspicios y con tan desdichado antecedente y ejemplo, se puso en vigor la constitución de 1917 y comenzó la etapa civil de la Revolución.

Corto, fué, sin embargo, el reinado de don Venustiano Carranza como presidente constitucional. Alvaro Obregón y otros elementos del "constitucionalismo", que a su vez estaban impacientes por trepar al poder y "carrancear" ellos también, se volvieron contra el viejo zorro y en la huída, éste fué asesinado casi tan odiosamente como lo habían sido antes Madero y Zapata y lo será poco después Pancho Villa. Con todas sus marrullerías e inmoralidades, Carranza no merecía ser asesinado en la forma vitanda en que lo fué.

Tras un corto período de transición en que ocupó la presidencia Adolfo de la Huerta —es necesario no confundir a este "de la Huerta" con el asesino de Madero— fué elegido presidente Alvaro Obregón y con él y su sucesor, Plutarco Elias Calles, continuaron gobernando en México los "constitucionalistas", o carrancistas de antaño, y el verbo "carrancear" cobra ahora un significado alarmante. La tradición de inmoralidad que el carrancismo inició en los campos de la Revolución, se acentuará ahora en forma más procaz y exhuberante en sus herederos, y según se afirma, tiene prosélitos muy aventajados todavía hoy.

Necesario es hacer una excepción honrosísima, tanto más cuanto parece ser única o poco menos. Este honor corresponde al general Lázaro Cárdenas, personalmente, aunque no pueda hacerse extensivo a muchos de los hombres que con él gobernaron. A su sombra lucraron y se enriquecieron muchos. Cárdenas parece ser casi el único presidente revolucionario que habiendo ocupado dicha magistratura por seis largos años, no la dejó millonario. Además en el haber político del general Cárdenas hay que apuntar también otras virtudes que enaltecieron su presidencia. En primer lugar, su ínsita e incontrovertible sinceridad. Su política pudo ser equivocada y por lo tanto discutible, pero lo que ni siquiera sus más encarnizados detractores osan negarle es este carácter de veraz y sincero. Otro aspecto que honra a su admnistración y lo coloca a él mismo a muchos codos por encima de la mayoría de los presidentes mexicanos, es su respeto a la vida humana. En el país de Huitzilopochtli, con una terrible tradición de sangre que llega hasta el momento en que él asume el poder, Cárdenas impuso una política de tolerancia civilizada y humana, de convivencia indulgente, sin debilidades ni transigencias punibles, de energía serena, sin odio ni pasión y, sobre todo, de respeto a la vida. Bajo su gobierno tuvo lugar la sublevación del general Cedillo, en Potosí, en 1938. Cedillo era el comandante militar de la región y tanto él como los demás altos oficiales que lo acompañaron en la malhadada aventura fueron traidores al gobierno que servían. Por lo tanto, un severo "escarmiento" estaba hasta moralmente justificado. No obstante, jamás en la cruenta historia de México se ha liquidado un movimiento militar subversivo con tanta magnanimidad como en esta ocasión. Cárdenas, no sólo no fusiló a nadie sino que pidió una amnistía para los sublevados tan pronto como se rindieron. Este mismo sentido de tolerancia, de respeto a la opinión ajena, de convivencia civilizada —repetimos— le permitió resolver el grave conflicto con la iglesia —heredado de la administración de Calles— y restablecer la absoluta libertad de prensa y de opinión que jamás había existido desde el asesinato de Madero. Por fortuna para México, esta tradición de tolerancia, de respeto a la vida y de libertad de opinión y de prensa por el general Cárdenas establecida, se ha mantenido más o menos pura, en las dos administraciones que se han sucedido después de él y constituye el más alto mérito de los gobiernos del general Avila Camacho y del licenciado Alemán.

A la sombra de la bandera revolucionaria también, y abusando de la legislación del trabajo y de la ignorancia de la clase proletaria, se ha producido en México en los últimos tres o cuatro lustros, otra epidemia tan nociva como la de los políticos venales. Nos referimos al llamado "liderismo" obrero cuyos integrantes compiten en procacidad con los congéneres políticos aludidos. Esta plaga que lucra a expensas de las masas ignorantes y del comercio y la industria —tanto agraria como urbana— ha obstruído la organización y desarrollo de la vida económica de México en los últimos quince o veinte años y representa un elemento maleante y perjudicial a la clase proletaria tanto como al público en general.

Todavía habría que citar otra seria mácula de los gobiernos revolucionarios hoy extendida a casi todas las ramas de la administración pública. Estimulados por el ejemplo corruptor de los políticos sin escrúpulos, y del "liderismo" irresponsable, y forzados o poco menos por los míseros sueldos que el estado paga a sus servidores, los empleados públicos se encuentran desmoralizados y en los últimos años ha cundido allí el cohecho. El hábito del soborno se ha generalizado en proporciones pavorosas. La famosa "mordida" es ya un recurso universalmente aceptado, tanto por los que la reciben como por el público en general. Para los primeros representa una manera ilícita, pero eficaz de remediar su penuria, en tanto que para las víctimas del sistema equivale a una fórmula expeditiva para resolver problemas legítimos, unas veces, o una forma cómoda de evadir responsabilidades legales, otras.

No se crea por todo lo antedicho, que discriminamos en contra de México y de los gobiernos revolucionarios de aquel país. En proporción al monto del presupuesto nacional, la inmoralidad y la corrupción de México probablemente no exceden a las de la mayoría de los países hispanoamericanos. Este es achaque muy viejo y universal en la América latina y uno de sus cánceres de más difícil extirpación. Lo que hace más significativa y descorazonante la impudicia —y la impunidad— con que en México se viene lucrando a expensas del erario público y del pueblo, es el hecho de haber surgido los beneficiarios de este régimen de un movimiento que se titula regenerador y de gobernar a nombre de una ideología de signo redentor.

En el momento actual, la Revolución atraviesa una grave crisis, como bien lo ha demostrado con un civismo que le honra, Daniel Cosío Villegas en un excelente ensayo publicado recientemente en *Cuadernos Americanos*.

El impulso del ciclo revolucionario dista mucho de haberse agotado, y gran parte del programa está por realizar todavía. Su mayor grado de dinamismo y efectividad lo alcanzó en el quinquenio de 1935 a 1940, bajo la administración del general Cárdenas, pero con el advenimiento a la presidencia del general Avila Camacho se inició la reacción contra el espíritu y la política revolucionarios, y desde entonces las fuerzas conservadoras todas —la nueva burguesía que ha surgido rica y poderosa a la sombra del movimiento que liquidó la anterior, la iglesia y sus aliados y defensores más beligerantes, los sinarquistas y falangistas, así como los grandes intereses nacionales y extranjeros— han ido recuperando su antigua e incipiente preponderancia. Al servicio de la reacción fascistizante que los controla económicamente están los principales órganos de publicidad, enemigos cruzados del régimen revolucionario. Hoy, como en la época de don Porfirio, todos los grandes periódicos de México defienden la causa de la iglesia, de los poderosos intereses económicos y de los elementos más fanáticos del país. El gobierno se titula revolucionario —todavía— pero de hecho viene contramarchando desde hace ocho años.

Todo esto ha producido en México en años recientes una crisis de ilusión y de fe en los destinos del país, una sensación de frustración y de abulia en los elementos más probos y conscientes que son un pésimo augurio para el inmediato futuro. Esta "psicosis" cívica es una de las manifestaciones más inquietantes que se observan en la vida de México en la hora actual. ¿Sobrevendrá allí la reacción purificadora antes de que el virus cunda y aniquile las reservas de honradez y patriotismo que pugnan por salvar al país? ¿Podrán los elementos sanos, hoy a la defensiva, rescatar a la nación de la concupiscencia de los dirigentes políticos y lideristas, por una parte, y del egoísmo desenfrenado y ciego de la reacción, por la otra? Aquéllos la llevarían a la bancarrota y ésta... ya se vió después de la Reforma de lo que es capaz... ¿Tendrá México que empezar de nuevo y sufrir otro calvario como el de 1910 a 1920? La respuesta a estas transidas preguntas nos la darán los próximos lustros. Por el momento no se ve claro. Todo allí aparece nebuloso y sombrío. Esto sin olvidar su crítica situación geográfica y los poderosísimos intereses imperialistas que gravitan sobre su economía y su destino...

*   *   *

No quisiéramos, sin embargo, dejar en el lector no mexicano la sensación de que la Revolución ha sido infecunda y que no ha realizado labor constructiva ninguna. Tal conclusión sería un grave error y una injusticia. Quien desee conocer los aspectos positivos y benéficos al país de los gobiernos revolucionarios, debe leer el libro *Un ensayo sobre la Revolución mexicana* por Jesús Silva Herzog, al que al principio se aludió. Silva Herzog no es un apologista de la Revolución sino un historiador y crítico sereno y justo que analiza el devenir revolucionario con equidad y ponderación. A pesar de sus graves fallas, los gobiernos revolucionarios han beneficiado al país en múltiples formas y han hecho extensivos a la gran masa, en no escasa medida, los beneficios de la educación, de la libertad y de la riqueza. Durante los últimos treinta años se han centuplicado las escuelas rurales y las bibliotecas públicas, se han permitido las organizaciones obreras, se han mejorado las condiciones de vida del proletariado, tanto urbano como rural, se han abierto carreteras, se han parcelado y distribuído los grandes latifundios, se han construído múltiples y provechosas obras de irrigación, se ha protegido a los escritores y artistas en diversas formas, se han creado notables centros de alta cultura, se han desarrollado la industria y el comercio y el país se ha enriquecido y en gran parte recuperado de la postración en que yacía en 1920. Todo esto y mucho más se ha hecho a pesar de la corrupción y de los latrocinios que imperan en las altas esferas. Lo triste, lo desesperante para el extranjero que visita a México es el contraste qué observa tan pronto cruza la frontera entre la opulencia y la miseria, entre la fabulosa riqueza de la capital y el pauperismo que en todas partes se advierte. Es que el problema de México no puede resolverse en una generación ni en dos. Son muchos siglos de ignorancia, de esclavitud, de fanatismo, de apatía y de fatalismo los que se han acumulado sobre las masas mexicanas y serán necesarios los esfuerzos bien orientados y eficaces de varias generaciones para redimirlas de su propia desidia, de su apatía, de su fatalismo y transformar su espíritu y su personalidad.

Capítulo VII

LA NOVELA DE LA REVOLUCION

Reacción y afirmación de la mexicanidad.—Influencia de la pintura mural.—Otros aspectos de la novela revolucionaria

El término "novela de la revolución" que por tantos años se ha venido aplicando a la modalidad novelística que advino a la caída de Porfirio Díaz con el doctor Mariano Azuela como iniciador y máximo representante, es ya una etiqueta histórica y sin sentido con relación a la producción novelística del momento (1950). Quizá pudo emplearse con cierta justificación hasta 1940, pero al presente ha perdido su original significación y capacidad definidora. En primer lugar porque el tema de la Revolución carece de interés y actualidad para la mayoría de los novelistas de los últimos dos lustros o, por lo menos, ya no es capaz de sugerirles nada ni de inspirarles y compelerles a escribir sobre ella. El tema de la Revolución parece haberse agotado sin agotarse. Quiero decir que el asunto ha dejado de tener virtualidad inspiradora para los novelistas sin que hasta ahora nos hayan dado una obra cíclica que lo abarque en todas sus fases y en todas sus potencialidades creadoras. Todas las *soi-disant* novelas revolucionarias son fragmentarias, parciales, episódicas, y con frecuencia parecen relatos o crónicas. En cada una de ellas sólo se enfoca un aspecto o sector, una personalidad o una variante del terrible huracán. Ni siquiera los tres libros máximos que la Revolución inspiró —*Los de abajo, El águila y la serpiente* y el *Ulises criollo*— son totalizadores. En ellos sólo percibimos ciertas aristas o perfiles del fenómeno revolucionario, de carácter negativo y pesimista por lo general. Pero ni aun añadidos o combinados nos dan el cuadro íntegro. Es que la Revolución como México mismo, es inabarcable, inasible, compleja y múltiple en sus diferentes etapas, en sus variadas ideologías y facciones, en sus hombres y en sus aspiraciones. ¿Qué hay de común por ejemplo, entre Pascual Orozco y el taimado Pablo González, entre la sinceridad y simplicidad primitivas de un Zapata y la marrullería convenenciera de un Carranza, entre la fuerza ciega y desatada como un terremoto de Pancho Villa y un Antonio I. Villarreal, un Felipe Angeles o un Felipe Carrillo? La Revolución tuvo tantos carices como líderes, tantas ideologías como caudillos y zonas. Las aspiraciones y programas fueron forjándose a medida que se luchaba, y poco a poco adquiriendo cohesión y unidad conforme desaparecían o quedaban aniquilados los caudillos. De hecho la ideología revolucionaria es posterior a la Revolución, por lo menos en su fase vertebrada y coherente.

Luego hay que recordar que los novelistas que en la Revolución se inspiraron, unos han dejado de cultivar el género, como Martín Luis Guzmán, Rafael F. Muñoz y Jorge Ferretis, por ejemplo; otros como el doctor Mariano Azuela, Gregorio López y Fuentes, José Rubén Romero, Mauricio Magdaleno, etc., han cambiado de rumbo o de orientación y escriben novelas de otro tipo que en nada se relacionan con el fenómeno revolucionario. Por último, hacia 1940, más o menos, se empezaron a cultivar diversas variantes de novelas, divorciadas totalmente de la preocupación revolucionaria que durante una década absorbió despóticamente el interés de los narradores. Hoy existe en México un grupo de novelistas jóvenes y recién iniciados que prometen mucho. Por eso, además de la novela propiamente denominada revolucionaria que perdió vigencia y languideció hacia 1940, aunque desde entonces haya aparecido algún retoño tan valioso como *La negra Angustias* de Rojas González y *La escondida* de Miguel N. Lira, coexisten en México en la actualidad, la novela indianista que hizo acto de presencia tardíamente, pero que empieza a cultivarse con seriedad y sentido artístico, la novela burguesa, la novela de ambiente político, la de ambiente proletario, la novela de aspiración estética pura, la de tendencia psicológica, la de ideas, la histórica, la picaresca, etc., etc., casi todas ellas saturadas de hondo contenido y preocupación sociales y de marcado sabor nacionalista. Este es, quizás, el único común denominador que las enlaza.

México pugna por definirse y encontrar su per-

sonalidad y su expresión autóctona y genuina a través
de este género y de la pintura, principalmente, pero
también del teatro, del cuento, de la música y de otras
manifestaciones menores. En todas estas expresiones
empieza a perfilarse su complejo carácter. Los creadores de hoy ya no escriben de espaldas a su circunstancia y con la vista puesta en Europa para remedarla.
Ahora se estudia y se ahonda en la observación de lo
terrígeno. Se acude al análisis serio de lo vernacular,
de las costumbres, de las tradiciones, del carácter y
del folklore de cada región y de cada grupo cultural indígena, además de las zonas de vida urbana. Hoy existen
novelistas que conocen bien la vida, la cultura, la lengua, la idiosincrasia, los hábitos y el folklore de los
zapotecas, de los náhuatl, tarascos, tlaxcaltecas, zotziles,
otomíes, coras, seris, y otras variantes étnicas y culturales de México, y tratan de incorporar el espíritu y
las esencias vitales de estas substructuras sociales al
acervo común de la novela y del arte nacionales. Hasta
muy recientemente estas supervivencias indígenas, permanecían soterradas y peyorativamente olvidadas por
artistas y literatos y sólo despertaban interés a los
historiadores y antropólogos. En la mayor parte de ellas
predomina un marcado sincretismo religioso y cultural;
pero aun hay zonas en las que se habla el idioma vernáculo y se conservan bastante puras las tradiciones
propias.

Este "redescubrimiento" de México —del México
preterido y desdeñado por los escritores, poetas y
artistas de la época porfiriana— es obra de la Revolución. Esta exaltación de lo propio, este cultivo de lo
vernacular por humilde y primitivo que parezca, esta
revisión de los valores espirituales y psicológicos que en
las supervivencias indígenas persisten, no podían reali-
zarse antes de la Revolución porque los escritores
del siglo pasado —aun los que procedían de extracción
india pura, como Ramírez y Altamirano— estaban demasiado impregnados —y deslumbrados— por las formas y los valores de las culturas europeas que ansiaban
importar y superponer a lo nativo. Aquellos hombres,
con todo su talento y su acrisolado patriotismo, adole-
cían desde el punto de vista cultural, de espíritu colonial.
La Revolución cortó el cordón umbilical que aún nutría
a México y les reveló a los artistas y escritores los valores propios. Los escritores que en pos de ella vinieron
no desdeñan a Europa porque saben que tal aislamiento

sería fatal para el arte y la cultura mexicanos. Todos saben que no hay actitud más infecunda que el encasillamiento en un localismo o nacionalismo aislador y estrecho. Por eso en el presente momento se sigue en México el devenir de las culturas europeas con más atención que nunca, quizás, y por mayor número de intelectuales que en ningún otro período anterior. Pero el énfasis y la preocupación esencial, se fincan en lo propio. Este maridaje de atención a lo europeo y a lo norteamericano con el interés primario por los valores domésticos, ha sido fecundo y ha propiciado el florecimiento de una plástica, una música, una novela, un cuento, y un teatro raigalmente mexicanos, por el espíritu y por las formas. El escritor de hoy —especialmente los novelistas— ha dado un viraje radical y se enfrenta con su propia circunstancia sin el complejo de inferioridad que frente a ella sentían sus abuelos y sin la actitud un poco vergonzante de la generación porfirista. Antes al contrario, han sublimado, por así decir, la herencia indígena, de la que la promoción finisecular renegaba, y han procurado captar sus esencias más finas para incorporarlas y fundirlas con el acervo europeo. Mediante este acoplamiento de elementos disímiles —espíritu, forma y temas telúricos y vernáculos con técnicas importadas— México está desarrollando una cultura original y propia, de carácter mestizo como es su composición étnica —y la de todos nuestros pueblos— pero de perfiles inconfundibles. Tal fué la brecha que abrió la Revolución y por ella han penetrado los hombres de letras y los artistas que en pos del hecho histórico vinieron. Haciendo a un lado los prejuicios clasistas, el desdén por el indio y el mestizo, y el complejo de inferioridad que la realidad étnica y social desarrolló en la generación porfiriana, los intelectuales de hoy exploran y exaltan todos los valores y posibilidades estéticas que México atesora en su infinita variedad de componentes y de matices. Exceptuada la poesía. México está superando hoy la labor realizada antes de la Revolución, particularmente en el campo de la pintura, la novela, el cuento, el teatro y la música.

Cómo ya se apuntó, es necesario distinguir entre la que con propiedad puede llamarse "novela de la Revolución", cuya virtualidad creadora se agotó o poco menos, en una década aproximadamente —1928 a 1940— y las formas y los temas variadísimos que luego se han cultivado en los últimos dos lustros. Del período 1928-

1940 queda excluido el doctor Mariano Azuela porque
el ciclo de sus novelas revolucionarias se cerró en 1918.
Al doctor Azuela, pues, hay que colocarlo aparte, no
sólo por razones cronológicas sino de otra índole. Por
su importancia como innovador, por el mérito intrínseco de su obra y por la influencia que tuvo en el desarrollo del género, se le estudia aquí con más detenimiento que a ningún otro novelista. Pero si cronológicamente hablando, no puede incluírsele en el período de
florecimiento de la variante revolucionaria, queda sin
embargo comprendido en las reflexiones generales que
luego se harán en torno a este tipo de novela, ya que
fué él quien la inició y le dió la tónica y la norma que,
mutatis mutandis, adoptaron los que después la cultivaron.

A pesar de las variantes artísticas, técnicas y aun
temáticas que la personalidad y los gustos de cada autor
introdujeron en la llamada "novela de la Revolución",
todavía pueden señalarse una serie de características comunes a la mayoría de estas obras que les prestan cierta
homogeneidad, cierto aire de familia, y las agrupan en
una modalidad diferente a las que antes y después se
han escrito. A todas las une el tema de la Revolución
en sus infinitos aspectos. Este es el principal denominador común que las vertebra y hermana. La temática
revolucionaria dió origen a las más valiosas y originales
novelas del doctor Azuela, pero cesó de cultivarla en
1918. Entre esta fecha y 1928, apenas puede decirse
que existiera la novela en México. Son diez años de esterilidad poco menos que completa. El propio doctor
Azuela, desilusionado por el terco silencio que en torno
a su obra se había hecho, poco menos que enmudeció
durante esta década. Sólo en 1923 y 1925 nos dió sendas novelas cortas. Pero entre 1928 y 1930 se producen
dos hechos importantes que van a propiciar el interés
de los creadores por la temática revolucionaria y pro-
vocarán su rápido incremento. En primer lugar, durante
este bienio. *Los de abajo* fué editada tres veces en España y una en Buenos Aires, con comentarios muy elogiosos en la prensa de ambos países, y traducido —y
comentado— al inglés y al francés. Esta fortuna de *Los
de abajo* fuera de México, reveló a los escritores del
patio la valía de esta obra y el interés del tema revolucionario. Por otra parte, en 1928 y 1929, respectivamente, aparecieron también en Madrid, *El águila y la
serpiente* y *La sombra del caudillo,* de Martín Luis Guz-

mán, reeditadas ambas en años sucesivos con comentarios muy encomiásticos. Los dos hechos precitados y el
esplendor de la pintura mural a la que luego se aludirá,
fueron los que más influyeron en el desarrollo de la llamada "novela de la Revolución".

En relación con la novela anterior, lo primero que
notamos en la modalidad que inició el doctor Azuela, aun
antes de abrirlas, es que el tamaño, las dimensiones físicas de la novela, se han achicado ahora. En contraste
con aquellos novelones de quinientas, seiscientas y aún
más páginas que antes se publicaban, el doctor Azuela
le recorta la extensión a sus obras. Si mal no recuerdo,
de sus doce primeras novelas, ninguna alcanza trescientas páginas. Lo mismo harán sus continuadores con muy
raras excepciones. Sólo Martín Luis Guzmán y José Vasconcelos cultivaron, de preferencia, la narración extensa,
pero exceptuados éstos, es muy raro encontrar entre
los centenares de novelas que la Revolución inspiró, una
que alcance cuatrocientas páginas. Esta economía y concisión van a beneficiar el género. Mediante este procedimiento se desecha y prescinde de todo ese material
de relleno, superfluo y baladí, que antes impedía el desarrollo rápido de la trama que se bifurcaba en múltiples
direcciones y se enredaba en un detallismo descriptivo
innecesario y cansado. Por contraste, la novela se nos
presenta ahora aligerada de toda esta impedimenta retórica, costumbrista y sermonera; abandona la complejidad del enredo y va rápida y directa a su objetivo. La
narración se vuelve escueta, esquemática, y de ritmo
acelerado. Ha podado la malsana floración retórica, suprime sermones y prescinde de la descripción costumbrista. Comenzando con Azuela, la novela revolucionaria
romperá con la centenaria tradición lizardina y reaccio-
nará contra las dos direcciones que *El periquillo* le impuso durante una centuria a la novela mexicana.

Otro detalle o característica de la novela revolucionaria que la divorcia de la anterior, es su "historicismo"
realista y limitado que la lleva a plegarse al hecho histórico con excesiva fidelidad. Al contrario del novelista
anterior, el revolucionario no inventa nada, su fantasía
creadora apenas interviene y su imaginación se limita
a captar en forma narrativa y dialogada el hecho social
que se propone novelar. Esta no es sólo una característica definidora de la modalidad revolucionaria que la
distancia de las formas novelísticas antes cultivadas, sino
también una limitación —un defecto— que le recorta el

marco a estas creaciones y las unce al yugo de la realidad histórica. Al reducir su inventiva a la copia fiel
de los hechos y los personajes de la Revolución, el novelista le merma el vuelo imaginativo a su obra y la convierte casi en documento, en retrato más o menos fide-
digno, de un instante de la historia de México, y con
ello sufre su valía estética. La inmensa mayoría de los
narradores revolucionarios no enfoca este problema como un tema artístico ni siquiera psicológico, sino como
un fenómeno histórico. Las posibilidades estéticas de la
Revolución apenas han sido exploradas todavía. Quizás
los novelistas están demasiado cerca aún del hecho histórico y demasiado afectados por él para captarlo artísticamente, como han hecho Valle Inclán y Baroja con
las guerras carlistas en España. De ahí que el contenido social de estas novelas sea mucho más importante
que el estético.

    ¿Cómo explicar esta ausencia de inventiva, de ima-
ginación creadora y este raquítico acoplamiento a la realidad histórica a la cual se sujeta el novelista de esta
época? La explicación la encontramos en el hecho mismo, en su trascendencia social, en su intenso dramatismo que hace del fenómeno y de las figuras novela-
das, acontecimientos epónimos en el devenir social de
México. Al novelista le basta con copiar servilmente
esa realidad para hacer obra de gran interés. El dinamismo de la Revolución, su aspiración redentora, la vigorosa personalidad de sus líderes, la truculencia y el horror de sus conflictos internos y de sus acciones militares son tales, que el novelista no ha menester de gran
capacidad inventiva para escribir obras entretenidas. Por
otra parte, a los autores les falta perspectiva histórica.
Algunos de ellos como Azuela, Guzmán, Vasconcelos,
etc., formaron en las filas revolucionarias, otros se han
limitado a copiar, como en un espejo, la realidad de que
han tenido noticias más o menos directas. Otros que por
su edad no pudieron sumarse al movimiento, sufrieron
en sus años juveniles, las consecuencias del trágico acontecimiento y estaban saturados de su influencia y conocían bien sus hazañas, sus crímenes y sus caudillos. Por
eso en muchas de estas novelas revolucionarias se percibe un realismo impersonal, una objetividad en la copia
de los hechos con los que jamás soñó Flaubert. El novelista revolucionario añade muy poco de su propia
personalidad al ambiente que se propone novelar. Por
lo general es un simple *cameraman*, un fotógrafo cuya

aspiración máxima consiste en captar esa realidad tal cual se le presenta. Ni siquiera aspira al "retrato" que implica ya una mayor capacidad en el arte de la composición y superiores dotes creadoras. Tal es el mérito de la novela revolucionaria y tales sus limitaciones.

Influencia de la pintura mural

Antes de analizar la técnica de la novela revolucionaria y otras deficiencias de que adolece, conviene señalar aquí la posible influencia que la escuela de pintura mural mexicana ejerció en el concepto y en la técnica de la novela que entre 1930 y 1940 se puso de moda. Ya antes se indicó la probable influencia que sobre José Clemente Orozco ejerció la más importante de las novelas revolucionarias, *Los de abajo*. Ahora procede mencionar la fecundación inversa.

El genio de la Revolución adquirió conciencia estética y alcanzó su máxima expresión artística en la pintura mural cuyas figuras culminantes son Diego Rivera, José Clemente Orozco y David Alfaro Siqueiros, y en el grabado, Leopoldo Méndez. Fué en este arte y a través de sus dos más grandes genios —Orozco y Rivera— principalmente, en el que primero se plasmó la estética de la Revolución y aquél en que mejor se evidenciaron las posibilidades artísticas que atesoraba. Cierto que *Los de abajo* apareció ya en 1915 y por primera vez en volumen en 1916, pero esta máxima creación, no sólo no encontró eco de inmediato entre los literatos sino que ni siquiera se le reconoció beligerancia artística a su autor hasta después de 1930. En cambio, la pintura mural era ya por esta época un hecho universalmente reconocido y acatado. Sobre todo era ya una expresión colectiva, una escuela o movimiento, en tanto que Azuela seguía siendo un autor aislado que no había hecho prosélitos todavía. La obra de Rivera y de Orozco en cambio, tuvo adeptos inmediatamente y asumió proporciones de escuela apenas iniciada.

Al contrario de la novela revolucionaria que surgió simultáneamente con la Revolución, se agota durante una década y reaparece con Martín Luis Guzmán en 1928, la gran pintura mural no hace su aparición hasta después del triunfo del hecho histórico que le dará vida, hacia 1920. Pero nació ya vigorosa y adulta y su tremendo impulso creador no se interrumpió ni se ha agotado durante treinta años, aunque al presente se note cierta

postración y decadencia. Durante estas tres décadas, los
pintores mexicanos han desarrollado una de las manifestaciones plásticas más originales y valiosas del arte contemporáneo en cualquier país. Durante este período, los
grandes artistas mexicanos supieron dar expresión en formas y colorido imperecederos al espíritu de la Revolución
y a la tragedia del indio mexicano. Allí aparece por primera vez —con la sola excepción de *Los de abajo*— el
protagonista de la Revolución: la masa. Ya en abigarra-
dos conjuntos churriguerescos, como en los grandes murales de Rivera, ya con la primitiva simplicidad y economía
de elementos, pero dotado de un profundo sentido dramático, de Orozco, vemos desfilar por estos enormes
frescos al paria mexicano, siempre esquilmado y siempre
ultrajado y victimado por la clase dirigente y adinerada.
Es este un arte novedoso y revolucionario, tanto por la
técnica cuanto por el espíritu subversivo y renovador
que lo inspira y la ideología que propugna. Por primera vez en la civilización occidental, la gran masa
de los oprimidos, vejados y explotados, encuentra un
grupo de artistas geniales que hace de su miseria y de
su dolor un motivo de arte superior. Hay en estos grandes frescos una tan cabal identificación del artista con
el alma del pueblo, que más que obra personal diríase
labor colectiva en la cual la gran masa hubiera plasmado
sus angustias y sus ansias de redención.

En tal sentido, la pintura mural mexicana se asemeja a la suprema expresión artística del medioevo, la
catedral gótica, obra colectiva y expresión fiel del anhelo místico de la época. En ambos casos, el artista
no es más que un leal intérprete del alma y de los sentimientos populares. Al pintor no le basta con adueñarse
de los anhelos redentores que agitan a la masa sino
que la incorpora a su obra, unas veces material y nu-
méricamente; otras mediante un hábil simbolismo que
la encarna y resume. El mesianismo y la exaltación del
héroe que definen la expresión artística desde el renacimiento hasta las postrimerías románticas, ceden el paso
ahora a una modalidad de arte inédito y genuinamente
popular, a una nueva concepción estética y social en
la que el verdadero protagonista es el conglomerado
de los oprimidos. Tal ocurrió en la realidad histórica
de la Revolución y los pintores fueron leales y verídicos
en su interpretación.

La aguda intuición de José Vasconcelos previó el
influjo que la pintura ejercería en otras formas artís-

ticas y en el pueblo. De ahí que hiciera pintar estos grandes frescos al aire libre y en aquellos lugares públicos a los que las masas tuvieran fácil acceso. Esta fué, acaso, la ejecutoria más perdurable que de su paso por la Secretaría de Educación dejó y la mayor deuda que México tiene contraída para con él. Su previsión —genial esta vez —no tardó en comprobarse. La obra de los primeros maestros hizo prosélitos inmediatamente y en menos de tres lustros, México se enriqueció con una de las escuelas de pintura más originales y valiosas con que el mundo cuenta hoy, cuya influencia no sólo trascendió a otras artes, como la novela, sino que se ha dejado sentir allende las fronteras, tanto en los países hermanos como en la plástica norteamericana.

Ya se dijo antes que el éxito sensacional que fuera de México tuvieron *Los de abajo* y *El águila y la serpiente* entre 1928 y 1930, fué un factor decisivo en el empleo del tema revolucionario durante la siguiente década. A este hecho revelador hay que agregar ahora, la influencia de la pintura mural. Ya por esta fecha (1930), los frescos de Orozco, Rivera, Siqueiros, Mérida y varios otros eran conocidos y admirados en todo el mundo occidental. La temática revolucionaria constituye el principal —ya que no el único— motivo de inspiración de estos artistas y no parece aventurado asegurar que con su genio los pintores revelaron a los bisoños novelistas las posibilidades estéticas que la Revolución contenía y propugnaron el cultivo del género.

Pero la influencia de la pintura trasciende el plano de la sugerencia del tema para invadir el de la técnica. Aquí entramos en terreno resbaladizo en el que toda afirmación categórica y dogmática es peligrosa. Como la pintura, la novela revolucionaria se escribe a base de masas, de pueblo y para el pueblo. Es una novela en la que se prescinde de casi todos los convencionalismos atingentes al género —héroe, heroína, enredo amoroso, argumento, etc.— para elevar a ese personaje indefinido y amorfo que es la masa a la categoría de protagonista. Esto es lo que hizo la pintura y lo que antes había hecho Azuela en varias de sus obras —principalmente en *Los de abajo* y *Las moscas*. Pero eso fué la Revolución también, un movimiento de fuerte raigambre popular, una sublevación de las grandes masas oprimidas. Entonces el problema consiste en determinar si los novelistas derivan su concepto y su técnica directamente del hecho histórico, como lo habían hecho

Azuela y los pintores, o son éstos y Azuela los que se
los sugieren. No se pretende llegar a ninguna conclusión cerrada aquí. Sólo se señalan afinidades y coincidencias. Mas admitiendo que en lo fundamental la técni-
nica de la novela se derivara lógicamente del carácter
del hecho histórico en que se inspira, todavía me parece
más que probable la influencia que sobre estos creadores ejercieron los pintores y el doctor Azuela.

Otros aspectos de la novela revolucionaria

Es necesario insistir en el viraje que en cuanto a
técnica dió la novela mexicana de esta época porque
en ello consiste su mayor originalidad. Comenzando con
el doctor Azuela, la novela de la Revolución se desprende de casi todos los elementos que le habían servido de puntales en el siglo XIX e inaugura un "montaje" inédito y peculiarísimo que luego se ha cultivado
en otras partes —en Rusia principalmente— pero que
en 1915 era una innovación. Podemos imaginarnos al
novelista del siglo anterior planeando y organizando
el argumento de una novela más o menos como un ar-
quitecto hace el "proyecto" de un edificio antes de abrir
los cimientos del mismo. (El cinematógrafo heredó esta
técnica y la perfeccionó hasta hacerla "standard" en
Hollywood —la Meca de la tontería cinemática en donde las enormes posibilidades estéticas de este arte, han
quedado reducidas a un *producto industrial* "estandar-
dizado", chabacano y vulgar, como todo lo que se fa-
brica con un fin exclusivo de lucro.)

El novelista de aquella época concebía la novela,
no como una recreación de la realidad social, sino como un invento o engendro de su imaginación, con carácter biográfico casi siempre y haciendo girar todo el
enredo en torno a los protagonistas que con frecuencia
era sólo uno o se nos convertía en triángulo. Siguiendo
la fórmula romántica hacía del conflicto amoroso una
especie de *conditio sine qua non,* como si la vida se
redujera a una aventura sentimental. Una vez ideados
los personajes centrales que habían de representar la
farsa amorosa, se procedía a la selección de las figuri-
llas menores o episódicas que con aquéllos colaboraban
o dificultaban la "realización de sus destinos", y por
último, venía el "material de relleno" para completar
el "retablo". Ya ideado o levantado el "tinglado", se
procedía a escribir la novela sin grandes preocupaciones

por hacerla coincidir con la realidad. Innecesario parece aclarar que de esta pauta común se apartaron siempre y en todas partes los Balzac, los Dostoiewski, los Tolstoy, los Thomas Mann, es decir, los genios. Desgraciadamente, México no produjo ninguno en el siglo XIX y exceptuado Lizardi, casi todos los demás siguieron esta formulita que Europa les recetó. Sólo que en México el "material de relleno" ocupaba la mayor parte de la obra y se reducía a una tediosa amalgama de costumbrismo y sermoneo.

El novelista de ambiente revolucionario, reaccionó contra este concepto estereotipado de la novela. Echó abajo este "tinglado", mandó a paseo el enredo amoroso, prescindió de la mujer que casi no aparece en muchas de estas novelas, desinfló al héroe, se olvidó del argumento y procedió a copiar directamente de la realidad histórica tal cual se le ofrecía. De ahí nace esa novela un poco improvisada, sin arte, pero sin retórica también, ruda y verista, en la que el protagonista central carece de apelativo porque es el pueblo mismo, la masa anónima. Al concepto romántico anterior con su "hero-worship", su exaltación del héroe o la heroína, su fementida idealización del amor, y toda la tramoya que en torno a ambos se levantaba, se ha substituido ahora con una modalidad novelística diametralmente opuesta en la que el autor "calca" la realidad que desea retratar sin atenerse a pautas preestablecidas ni a modelos importados. Lo mismo hace con la retórica anterior. Ahora se escribe en un estilo llano, directo, a veces descuidado, sencillo y, sobre todo, verista. El pelado habla como pelado, el indio como tal y el lechuguino o catrín de la ciudad metido de contrabando en la Revolución —verdadero pescador de río revuelto— en su culta jeringonza de neologismos que le sirve de pantalla para esconder y disfrazar su falacia revolucionaria. El popularismo lingüístico, tan rico y tan expresivo en México, recobra ahora toda su prestancia para desesperación de los puristas y académicos. La novela deja de ser expresión de la vida y de la moral urbanas y burguesas, y se pone al servicio del pueblo al que retrata en trance revolucionario.

Es por definición impresionista, improvisada, y con frecuencia mal urdida. El desdichado maridaje del género novela con el periodismo mexicano que antes se señaló, se acentuará aún más durante la década en que floreció la novela revolucionaria. El novelista de esta época, con raras excepciones, cultiva la novela con un criterio periodístico y la improvisa con la misma despreocupación estética con que se escriben las crónicas o los reportajes de la prensa diaria. No se ahonda en el tema ni se estudian con detenimiento los caracteres. De ahí que el contenido ideológico o psicológico de esta novela sea en extremo parco. Es una novela en gran parte escrita sin preocupación por las formas y por el contenido. Exceptuados algunos aciertos bien logrados por Azuela, Martín Luis Guzmán, José Vasconcelos, José Rubén Romero y Gregorio López y Fuentes, la inmensa mayoría de estas novelas carecen de jerarquía estética. Lo que en ellas percibimos es un revolucionarismo indocto, improvisado, un poco convencional, y sin categoría artística. Apoyado en la tragicidad de los hechos históricos, en el dinamismo y las atrocidades del proceso revolucionario, en sus figuras más vigorosas y en el tremendo interés que el tema despierta, el novelista se entrega a una labor de copia excesivamente fiel, sin imaginación creadora y sin inquietud por otros valores que no sean los de contenido histórico y social. El creador como que se inhibe porque la trágica realidad le ofrece los materiales que necesita ya desarrollados y la fantasía del autor se concreta a copiarlos literalmente por así decir.

A modo de compensación a las limitaciones y defectos señalados, la novela ahora se nos ofrece renovada y despojada de las taras que afeaban a la anterior. Ya se mencionó el abandono del detallismo costumbrista y de la impedimenta moralizante que hacían lento y cansado el desarrollo de la trama en la centuria anterior. Al procedimiento "aluviónico" en el que antes se acumulaban acciones varias e innecesarias, accidentes y episodios superfluos, digresiones inútiles y soporíficas, se opone ahora una técnica narrativa sobria, directa y de ritmo acelerado; la acción no se bifurca; se suprime toda la obra muerta de episodios parentéticos que antes distraían el interés y retardaban el desenlace. Con una gran economía de recursos, el novelista revolucionario desenvuelve su magro argumento en una especie de *tempo* rápido, dinámico, que precipita el desenlace antes de que el lector se fatigue. Por primera vez ahora se prescinde de la intención didáctica. El autor nada tiene que enseñarle al lector, ni desea adoctrinarlo. Si de estas obras puede deducirse alguna moraleja será la que de los hechos mismos se derive. La novela se apea del púlpito y se conforma con entretener. La prédica directa, admonitoria y clerical desaparece totalmente. (No por ser cualidad negativa deja de ser ésta una de las características más valiosas de la novela revolucionaria. Representa toda una liberación frente a la gabela que el ambiente clerical del siglo pasado le había impuesto al género.) Otra medida profiláctica de la nueva novela es la transformación que se opera en el estilo que ahora se hace breve, cortante, rápido y directo, en perfecta armonía con el dinamismo y la parquedad del argumento. En lugar de aquellas páginas y más páginas de larguísimos párrafos descriptivos —y sentencias casi tan largas como los párrafos— el diálogo se torna ágil, nervioso, de sentencias concisas y salpimentado con la gracia y el vigor expresivos de la lengua popular antes preterida como un desacato a la pureza del lenguaje y de las costumbres. Aquella maleza de adjetivos que antes se acumulaban sin gran preocupación por la selección y el matiz, queda ahora substituída por el adjetivo único o la frase breve pero de gran fuerza expresiva. En tanto la acción y el estilo se aligeran, se esquematizan y despojan de inútil lastre, la narración adquiere una cuarta dimensión: dramaticidad, sin dar en la truculencia y el melodramatismo románticos. (Esta es una novela antirromántica por definición.) Los mejores novelistas revolucionarios saben captar la realidad que describen con un mínimo de recursos, sin atenuarla ni adulterarla con superfluos aditamentos y galas innecesarios. Diríase que en sus mejores momentos compiten en sencillez, crudo realismo y eficacia descriptiva con los mejores clásicos de la picaresca.

Del cúmulo de acciones militares, episodios, personajes, intrigas, traiciones, heroísmos, crímenes y sangre que en estas novelas se describe, se destaca un hecho, una actitud, que merece comentarse: el culto al coraje, a la hombría. Aun en esto los novelistas se atienen a la realidad y son de un verismo despiadado. Así se reveló el mexicano en aquella terrible crisis. Así es. Así lo pintan estos autores. Este culto bárbaro de la hombría, este inútil derroche del valor personal, sin necesidad ni objeto, sino por mera fanfarronería o íntima necesidad de afirmar la propia personalidad, este desprecio absurdo —y a los ojos del extraño, idiota— de la vida que se ofrenda o se arrebata con fría indiferencia, es uno de los aspectos de la idiosincrasia mexicana que el lector poco enterado —en particular el lector norteamericano—

no se explica ni comprende. Por eso es pertinente insistir aquí sobre el tema.

La ferocidad de la guerra y la familiaridad con el dolor y la muerte en toda ocasión y a cada momento; la certidumbre de que cada hora, cada minuto, puede señalar el término de una vida sin goce ni esperanza de mejoramiento, han atrofiado en estos seres la sensibilidad y embotado aun el instinto de conservación, en tanto que el culto al valor personal, al coraje, se ha sublimado hasta la hiperestesia. "Ser muy hombre" o "muy macho"; saber enfrentarse con la muerte aunque sea por una simple estupidez o por mero alarde, sin que los nervios nos traicionen ni el semblante empalidezca, esa es la gran virtud, la única a que estos hombres barbarizados por la guerra, por la ignorancia, por la injusticia y la miseria, rinden acatamiento y culto. Una conciencia anquilosada por cuatro siglos de cristiana y católica explotación, hambre y dolor, y una sensibilidad enervada y debilitada, ahora más que nunca, por dos lustros de orgía sangrienta y de salvaje ferocidad, producen este culto bárbaro del coraje. En el fondo de esta morbosa exaltación de la hombría —a primera vista de origen sádico o masoquista— se esconde un complejo de inferioridad que necesita "compensarse" y defenderse mediante esta forma de afirmación del ego humillado y vilipendiado durante siglos por el régimen feudal. Esta es una de las manifestaciones más peculiares —y más peligrosas— del carácter mexicano que Samuel Ramos ha estudiado con acuciosidad en su libro *Perfil del hombre y la cultura en México,* ya aludido.

Por lo demás, el alcohol constituía la única vía de escape de la trágica realidad que aprisionaba a estos hombres fatalistas que a diario se enfrentaban con la muerte. Y con el alcohol venían las francachelas y las bacanales que les permitían olvidar el funesto sino que sobre todos se cernía como una Némesis implacable. Agustín Vera, en una de las primeras e injustamente desconocidas novelas de este ciclo, *La revancha,* describe así estas fugas de la realidad a que se entregaban los hombres de la Revolución en los paréntesis de inactividad entre combate y combate:

"En el vasto silencio de las llanuras solitarias, los acordes apagados y quejumbrosos de la guitarra seguían acompañando monótonamente a la voz en falsete del cantor improvisado que entre coros de aplausos y exclamaciones de alegría, iba desgranando una a una las tristezas hechas música de una raza que sólo sabía hablar de amor, de olvido, de traición y de muerte..."

....

"Al día siguiente, nadie volvió a saber del general... Nadie, tampoco, pudo averiguar su nombre...

"Era, sin duda, uno de tantos guerrilleros incorporados a las huestes villistas que en su camino hacia las líneas de fuego, se detenían por breves horas en cualquier población de tránsito para descansar de lo largo del viaje y proporcionarse unos momentos de placer...

"¿Quién podía asegurarle que unas cuantas horas más tarde no sería sino un cadáver destrozado por las balas?

"¿Quién podía decirle que aquellos momentos de alegría transcurridos en compañía de amigos encontrados al acaso, no serían los últimos de que disfrutaría en su vida?

"Sobre las existencias de aquellos hombres se cernía continuamente la muerte... El mañana era algo inseguro, fortuito, que tal vez no llegarían a disfrutar... Sólo el presente, el instante en que vivían, era lo único efectivo, lo único real... Había, pues, que gozarlo... y gozarlo con la mayor intensidad posible..."

Antes de concluir estas alusiones generales, hay que decir que la novela revolucionaria adolece de todas las limitaciones del hecho histórico que retrata. Al renunciar al libre juego de la fantasía creadora para ajustarse y atenerse sólo a la realidad revolucionaria, el novelista se recortó su propio horizonte artístico y le mermó posibilidades estéticas a su obra. De ahí que pronto cayera en una inevitable tautología de temas, episodios y sucedidos que en fuerza de repetirse devinieron convencionales. La novela revolucionaria acabó por caer en el pecado original de la novela mexicana anterior: el costumbrismo. Costumbrismo de nuevo cuño, ni tan cansado ni tan intencional como el anterior, pero costumbrismo al fin. Por último, algunos de sus más logrados representantes, como Azuela y Gregorio López y Fuentes, han derivado hacia el propósito didáctico y la intención docente se percibe claramente en las últimas obras de Azuela y en *Acomodaticio*, de López y Fuentes.

Capítulo VIII

SIGNIFICACION DEL DOCTOR MARIANO AZUELA

Después de José Joaquín Fernández de Lizardi ningún otro novelista mexicano ha ejercido tan honda influencia en el arte de novelar en aquel país como el doctor Mariano Azuela. Su aparición marcó un hito que delimita dos épocas y dos corrientes: la centuria anterior y la que con él se inicia y aún perdura. Azuela mató las formas, los temas y los fines que la novela mexicana había empleado y perseguido durante cien años justos (1816-1916), e inauguró la era más original y más raigalmente autóctona que el género ha revestido hasta ahora allí. El libertó a la novela mexicana de la servidumbre en que aún permanecía y la manumitió de la tiranía de los modelos españoles y franceses que la mantenían uncida a sus formas. Azuela parece haber aplicado a su arte la fórmula que para las letras americanas en general proponía José Martí: "Nuestro vino, de plátano, y si sale amargo, es nuestro vino". Por enteca de forma, por desmedrada en el contenido que sea una obra de espíritu y de técnica realmente originales, siempre resultará superior a los remedos o calcos anémicos y sin vitalidad que se escribían durante la centuria anterior. El clásico ejemplo es el *Facundo*, de Sarmiento, el montonero de nuestra literatura. Lo mismo podría decirse de *Los de abajo* en relación con clisés como *Santa* o *La Calandria*, para no decir nada de *Angelina*, "refrito" de una novela que a su vez era ya una "réplica" de otra europea.

"El "caso" Azuela es uno de los más inusitados que puedan encontrarse en la literatura de cualquier país. Lo primero que hay que tener en cuenta es que se trata de un hombre cuya vocación más tempranera parecía ser la medicina y en esta ciencia recibió toda su preparación académica. (En el arte de escribir es un perfecto autodidacta —como Sarmiento y tantos otros en Amé rica). La vocación de escritor no se le reveló hasta los veintitrés años, mas permaneció indecisa y vaga hasta los treinta y cuatro, cuando escribió *Los fracasados*. Luego habría que considerar también el hecho de que no se trata de un novelista genial —un Balzac, un Dostoiewski— sino de un narrador de talento, probo, sincero y dotado de una profunda originalidad. ¿Cómo explicar entonces su trascendencia en el devenir de la novela mexicana y la radical transformación que en ella operó y le impuso? Porque la verdad es que arrinconó y desplazó definitivamente a los que por entonces se consideraban en México como maestros indiscutibles e indiscutidos del género —Gamboa, Delgado y Portillo y Rojas— sus temas, su estilo, su técnica, su filosofía social y hasta su ética. Durante el último cuarto de siglo, es decir, desde que Francisco Monterde en famosa polémica dió a conocer *Los de abajo*, nadie ha vuelto a escribir novelas en México al estilo finisecular, ni siquiera los autores más católicos y apegados a la tradición que añoran todavía la "paz" y el "esplendor" de la época porfiriana.

La explicación, a mi entender, es doble y habría que basarla, por una parte, en el mérito intrínseco, la novedad, la originalidad y el vigor artístico de la labor novelística de Azuela; por la otra, en las circunstancias externas político-sociales del país que transformaron su fisonomía y subvirtieron todos los valores. Azuela no surgió de esa circunstancia porque ya hacia 1913, cuando se inicia el torbellino de la Revolución, el autor había publicado cuatro recias novelas, insólitas en su momento por el enfoque novedoso de la realidad, personalísimo y de espíritu subversivo, por el ansia renovadora que en ellas alienta, por la técnica desprendida de modelos europeos y por la ética tan en pugna con la que sus congéneres habían propugnado hasta entonces. El acontecer revolucionario sólo coadyuvó al desarrollo y perfeccionamiento de sus facultades ya ampliamente demostradas en las cuatro obras que precedieron a *Los de abajo*. La conjunción o coincidencia —en el tiempo— de la circunstancia revolucionaria con la madurez artística de Azuela, es un hecho fortuito y feliz que propició la floración de su genio y le inspiró sus más valiosas creaciones, y dotó a México del novelista más auténtico y vernacular —más terrígeno, diríase— de cuantos hasta ahora han enriquecido allí las formas narrativas.

La coyuntura revolucionaria cooperó, por consiguiente, al viraje radical que dió la novela a partir de
1915, de la misma manera que dió origen a la pintura
mural, entre 1920 y 1930, al florecimiento del corrido e
influyó en la música y otras formas artísticas más tarde.
Es seguro que de no haber existido Azuela, Rivera, y
Orozco, tanto la novela como la pintura habrían cambiado de derrotero de todas maneras después de la conmoción revolucionaria, porque un hecho de tan honda significación social y de impulso creador tan fuerte no
puede dejar de tener concomitancias artísticas nunca y
de influir tanto la forma como el fondo de la obra de
arte. Pero lo cierto es que fué el genio de estos tres
máximos creadores el que encauzó y le dió orientación
y técnica al impulso genésico de la Revolución en las dos
artes en que mejor se ha manifestado. Sin ellos el aliento creador de la insurrección habría encontrado, sin duda, su molde y su cauce, pero la pintura mural y la
novela que hoy tendríamos serían probablemente muy
diferentes también. Y sobre todo, no olvidemos que el
arte de Azuela se gestaba ya mucho antes de que se
produjera el gran estallido.

Pero aún aquí se dió la conjunción entre el hecho y
su narrador, porque fué al conjuro de una realidad maleada por la injusticia, el privilegio, la expoliación y la
arbitrariedad que surgió el arte del doctor Azuela. Las
mismas circunstancias que luego originarán y desatarán
la tempestad revolucionaria, engendraron al novelista. El
contacto —y la observación directa— con la iniquidad social de la época porfiriana, hizo de este modesto galeno
un defensor de los oprimidos y lo convirtió en su valedor y novelador. Porque toda la obra de Azuela —desde las primeras páginas pésimamente escritas en 1896
hasta la fecha— está larvada de este imperativo ético y
de un perenne anhelo de justicia. En esto, más aún que
en su arte de novelar, consiste la diferencia que lo distancia y lo coloca muy por encima de los novelistas del
porfiriato. El supo ver e intuir lo que ninguno de aquellos bienhallados con la dictadura y servidores de ella,
supo ver ni intuir. Mientras éstos permanecían ciegos,
sordos y mudos frente al dolor y a los clamores del pueblo, Azuela los escuchó transido y lanzó su protesta
airada. En el banquete de Baltasar que era la dictadura,
Azuela fué el único creador que vió la mano que escribía en la pared. En la centenaria tradición novelística
mexicana, fué Azuela el primero que se aproximó al

dolor de los humildes y se indignó ante tanta miseria y
tanta crueldad, exceptuado Lizardi. Por eso Lizardi y
Azuela, representan las dos más altas cimas de la novela en México.

La novela finisecular se gestaba al amparo de la
burguesía capitalista y servía sus fines. Expresión legítima de un régimen y de una moral y de una iglesia que
justificaban y defendían la más inicua servidumbre y
la explotación de las grandes masas en beneficio de la
burguesía adinerada, aquella novela reflejaba únicamente los prejuicios, la ética, los gustos y la vida del lector
burgués, y como éste era "snob" y mimética. Así como
don Porfirio se avergonzaba de su sangre india y hasta
llegó a importar un maquillajista francés para que a
fuerza de afeites, masajes y artilugios le disfrazara el ros-
tro, la remilgada novela de su época miraba también peyorativamente al indio y a las masas mestizas, para ade-
rezarse ella también con cosméticos europeos y miriñaques seudo aristocráticos y académicos. Azuela en cambio, le volvió la espalda a este mundo fementido, hipócrita y despiadado, y se sumergió en el de los humildes y auscultó su corazón con simpatía y con amor.
Como su único y genial precursor directo, Lizardi, recogió del pueblo su lengua y su filosofía, sus modismos y
peculiaridades expresivas, al mismo tiempo que captaba
su alma adolorida. Siguiendo en esto el ejemplo de Lizardi, escribió en la lengua popular e hizo hablar al pueblo que desde la muerte del Periquillo había enmudecido.
Azuela devolvió al popularismo vernáculo su prestigio
artístico e incorporó, con fina intuición estética, el mexicanismo lingüístico a su obra como nadie desde Lizardi lo
había hecho. El mismo definió su arte sincero, hondo y
fuerte, al decir: "escribo para el gran público y no para los selectos; prefiero ser leal con los míos a darles gato
por liebre". Un novelista finisecular se habría horroriza-
do ante tal confesión de fe literaria.

Al derrumbarse el tinglado de la dictadura y con él
sus triples puntales: la alta burguesía, la iglesia y el latifundista, de los cuales don Porfirio era sólo el testaferro y la cabeza visible, quedó también desplazada la
literatura que le dió expresión, y particularmente la novela que por aquellos años se escribía. El ideal revolucionario, la nueva organización económica y la resaca
popular que suplantó a la oligarquía que durante treinta
años había usufructuado los beneficios del poder, la riqueza nacional y el trabajo de los humildes, que eran el

ochenta por ciento de la población, demandaban una expresión artística más en armonía con las nuevas circunstancias. Al popularismo que advino al poder y a la marejada que ahora se entroniza, correspondía un arte de masas y para las masas, como el de Azuela.

El primero en plasmar el flamante espíritu de la era revolucionaria fué este autor. Años más tarde aparecerá la pintura mural a base de grandes masas también, sobre la cual ejerció Azuela hondo influjo, particularmente sobre la dramaticidad plástica de José Clemente Orozco, el más intenso y telúrico de los pintores mexicanos. Diez años después de publicada la última novela azuelista del ciclo turbulento, aparecerá otro gran libro sobre el quehacer revolucionario y, desde entonces, toda una legión de novelistas y cuentistas que lo han explotado, pero ninguno con la fuerza y el verismo con que Azuela lo captó. Para estos epígonos, la Revolución era sólo un tema de actualidad que había hecho famoso a Azuela —fuera de México—; un filón estético y explotable. Para Azuela fué otra cosa muy distinta. El *sufrió* la Revolución, física y moralmente, en su cuerpo y en su espíritu de patriota acendrado —como Orozco, también. Por eso Azuela y sus libros vienen a ser algo así como la conciencia moral de aquel hecho epónimo.

No existe otro novelista hispanoamericano de tan marcado contenido ético como Azuela. (Hablo de *ética* y no de pedestre y sermonera prédica). Este imperativo categórico es una de las constantes de su arte. Pero distingamos entre la noble ética de Azuela y la moralina sacristanesca que la novela anterior a él predicaba. La ética de Azuela es de raigambre humana, y de amplitud universal, por lo tanto. La de la novela finisecular, en cambio, es de origen católico, de filiación clasista, hipócrita y limitada a los contornos medioevales del espíritu clerical. Estos novelistas habían formado su mentalidad a la sombra de la iglesia, a pesar del auge del positivismo en México durante sus años juveniles, y aún en los momentos en que escribían. Todos eran católicos practicantes y su concepto de la vida y de las relaciones humanas no trascendía los límites que los postulados eclesiásticos les marcaban y a diario escuchaban desde los púlpitos. De ahí el escaso vuelo de su ética. De ahí también la hipócrita antinomia que se percibe entre sus amonestaciones moralizantes y la anuencia vergonzosa a la iniquidad social que a diario se perpetraba y que ellos amparaban con su asentimiento o, cuando menos, con su silencio. Tácitamente la justificaban.

Azuela, por el contrario, reaccionó con energía desde que empezó a escribir en 1896, contra esta hipócrita pudibundez clasista, gazmoña y convenenciera, cuya base era el privilegio económico, y cuyo fin perpetuar la ignominia. Impulsado por un acrisolado espíritu de justicia y de equidad, sin prejuicios clasistas y sin nexos con ninguna ideología política y social concreta, Azuela empezó a romper lanzas desde el primer momento contra los fulleros de la religión y de la política, contra los jueces venales, lo mismo que contra los esquilmadores del proletariado. El sacó el problema del plano religioso y político, prescindió de los intereses de clase, y lo colocó sobre una base de dignidad humana. Azuela fué el novelista que *responsabilizó* al mexicano y le exigió un mínimo de honradez, de sinceridad y de decoro. Al poderoso le demandó justicia, honradez al intelectual, sinceridad, pureza de alma y rectitud al clero, integridad al político, desprendimiento y bondad al rico y hombradía y decoro a los humildes. En tal sentido es un precursor del existencialismo en su fase sartreana, porque como éste, responsabiliza al hombre y lo coloca frente a su propio destino para que lo rija. En la ideología azuelista, el hombre es el autor de su fortuna —como diría Cervantes— venturosa o desdichada.

Tal es la lección ética que de su obra se desprende. La suya ha sido una lucha constante —cincuenta y cuatro años lleva ya en este bregar sin tregua ni descanso— en defensa de la dignidad del hombre. El decoro humano lo coloca él por encima de ningún otro interés, sin distingos de clase ni de credos, ya sean políticos, sociales o religiosos. Este anhelo de equidad y de justicia que es el hilo que enlaza toda su ingente labor —lo mismo la realizada bajo la dictadura porfirista que bajo los gobiernos revolucionarios— es lo que lo aleja y distingue —repitámoslo— de sus cofrades de la generación inmediatamente anterior a él. Los novelistas del porfiriato, no sólo silenciaron la tragedia en que México agonizaba —hablo de la inmensa mayoría de la población— sino que parecían avergonzarse de su madre india y de su hermano mestizo. A ambos los pretirieron peyorativamente, sin percatarse de la gran verdad que José Martí había proclamado: México, o se salva con el indio, o con él perece. De otro gran cubano —Enrique José Varona— son las siguientes palabras

8

que parecen inspiradas por aquellos novelistas que escribían de espaldas a su circunstancia y se empeñaron en ignorarla y desconocerla:

"Engañar al pueblo dándole lo falso por lo verdadero, es peor que envenenarle el pan y el agua; es inficionarle su atmósfera moral. No hay interés que disculpe hacer granjería de la mentira; ni el interés de partido, ni el de secta, ni el interés patriótico, ni el humano. Porque ultrajan la patria los que creen servirla con imposturas. ¡Mísera nación la que no sea capaz de soportar una verdad que le duela, la amargue, la hiera o la desgarre! ¡Pobre humanidad, la que no sea capaz de fortificarse con la confesión sincera de sus pequeñeces y miserias!".

En un penetrante libro póstumo, *The novel and the people*, del notable ensayista inglés, Ralph Fox, encuentro estas palabras definidoras de lo que debe ser un gran novelista. No caben dentro de este marco los que precedieron a Azuela, pero los conceptos que aquí transcribo le son aplicables *ad pedem litterae* al autor de *Los de abajo*. Dice Fox:

"Can a novelist remain indifferent to the problems of the world in which he lives? Can he shut his ears to the clamour of preparing war, his eyes to the state of his country, can he keep his mouth closed when he sees horror arround him and life being denied daily in the name of a State pledged to maintain the santity of private greed?

. . . .

"For the really great writer, regardless of his own political views, must always engage in a terrible and revolucionary battle with reality, revolutionary because he must seek to change reality. For him, his life is always a battle or heaven and hell, a conflict of gods dethroned and gods ascendant, a fight for the soul of man".

Eso, precisamente, ha sido la labor toda de Azuela —y en ello consiste su permanente valía: un incesante *struggle* por dignificar al ser humano. Tal es la tónica de su obra y el ideal que la inspira, y tal el mensaje que nos lega.

Durante diez años, este levantado sentido ético se mantuvo subordinado al fin estético. Desdichadamente, desde 1937, y comenzando ya con *El camarada Pantoja*, en este año publicada, el doctor Azuela ha invertido el orden de los factores y lo subordinado en sus últimas nueve novelas es el arte. El ideal sigue siendo el mismo, pero al convertirse en propósito inmediato y objetivo expreso —en motivación esencial— ha subvertido los valores y el creador se ha inhibido en favor del moralista. Por eso las obras de su última etapa son muy inferiores como expresión artística a las de la primera (1908-1918), sin que hayan ganado en eficacia adoctrinadora.

La prédica directa y la intención moralizante constituyen el pecado original de la novela mexicana y su mayor falla artística, desde Lizardi hasta la aparición de Azuela. La otra tacha o mácula que más desdora al género durante el siglo XIX, es la exagerada propensión costumbrista, común a todos los narradores de la centuria pasada, ya sean románticos, realistas, o naturalistas. Bajo estos dos signos nació y se mantuvo la novela mexicana hasta que surgió Azuela. Lizardi le impuso este marchamo del que ninguno logró prescindir hasta la publicación de *Los fracasados*, en 1908. Ni siquiera Emilio Rabasa, en mi entender el narrador más apto que México produjo después de Lizardi en el décimonono, aunque sólo nos dejó un fruto en agraz, consiguió evadirse de la orientación costumbrista y moralizante que Lizardi le dió al género. Sólo en los tres primeros tomos pudo evitar la prédica directa y ramplona, pero cayó en ella en el cuarto por habérsele agotado el tema. Fué Azuela, pues, el autor que redimió a la novela mexicana de estos graves defectos, aunque en los últimos trece años haya incurrido en ellos él mismo hasta cierto punto. No hay sermones propiamente dichos en sus nueve últimas obras, pero sí una marcada intención satírico-docente, y este propósito condiciona todos los demás aspectos de estas novelas. Azuela, por consiguiente, ha terminado con el retorno a una tradición contra la cual fué el primero en rebelarse. En cuanto al costumbrismo, él lo ha cultivado también en forma moderada y sin convertirlo en finalidad ni meta como hacían sus predecesores.

En la trayectoria novelística de este modesto galeno hay que distinguir tres etapas perfectamente definidas y radicalmente diferentes entre sí. La primera comprende de 12 novelas cuya técnica es originalísima, con excepción de la primera —*María Luisa*— escrita en 1896, cuando el autor aun no había encontrado su camino. Con excepción de *Pedro Moreno, el insurgente* y *Precursores*, publicadas en 1935, pero afiliadas técnicamente a la primera modalidad, todas estas obras aparecieron antes de 1920. Todas hacen relación al ambiente pre-revolucionario o a la Revolución. Es el ciclo sobre el cual descansa la gloria del autor. La segunda etapa está representada por tres novelas que en otra parte he llamado de técnica ilegítima o espuria, e intencionadamente mimética (1923-1932). Fué en realidad una tomadura de pelo del autor a los "señoritos" de la crítica, pero tuvo el mérito de que mediante ella le reconocieron beligerancia literaria. La tercera y última etapa representa ya una evolución hacia la novela de "oposición" y de sátira política. En ella el arte está subordinado a fines ajenos a la pura creación estética. Estas nueve novelas están concebidas y escritas en función de editoriales de periódicos de oposición. Al convertir la demagogia y la desvergüenza de los gobiernos post-revolucionarios en materia de sus novelas, el autor no ha podido evitar el apasionamiento y la censura sistemáticos. Más que obras de arte, estas novelas son panfletos de ataque, verdaderos documentos para conocer los aspectos más deleznables de los gobiernos surgidos de la Revolución. Tal es su mérito y su mayor defecto también.

Ya en 1938, al glosar *El camarada Pantoja*, apuntaba el que esto escribe el peligro que comportaba para el arte de Azuela el inspirarse en el ambiente político-social coetáneo. Con ocasión de *Regina Landa*, tres años más tarde, reiteró su duda de que el autor volviera ya sobre sus pasos y abandonara la sátira sistemática elevada a primordial finalidad de sus novelas. Por desgracia, las seis obras posteriores le sacaron profeta. Como en aquella nota se dijo, la realidad político-social justificaba plenamente la cívica y valiente denuncia que de ella ha hecho el doctor Azuela, pero hemos perdido a un narrador de gran fuerza y, en su lugar, sólo nos queda un moralista honrado y veraz. Hay que añadir aquí que la desolada pintura que de la conducta de la Revolución hecha gobierno ha dejado el autor, es parcial y en cierto modo injusta, pues los gobiernos revolucionarios han hecho también obra constructiva de la cual prescinde el novelista para destacar únicamente los aspectos negativos.

Mas por lamentable que sea la orientación que don Mariano Azuela ha dado a su obra en los últimos trece años, queda —y se mantendrá— vigente la valía artística indiscutible de su labor previa. Dentro de la trayectoria novelística mexicana, sólo Lizardi puede hombrearse con él. Son éstos dos temperamentos afines y su respectivo enfoque de la realidad es casi idéntico, así como los recursos literarios que ambos emplean. Azuela es mucho más artista; posee un más agudo sentido de autocrítica, superior capacidad de síntesis, y una conciencia estética mucho más exigente, pero su filiación con Lizardi es indiscutible —tanto en el orden de la creación como en la ética. Con ningún otro narrador mexicano o extranjero guarda el arte de Azuela tan estrecha afinidad como con el del autor de *El Periquillo Sarniento*. La procilividad moralizante en que Azuela ha caído en los últimos años —aunque esté horra de los "sermones" de aquél— acentúa la consanguinidad artística. Es curioso que nadie hasta ahora haya parado mientes en ello. Se le han buscado antecedentes en Balzac, en Flaubert, Zola, Proust, Dumas, etc.; en el cubismo, en el expresionismo, en el imaginismo y no sé en cuántas otras escuelas extravagantes. pero nadie ha señalado su enlace directo con el primer novelista del patio, con el cual emparenta Azuela mucho más directamente que con ningún otro creador de allende el mar.

Capítulo IX

Iniciación literaria

El doctor Mariano Azuela es uno de los novelistas a quien más frecuentemente se menciona en Hispanoamérica hoy día y sin duda uno de los menos conocidos de todos. Apenas hay por nuestras tierras crítico literario o aspirante a serlo que no lo aplauda. Eso sí, para casi todos ellos Azuela es sólo el autor de *Los de abajo*. Por lo general, es la única novela que de él han leído, y como autor de ella es universalmente conocido. De la veintena de novelas que el doctor Azuela ha publicado antes y después de *Los de abajo*, casi nadie tiene noticias, ni siquiera de aquéllas que en cierto modo la superan, tanto por la sólida trabazón y el feliz desarrollo del argumento cuanto por el más detenido estudio psicológico que de sus caracteres se hace en ellas. Dudo que exista en Hispanoamérica —sin excluir a México— media docena de escritores que hayan leído la obra toda del médico-novelista. En consecuencia, sigue siendo el autor de un solo libro para la mayoría opinante.

De este lamentable desconocimiento es responsable no sólo la apatía de los críticos sino también —dicho sea en su descargo— la pésima organización del comercio bibliográfico en nuestra América y la dificultad de obtener las obras del doctor Azuela aun en México. Yo mismo, tras varios años de perseguir inútilmente por las librerías mexicanas algunos de sus libros, he podido leerlos en los manuscritos originales gracias a la gentileza del autor, pues ni él mismo conservaba ejemplares de varios de ellos. *Los de abajo* no es una excepción aislada ni un acierto genial en el conjunto de su producción total, sino la culminación de un proceso ascendente y de una técnica personalísima que se inicia con sus primeras tentativas literarias. Esta novela tiene dignos antecedentes y subsecuentes que es necesario leer para hacer cabal justicia al autor.

No es mi propósito enjuiciar aquí la obra total del doctor Azuela. Mas he notado que reina poco menos que absoluta y universal ignorancia respecto a los comienzos literarios de este autor y estimo pertinente añadir aquí unas palabras de aclaración que despejen un poco el misterio de su vocación e iniciación novelísticas. A puntualizar la cronología de esta producción tempranera y a señalar las circunstancias en que se le reveló al autor la vocación literaria, así como a indicar las características que definen estos frutos fuera de sazón todavía, se limitará esta nota.

Al doctor Azuela triunfante y famoso, al autor de *Los de abajo* —descubierto en Hispanoamérica casi tres lustros después de publicada esta novela y ya traducida al inglés y al francés—, todo el mundo lo conoce y aplaude hoy, aunque muy pocos lo hayan leído; pero al obscuro estudiante de medicina que un día primaveral del año 1896, en un hospital público de Guadalajara, ante uno de esos dramas grotescos y vulgares que la vida nos ofrece, siente revelársele su vocación de novelista y como el Corregio exclama: *Anch'io son' pittore,* así como del lento y laborioso proceso de esa vocación; de este Azuela, digo, pocos tienen noticia adecuada. Y es precisamente ese capítulo, ausente todavía de la bibliografía crítica azuelista, el que me interesa añadir aquí.

Noticia biográfica

La biografía del doctor Mariano Azuela ofrece escaso interés. Es simplemente la parábola vital recorrida por un hombre honrado y laborioso que, como nunca claudicó, no alcanzó jamás la recompensa de altas y lucrativas posiciones burocráticas o políticas, senderos casi únicos por los cuales se ha llegado en nuestros países, desde los comienzos de la colonia, a la conquista de la fortuna personal. Por eso el doctor Azuela, a los sesenta años de edad —y a pesar de haber alcanzado el pináculo de la gloria literaria— sigue siendo un modesto médico de indigentes en uno de los barrios más pobres de México, cuya clientela no sólo le remunera tarde, mal y con frecuencia nunca, sino que a veces tiene él mismo que ayudarla a comprar los medicamentos que le receta. Como su compatriota y coetáneo Amado Nervo, Azuela podría repetir también y con más razón:

"Yo, como las naciones venturosas y a ejemplo de la mujer honrada, no tengo historia; nunca me ha sucedido nada".

Nació en Lagos de Moreno, Estado de Jalisco, el 1º de enero de 1873. Hijo de una familia modesta, cursa sus primeras letras en instituciones docentes de la localidad; ingresa más tarde en la escuela de medicina de Guadalajara y allí hace sus estudios profesionales, doctorándose en 1908. En 1911 se incorpora al movimiento maderista que dió al traste con el porfirismo, y al triunfo de esta primera revolución lo hacen jefe político de Lagos. Mas la reacción criminosa del huertismo pone en peligro su vida y vuelve al campo de la revolución, en 1914, en calidad de médico militar del sector que acaudillaba Julián Medina. En su condición de médico castrense, sigue la suerte del villismo durante algún tiempo y obtiene así una visión directa y personal de la revolución por dentro, en su aspecto más dramático, más bárbaro y sangriento: el que Villa encarnaba. En 1915, desencantado y triste, logra refugiarse en El Paso, Texas. Regresa a México una vez amainada la tempestad revolucionaria. Desde entonces vive entregado a su modesta labor de médico de pobres y en los ratos libres escribe cuentos y novelas satíricas y un poco pesimistas.

No es, pues, lo que pudiéramos llamar un profesional de las letras, sino un profesional de la medicina que en sus ratos de asueto cultiva las letras. Por lo demás, es un hombre sincero, generoso y sencillo, a quien la gloria literaria no se le ha subido a la cabeza. Con la misma austeridad y valentía con que antaño flagelara a los poderosos latifundistas del porfirismo, a los caciques políticos y a sus compinches y sostenedores, los curas taimados y socarrones, que como sus aliados explotaban la ignorancia y el fanatismo del pueblo, con igual independencia y valentía, repito, vapuleó después el mimetismo revolucionario de los caudillos venales que traicionaron los ideales de la revolución. A veces arremete también contra el pueblo mismo, que lejos de reivindicar su dignidad y sus derechos, sólo supo enlodarse en una orgía de sangre y destrucción. Hoy, triunfante la revolución, el doctor Azuela sigue impertérrito en su papel de novelista satírico. Con similar denuedo y con la misma irreductible independencia de antaño, enristra ahora contra los usufructuarios de la revolución, contra la ineptitud y la corrupción hechas

gobierno, contra los fariseos y contrabandistas que so
capa de revolucionarios siguen lucrando a expensas del
tesoro público y escarneciendo al pueblo; contra el "liderismo" analfabeto y zafio que sólo persigue el encumbra-
miento y el provecho personal. Contra toda esta demagogia sin escrúpulos y sin sentido de responsabilidad combate hoy el doctor Azuela, como combatió ayer contra los
potentados del porfirismo y del huertismo. El doctor Azuela se mantiene, pues, consecuente consigo mismo y leal a
su primitiva función catoniana de flagelador de vicios
y corrupciones públicas. Esta proclividad moralizante
se acentúa cada día más y, naturalmente, redunda en
detrimento del mérito artístico o literario de su obra.
Sus últimos libros acusan ya una grave propensión a
la sátira sistemática y moralizante, a la sátira política
y social como fin y propósitos únicos. Esto —hay que
reconocerlo— empobrece su labor postrera y la incorpora
a la tradición moralista que iniciara Fernández de Lizardi y siguieron casi todos los novelistas mexicanos
del décimonono y contra la cual reaccionó —el primero— el propio doctor Azuela desde sus comienzos
hasta 1937, en que se publicó la primera de las novelas
con que inició la nueva modalidad: *El camarada Pantoja*.

Vocación de novelista

Corrían los primeros días del mes de marzo de
1896. Una tibia mañana, los estudiantes de medicina
asistían a la clase de patología clínica en el hospital
público de Guadalajara. El profesor va de cama en
cama seguido de sus discípulos, explicando síntomas y
diagnosticando dolencias. Aquella mañana hay un nuevo
"caso clínico" en el hospital. En uno de los destartalados camastros dormita una miseria humana, consumida
por la tuberculosis y el alcohol. La víctima es una joven
de menos de veinte años todavía, pero que representa
cuarenta. La faz marchita y las facciones desencajadas
por la miseria, el vicio y la proximidad de la muerte,
conservan todavía evidencias de haber sido otrora
hermosa y hasta bella. El profesor ausculta, perora y
por último diagnostica el mortal estado de la paciente,
en cuyo organismo el bacilo de Koch y el alcohol han
hecho estragos irreparables ya. El estudiante Mariano
Azuela escucha la docta disertación mientras observa a
la enferma, que se encuentra poco menos que en estado
de coma, preagónica. Entonces oye que uno de sus

compañeros de curso comenta refiriéndose a la paciente: "es la querida de Fulano" —aquí el nombre de uno de los estudiantes allí presentes.

Este choque con la cruda realidad hiere la imaginación juvenil y la aguda sensibilidad del estudiante Mariano Azuela, y cuando el *magister* pasa a otra sala seguido de la parvada de futuros galenos, el novelista que en Mariano Azuela pugna por revelarse, lo empuja hacia el lecho en que agoniza aquella piltrafa humana. Allí, sentado al borde del camastro, indaga y consigue que la propia víctima le narre su historia y corrobore lo que con aire indiferente había dicho momentos antes el indiscreto compañero. Así nació el novelista que en Azuela dormía: al borde de una cama de hospital público de Guadalajara, en la primavera de 1896, y frente a una vida joven que se extinguía. El mismo subconsciente instinto creador que le impele a regresar a la sala donde agoniza la tuberculosa dipsómana le mantendrá para siempre atado a la dolorosa realidad nacional y le convertirá en el escritor más descarnadamente realista de nuestra América. El mismo sentimiento de piedad frente al dolor y de rebeldía frente a la injusticia que lo aproxima a la agonizante, hará de él un defensor de los humildes con quienes han estado siempre sus íntimas simpatías.

Iniciación

Mariano Azuela no puede estudiar aquella tarde. Los textos de medicina nada le dicen de aquella jugarreta que el destino le hizo a la joven agonizante del hospital. Su fantasía discurre ahora por lejanos rumbos. Sigue pensando en el drama vulgar que presenciara en el hospital, en la injusticia de la vida y de los hombres, en aquella carne lacerada y marchita que ayer no más fuera rozagante y bella. El novelista, dormido hasta entonces, le está dando la batalla al estudiante de medicina y acaba por vencer en la contienda. Sus atropelladas lecturas de Zola, Balzac, Daudet, Murger, etc., conspiran también contra el estudiante de medicina. Aquella misma tarde escribe unas cuartillas de muy escaso mérito literario. Quieren ser un cuento, pero están saturadas de sinceridad. Más que un cuento son una protesta contra la injusticia de la vida y de los hombres. Les pone por título *Impresiones de un estudiante*, firma *Beleño* (el primer seudónimo usado por Azuela) y las envía al *Gil Blas Cómico*, de la capital, que aceptaba colaboraciones no solicitadas. Y lo más sorprendente es que aparecieron publicadas, con errores ortográficos y todo, el día cinco de marzo del citado año. Esta es la más remota primicia literaria que del novelista-galeno conservamos. Azuela acababa de cumplir los veintitrés años y su educación literaria era poco menos que nula.

Este esbozo de cuento se convertirá luego en su primera novela, *María Luisa*, que escribe por aquellos mismos días de 1896, pero que no publicará hasta 1907. Y aquí conviene aclarar el enigma literario que esta tentativa de novela y las tituladas *Los fracasados* y *Mala yerba*, aparecidas en 1908 y 1909, respectivamente, plantean. Ignoro si a otros lectores les habrá ocurrido lo que a mí, pero confieso que nunca pude explicarme la enorme distancia artística que media entre *María Luisa* y sus hermanas mayores, separadas cronológicamente por sólo uno y dos años. La primera es un ensayo juvenil, pobre de forma y de muy precaria validez artística, en la que hay reminiscencias demasiado evidentes de Zola, de Murger, de Musset y acaso de Alejandro Dumas —todo revuelto y no digerido todavía. El influjo de estas lecturas mal asimiladas, la incipiencia literaria y la total ausencia de gusto disciplinado son fácilmente discernibles, en esta tentativa novelística. Lo que más nos impresiona en ella es el acento de sinceridad, el sentimiento de protesta juvenil, generoso y romántico, que satura todas sus páginas. *Los fracasados* y *Mala yerba*, en cambio, representan ya el fruto maduro de una mentalidad adulta y en posesión de una técnica propia, no obstante ciertos defectos que pudieran señalárseles. Este enigma literario no tuvo solución para mí hasta que el mismo doctor Azuela me aclaró que *María Luisa* había sido escrita en 1896, es decir, unos diez o doce años antes que las dos novelas que la siguieron.

Lo que aquí deseo puntualizar no es precisamente la insignificancia de este boceto de cuento, ni la de la novela misma en que luego se transformó. Lo que me interesa destacar es el hecho muy significativo de que la vocación literaria no se revelara en Azuela a influjo de lecturas ajenas ni en el cultivo de otras formas literarias —como en tantos otros— sino mediante un rudo encontronazo de su sensibilidad de hombre bueno y probo con la injusticia y la desventura. Este áspero contacto con la realidad hiere su imaginación estética

y su sentido moral. La reacción que frente a la víctima
inerme experimenta es la misma que sentirá más tarde,
durante cuarenta años de labor novelística, frente a las
injusticias de los poderosos y al dolor de los oprimidos.
Como de un arco ya perennemente tendido, parte de
este hecho, al parecer intrascendente, la flecha de su
sensibilidad cuya dirección no ha cambiado todavía.
Otro detalle que conviene apuntar aquí es la circunstancia de que ya en esta nota de protesta contra la
injusticia, y de simpatía por los humildes y los desvalidos, se encuentra en germen la actitud social de Azuela
que más tarde privará en todas sus novelas.

La orientación satírica se acentuará cada día más
y cobrará robustez y vuelo inusitados, pero se encuentra
ya en embrión en este simulacro de cuento y más aún
en los otros seis que con el mismo título, *Impresiones
de un estudiante*, y calzados con el mismo seudónimo,
enviará aquel año de 1896 al *Gil Blas Cómico*. Apenas
si pueden llamarse cuentos estas "impresiones" de la
capital jalisciense y del seminario. El estilo es desvaído,
sin vigor ni originalidad; por otra parte, tales notas se
hallan plagadas de errores ortográficos que prueban
la escasísima preparación literaria del autor; pero se
percibe en todas ellas cierta propensión realista muy
personal, aunque todavía no sepa darle forma artística.

De tono satírico mucho más subido es un semi-
cuento titulado *Esbozo*, que con el seudónimo de *Fierabrás* publicará el 27 de marzo del siguiente año
(1897) en *El Noticiero*, de Guadalajara. Es ésta una
especie de caricatura de un estudiante de medicina de
tan escasas luces que no logra entender los textos. La
silueta, como realización literaria, no tiene valor alguno; pero resulta históricamente interesante para fijar la
trayectoria satírica de Azuela. El novelista, todavía en
ciernes aparece aquí de nuevo ubicado en un plano de
aguda observación de la realidad.

Más de un año transcurrirá antes de que el novelista dé otra vez señales de vida. El 27 de mayo de
1898 publica un corto panegírico de Ruperto J. Aldana
en *El Correo de Jalisco*, de Guadalajara. Se echa de ver
en esta nota necrológica cierto progreso estilístico y una
más consciente preocupación por la forma. Por primera
vez firma: M. A. González.

Nada se conserva de los años 1899, 1900, 1901 y
1902, ni el mismo autor recuerda haber producido nada
en el orden literario durante este período. Son años de

lucha por la vida, en los que la económicamente impro-
ductiva vocación literaria se adormece de nuevo o queda
desplazada por el diario bregar. Pero en 1903 vuelve
a dar fe de vida con dos notas insignificantes —Pinceladas y En un Salón de la Academia de San Carlos—
y el cuento titulado De mi tierra, premiado con diploma
en los Juegos Florales de Lagos, en dicho año, y publicado posteriormente en El Imparcial de la capital, cuento
que tiene una gran significación en la evolución literaria
de Azuela. Es un tema de la vida rural de Jalisco, desarrollado con ironía mordaz. En él apunta ya la conciencia social del autor y la airada protesta contra la
explotación del indio por el latifundista, tema que más
tarde será objeto de más amplio desarrollo en Mala
yerba y otras novelas. Víctimas de la opulencia (1904),
es otro cuento de similar intención. Aunque el tema
es distinto, la actitud social de protesta es igualmente
enérgica. El autor revela ya plena conciencia de su misión frente al problema económico y social que le circunda.

En los dos cuentos precitados (De mi tierra y
Víctimas de la opulencia), los primeros que Azuela escribió merecedores de tal nombre, están ya perfectamente definidas las aristas esenciales de su obra, aristas
que desde 1896 venían pugnando por manifestarse.
Más tarde estas características adquirirán mayor relieve,
proporciones estéticas más acusadas, pero están ya ínte-
gras en el par de narraciones citadas. En esta nota preliminar es imposible seguir en detalle la evolución de Azuela
según se manifiesta en otras notas y artículos posteriores. Yo sólo me propuse acompañarlo hasta 1904, año
en que aparecen ya fijos sus perfiles literarios y su
actitud social frente a los problemas de clase y del
campesinado mexicano. *

Interesábame, sobre todo, probar que Azuela no
procede de Balzac ni de Zola ni de Proust ni de
ningún otro progenitor literario europeo, como algunos
críticos afirman aunque en su producción puedan rastrear-
se influjos de éstos y otros novelistas europeos. Azuela
es un novelista terrígeno, si los hay, y su obra toda rezu-
ma espíritu vernacular y está enraizada en el medio mexi-

* A mi "Bibliografía del novelista Mariano Azuela", Revista
Bimestre Cubana, La Habana, julio-agosto, 1941, remito al lector
deseoso de conocer la producción total del autor hasta la fecha
indicada.

cano como los zacates y magueyes de la flora nacional.
Por todos sus libros corre un aliento telúrico que ningún
influjo extraño ha podido desvirtuar. Ni siquiera durante el período 1923-1927, en que nos da dos novelas
espurias, de técnica conscientemente imitada y de propósito abstrusas, deja de reflejar de manera muy realista
el medio que le rodea. [1]

Cualesquiera que sean los defectos que pudieran
señalarse —y son muchos— a la obra del doctor Azuela,
hay que reconocerle una virtud: es genuina y tiene la
validez de todo lo auténtico. Hasta ahora, México no
ha producido otro novelista más suyo, más mexicano
—ni más original tampoco. Por esa misma virtud de autenticidad y porque a nadie pidió prestadas las normas
de su arte, porque se apartó del trillado sendero de las
imitaciones europeas y auscultó anhelante el latir de
su tierra y de su pueblo, Azuela es el maestro de toda
una generación de creadores y el jefe de una nueva y
original modalidad novelística que él inició antes que
nadie, aunque después haya sido superada por sus
discípulos.

Por último, los siguientes son los únicos seudónimos que creo ha empleado Azuela en su vida de escritor:
Beleño; X; Uno de la galería, Fierabrás y *Pierre Grin-
goire* (1941). [2]

---

[1] Estas dos novelas son *La malhora* y *El desquite*, muy elogiadas por ciertos críticos. Los que hemos discutido estos dos
libros con el autor y conocemos el *snobismo* del medio literario
en que vivía, sabemos por qué los escribió y qué piensa de
ellos.

[2] Las fechas colocadas al final de las notas sobre el doctor
Azuela indican el año en que fueron escritas.

Capítulo X

Las novelas del ciclo revolucionario

Los fracasados, México, 1908. 252 p.

Esta novela, la segunda del doctor Azuela, apareció en 1908, pero según el manuscrito original que poseo, fué concluída en Lagos, en julio de 1906, es decir un año antes de que se publicara *María Luisa.* Ya se explicó antes la razón de la enorme distancia que media entre el fruto en agraz todavía que es *María Luisa,* y *Los fracasados,* novela ya adulta, a pesar de sus defectos técnicos. Con esta obra se pusieron de manifiesto las virtudes cardinales del hombre y del ciudadano, y la indiscutible competencia del novelista. Ambas serán ratificadas un año más tarde en *Mala yerba.* En toda su labor ulterior, el doctor Azuela no hará más que confirmar y reafirmar —desarrollándolas— las dotes evidenciadas ya en estas dos novelas primigenias.

Lo que a la distancia a que escribo más nos sorprende no es el mérito artístico de *Los fracasados* sino el hecho de que una producción como ésta haya pasado totalmente inadvertida en el México de las postrimerías porfirianas. Ni ésta ni *Mala yerba* —ni ninguna de las novelas que Azuela publicó hasta 1920— lograron atraer la atención de los críticos ni del lector culto. El silencio que en torno a la segunda reinó se explica hasta cierto punto por el hecho de haberse publicado en la distante Guadalajara cuando ya comenzaban los preparativos para la celebración del centenario y la proximidad de la reelección de don Porfirio absorbía la atención de todos. Mas *Los fracasados* se imprimió en la capital, en 1908, y no es tan fácil explicar la indiferencia absoluta —mejor dicho, la total ausencia de eco— con que fué saludada su aparición. La más lógica interpretación de esta anomalía es que probablemente nadie leyó ninguna de estas dos obras. Por una parte, el autor era totalmente desconocido y la *élite* literaria de la época estaba más

interesada en seguir las corrientes europeas que en
descubrir la trágica realidad doméstica que este novel
y descuidado autor le revelaba. Vinieron luego las fiestas y novelerías con que se conmemoró el centenario
a todo lujo, la mojiganga electoral, la revuelta maderista. y nuevas elecciones y nuevos festejos inaugura-
les, seguidos poco después por la decena trágica y el
caos de la Revolución que se prolongó hasta 1920. Es
decir, doce años de agitación durante los cuales se subvirtieron todos los valores en México y la vida y la
sociedad mismas sufrieron cambios radicales.

Mientras tanto, don Mariano Azuela escribía y publicaba la mayor parte de sus mejores narraciones sin
que nadie se percatara de su existencia. La misma conjura de silencio que saludó la aparición de *Los fracasados* y *Mala yerba*, acogió la publicación de *Andrés Pérez,
maderista, Sin Amor, Los de abajo, Los caciques, Las
moscas* y *Tribulaciones de una familia decente*, todas
dadas a luz antes de 1920. Durante estos doce años,
Azuela se había revelado como el narrador más original,
de más auténtica mexicanidad y de más talla que México había producido desde Fernández de Lizardi y, no
obstante, era totalmente ignorado y desconocido de la
alta crítica hacia 1920. ¿Era ésta una actitud peyorativa
o simplemente ignorancia sin malicia? Dado el caos que
en el decenio 1910-1920 predominó, me inclino por la
segunda de estas explicaciones. Sin embargo... Es
posible que peque de suspicaz, pero barrunto que los
hombres de letras de aquellos años —sobrevivientes del
naufragio porfirista— no querían contemplar la imagen
de la realidad mexicana que el espejo de la novela azuelista les devolvía. Aquellos estetas que durante treinta
años habían permanecido ciegos, sordos y mudos frente
al dolor y la miseria mexicanos, continuaban en su
torre de marfil que ahora se convertirá en torre de las
añoranzas y de las lamentaciones. El que escribe alcanzó
a conocer a algunos de ellos en la Habana —refugio
transitorio para muchos: Victoriano Salado Alvarez,
Querido Moheno, Díaz Mirón, Urbina, Rabasa, Nervo
y otros de menor cuantía. Todos, nostálgicos y soñadores, seguían en el limbo, negados a aceptar la nueva
situación y a reconocer la justicia de la causa revolucionaria... Pero volvamos a *Los fracasados*.

Es ésta la primera novela en que durante los
treinta años del reinado porfirista un autor se atrevió
a pintar, sin retoques ni disfraces, la realidad del am-

biente social mexicano. Lo que en Gamboa, Portillo y Rojas y Delgado —las tres lumbreras ya consagradas por estos años— era sólo pretexto para escribir novelitas remilgadas y pudibundas, a lo Pereda y Valera, o contradictorios y románticos clisés a lo Zola, en Azuela se convierte desde el primer instante en tema de sátira realista y cruda, en propósito consciente de denuncia cívica de tanta injusticia y tanta hipocresía y tanta miseria como las que sostenían a don Porfirio, en transido anhelo rectificador. *Los fracasados* es un grito destemplado y angustioso en aquel coro de voces placenteras y de conciencias acomodaticias que a la sombra del déspota vegetaban oficiosas y plácidas, sin que el hambre y desamparo de los humildes las perturbara, y sin atreverse tampoco a alterar la laboriosa digestión de los latifundistas, altos dignatarios y prebendados con el recuerdo de sus arbitrariedades, rapiñas y desafueros.

Por primera vez ahora aparecerá el ambiente social de una pequeña ciudad provinciana pintado con realismo goyesco, sin eufemismos ni atenuaciones, tal cual era por aquellos días: hipócrita y pacato, gazmoño y egoísta, ignorante y fanático —negación flagrante del verdadero espíritu cristiano de que tanto alardeaban sus directores espirituales.

¿Qué pueblo jalisciense le sirvió al autor de modelo para escribir esta novela de tan crudo verismo? Posiblemente su nativo Lagos de Moreno que él conocía tan íntimamente. Pero cualquiera que haya sido la imagen real que aquí se copia, lo incontrovertible —y lo que monta— es que el autor la conocía bien y la reflejó con vivos colores, sin adulterarla ni embellecerla. Aquí el autor observa y copia, *au naturel* —a lo Balzac, diríamos, más bien que siguiendo la impersonalidad fotográfica que Flaubert demandaba. Ni la fórmula realista flaubertiana, ni la adaptación pseudo científica que de ella quiso hacer después Zola, se avienen con el temperamento vibrante, honrado y sincero del doctor Azuela. Guardando las debidas distancias, podría decirse que su temperamento y su técnica se aproximan más a los de Balzac que a los de Flaubert o Zola, y aun estoy por creer que al primero lo leyó con preferencia y delectación en sus años de juventud.

Ya en esta primera novela importante se da con abundancia que lo perjudica la nota que mejor define la obra toda del doctor Azuela: la intención satírica. Este propósito no siempre añade mérito artístico ni

psicológico a esta novela, pues con frecuencia deja ver
la hilaza de la intención y deforma la fisonomía de
los personajes. Debido a esto, no es raro que el retrato
degenere en caricatura y la ironía o la sátira de
buena ley, en sarcasmo. Diríase que ya desde esta primera novela predomina en Azuela el hombre, el ciudadano, sobre el artista. Esta condición humana, este
identificarse cordialmente con sus temas y tratarlos, no
como ficción pura sino como realidad palpitante, es una
de las quiebras de la obra toda del autor y a la vez
uno de sus méritos más destacados. Por una parte le
recorta el vuelo a sus creaciones y las mantiene uncidas
a las limitaciones que la realidad social le impone; en
cambio, hace de sus libros otros tantos documentos de
psicología social en los cuales queda aprisionado el ambiente mexicano contemporáneo mejor que en la obra
de ningún otro autor coetáneo. Por esto, por su enfoque
de la realidad, por su capacidad de observador sagaz,
por su descarnado realismo, por ser el más fecundo y el
que mayor número de temas y problemas ha llevado a la
novela, Azuela viene a ser una especie de Balzac mexicano —un Balzac muy disminuído, por supuesto, que
guarda con el genio francés la misma proporción en
que México está con relación a Francia. No ha escrito
Azuela nada que pueda ni remotamente hombrearse con
las grandes novelas de aquél, pero dentro del relativo
mérito de la novela mexicana, es el que más se le aproxima en más de un sentido. Y de esta modesta "comedia
humana" que es la novela de Azuela, *Los fracasados*
constnituye el primer jalón. (1940)

Mala yerba. Guadalajara, 1909. 164 p.

Retengamos la fecha en que apareció *Mala yerba* porque es muy significativa en más de un sentido. Nos encontramos en pleno apogeo del modernismo y tanto los poetas como los novelistas mexicanos siguen escribiendo de espaldas a la realidad circundante y con la mira puesta en modelos europeos. Los poetas continúan alertas a las modalidades de Francia y los tres novelistas que por entonces acaparan la atención del lector culto, no pierden de vista a sus preceptores europeos: Gamboa fiel a su maestro Zola, Delgado a Pereda, y López Portillo y Rojas a Pereda también, a Galdós y quizás, en parte, a Dickens. Ninguno de los tres logró manumitirse totalmente de sus respectivas influencias. En ellos los temas y el ambiente novelados son mexicanos —temas ya muy trillados de la vida urbana, desenvueltos a base de mucho costumbrismo y más prédica moralizadora. Pero la técnica es imitada, calcada, en los mentores predichos. La sombra de sus respectivos guías se proyecta en cada una de sus obras denunciando su escasa autarquía artística y su dependencia. Es, por consiguiente, una novela inmanumisa y de espíritu colonial todavía. En cierto modo, los tres son modernistas también.

Azuela no se afilió a este grupo ni al del Ateneo de la Juventud, que vino después, como hiciera su coterráneo Enrique González Martínez. De hecho, el arte de Azuela representa el antimodernismo, tanto por la forma como por el espíritu. El se mantuvo siempre aislado de los cotarros literarios, y su obra permaneció ignorada y cimera en adusta soledad. Quizás esto explique —en parte— el hecho de que los críticos mexicanos no le reconocieran beligerancia artística, hasta que en otros países y en diversas lenguas se la otorgaron, es decir, hasta después de 1930.

Por la fecha en que apareció, *Mala yerba* no puede ser novela revolucionaria en un sentido literal puesto que precedió en dos años al hecho histórico, pero sí hay que clasificarla como prerrevolucionaria ya que,

tanto por el tema como por el espíritu, encuadra perfectamente en el marco de las novelas inspiradas por la
Revolución. Además de la importancia relativa de iniciar
la modalidad más característica del autor, *Mala yerba*,
sin ser una obra genial y a pesar de sus defectos,
reviste cierta trascendencia dentro de la evolución del
género en México. Si mal no recordamos es en ésta
obra donde aparece tratado por primera vez como tema
artístico central, el problema de las relaciones feudales
que unían al propietario rural con el campesinado. Los
novelistas anteriores habían ignorado o preterido esta
tragedia que el indio y el mestizo vivían en los grandes
latifundios, en los que, a la sombra de la dictadura, se
perpetuaba la ignominia de la encomienda. Esta insensibilidad de los novelistas anteriores frente al horror
que era la vida del obrero en las grandes haciendas,
es algo que apenas podemos explicarnos hoy. Ningún
novelista antes de Azuela denunció la iniquidad y las
infamias perpetradas por los latifundistas en sus dominios. Y no es que la dictadura porfirista a cuyo amparo
se cometían estas vejaciones y expoliaciones, impidiera
o hiciera riesgosa la denuncia, pues bajo dicho régimen
publicó Azuela *Mala yerba* sin que por ello sufriera
persecusiones ni atropellos. No, la explicación habría
que buscarla en el espíritu de clase, en los nexos económicos y políticos que unían a la mayoría de los
escritores y poetas con el porfiriato. Para comprender
—o explicarnos— esta indiferencia frente a tanto dolor
y a tanta injusticia en hombres buenos y piadosos como
eran los que formaban la generación modernista, habría
que recordar también la centenaria filosofía o doctrina
social de la iglesia en la cual todos fueron educados:
"bienaventurados los que lloran porque ellos serán conso-
lados; bienaventurados los que han hambre y sed de
justicia porque ellos verán a Dios", etc. El hambre y
el dolor, pues, no son consecuencia de la explotación
del hombre por el hombre, sino designios de la Provi-
dencia para purgar nuestras culpas y a Dios se remite
la responsabilidad y el castigo de los culpables. Dentro
de esta concepción de la vida y de las relaciones humanas que desde la niñez habían aprendido y a diario
oían en los púlpitos, casi resulta lógica la actitud indiferente de los escritores. La miseria y el sufrimiento
son poco menos que un privilegio envidiable del que las
grandes masas proletarias mexicanas debían envanecerse.

Con lo dicho queda ya señalado el carácter y trascendencia que dentro del devenir de la novela mexicana
tiene *Mala yerba*. Por primera vez, un novelista se
asoma con simpatía y comprensión a la tragedia del
campesinado y la convierte en obra de arte. Probablemente ya por aquellos días empezaba el doctor Azuela a leer
a los grandes novelistas rusos —Tolstoi, Dostoiewski,
Gorki— y es posible que estas lecturas contribuyeran
a despertar su sensibilidad y su interés por el sufrimiento de los humildes. Mas no interesa al que escribe
averiguar aquí si en la concepción de *Mala yerba* hubo
influjos o sugerencias foráneas o si fué reacción personal
ante una injusticia universal y patente. Lo importante
es el hecho epónimo de su publicación. Con ella se le
amplió el horizonte a la novela mexicana, añadiéndole
de paso, una nueva dimensión: tragicidad. Con ·*Mala
yerba* entra el agro mexicano y el feudalismo latifundista a formar parte de la temática novelística. Justamente diez años más tarde, José López Portillo y Rojas,
testigo de mayor excepción por ser hacendado él mismo,
que en *La Parcela* nos había presentado una especie de
utopía o arcadia digna de la novela pastoral, nos dará
en *Fuertes y débiles* un cuadro verista —muy similar al de *Mala yerba*— de la verdadera realidad social
de la época y corroborará los cargos que Azuela había
hecho a la clase social. Con *Mala yerba*, pues, la novela
mexicana se asoma por primera vez al antro de dolor
que es el latifundio y nos da una pintura descarnada
del infierno que vive el paria mexicano.

Asistimos aquí a la encomienda superviva. El señor de horca y cuchillo que es ahora el terrateniente,
no se conforma con mantener a la peonada en la condición subhumana de siervo, sino que necesita tam-
bien de la carne fresca de sus doncellas para regalo de
sus sentidos. Reducidos a la ínfima categoría de ilotas,
los infelices indios que agonizan —su vida toda no es
más que eso, una perpetua agonía de la que sólo *la*
muerte podrá redimirlos— han de rendir su trabajo, su
vida y su honra al potentado que les hace la gran
merced de no dejarlos morir de hambre. A perpetuar
esta abyección contribuyen los otros tres puntales de
la dictadura y del latifundismo: la fuerza bruta representada por la policía y el ejército; la judicatura representada por magistrados venales que de su alta inves-
tidura hacen almoneda y granjería, y la fuerza moral

representada por el "padrecito" —la iglesia— que como
las dos anteriores coopera con el potentado y mantiene
sumiso y resignado al indio.

Mala yerba, no obstante sus imperfecciones de
forma y lo incipiente de su técnica, es una formidable
delación y un grito de protesta en medio del general
silencio y la anuencia de los escritores frente al oprobio
feudal. Es ante todo la voz airada de una recta conciencia que se subleva. Eso —nada más, nada menos— es
esta novela, y en este carácter de documento social
estriba precisamente su permanente validez. Más que
una obra de arte, es un "acto", un vibrante *j'accuse*,
que nos revela las causas de la gran hecatombe que
unos años más tarde se desatará sobre México.

Hay todavía otro interesante aspecto en esta obra
que es necesario destacar. Hasta su aparición, el indio
mexicano figuraba en la novela —cuando figuraba—
como mera comparsa y a título de elemento decorativo
que añadía color local y nada más. Para la generación
de los realistas y naturalistas ya mencionados, lo mismo
que para sus predecesores, el indio casi no existía. Es en
Mala yerba en donde, por primera vez, hace acto de
presencia con categoría de tema artístico central en
una novela de fuerte envergadura. Lejos de conside-
rarle como factor puramente ornamental a la usanza de
sus congéneres anteriores, el doctor Azuela lo convierte
—comenzando con esta novela— en centro de gravedad
de la vida mexicana y le reconoce todo el relieve que
en la realidad social, política, económica y cultural del
país tiene.

¿Cómo explicar el silencio que en torno a una novela
tan inusitada y de tema tan palpitante se hizo? Las
causas de tan injusta preterición son varias y com-
plejas, y no podemos detenernos a considerarlas aquí.
Señalemos, no obstante, el hecho de que hasta 1924
no se volviera a imprimir, a pesar de que por muchos
años estaba totalmente agotada la primera edición. Esta,
que es la que tenemos a la vista, salió tan plagada de
errores tipográficos que el autor renunció a rectificarles
en la clásica fe de "erratas", contentándose con agregar al final esta curiosa *Nota importante*: "Se omite la
fe de erratas de esta edición por ser muy numerosas".
(1941).

Andrés Pérez, maderista. México, 1911. 122 p.

Como obra de arte es inferior a *Mala yerba,* pero tiene importancia relativa para determinar la evolución de la temática novelística mexicana y la trayectoria del arte del autor. Es la primera novela de asunto revolucionario que se publicó en México y con ella surge esta nueva modalidad.

El tema de *Andrés Pérez, maderista,* nos recuerda vagamente el de la comedia de Moliere, *Le médecin malgré lui.* Parodiando al gran comediógrafo, bien pudo don Mariano titular su narración *Le révolucionnaire malgré lui,* pues como el personaje de la comedia, las circunstancias hacen de un mentecato pusilánime un revolucionario en esta obra. En realidad el protagonista no es más que un tipo, una caricatura grotesca de la que el autor se vale para satirizar y desenmascarar a los falsos revolucionarios, a los pescadores de río revuelto, que se disfrazaron de maderistas en cuanto olfatearon el derrumbe de la tiranía porfirista y el triunfo de Madero en 1911.

La narración, como obra de arte, no es muy superior a *María Luisa,* pero marca un hito decisivo en la evolución del género en México. Cuando se escriba la historia de la novela de la Revolución, habrá que señalar este título y este año de 1911 como las líneas divisorias que deslindan los campos y marcan la muerte de la modalidad y la temática que se agotan y las que alborean. Verdad que *Mala yerba* nos prepara ya para este cambio de frente que se va a operar en la novela —y en la vida— mexicanas, pero es con *Andrés Pérez, maderista,* que el doctor Azuela inicia el ciclo revolucionario propiamente dicho, sincronizada su aparición con la gestación del hecho histórico mismo.

Ya dijimos que la arista más saliente de esta producción es su intención satírica y la hiriente agresividad con que el autor pone en solfa a los camanduleros de la revolución maderista. Azuela debió conocer en la realidad social a muchos camaleones y tránsfugas del porfirismo que se apresuraron a ponerse la máscara

de revolucionarios aun antes de desaparecer el déspota.
El acento de sinceridad que alienta en esta obrita, revela
que el autor no está "inventando" sino "copiando"
directamente del natural. Lo único ficticio aquí son los
nombres propios. Si la hubieran leído, miles de compatriotas se habrían reconocido en el retrato.

Por allí desfilan el cobarde a quien no le alcanza
el valor para declarar su cobardía; el turiferario de
oficio que tan pronto cae el tirano agita el incensario
ante los nuevos mandones; el cacique político y el latifundista que se disfrazan de revolucionarios así que les
falta el punto de apoyo de la dictadura; el periodista
y el intelectualoide venales, sin dignidad y sin criterio,
que de ambos hacen almoneda. Hombrecillos moralmente desmedrados, verdaderos granujas, todos reciben aquí su merecido al arrancarles la máscara con que
pretenden disimular su egoísmo y su cobardía. El lector
adivina la indignación y la náusea del autor al leer
estas páginas fuertes y sinceras, maguer descuidada-
mente escritas. Tal es el mérito de este cuento largo
y de escasa valía artística. Es un precioso documento
para rastrear la ética del autor y la descomposición social de la época. (1930).

Sin amor. México, 1912. 228 p.

La falla principal que en la novela azuelista se ha advertido es su limitada capacidad para desarrollar e integrar la trama de sus obras. El argumento de casi todas sus creaciones —según la concepción tradicional de la novela— está mal urdido y peor concatenado. Lo que pudiéramos denominar el esqueleto o armazón de sus ficciones es pobre por lo general. Ocurre con el doctor Azuela lo contrario de lo que se advierte en novelistas muy inferiores a él, como Hugo Wast, por ejemplo, cuyas obras son en extremo insubstanciales y baladíes, pero el enredo o trama está casi siempre bien desenvuelto. En Azuela, en cambio, lo endeble y deficiente es la urdimbre. Este aspecto de su particular *metier* es el punto más vulnerable de su obra toda, a tal extremo que no existe una sola novela suya en la que no pueda señalarse esta imperfección técnica.

Junto a ella encontramos otra falla menos importante, pero igualmente persistente: el escaso desarrollo que generalmente adquieren sus caracteres, los cuales rara vez alcanzan jerarquía de individualidades robustas. Por lo común, los personajes de Azuela están vistos y usados en función de clase o grupo, y más que caracteres son tipos o arquetipos. A veces parecen adquirir categoría de símbolos de la estulticia, el egoísmo, la sordidez o la cobardía humanas. Con raras excepciones, la rica galería de personajes y personajillos por Azuela imaginados, están bien sorprendidos y esbozados con firmes trazos, pero no los vemos crecer y definirse. Casi todas sus criaturas nacen ya formadas, hechas, y con las mismas proporciones que tendrán al final de la obra. Excepción a esta ley general de su arte son varios de los protagonistas de *Las tribulaciones de una familia decente*, la más trabajada de sus obras y la más fecunda en la variedad y excelencia en los valores psicológicos.

Son éstas dos peculiaridades o deficiencias que muchos han señalado en su producción, pero que nadie ha explicado ni procurado relacionar con su técnica personalísima para hallarle una posible justificación o, cuando menos, una aclaración al fenómeno. No se pretende aquí dilucidar el problema porque acaso sea insoluble. Sólo quisiera sugerir el tema a los intérpretes de Azuela para que lo mediten y le procuren explicación aceptable.

Lo primero que habría que determinar es si se trata de ínsita incapacidad del autor o de una simple secuela de su modo especial de concebir y realizar la novela. La mayoría de los críticos parecen inclinarse a la primera interpretación —la más cómoda y fácil—. Por lo que a mí respecta, confieso que estoy muy lejos de esta convicción, aunque me sería en extremo arduo probar la segunda o contraria tesis. Hasta ahora se le ha confinado entre los autores incapaces de idear y llevar a feliz término un argumento bien concatenado y debidamente integrado con todos los requisitos que la retórica y la tradición realista demandan. Igualmente inhábil se le ha considerado para la creación de idiosincrasias bien definidas. Los críticos se han atenido a los hechos, es decir, a sus obras, y nadie hasta ahora ha pensado que acaso no se trate de congénita ineptitud sino más bien de una lógica derivación de su concepción y modo de ejecutar la novela.

Lo primero que habría que tomar en cuenta es la personalidad moral de Azuela, su integridad y su sinceridad, cualidades que lo llevan a identificarse cordialmente con los temas, a sentirlos y tratarlos, no como simple materia estética, sino como realidad palpitante, como ambiente social del que Azuela mismo forma parte. Quien lea sus diez primeras novelas notará fácilmente la transida angustia del autor. El dolor de los que en ellas sufren hambre y sed de justicia, es su propio dolor; la ira, la desilusión o el desprecio de algunos de los caracteres —alter egos de Azuela siempre— los hace él suyos y son su ira, su desilusión y su desprecio. Sólo en tres novelas —La malhora, El desquite y La Luciérnaga— se mantiene Azuela al margen de sus temas; ya veremos la razón. En todas las demás —aun en las de tema histórico, como Pedro Moreno, el insurgente y Precursores— el autor está emocionalmente vinculado al asunto novelado.

Con las tres excepciones señaladas, en toda la obra de Azuela predomina el hombre sobre el artista, el ciudadano sobre el creador. Sin ser novelas de tesis y sin preocupaciones moralizantes o docentes —hasta 1937—

la novela azuelista está concebida como fotografía más
que como retrato, más como documento social que como
pura elaboración artística. El ve la realidad social tal
cual es, mezquina, egoísta, estólida, hipócrita y cobarde,
y así la copia, sin aderezos ni disfraces. Y esta humanidad carneril que él ha observado, rara vez le ofrece
caracteres de excepción, idiosincrasias poderosas que se
destaquen sobre el común rebaño. A lo sumo sobresalen
por su mayor capacidad de idiotez o de egoísmo, de hipocresía o de maldad, sin dar nunca en lo excepcional
o demoníaco. Es una humanidad mediocre por definición,
más tonta que mala en realidad, y así la capta él, sin
misantropía, pero sin ilusiones ni candideces optimistas.
Para comprender plenamente esta visión crudamente
realista que Azuela tiene de lo humano, es necesario
recordar su profesión de médico y sus experiencias y
contactos como tal durante cincuenta años. A lo largo
de cinco décadas, él ha vivido en perenne trato con
las miserias y dolencias físicas y morales. De esta
convivencia con el dolor y la muerte proviene sin duda
su escepticismo filosófico y su enfoque "positivista"
y desencantado del hombre. Muchas observaciones y
experiencias de su gabinete de médico han pasado a algunas de sus novelas.

Luego habría que tener en cuenta también su técnica tan diferente de lo que los cánones retóricos acon-
sejan. Para comprenderla bien habría que buscarle el
símil de la pintura mural mexicana posterior a 1920.
No es ésta una novela de héroes y heroínas, con uno
o dos protagonistas centrales y una trama amorosa —ya
se trate de biángulo o de triángulo— en torno a los
cuales gira todo lo que en la novela ocurre y todos sus
personajes como las figuras de un tiovivo en torno al
eje. Nada más distante de esta pauta tradicional que la
novela de Azuela —por lo menos aquéllas que mejor lo
definen. No, la suya es una técnica que no admite estos
convencionalismos ya un poco gastados. El prefiere
copiar la realidad tal cual la observa, un poco anónima,
rebañega, gregaria. Más que acciones o argumentos individualizados, Azuela dramatiza grupos sociales, gente
de la clase media. Por lo general, el protagonista es el
ambiente y no los individuos que lo forman. ¿Quién es
el protagonista de *Los fracasados, Mala yerba, Los de
abajo, Los caciques y Las moscas?* Algunos críticos han
dado en señalar a Demetrio Macías como el héroe de
Los de abajo. Esto es una zoncera. Demetrio no es más

protagonista que "La Pintada", "El Güero Margarito",
Luis Cervantes, o cualquiera de las otras figuras que lo
acompañan. Si sobre él enfoca el autor la atención más
que sobre ningún otro personaje, es simplemente porque
es el jefe de la partida y de sus decisiones dependen
en gran parte las acciones del grupo y el destino de sus
componentes. Aquí, como en las novelas anteriores a
1920 y en *La nueva burguesía*, el héroe o protagonista es
la Revolución misma y en un sentido más restringido
los hombres que integran el regimiento que Demetrio co-
manda. Cierto que en *Sin amor, Las tribulaciones de una
familia decente* y las novelas de tesis posteriores a
1937 —*El camarada Pantoja, San Gabriel de Valdivias,
Regina Landa*, etc.— la técnica se aproxima a la tradicional y se vertebra a base de figuras centrales que dan
continuidad y cohesión a la trama, pero como dicho
queda, éstas son excepciones dentro de su modalidad
característica.

Habría, pues, que dilucidar si la ausencia de argumento y de caracteres recios, revela insuficiencia creadora en el autor o es consecuencia lógica de su especial
filosofía de la vida y de la novela. Porque no debe
olvidarse que Azuela no pretende novelar vidas o bio-
grafías, sino masas, grupos de individuos, clases sociales. El rompió el molde tradicional de la biografía novelada y le amplió el marco al género, desplazando el
interés de lo personal hacia la masa, de lo singular a lo
colectivo, de lo particular a lo ambiental. Esta técnica
que ha hecho de la novela de la Revolución un arte
a base de anonimato, de lo impersonal —igual que la
pintura mural producto del mismo fenómeno social—
ha sido desarrollada y superada después por los novelistas que llegaron en pos de Azuela, pero fué él quien
la inició y prestigió con sus mejores obras.

*　　*　　*

Dentro del grupo de novelas de la primera época,
Sin amor es una de las que más se aparta de la fórmula
común por Azuela empleada. En ella encontramos un
protagonista bien delineado que sirve de hilo conductor
a toda la trama y le da unidad y cohesión al argumento.
Como en el caso de *Los fracasados*, la acción de *Sin
amor* se desarrolla en una pequeña ciudad de provincia
y el ambiente social es también el de la pequeña burguesía o clase media provinciana. Pero a diferencia de

Los fracasados y demás novelas de esta época, la atmósfera social en que los personajes se mueven no constituye el esqueleto o tema de la obra, sino el *setting*
o marco en el cual se agitan los actores. El ambiente
está bien delineado, pero en ningún instante deja de
ser especie de telón de fondo sobre el cual se destacan
en primer plano estas figuras de hombres degenerados
por el alcohol, de mujeres hipócritas y mercenarias, de
gentecilla avara, tacaña; de infelices que rumian su miseria y su resentimiento contra los ricos.

En otro aspecto difiere también *Sin amor* de la
mayoría de las novelas de Azuela. Ana María, la protagonista, no es un carácter que aparece ya formado
y permanece inalterable hasta el fin del libro. Aquí la
personalidad moral de la heroína evoluciona, crece y se
desarrolla a medida que la acción se desenvuelve. La
influencia de Balzac y de Zola es fácilmente perceptible
en esta obra —como lo es también en *Las tribulaciones*.
La preocupación por el influjo de la herencia y del
ambiente y la velada tendencia "experimental", dilectas
a Zola, son evidentes. La tesis de la obra nos revela
la filosofía social de Azuela y su concepto de los valores. A lo largo de toda la obra del autor, quedan a
salvo siempre, y sostenidos como los únicos trascendentes, los valores espirituales, aunque con frecuencia sean
los materiales los que en la realidad triunfan. El idealista y el poeta en Azuela nunca abdican, por más que en
el mundo de sus ficciones el ideal encarnado en sus alter
egos —Reséndiz. en *Los fracasados*, Reyes, en *Andrés
Pérez*, Solís, en *Los de abajo*, Rodríguez, en *Los caciques*, Procopio, en *Las tribulaciones,* etc.— resulten siempre maltrechos, vencidos y víctimas del egoísmo y la
maldad ambientales. Pero el espíritu quijotesco y noble
del autor no ceja ni se rinde ante la desoladora lección
que la vida le ofrece. Contra las arterías y la ruindad, contra la estupidez de la masa y el egoísmo y la insensibilidad de los ricos y prepotentes, sigue luchando este
auténtico Quijote mexicano, a pesar de su escepticismo,
de su desilusión y de su concepto "positivista" de la
humanidad.

La tesis está sostenida en *Sin amor* mediante una
antítesis que parece de origen romántico, pero "sin
retórica romántica". Ana María, siguiendo la ley de la
herencia y el influjo del ambiente que la rodea, se casa
por dinero con Ramón Torralba y es desdichada en
medio de su abundancia, en tanto que su antiguo pre-

tendiente, Enrique Ponce, casado por amor con su prima Julia, es dichoso en su mediano pasar. El tema, como se ve, no tiene nada de nuevo, pero está concebido y desarrollado originalmente, como una proyección de la filosofía de la vida del autor y no como un remedo más de la tesis ya muchas veces llevada a la novela.

Los de abajo. El Paso, Texas. 1916. 143 p.

Como es notorio, la más famosa de las novelas,
de Azuela apareció primero en forma de folletín en
el diario "El Paso del Norte" de aquella ciudad, en los
meses de octubre a diciembre de .1915, y se imprimió
en forma de libro por primera vez en la imprenta del
susodicho rotativo el año siguiente. Es fama que el
autor recibió como compensación o remuneración por su
esfuerzo creador la risible suma de veinticinco dólares.

En el instante en que escribo esta nota, ignoro
todavía las circunstancias en que se gestó esta obra.
El autor las explicó en un comentario que leyó con
ocasión del estreno del arreglo dramático que de ella
hizo en 1929, pero el que escribe no ha tenido oportunidad de leer la glosa. Es probable, sin embargo, que
la redactara, en su mayor parte, durante los angustio-
sos días de la retirada de Villa hacia el norte y que
la concluyera en El Paso.

Azuela militó, en calidad de médico castrense, en
las filas de Julián Medina, uno de los jefes revolucionarios de Jalisco que se sumaron al villismo en la guerra
contra el asesino de Madero, Victoriano Huerta. Eran
los años de 1913 a 1915, los más caóticos y sangrientos
de la Revolución. Le tocó, pues, observar desde adentro
la gran hecatombe en su fase más cruenta y tenebrosa.
La vorágine de sangre y destrucción que sobre México
se desató durante este bienio, adquirió proporciones aun
más desoladoras y truculentas en el campo villista, debido
al temperamento volcánico y bárbaro de su jefe.

Esta debió ser una experiencia terrible para un
hombre de la sensibilidad, la inteligencia y la cultura
de Azuela. Pocos novelistas en nuestra América han
tenido ocasión de observar tan de cerca la furia de las
pasiones desatadas con tal violencia. De aquella bacanal
de sangre y de odios fratricidas, salió Azuela con el
alma adolorida y enferma. Allí se le reveló la naturaleza
humana en sus aspectos más bestiales y tétricos. De este choque de su sensibilidad de hombre culto y bueno con

una realidad infrahumana por lo brutal, nació la más perdurable de sus novelas en la que logró aprisionar todo el horror del cataclismo.

Entre las trescientas o más novelas que directa o indirectamente se han inspirado en la doble fase de la Revolución —la sangrienta y la civil— sólo *Los de abajo* consiguió captarla en toda su demoníaca vesania. Junto a esta obra maestra se destaca otra por ella influida, aunque muy distinta, que viene a ser como el complemento de *Los de abajo*: *El águila y la serpiente*, de Martín Luis Guzmán (1928). Son los dos libros máximos que la Revolución nos dejó. Ambos se suplementan y completan recíprocamente porque cada uno enfoca el hecho desde ángulo diferente.

Así como la realidad social que antes observaba propició el desarrollo de las aptitudes de narrador que Azuela atesoraba, la Revolución le brindó los materiales con que había de componer sus más valiosos libros. La circunstancia de haberla vivido —y sufrido— intensamente, lo equipó con el necesario conocimiento de primera mano para retratarla en toda su terrible violencia y grandeza. En Azuela encontró, pues, la Revolución su cronista más apto y digno.

Es probable que al escribir esta novela, el doctor Azuela no se propusiera *a priori*, el empleo de ninguna técnica especial ni que tuviera conciencia clara de la valía estética de su obra. Estoy por creer que el libro fué más bien el producto de una inconsciente intuición artística, auxiliada por la honda impresión que en su ánimo dejaron los hombres y los hechos que acababa de presenciar. Tan dramáticas debieron ser estas impresiones que el autor probablemente sintió la irresistible necesidad de objetivarlas, de librarse de ellas, escribiéndolas. Para ello se valió del mismo procedimiento que desde *Los fracasados* venía empleando y perfeccionando. Sólo que ahora, al conjuro de un tema épico de gran trascendencia ética y social, se agudizan sus facultades tanto poéticas como narrativas, y escribe una obra de superior calidad.

Para explicarnos, en parte, la técnica de *Los de abajo*, hay que recurrir a un símil cinematográfico. En esta novela el doctor Azuela es un diestro "cameraman" que equipado con su cámara y un aparato reproductor de sonidos se introduce en el oleaje de la Revolución y va tomando "close-ups" y grabando cuanto ve y cuanto oye. Tan dramático es lo que en su torno sucede y tan espeluznantes las atrocidades y los hombres que las cometen, que al "cameraman" le bastaría con reproducirlos literalmente para realizar una obra de profundo interés humano.

Pero esta interpretación mecanicista es insuficiente para explicar los subidos quilates artísticos de *Los de abajo*. El símil sólo nos da un aspecto de su composición, prescindiendo de las más sutiles esencias de la obra. Porque el poeta que hay en Azuela, se nos revela aquí en sus más acendradas calidades, y es su capacidad poética, precisamente, lo que más ennoblece y eleva el mérito estético del libro. Sin este matiz lírico, perceptible tanto en las alusiones paisajistas como en el tono y el "mood" en que el autor escribe, *Los de abajo* resultaría una obra repugnante por la ferocidad de los instintos que en ella se retratan. Mas junto y paralelo con la pintura de tipos y acciones que por lo brutales hieren nuestra sensibilidad, corre este venero poético que atenúa el efecto deprimente de aquellos horrores.

En *Los de abajo* concurren todas las virtudes que definen el genio narrativo de Azuela. Lo primero que notamos es su aguda capacidad de observación y sus excepcionales dotes de síntesis. La rica galería de caracteres que por esta obra desfilan son un testimonio irrecusable de los dones señalados. Demetrio Macías, Luis Cervantes, Anastasio Montañez, La Pintada, La Codorniz, Camila, Pancracio, El Güero Margarito, Venancio, Solís y otros muchos personajes menores, son retratos más que caricaturas, no obstante la forma esquemática en que se les pinta. El arte de líneas escuetas y de perfiles esenciales de Azuela que sólo aprisiona lo indispensable para definir un carácter o darnos los lineamientos de un paisaje, alcanza en *Los de abajo* su más noble expresión. La propensión caricaturesca no se prodiga en esta obra tanto como en otras —previas y ulteriores. Es que, por una parte, aquí Azuela no inventa, sino copia: por la otra, la realidad que ahora le concierne es demasiado trágica y el hombre Azuela —el ciudadano— está demasiado inmerso en ella y por ella afectado para desvirtuarla o deformarla. De ahí la sensación de verdad y de cosa vivida que esta novela nos deja.

Este poder de síntesis se evidencia también en otros aspectos del libro. Uno de los más valiosos es el tratamiento del paisaje. El autor no se detiene en descripciones prolijas. Solamente "alusiones" que por lo general no exceden de un corto párrafo, lo indispensable para encuadrar en este marco de la naturaleza, al hombre y su obra, y contrastar la indiferente majestad y la serena belleza de aquélla con la insignificancia y la idiotez de éste. En estas pinceladas paisajistas es donde más alto brilla la imaginación poética de Azuela. Aquí su estilo de líneas tan concisas y severas casi siempre, se vuelve plástico, pero de una plasticidad comprimida, esquelética, lograda mediante unas cuantas metáforas de gran fuerza sugeridora. Más eficacia pictórica hay en uno de estos breves párrafos panorámicos de Azuela que en las cansadas páginas y páginas descriptivas con que los novelistas anteriores —Delgado, Gamboa y Portillo y Rojas nos abrumaban. Este poder de condensación mediante la fantasía poética de Azuela, guarda cierta analogía con el de Pío Baroja, si bien en el novelista mexicano es más sobrio y esquemático y le supera también en plasticidad. Apuntemos, de paso, que no es éste el único punto de contacto que podría descubrirse en el arte de narrar de estos dos médicos novelistas.

El estilo de Azuela en *Los de abajo* alcanza una virtualidad expresiva, una variedad y riqueza léxicas, una eficacia sugeridora y una concisión sin paralelo en la novelística mexicana. Añádase la sutil corriente poética que lo penetra y fecunda y tendremos ya la definición cabal. En todas las novelas del autor se advertirá el fértil venero del lenguaje popular, casi siempre empleado con un doble fin: como elemento definidor que añade verismo y color a sus narraciones, y como ingrediente estético puro —a lo Valle Inclán. *Los de abajo*, es por antonomasia, la novela del pueblo, de las clases humildes en trance revolucionario. Todos los caracteres que en ella figuran, con la excepción de Luis Cervantes —y el episódico Solís— son de extracción popular o campesina. Esto proporciona al autor abundante ocasión para derrochar giros y modalidades expresivos, típicos de los distritos rurales de Jalisco y del norte de México.

Azuela no es escritor atildado ni académico nunca; su dominio del lenguaje y su copioso léxico son más "prácticos" o empíricos que teóricos, más producto del estrecho contacto con el pueblo, de su genio idiomático y de su capacidad de observación y de asimilación, que de las disciplinas lingüísticas o de estudios técnicos y metódicos de estas materias que nunca hizo. Su estilo, pues, propende a lo popular, y un gramático quisquilloso podría señalarle frecuentes incorrecciones. Lo que sí no puede negársele es originalidad, fuerza expresiva, vigor y poder de síntesis. Difícilmente se encontraría en nuestra lengua otro estilo más personal y más enraizado en la fecunda corriente popular. Esto sin carecer de virtualidad lírica, como ya se apuntó. Otra vez surge el paralelo con Baroja en quien se dan también todas las circunstancias estilísticas señaladas.

En *Los de abajo,* como en todas las novelas de la primera época, el autor se aparta del procedimiento que los novelistas del siglo pasado empleaban cuando hacían hablar al pueblo. Para el gusto académico de la época, resultaba intolerable la jerga popular y el autor fungía de intérprete cuando hablaban sus personajes humildes. En aquellos "pastiches" románticos, el "pelado", el "cuico", el "roto", el "cholo", discurseaban como licenciados. Su lengua era la del autor, atildada, académica y falsa. Azuela opta por un procedimiento mucho más realista. Al introducir sus caracteres de extracción humilde los deja en libertad de expresarse en la misma forma en que se producen en la vida real y cotidiana. En sus novelas de esta época, cada cual habla según su rango social y su cultura o ausencia de ella, sin retoques ni refinamientos impropios de la gente del pueblo. Este empleo de la lengua como elemento psicológico y definidor, constituye uno de los valores esenciales en la obra azuelista, pero resultaba inaceptable al remilgamiento académico de los críticos y literatos de la capital.

Los de abajo, como ya se indicó, es la novela del pueblo, de los humildes, sorprendidos en el momento en que, rotos los diques coercitivos del miedo, se desbordan sus oscuros instintos, sus odios y sus ansias vindicadoras. Los numerosos personajes que por sus páginas vemos desfilar, son casi en su totalidad de extracción humilde y todos se expresan en su pecualiarísimo estilo incoherente, incorrecto, elíptico y a veces metafórico. Azuela conoce admirablemente bien las modalidades expresivas del campesinado, lo mismo que las del pueblo inculto. Los diálagos de *Los de abajo,* pues, están escritos en una especie de jerigonza muy expresiva y vigorosa, pero a veces difícil para quien no esté familiarizado con ella.

¿Qué esencias ideológicas o morales resuma esta novela? Muy pocas. *Los de abajo* es una obra de filiación estética y no moralista ni filosófica. Ni los "pe-

lados" que integran su repertorio de personajes ni el
caos que en ella se describe, se prestan para las especu-
laciones de alto vuelo. La misma Revolución y sus ideales
están apenas aludidos por boca de dos caracteres episódicos, pero de gran significación exegética para conocer la actitud personal del autor hacia el hecho epónimo: Solís y el loco Valderrama. El primero, sobre
todo, parece ser el verdadero alter ego de Azuela en
esta novela, y aunque escasamente le oímos dialogar por
unos instantes, sus parcas reflexiones lo convierten en
algo como un símbolo de la conciencia adolorida de la
Revolución.

La impresión que de la humanidad nos deja la
lectura de esta obra es más bien desencantada y triste,
como la de todo libro que ha calado en el substrato
del espíritu humano. En eso consiste, precisamente, su
principal mérito: en haber penetrado en el trasfondo
de la psicología colectiva del pueblo mexicano en un
instante de crisis y habérnoslo revelado en toda su terrible bestialidad —ni más terrible ni más cruel que la
de cualquiera otro conglomerado humano colocado en
similares circunstancias. Por haber ahondado en la idiosincrasia mexicana en esta novela, alcanzó el doctor
Azuela lo universal humano en la peor de sus dimensiones. Por eso la obra ha sido traducida a casi todos
los idiomas importantes del mundo —unos doce o
catorce. Creo que es un caso poco menos que único en
nuestra lengua, si se exceptúa el *Quijote*.

Los caciques. México, 1917. (67 p. a dos columnas la primera edición)

El cuadrienio 1915-1918 fué no sólo el más fecundo de la vida de Azuela hasta 1920, sino aquél en que su genio creador adquirió madurez y culminación. En él se producen las obras de mayor significación estética y su técnica se perfecciona. Con *Los de abajo, Los caciques, Las moscas, Domitilo quiere ser diputado* y *Las tribulaciones de una familia decente*, todas ellas pertenecientes al cuadrienio citado, remata la primera etapa de la evolución creadora de Azuela. Es su obra más auténtica, original y valedera. Con ella ejerció influencia decisiva en los destinos de la novela mexicana, marcándole rumbos nuevos al género, lo mismo en cuanto a temas que respecto al enfoque y técnica.

Después de 1920, aun los novelistas de espíritu conservador y religioso, y de propensión antirrevolucionaria, como Teodoro Torres y Fernando Robles, por ejemplo, han abandonado ya los senderos y las formas de los novelistas finiseculares. Azuela, no obstante el desdén con que la alta crítica lo trató hasta después de 1930, le dió el golpe de gracia y acabó con la técnica tradicional. Con él se liquida y termina toda una centuria de novelística mexicana y se inicia un nueva era. Tan honda ha sido su influencia, que ni siquiera autores ya ancianos y formados en la escuela realista del siglo anterior, como José López Portillo y Rojas, escaparon a ella. Sin la aparición de *Mala yerba, Los de abajo,* y acaso también, *Los caciques,* amén de todas las otras obras anteriores de Azuela, es difícil explicarse la radical contradicción en que Portillo y Rojas incurre en sus dos más importantes novelas, *La Parcela* y *Fuertes y débiles* (1919), publicadas a veinticinco años de distancia. El tratamiento de las relaciones entre el terrateniente y el proletario rural son diametralmente opuestos en ambas obras. Don José era también de Jalisco y sin duda conocía bien la obra azuelista.

El ambiente social de *Los caciques* es similar al pintado en *Los fracasados* y el autor pudo haberse inspirado para escribirla en la misma realidad o pueblo que le sirvió de base para su primera novela importante. Como en *Los fracasados,* nos encontramos ahora en una pequeña ciudad provinciana, pero más que la atmósfera social que en ella predomina, a Azuela le interesa en *Los caciques* el retrato de ciertos personajes que la dominan. El cuadro es mucho más vigoroso, los protagonistas mucho mejor perfilados y la técnica mucho más segura, sintética y perfecta que en aquella producción primigenia.

La razón social Del Llano Hnos. S. en C. es la casa comercial más importante y acreditada del pueblo, y sus condueños los personajes más influyentes de la localidad. Con una economía de elementos y una capacidad de síntesis inverosímil que sólo en los otros dos "cuadros" siguientes —*Domitilo quiere ser diputado* y *Las moscas*— tiene rival, Azuela dibuja estos caracteres con sólo unas cuantas pinceladas y unos cuantos actos que los definen mejor que si nos hubiera dado un centenar de páginas descriptivas de su idiosincrasia. Ignacio del Llano, el jefe de la casa, hombre de presa, sagaz, taimado, astuto, y despiadado hasta la crueldad; su hermano, Jeremías, presbítero hipócrita, con alma de alcornoque y mentalidad sietemesina; don Juan Viñas, ingenuo hasta la zoncera, honrado como un espejo, crédulo y de apocado espíritu; su hija, Esperanza, inteligente, amorosa, simpática, muy femenina, con gracia y coquetería naturales —el tipo ideal de mujer que Azuela ha dibujado en varias novelas. Por último, su *alter ego* Rodríguez, portavoz del autor, el único hombre del pueblo con ideales y visión clara y, por lo tanto, víctima predestinada de las maquinaciones de los magnates y sus paniaguados. Todos están bien sorprendidos y delineados con firmeza, a pesar del escaso número de páginas. Las figuras menores carecen del relieve psicológico de las mencionadas, pero alientan también con vida propia aunque su actuación sea secundaria y adjetiva.

A pesar de que la acción transcurre en los años de la transición de la dictadura hasta el huertismo, la Revolución juega escaso papel en la trama de esta novela. El autor la calificó como "novela de costumbres nacionales", pero es más bien psicológica. Además del *tempo* rápido en que la acción se desenvuelve, es de notar la preponderancia del diálogo. La más dialogada quizás de todas sus obras. Y en esto consiste gran parte de su mérito, pues Azuela es peritísimo en el empleo del coloquio rápido, nervioso y conciso siempre, veteado de expresiones y modismos locales que añaden verismo y color a sus ficciones. En casi todas las novelas de esta primera época, sus personajes se definen siempre mediante este recurso que convierte novelas como ésta y *Las moscas* en obras casi dramáticas, representables con muy escasas variantes o simples supresiones. Debió ser labor muy fácil para el autor convertir esta novela en pieza teatral años más tarde. (1940).

Domitilo quiere ser diputado. México, 1918

Es una de las varias novelas sintéticas que el autor escribió bajo el subtítulo de "cuadros y escenas de la revolución mexicana".

No hemos podido leer ningún ejemplar impreso de *Domitilo quiere ser diputado* por encontrarse totalmente agotado, pero el doctor Azuela ha tenido la generosidad de facilitarme una copia mecanografiada del original. Treinta y dos páginas a máquina tiene esta copia. Como se ve, más que una novela es éste un cuento largo, por lo que a la extensión se refiere. Por el contenido, sin embargo, es una novela comprimida —una verdadera maravilla de síntesis y un *tour de force* en cuanto a maestría técnica. La capacidad compendiadora que caracteriza al doctor Azuela ha hecho el milagro de reducir a unas cuantas páginas un material y una trama que en manos de otro autor menos experto y de estilo menos conciso, habría requerido un libro de doscientas páginas por lo menos. En tal sentido, este "cuadro" es una prueba definitiva de las aptitudes de novelista nato que el autor había demostrado muchas veces desde 1908 y, sin duda, la demostración más cabal del vigor y la eficacia de su técnica.

Nos encontramos todavía en plena vorágine revolucionaria y el ínclito general don Xicotencatl Robespierre Cebollino es la máxima autoridad de la imaginaria aldea del Perón. Aunque primero fué porfirista y huertista más tarde, es ahora un digno representante del "primer jefe" y de su política predatoria. Naturalmente encuentra compinches y colaboradores en el pueblo y su principal auxiliar no es otro que el tesorero municipal, don Serapio Alvaradejo, como Cebollino, antiguo porfirista, luego satélite de Madero y más tarde servidor de Huerta, de la misma manera que ahora sirve los fines del carrancismo. Camaleón de todas las situaciones, que a todas apoya y con todas medra sin importársele un ardite la justicia de la causa, don Serapio no tiene más que una aspiración y un fin en la vida: acrecentar su fortuna a costa del erario público. Y lo mismo don Xicotencatl.

En este "cuadro" como en tantos otros casos, los personajes están vistos como en caricatura. No hay aquí intención ni esfuerzo por desarrollar caracteres ni hemos menester de otros detalles para conocerlos. El autor se limita a señalar aquellas jorobas morales que los definen y nada más. Pero estas son tan prominentes y tan viles en estos pescadores del río revuelto de la Revolución, que nadie podrá confundirlos ni olvidarlos. Lo que sí nos parece inapropiado es el título. La personalidad y la conducta de Domitilo —hijo de don Serapio— carece en absoluto de relieve y sus aspiraciones a ser diputado constituyen también un episodio muy secundario. Lo importante en este comprimido de novela son las desvergonzadas camándulas y trapisondas de estos dos cambiacasacas y prestidigitadores politiqueros que el destino ha puesto en contacto: don Xicotencatl y don Serapio. El autor los pone en acción y su conducta los desnuda moralmente. Por sus hechos los conocemos sin necesidad de enterarnos de su marrullera filosofía. La de don Serapio, no obstante, es tan ladina y taimada que bien merece tenérsela en cuenta porque a través de ella el doctor Azuela nos dibuja una fisonomía ética y una individualidad inconfundibles. De aquí que este personaje tenga una doble función o personalidad: es, por una parte, un "tipo" representativo de esa fauna de mendaces revolucionarios y fementidos patriotas que a la sombra de la Revolución se han enriquecido; pero al mismo tiempo don Serapio exhibe sus jorobas a justo título y le convierten en individualidad bien definida.

La capacidad satírica del autor, patente en todos sus libros, tiene en este "cuadro" una demostración palmaria. El nombre del general Xicotencatl Robespierre Cebollino es un hallazgo feliz que por sí solo mueve a risa. Se funden en él tres elementos dispares y hasta contradictorios, pero que añadidos o superpuestos le insuflan una tremenda capacidad sugeridora y una fuerza satírica que no necesita de más pruebas. Leemos este nombre y tenemos ya idea clara del temple ético del gorgojo humano que lo lleva. En sí mismo es una definición y un retrato. No es un caso aislado, sin embargo. Azuela usa de este recurso metonímico con frecuencia y con gran tino para designar a sus criaturas más contrahechas y abyectas. Es una de las formas en que se manifiesta su aptitud para la síntesis lo mismo que para la caricatura en su doble fase —moral y física. (1935).

Las moscas. México, 1918. 196 p. (La primera edición iba seguida de *Domitilo quiere ser diputado* y del cuento *De cómo al fin lloró Juan Pablo*)

La edición que de esta novela tengo a la vista es la de la "Biblioteca de la Epoca de la Revolución", vol I, 1931, probablemente la más cuidada de cuántas se han hecho, y contiene sólo ochenta y una páginas de texto.

En esta narración culmina la técnica inicial del autor. Es un procedimiento fotográfico en el que cada día se prescinde más de héroes y protagonistas centrales y el foco de la cámara abarca de preferencia el conjunto, la totalidad del grupo o clase que se quiere retratar. En *Las moscas* no hay más que pueblo, masas, como en los grandes murales de Orozco y de Rivera. Un gran número de personajillos que vemos actuar en primer plano llevan nombre propio, pero están usados en función de tipos, no como individualidades definidas. Desde la aparición de *Los de abajo* se había acentuado este personalísimo *metier* que encuentra en *Las moscas* su más perfecta expresión. De aquí debió tomarlo López y Fuentes para sus novelas impersonales.

La factura de *Las moscas* se aproxima aun más que la de *Los caciques* a la técnica teatral. Como ésta, está escrita en forma dialogada, de sentencias cortas, esquemáticas, y de *tempo* acelerado también. Pero no es sólo el coloquio de los personajes lo que aproxima esta obra a la construcción dramática sino también los rápidos comentarios del autor que lo acompañan. Estas "explicaciones" más que glosas complementarias de la acción de una novela, semejan "direcciones" o acotaciones escénicas de un dramaturgo.

En *Las moscas* no hay trama ni acción ninguna. Todo aquí es ambiente, bullir del hormiguero humano que se ha conglomerado en las estaciones de ferrocarriles en huída desesperada. Pancho Villa ha sido derrotado en Celaya y se retira hacia el norte; pero más que su ejército, lo que aquí vemos es la impedimenta civil que lo acompaña. Es una formidable "instantánea" en la que

Azuela aprisionó de admirable manera esa humanidad desvalida, egoísta, insignificante en todos sentidos, que como parásitos sigue y vive adherida a los destinos del villismo. Es una humanidad acéfala y gregaria, sin ideales, sin alma ni cultura, preocupada sólo del mendrugo y de su suerte individual. Lo mismo serviría al carrancismo o al huertismo. Ahora la vemos en crisis y, por consiguiente, se nos ofrece al desnudo y en toda su pequeñez y miseria moral. En este cuadro de conjunto no ocurre nada. Los individuos se definen ellos mismos por lo que dicen. Es la hora del miedo. Los carrancistas vienen pisándoles los talones y no hay tiempo —ni necesidad— para el disimulo ni la simulación. Es la hora del sálvese quien pueda, y en tales trances se ponen de relieve los instintos y las fuerzas recónditas que mueven a estos tránsfugas del villismo que buscan la manera de arrimarse al sol que más calienta —el carrancismo.

Azuela ha sorprendido a estas masas en trance de riesgo y los retrata como se le ofrecen, en toda su ínfima pequeñez, sin ensalzarlas ni disminuirlas. Aquí resucita el experto "cameraman" de *Los de abajo* que enfoca su objetivo en distintas direcciones y capta un gran número de personajillos que se afanan y revolotean como moscas en torno a un organismo que se descompone. El tema se prestaba a la técnica y a la filosofía de Azuela. De ahí el acierto con que lo captó. Naturalmente la capacidad satírica del autor encuentra aquí abundante material en que ejercitarse; pero no se ensaña ni se excede, antes por el contrario se revela comprensivo, maguer escéptico. Como siempre.

La admirable síntesis final —sólo una página— en que por única vez aparece en escena Pancho Villa, es uno de los muchos y grandes aciertos artísticos de Azuela. No se nombra siquiera al famoso guerrillero, mas la prosopografía que de él nos da en trece escuetas líneas, lo dibuja como si fuese una escultura —una escultura que a la vez que los relieves físicos nos entregara también su fisonomía moral. Es una de las poquísimas veces en que Villa aparece en las novelas de Azuela, pero la instantánea es tan poderosa que ha influído a otros varios novelistas que con posterioridad han retratado al temible jefe de la División del Norte.

El discreto simbolismo que el autor insufló en esta
última página, le añade trascendencia y acrece su mérito
estético. Por lo demás, en ésta como en todas las
novelas de Azuela encontramos fugaces pinceladas descriptivas de la naturaleza, de matiz finamente poético, que
contrastan con el realismo despiadado de su arte. El
paisaje y la naturaleza suscitan siempre en Azuela sus
más finas esencias poéticas y le inspiran sus páginas más
líricas y plásticas. (1935).

Las tribulaciones de una familia decente. (S. p. de i. ni indicación del lugar). 1919. 239 p. *

Como se ve, la primera edición de esta novela que tenemos a la vista —la única en volumen hasta ahora según nuestras noticias— carece de fecha y de nombre del lugar en que apareció. Al pie de la portada notamos la siguiente aclaración que en verdad no arroja mucha luz que digamos: "Biblioteca de *El Mundo*", lo cual parece indicar que la obra apareció primero en forma de folletín en dicho periódico y fué recogida después en volumen. Dos datos que parecen corroborar esta hipótesis son el papel de pésima calidad en que está impresa y el enorme número de erratas de imprenta que afean esta edición y hacen poco menos que ininteligibles algunos pasajes. En una fe de erratas contenida en las últimas dos páginas y en papel de mejor calidad, el autor rectificó unos setenta y tres disparates, pero quedan aún varios centenares por corregir, pues apenas hay página donde no se registren varios. En alguna parte —no recordamos donde— esta novela figura como publicada en Tampico. Lamentamos la despreocupación con que el doctor Azuela trata su labor literaria y la desidia de los editores mexicanos que al no reeditar las obras de este autor, nos privan de conocer en su totalidad la producción de una de las personalidades más interesantes de la novelística hispanoamericana actual.

Con la publicación de esta obra se cerró —hasta el momento en que escribimos— el ciclo de las novelas que en torno a la Revolución escribió el doctor Azuela. En cierto modo representa una culminación y una superación en varios sentidos, como luego veremos. Por de pronto, es la más extensa de cuántas hasta ahora ha publicado y aquélla en que mayor preocupación revela por crear caracteres bien delineados. En cuanto a técnica se aparta también de la que de preferencia empleó hasta 1920, para volver a la tradición naturalista.

* Apareció primero en el folletín de "El Mundo", de Tampico, en 1918. Nota de 1950.

Las tribulaciones de una familia decente está dividida en dos partes o modalidades narrativas. La primera adopta la forma autobiográfica y aparece relatada por el más joven de los vástagos de esta familia *soi-disant* "decente". En la segunda, muerto ya el narrador, el autor asume este papel, tomando el hilo del relato donde la muerte de aquél lo truncó. Este doble procedimiento se nos antoja una falla artística porque le resta unidad a la obra y carece de justificación. No sabríamos explicarlo, pero sugiere la idea de que el autor no tenía un plan bien organizado antes de comenzarla, defecto común a muchos escritores y artistas de nuestra cultura, desde Cervantes y Velázquez hasta nuestros contemporáneos.

La novela nos relata las desdichas de una familia zacatecana acaudalada durante el período revolucionario, o sea, desde los días precursores a la toma de Zacatecas por las fuerzas villistas hasta las postrimerías del carrancismo, en 1918. Es un cuadro intensamente realista en el cual se combina con vigor y pericia el desarrollo de los caracteres con la pintura del ambiente caótico que por aquellos trágicos días reinaba en la capital azteca. No asistimos aquí al devenir revolucionario, como en *Los de abajo,* ni presenciamos hecho bélico ninguno. Lo que en esta obra se nos presenta no es la Revolución misma sino sus efectos y consecuencias vistos a través de esta familia. No es tampoco una pintura de las clases humildes sino la odisea de una familia acomodada atrapada por el vértigo revolucionario. El tema de la novela lo constituyen las desventuras económicas de la familia Velázquez Prado, sus prejuicios sociales y la forma en que cada uno de sus miembros reacciona frente a la miseria que ahora los acosa. Ambas, —la Revolución y la pobreza— están aquí empleadas en función de reactivos para mediante ellos definir a los personajes que por sus páginas desfilan.

El doctor Azuela propende más a la creación de "tipos" que de caracteres. Sus personajes con frecuencia están "vistos" y presentados en función de masas, de clases sociales, o de grupos. Sin embargo, en sus creaciones de más vuelo, acierta a darnos una feliz combinación de ambos. Junto al individuo con fisonomía moral propia, aparece el "tipo" genérico, el personaje psicológicamente amorfo, anónimo y sintético que asume la representa-

ción psicológica y moral de su grupo dentro de la fauna
política y social del ambiente revolucionario. Concreción
o resumen personificado de las características genéricas
de la especie a que pertenecen, estos entes de ficción
carecen, por lo general, de relieves idiosincrásicos, pero
tienen la virtud de encarnar, sintetizada, a toda una
clase o grupo.

Esta ambivalencia de la caracterología azuelista,
tiene muchos antecedentes en sus novelas de la primera
época y se da aquí también. Así, por ejemplo, Procopio,
Francisco José, Agustinita, la Tabardillo, Lulú y Ar-
chibaldo, podrían clasificarse como caracteres con personalidad propia, aunque ninguno de ellos alcance los
fuertes lineamientos intelectuales y morales que hacen
de Procopio una de las más afortunadas creaciones de
Azuela —acaso la mejor moldeada hasta ahora. Por
el contrario, Pascual, el general Covarrubias, don Ul-
piano, y algún otro personaje más o menos episódico,
son más bien arquetipos. Sin embargo, por la acusada
fisonomía ética —anti-ética, mejor— de este truhán, Pascual es un ser ambivalente en sí mismo: lo mismo podríamos encasillarlo en el primer grupo que en el de los
"tipos", como símbolo de la pandilla de lucradores que
se enriquecieron a la sombra de Carranza y del pillaje
que este jefe encarnó.

La ironía, característica del intelecto mexicano, y
muy particularmente de los capitalinos, no abunda en la
copiosa obra de Azuela. La ironía es lujo y juego de los
refinados y de temperamento hedonista. El doctor Azuela es demasiado sincero y está muy inmerso en sus temas
y en el dolor y la miseria del pueblo para ser adicto
a este juego malabar de la inteligencia en los salones
aristocráticos. La injusticia social la sufre él en su propia
carne y la ramplonería y el latrocinio de los políticos
hieren su sensibilidad de mexicano con sentido de responsabilidad. De ahí que la ironía se le convierta frecuentemente en sarcasmo y en sátira despiadada y
franca, que son armas más nobles y más en armonía
con su temperamento y con sus ideas. En lugar del
florete irónico que toca y apenas deja huella, el autor
emplea de preferencia el escalpelo del sarcasmo y la
asepsia de la sátira, que penetran la carne del organismo
social infectado y descubren el germen de la dolencia.
(Sería curioso dilucidar el influjo que la profesión médica ha ejercido sobre el concepto y la actividad novelística de este galeno).

No obstante, en esta obra, la ironía de buena ley abunda, aunque a veces remate en cáustica sátira o en punzante y adolorido sarcasmo. Así, por ejemplo, el retrato que nos ofrece de Francisco José, el poeta de la familia. Este personaje está visto con ironía zumbona en los primeros capítulos, pero a medida que la fisonomía va perfilándose, el tono irónico se transmuta en sátira y concluye en sarcasmo. Lo mismo pudiera decirse de Procopio, personaje borroso al principio, introvertido y "repressed", mentalmente "inhibited" por su papel de cero a la izquierda a que lo condena, en el seno de esta familia rica, su condición de pobre con ella emparentado. Pero cuando la miseria los nivela a todos, la personalidad de Procopio se revela plenamente y se nos convierte en el hombre total que hasta ahora no ha sabido —o no ha podido— ser.

Ya dijimos que de la variada galería de retratos que en esta obra nos da el autor, Procopio es el más trabajado, y por ende, el que adquiere mayor prestancia artística y filosófica. Procopio es un carácter de filiación estoica, de amplias proporciones éticas, cuya gestación debió ser amorosa y lenta. Durante la primera parte de la obra es un personaje sin trascendencia, pero ya en el rictus irónico en que se deslíe la elocuencia de su sonrisa, adivinamos al hombre superior que luego se nos revelará, y en el estoicismo senequista con que sufre silenciosamente su desdicha, al filósofo de las últimas páginas.

En la obra de Azuela sólo por excepción aparece el hombre de ideas, que piensa por cuenta propia y adopta una actitud reflexiva frente a la vida. La humanidad que por esta vasta producción vemos desfilar, es intuitiva, pasional, egoísta y con frecuencia, analfabeta. Se mueve a golpes de intuición y a impulsos del interés o de la vehemencia pasional. Vive, por lo tanto, al margen de las preocupaciones de la inteligencia y de los intereses del espíritu. Generalmente hablando, puede decirse que en sus obras predominan, ya las masas ignaras y embrutecidas por el trabajo, la miseria y el fanatismo, o de lo contrario, la hez de la clase media —lo peor de ella, que es la inmensa mayoría— egoísta, sin ideales, sin principios, hipócrita y cobarde. A la primera, la injusticia y el hambre la empujaron hacia el torbellino de la Revolución, sin visión clara de lo que quería ni fe en los postulados que guiaban el movimiento. Más que un ideal y una meta, diríase que la Revolución fue una válvula de escape, una fuga de la trágica realidad en que estas masas han vivido durante siglos. A la clase media, en cambio, lo único que le interesaba era desviar el curso y los ideales de la Revolución y hacerlos coincidir con sus intereses y medrar a su costa. La inmensa mayoría de los caracteres que Azuela nos dibuja son hombres y mujeres instintivos, ignorantes, sanguinarios con frecuencia, horros de sentido ético y de orientación ideológica. Casi todos son pescadores de río revuelto, ya se nos presenten en forma de revolucionarios miméticos o de políticos manidos y camaleónicos. (Tipo perfecto de tal fauna es el Pascual de esta novela.)

Novelador de un momento trágico de la historia de México y de un acontecimiento en el que todas las pasiones y todos los bajos instintos se desataron como furiosos vendavales, el doctor Azuela, fiel a su misión, nos ha dejado en el aguafuerte de sus novelas, un retrato insuperable de este instante dramático en el devenir histórico y social del país. Naturalmente, dentro de este clima de violencia no pueden abundar las figuras nimbadas de serenidad filosófica como el Procopio de esta novela.

Son varios los caracteres que en *Las tribulaciones de una familia decente* merecen estudio detenido, y el hecho mismo de ser una obra poco menos que desconocida fuera de México —y aun allí— justificaría el que nos detuviésemos en su análisis. Pero la extensión de esta nota nos compele a prescindir de la tentadora tarea. La obra, sin embargo, es acreedora a la atención de los críticos que hasta ahora se han contentado con ignorarla.

Un detalle de composición en el que deseamos insistir, es la innegable filiación naturalista de esta novela. Entre 1900 y 1915, Emile Zola fue quizás el novelista extranjero más leído en Hispanoamérica, y el doctor Azuela se aficionó mucho a él desde muy temprano. En Zola descubrió el narrador mexicano un temperamento y una ideología social afines con los suyos. Sobre todo, debieron impresionarle su honradez, su sinceridad y su valor cívico, aparte sus indiscutibles aptitudes de gran escritor. De hecho, empezó a escribir bajo su influencia, evidente tanto en *María Luisa* como en *Mala yerba*. De ella se emancipó luego en las obras de tema revolucionario. Pero en *Las tribulaciones de una familia decente*, reaparece esta consanguinidad técnica con el autor de *Germinal*. El concepto de la novela como laboratorio, de la "novela experimental", sobre el cual descansa la teoría de Zola, está aquí empleado con una fidelidad y una maestría que no alcanzó nunca don Federico Gamboa, el más leal y tenaz discípulo que al maestro francés le nació en lengua castellana. Las peripecias de la Revolución y la miseria económica actúan aquí como reactivos o pruebas para "experimentar" con los caracteres y observar sus reacciones mediante las cuales se definirán. No creemos hiperbólico afirmar que es la "novela experimental" por antonomasia en el repertorio azuelista. (1933).

Capítulo XI

Transición

Necesario resulta hacer aquí un paréntesis histórico-bibliográfico para explicarnos el "cambio de frente" que dió la técnica novelística de don Mariano Azuela a partir de la publicación de *Tribulaciones de una familia decente* (1918), la última de las novelas del ciclo revolucionario publicadas por el autor.

Entre 1938 y 1940 recogió el que esto escribe la bibliografía activa y pasiva del doctor Azuela hasta la última fecha citada. La parte crítica registra ciento cuarenta y cuatro títulos firmados. En 1941 apareció el tomo *Bibliografía de novelistas de la Revolución mexicana* del malogrado profesor norteamericano, Ernest Moore, muy abundante y casi completa en la que dió cabida, no sólo a los trabajos de crítica firmados, sino también a las notas anónimas o de redacción y, por consiguiente, más copiosa que la antes mencionada. Pues bien, es curioso notar que el primero en descubrir el mérito de la obra de Azuela fué un cubano, Arturo R. de Carricarte, quien en 1907 señaló en *El Fígaro*, de la Habana, lo que en *María Luisa* había de promesa y sus graves quiebras artísticas. Será también otra revista extranjera, *El Cojo Ilustrado*, de Caracas, la que en forma anónima saludará con elogio la publicación de *Los fracasados*, en 1909. Un año antes, en 1908, el único mexicano que descubrió —y comentó— la aparición de esta novela tan inusitada en el México de aquella época, fué Heriberto Frías, el precursor, autor de *Tomochic*, periodista más que narrador a quien por su honradez y sinceridad hay que reconocer como el único antecedente inmediato del doctor Azuela. Dos años más tarde, en 1910, José G. Ortiz comentará también *Los fracasados* y *Mala yerba* en *El Progreso Latino*. Estos son los dos únicos comentarios que la primera de estas dos novelas provocó en México a raíz de su publicación, ambos por escritores de escaso prestigio en los altos cenáculos literarios. El areópago de la crítica que por aquellas calendas se congregaba en torno a la *Revista Moderna,* le hizo el vacío más absoluto.

Peor aun fué la suerte que corrió *Mala yerba.* Con excepción de la ya aludida glosa de Ortiz, sólo una nota anónima de *El Progreso Latino* mereció esta obra a los intelectuales mexicanos de la época. *Andrés Pérez, maderista,* fué comentado anónimamente también por la *Revista Blanca,* de Guadalajara, y también por José G. Ortiz, pero nadie más la creyó digna de explicación o glosa. En cuanto a *Sin amor* (1912), sólo provocó una nota anónima de la ya citada *Revista Blanca,* pero la prensa y la crítica de la capital, donde se publicó, la desdeñaron. En cuanto a la aparición de la más importante obra de Azuela, *Los de abajo,* publicada en folletín en *El Paso del Norte,* en 1915, y en volumen en 1916, no despertó un solo comentario en México. La misma triste suerte corrió la publicación de *Los caciques* en 1917; en cuanto a *Las moscas,* 1918, sólo Miguel Medina Hermosilla se hizo eco de su publicación en *El Pueblo.* Por último, similar fortuna corrieron *Domitilo quiere ser diputado* y la última y más trabajada de las novelas del ciclo revolucionario, la ya mentada *Tribulaciones de una familia decente,* ambas aparecidas en 1918.

Como se ve, Azuela llevaba ya publicadas todas sus novelas más importantes —nueve en total, sin incluir *María Luisa*— y, no obstante, todavía la crítica mexicana se negaba a reconocerle beligerancia artística. Su nombre era desconocido o peyorativamente silenciado por los intelectuales de fuste y por las revistas prestigiosas. Entre los que más tarde cobrarán fama de críticos serios, el primero en ocuparse de Azuela fué Francisco Monterde, allá por 1919 a 1920 cuando se iniciaba en las faenas críticas, pero sus notas no tendrán eco ninguno por entonces entre sus cofrades de las letras. No será hasta 1924 y 1925, cuando Monterde volvió a escribir varios artículos comentando la obra azuelista, que su defensa encontrará tenue repercusión entre algunos colegas y la obra de Azuela empieza a ser motivo de glosas, no siempre comprensivas ni muy penetrantes. Fué después de 1927, y tras las cuatro ediciones de *Los de abajo* hechas en Madrid —y una en Buenos Aires— con comentarios elogiosos en ambas capitales, y las dos traducciones al francés (la segunda con prólogo de Valery Larbaud) y al inglés con prefacio de Carleton Beals, que algunos intelectuales mexicanos empezaron a admitir la existencia del doctor Azuela —en realidad a partir de 1930.

Es éste uno de los casos más inauditos y más descorazonantes de incomprensión, de estulticia, de "conjura de silencio", de ignorancia o de encubierta mala fe, que se han dado en los anales de las letras hispanoamericanas. Es difícil explicar el vacío obstinado que se le hizo a la obra del doctor Azuela hasta 1925. Nadie desde Lizardi había escrito en México novelas de tan aguda observación ni de tan hondo verismo; nadie había producido obra tan original y de tan legítima raigambre mexicana. Ninguno había sentido el dolor de México con tan patético realismo ni lo había novelado con la transida sinceridad con que Azuela lo había hecho. Nadie, desde Lizardi, había sabido "ver" la tragedia del pueblo mexicano ni se había identificado con ella con el amor adolorido con que él la vio y la reflejó en el ciclo de sus novelas que culmina en *Tribulaciones de una familia decente*. Y sin embargo, México le niega el agua y la sal al más auténtico novelista que ha producido; su intelectualidad lo confina, con tozuda terquedad que más parece rencorosa que ignorante, al limbo del anonimato, al reino del olvido, a la inexistencia, a la nada. Los intelectuales mexicanos se empecinan en desconocerlo. Dijérase que les duele y se avergüenzan de verse en el espejo de sus novelas y quisieran frustrarlo, aniquilarlo, destruirlo, mediante la pertinaz conspiración de su silencio, silencio culpable que más parece estolidez y mimético snobismo que indiferencia despreocupada. Confieso que no tengo noticia de otro caso tan porfiado y desolador de total ausencia de crítica. Porque la verdad es que ni siquiera se le negó. Fué con el vacío absoluto como se le trituró. Y así, en el vacío de campana neumática que la crítica le hizo, murió —o se asfixió— en 1918 el novelista que tan fielmente había captado la vida mexicana hasta entonces. Nunca le perdonaron su honradez, su sinceridad, su talento. Mucho menos los laureles que de fuera le llegaron a partir de 1928, la traducción de algunos de sus libros a ocho o diez idiomas, la consagración por la crítica no mexicana en varias lenguas, ni el que en el extranjero se le considerara como el novelista máximo —y el más auténtico y representativo— que México haya producido. No importa, la crítica extranjera se encargó de vengarlo de la ceguera o de la inquina de la doméstica. Pero su estímulo llegó demasiado tarde para salvar al creador fuerte que feneció en 1918. Lo que desde entonces ha producido nada tiene que ver con la obra realizada entre 1908 y 1918 —con las excepciones de *Precursores* y *Pedro Moreno, el insurgente*, publicadas ambas en 1935, en las cuales parece resucitar por un instante la primera modalidad narrativa que le dió fama.

El quinquenio que va de 1918 a 1923 es de absoluta esterilidad creadora para el doctor Azuela. Son años de frustración y desengaño producidos por la pertinacia de la crítica en ignorarlo. Todo artista necesita para realizar su obra de creación que el ambiente colabore con él, que la crítica lo discuta y hasta que lo niegue, a veces, que le señale los defectos en que haya incurrido y lo estimule con el aplauso justo y merecido. Los creadores a lo Marcel Proust, capaces de consumar su obra en el aislamiento y con total prescindencia de los estímulos que el ambiente propicio brinda, son en extremo raros.

Azuela no se resignó al ostracismo en que se le mantenía y cambió de técnica. Eran los años de la post guerra y empezaban ya a surgir lo que más tarde se llamó "formas de vanguardia" o arte o literatura "vanguardista", término de origen castrense cuya semántica nada nos dice ni explica ni define cuando se aplica a la obra de arte. Ya hacia 1923 empezaban a aparecer en México y otras capitales, remedos de varias escuelas o movimientos europeos, particularmente del surrealismo que fué el que más prosélitos hizo por nuestros países. Junto con estas formas de arte estrambóticas, descoyuntadas, grotescas y absurdas, se ponía de moda el imaginismo, el metaforismo, el culto de la palabra en sí misma. Los mismos barcos que nos traían estas novelerías cubistas, dadaistas, surrealistas, imaginistas, simultaneistas, expresionistas, ultraístas, etc., nos traían también a Sygmund Freud ya traducido y a James Joyce y a Proust. Por nuestra parte, no quisimos ser menos y Chile aportó su "creacionismo", México su "estridentismo", y otras variantes en otros países. Fué entonces cuando resucitó la jitanjáfora y hasta los ingenios más aptos y de mayor cultura —estimulados por Ramón Gómez de la Serna— hacían juegos malabares con las palabras, y las tonterías culteranas de la época colonial cobraron nuevo prestigio. Fué la época en que el disparate se elevó a la categoría de obra de arte, el ingenio baladí a rango de creación, y la fantasmagoría grotesca y sin sentido ocupó el lugar de la lógica y la sindéresis. Azuela, hombre de

su tiempo, se mantenía informado de esta evolución,
tanto en Francia como en México, y se dió cuenta del
prestigio de que se revestían entre la *élite* de su país esta
nueva retórica y estos nuevos trucos barrocos. Decidió,
pues, probarles a los remilgados señoritos de la crítica
que también él sabía escribir desatinos.

Sus tres próximos libros, *La malhora,* 1923, *El desquite,* 1925 y *La luciérnaga,* 1932, constituyen una trilogía de novelas de técnica espuria, prestada, conscientemente mimética y estrafalaria. Por contraste con las
anteriores, tan legítimas y de técnica tan original y tan
suya, esta trilogía podría clasificarse de adulterina, contrahecha y apócrifa, porque carece de autenticidad tanto
como de viabilidad artística. En estas tres novelas —tan
celebradas por algunos critiquillos con espíritu de
"snobs"— todo es ficticio, fingido y extraño al arte de
narrar que el doctor Azuela había perfeccionado en sus
obras anteriores. Es una fórmula artificiosa y artera,
impuesta por el snobismo ambiente y, por lo tanto, bastarda y sin legitimación posible.

Todo aquí es intencionadamente arbitrario y desconcertante, ilógico y hasta absurdo, a veces. Hasta ahora
Azuela se había preocupado de retratar el ambiente
aldeano, campesino o revolucionario, y de dibujar los
caracteres en sus lineamientos y contornos definidores,
sin ahondar demasiado en su psique. Era el suyo un
arte verista y fuerte, directo, sintético, de *tempo* acelerado y de formas llanas y sencillas —que no excluían
el matiz discretamente poético— en las descripciones paisajistas casi siempre. En la nueva técnica que en 1923
adoptó, quedaron preteridos todos los elementos que habían definido su labor previa. En este nuevo procedimiento el énfasis se desplaza o desvía hacia la forma.
Todo ahora depende de los recursos de estilo, de los
trucos de la metáfora y de la imagen dislocada, de
las reticencias, de los puntos suspensivos prodigados hasta el cansancio. En lugar de la acción directa, su reflejo
en el subconsciente o en los sueños; en lugar de la narración o descripción, palabras sueltas, puntos suspensivos que aspiran a sugerir, pero que en fuerza de repetirse acaban por no sugerir nada.

Hasta ahora Azuela se había especializado en el retrato del ambiente de la clase media —con excepción de
Los de abajo—, pero ahora acude a la atmósfera del
barrio de Tepito y nos ofrece en fastasmagórico desfile
una serie de tipos degenerados o anormales casi todos

—rameras, beodos consuetudinarios, ladrones, asesinos, orates— que le proveen de materiales truculentos para rellenar los huecos de estos "montajes". Todo en estas novelas se resuelve en imaginería, alucinaciones, metáforas contrahechas —tanto más apreciadas cuanto más raras y estridentes— en contrastes violentos y puntos suspensivos. Son novelas de difícil lectura, cansadas, fatigosas. Azuela nunca dominó esta técnica tan diversa y tan distante de su genio creador.

Estas tres novelas impostoras, tan ajenas al arte del autor y tan divorciadas de su temperamento, debieron representarle un esfuerzo agotador. Mas lo que no consiguieron sus magníficos "cuadros y escenas de la revolución mexicana", ni sus aguafuertes anteriores, tan saturados de mexicanismo y tan fieles en su intenso colorido local, lo lograron estos espúrios remedos de una técnica importada. En 1930 y 1931, la revista *Contemporáneos* que dió nombre a sus pilotos y al grupo de poetas y prosistas que en torno a ella se congregaron y que por aquellos días representaban la "vanguardia" europeizante, le reconoció beligerancia a Azuela reproduciendo en sus páginas *La malhora*. Como se ve, este estrafalario esperpento, verdadero "refrito", consciente y deliberadamente mimético, mereció el dudoso honor de atraer la atención de los dispensadores de nombre y de gloria por aquellas calendas, los cuales ni siquiera se percataron de su adulterino origen.

Pero el narrador autóctono y vigoroso que en Azuela alentó, el que no aprendió técnica en Joyce ni en Proust ni necesitó de tutores para darnos una visión inédita y perdurable de la realidad mexicana, había muerto asesinado por la indiferencia o la ojeriza de los altos círculos literarios. El paréntesis de la bastarda trilogía se cerrará en 1932 con *La luciérnaga*. Ya no volverá sobre el ambiente revolucionario o prerrevolucionario. Tras una rápida incursión al campo histórico en *Pedro Moreno, el insurgente* y al semi-histórico con *Precursores* (1935), toda su labor ulterior hará referencia a la post-revolución y reviste caracteres muy distintos a su obra anterior, como luego se verá.

Dicho lo anterior, necesario resulta aclarar que *La luciérnaga* es muy superior a las otras dos narraciones consanguíneas. El procedimiento es el mismo e idénticos los recursos estilísticos de que el autor se vale. En esta novela, como en *La malhora* y *El desquite*, el lector debe convertirse en una especie de Sherlock Holmes muy sagaz para seguir la pista de los hechos y del argumento a través del subconsciente de los personajes. Es allí, y en los sueños, donde el lector percibe el acontecer novelístico ya deformado y grotesto como imágenes reflejadas en un espejo cóncavo o convexo. El lector se ve compelido a realizar un arduo esfuerzo de imaginación y de concentración para descifrar estos rompecabezas o crucigramas surrealistas, imaginistas, cubistas, expresionistas, o lo que sean.

Pero aunque esta técnica es extraña a su genio creador, Azuela está ya "entrenado" en ella. Los dos esfuerzos anteriores le han dado un mayor dominio de este nuevo género de "montaje", y en *La luciérnaga* maneja sus chirimbolos con más destreza y no abusa tanto de las elipsis, las reticencias, los puntos suspensivos y demás expedientes empleados en las dos obras anteriores. Por otra parte, la evocación del subconsciente en los personajes de *La luciérnaga,* la pintura del complejo religioso en conflicto con la conducta en algunos de ellos, y la delineación de los caracteres es muy superior ahora. Habría que añadir también que los protagonistas de *La luciérnaga* pertenecen a la clase media provinciana que Azuela conoce bien, en tanto que el ambiente de las dos obras anteriores le es menos familiar. Dentro, pues, de esta modalidad espuria, *La luciérnaga* es el más logrado de sus tres intentos y hay que colocarla junto a las otras tres que mejor ilustran las variantes que en su trayectoria literaria cultivó: *Los de abajo* (novela de tema y técnica revolucionarios); *Las tribulaciones de una familia decente* (fórmula naturalista); y *El camarada Pantoja* (novela de sátira política y de intención moralizante).

Capítulo XII

Novelas de la post-Revolución

Pedro Moreno, el insurgente y Precursores, Chile, 1935

Entre los libros más interesantes que "Ercilla" nos ha dado hasta ahora, hay que anotar los titulados *Pedro Moreno, el insurgente* y *Precursores*, ambos por el doctor Mariano Azuela y aparecidos en 1935. Después de las novelas del ciclo revolucionario (1908-1918) que lo hicieron famoso, el doctor Azuela nos traslada en estos dos libros a los otros dos grandes períodos constructivos de la historia de México: el de la independencia y el de las guerras de la reforma y la lucha contra el invasor austro-francés. En *Pedro Moreno* nos da una visión episódica, pero en extremo luminosa y bella, de la gesta libertadora; en *Precursores*, en tanto, recoge tres relatos independientes, pero en cierta manera relacionados por la unidad temática y cronológica, ya que los tres se refieren al turbulento período de 1850-1865 y a caracteres muy similares que sólo las circunstancias en que actúan los diferencian. El título bajo el cual se cobijan estas tres narraciones se nos antoja que encierra una dolorosa ironía, como luego veremos.

Como ya se dijo, en *Pedro Moreno* nos ofrece el doctor Azuela un episodio de las luchas por la independencia reciamente dramatizado. "Biografía novelada" subtitula el autor esta fuerte narración. A describir las actividades revolucionarias de este héroe insurgente y las de sus parientes y amigos, se reduce, pues, el marco de este cuadro histórico-novelesco, pero en él encontramos un magistral resumen de la heroica gesta libertaria. Por sus páginas vemos desfilar la homérica figura del general Mina que no logra, sin embargo, eclipsar las más modestas pero igualmente abnegadas de don Pedro y sus hombres.

El libro se abre con unos sobrios capítulos descrip-

tivos que nos ponen en contacto con el ambiente pueblerino dentro del cual se mueven los futuros héroes.
Asistimos aquí a la gestación del ideal emancipador y
a los primeros brotes revolucionarios en la región. Con
pinceladas maestras dibuja el doctor Azuela los personajes y personajillos de este ambiente que luego presti-
giarán la narración con sus hechos, con su heroísmo y
hasta con su crueldad. Vemos en estos capítulos incipientes las maniobras y la arrogancia de los realistas
fanáticos, el influjo todopoderoso y las artimañas de los
frailes y ministros de la iglesia, ignorantes, absolutistas
y con frecuencia sanguinarios. Viene luego la odisea del
"Sombrero", de la que es héroe principal la patricia
figura que da nombre al libro, y otros episodios bélicos
secundarios pero igualmente interesantes.

Don Mariano Azuela se revela una vez más en
este libro como el narrador de fuerza que ya conocíamos.
Con una ejemplar economía literaria y una sobriedad
sin paralelo en la novelística americana, expresa el autor
el intenso dramatismo que impregna todos sus libros.
El dinamismo y el sentido trágico que caracteriza su
obra toda, se han superado en *Pedro Moreno*. Como en
*Los fracasados, Mala yerba, Los de abajo, Los Caci-
ques* y *Las moscas*, lo que más sobresale en este libro
que reseñamos es su maravillosa capacidad de evocación
dramática y la indeleble firmeza con que graba en nuestra imaginación, con sólo unas cuantas pinceladas, los
perfiles de sus caracteres. Aludiendo a *Los de abajo*, en
1932, decíamos en un *Fichero* anterior: "Estas aguafuertes tienen toda la fuerza y colorido de un fresco de
José Clemente Orozco, ese otro gran producto de la revolución, con cuya obra tanta analogía guarda la del
doctor Azuela". La afinidad artística entre estos dos
genios se acentúa aún más en *Pedro Moreno, el insurgente*.

Precursores está integrado por tres narraciones cortas —a la manera de *Los caciques* y *Las moscas*— en
las que el autor fija con vigorosos trazos la fisonomía
de algunos de los bandidos más famosos que pululaban
por todo México durante los años consabidos. Aunque
parezca un contrasentido, existe una íntima relación histórica y en cierto modo causal entre el tema de ambos
libros. El bandidaje franco o encubierto que en *Precursores* se retrata, no es más que la secuela natural —fatal— del desorden, la anarquía, la incapacidad y el
egoísmo desmedidos que caracterizaron el devenir histó-

rico de México y a los generalotes analfabetos que como lobos se disputaron el usufructo del tesoro público de aquel país durante los primeros cincuenta años de su independencia, sumiendo al pueblo en la miseria, en la ignorancia y en la desolación más espantosas. ¿Qué otra cosa podía generar aquel caos en el que todas las ambiciones, todos los fanatismos y todos los odios se conjuraron para asolar el país? El bandidaje y el vandalismo de los de arriba trajo como consecuencia lógica el bandidaje y el vandalismo de los de abajo, impelidos por el ejemplo, por el hambre y las humillaciones de que los mandones encanallados los hacían víctimas.

La actitud del doctor Azuela respecto a estos desalmados es más bien *sympathetic*, no obstante, y lo mismo ha de ser la del lector inteligente. Frente a tanto expoliador y asesino encubierto como antes y después hemos visto figurar en las altas posiciones políticas de México y del resto de América, que como los auténticos roban y matan, pero que a diferencia de éstos jamás ponen en riesgo el pellejo, no podemos menos de admirar a estos hombres feroces que viven al margen de la ley, pero a quienes su temerario valor personal y el cruento final que les espera, redimen hasta cierto punto a nuestros ojos. Bandolero por bandolero, preferimos a los que se ponen fuera de la ley antes que a los que en ella se amparan para cometer las mismas felonías. Entre Pancho Villa robando y matando como una furia desencadenada y cualquiera de sus congéneres que escudado en su alta posición política y en falaces apariencias legales, lo emula, nuestra admiración y nuestra simpatía estarán siempre con el primero. Como valor humano y como materia artística, por lo menos, no hay duda de que es infinitamente superior. Tal es la actitud del doctor Azuela que nosotros compartimos sin ambages.

En cuanto a la técnica de estos relatos, es la misma ya apuntada. Si alguna diferencia existe entre ambos libros a este respecto, ella se resuelve en una mayor acentuación de las virtudes señaladas. Debido acaso a la granítica fisonomía de los personajes ahora retratados, el dibujo se intensifica y el dinamismo de la acción alcanza un ritmo más acelerado aún, en tanto que la sobriedad del cuadro adquiere lineamientos casi inverosímiles. El autor se despoja aquí de toda viñeta, de todo superfluo adorno y nos ofrece unos *sketches* psicológicos escuetos, pero tan firmes como un "capricho" goyesco.

El camarada Pantoja. México, 1937. 236 p.

Es la última novela de Azuela y la décima sexta de las publicadas hasta la fecha. Como luego se explicará, esta obra difiere de todas las anteriores en varios aspectos y de las dos técnicas preferidas por el autor hasta ahora. Con *Mala yerba, Los de abajo, Las tribulaciones de una familia decente* y *La luciérnaga,* representa los puntos culminantes de su carrera literaria.

Hasta ahora, el doctor Azuela se había preocupado por darnos el ambiente pre-revolucionario, las causas reales que provocaron la gran tormenta; luego el cataclismo de la Revolución sorprendido en varias de sus fases más cruentas y a través de diferentes medios sociales; de 1923 a 1932, tres novelas de técnica expresionista o imaginista, y por último, dos incursiones en el campo histórico. Al segundo período pertenecen sus dos obras de más perdurable aliento. De las otras tres novelas antes destacadas, una corresponde a la primera y otra a la tercera etapas. La quinta es la que aquí se comenta; en la que el autor nos da la post-Revolución y sus consecuencias prácticas, o lo que es lo mismo, la Revolución triunfante y hecha gobierno. Con ella, pues, se completa la parábola recorrida por la Revolución lo mismo que la trayectoria artística de su novelador más autorizado y austero.

Aclaremos, sin embargo, que hasta el presente, la Revolución —el ideal de justicia que la orientó y el anhelo renovador y superador que la impulsó— apenas puede decirse que hayan triunfado. Han triunfado sus hombres, han gobernado sus figuras más descollantes —Carranza, Obregón, Calles— y multitud de figurones que al amparo de la ideología revolucionaria hicieron fortuna privada, pero el ansia de reivindicación y de equidad que aquella gran conmoción social encarnó, sigue siendo un ideal y una meta casi tan distantes hoy como hace un cuarto de siglo. El actual régimen del general Lázaro Cárdenas parece contener los gérmenes de una promesa rectificadora a las piraterías y rapacidades de Carranza, Obregón, Calles, y sus continuadores; pero abstengámonos de todo juicio definitivo. Por el momento, sólo el beneficio de la duda, como dicen en inglés, puede otorgársele.

La acción de *El camarada Pantoja* está ubicada en las postrimerías del gobierno de Plutarco Elías Calles, y en ella asistimos a la segunda campaña para la elección presidencial de Alvaro Obregón, quien, como el lector recordará, debió haber reemplazado a Calles en la alta magistratura. El asesinato del triunfador de Celaya después de elegido presidente de la república, frustró lo que parecía un plan tácito de turnos presidenciales entre estos dos aprovechados caudillos y convirtió a Calles en el amo y señor de México, el "hombre fuerte", que hizo y deshizo gobiernos y presidentes a su antojo y según su conveniencia. Son varias ya las novelas que tenemos inspiradas directa o indirectamente en la demagogia callista, pero hasta ahora ninguna supera en dramaticidad y verismo este cuadro de tonos violentos y sombríos que Azuela ha pintado en ésta su obra postrera.

Por las páginas de esta novela van pasando, como en un "film" trágico, muchas figuras históricas de aquel período, siniestras unas, encanalladas y manidas otras, pero todas retratadas con ese realismo crudo y sin atenuantes a que el autor es tan dado. Unos figuran con nombre propio, otros con nombre contrahecho o fingido, pero fácilmente identificables para cualquier lector familiarizado con la fauna politiquera de aquellos días. Desde los dos caudillos que usufructuaban las granjerías del poder —Calles y Obregón— hasta sus corifeos más indignos y abyectos, sin olvidar a muchos generalotes tan analfabetos como sanguinarios y apañadores, toda la turba que se aupó en brazos de la Revolución y de ella han hecho pedestal y simonía —traicionándola— queda aquí retratada. La maldad y el egoísmo de unos, tanto como la cobardía o la imbecilidad sin redención posible de otros, suscitan ahora la indignación y la capacidad satírica de este implacable pero justo juez que es Azuela. Contra los mandones sin conciencia que de la expoliación y el asesinato han hecho una especie de deporte y un privilegio; contra el "leader" obrero, apóstata y venal, que traiciona a sus camaradas, y contra la estulticia de la gran masa que

se deja vejar y esquilmar como borregos —ahora como
bajo el régimen porfirista— enristra la sátira resta-
llante del autor.

El sarcasmo y la sátira, hirientes como un estilete
y airados como la fusta de un justo, son las armas
que esgrime Azuela a lo largo de toda su obra con
una probidad y una fuerza sin paralelo en la novelística hispanoamericana. Ni el sarcasmo ni la sátira son
en él juego literario ni *pose,* sino reacción adolorida
de varón recto y de mexicano consciente que sufre el
encanallamiento de la vida pública de su país como una
befa o una afrenta a su dignidad de hombre íntegro.
De ahí el acento transido que se descubre en algunas
de estas páginas rabelaisianas. La realidad política y
social que ahora enfoca, le brinda abundante material
para emplear estos recursos. Por eso *El camarada
Pantoja,* más que una novela parece una indignada protesta contra el escarnio de que ahora hacen objeto al
pueblo los antiguos revolucionarios. Como en una picota
quedan aquí expuestas sus lacras.

En cuanto a técnica, el autor combina ahora
las dos modalidades que de preferencia había empleado
antes y de las cuales son modelo *Los de abajo* y *La
luciérnaga.* De la primera retiene la narración y el retrato
sintético, el dinamismo y el diálogo directo, cortado y
breve. De la segunda incorpora el subconsciente ilógico
y dislocado, las reconditeces freudianas de los sueños
y el estilo más elaborado y literario. Esta hibridación
de procedimientos en cierto modo antitéticos, hace a
veces ardua para el lector la tarea de seguir el hilo de
la acción y la continuidad del pensamiento. El autor
va relatando el acontecer de la trama según la primera
modalidad; los personajes hablan y reaccionan en forma
natural, como en la vida real, y los relieves de su
fisonomía moral se van perfilando mediante su conducta
más que a través de su lenguaje; mas de repente, la narración se interrumpe y penetramos repentinamente y
sin transición, en la conciencia o en el subconsciente
de estos matones politiqueros. Esta amalgama técnica
le añade complejidad y algo así como una cuarta
dimensión a la novela; pero convierte al lector en colaborador y le obliga a realizar un esfuerzo imaginativo
para mantener la coherencia del proceso y entender la
obra. El lector poco avisado tendrá que releer muchas
páginas si aspira a desentrañar su sentido.

El propósito satírico es probablemente la razón de

que en *El camarada Pantoja* no existan más que "tipos". Todos estos personajes están "vistos" como en caricatura y más que individuos son personificaciones de los vicios o defectos del grupo a que pertenecen y cuya representación asumen en la novela. Son *sketches* psicológicos bien diseñados en los que el autor hace resaltar únicamente las deformaciones —como en toda caricatura de intención satírica. Hay capítulos en este libro que semejan un retablo de titiriteros. Los hombres y mujeres que por él desfilan se nos antojan seres infrahumanos. Son los títeres de la farsa política mexicana de aquella época que en la novela, como en la realidad social, se mueven por los hilos invisibles de sus pasiones, sus egoísmos, sus odios y ambiciones sin freno. En el retablo de la novela —como en el de la política— se les identifica, a unos por su paranoia y su megalomanía, a otros por sus instintos sanguinarios, por su venalidad o su cobardía, y a todos por su ausencia de sentido ético y su rapacidad insaciable. Es éste un cuadro tétrico y desolado —acaso hiperbólico— en el que el autor presenta sin atenuantes toda la podredumbre que corroía el organismo político mexicano en una etapa muy reciente. En este carácter de "documento", de denuncia adolorida y airada, consiste precisamente el vigor —y el mérito— de esta novela. Abundan en ella todos los defectos y todas las virtudes que caracterizan su obra toda, pero lo que más resalta aquí es la fuerza satírica.

Entre los defectos hay que mencionar el "climax" o desenlace final que da la sensación de precipitado y episódico en demasía. Es un acontecimiento anecdótico y "privado", en contraste con la tónica general de la obra que es más bien de sátira política. Cierto que el asesinato de Cecilia está en armonía con el ambiente de impunidad y de crimen que prevalece en la obra, pero en último análisis, se reduce a la liquidación en forma criminosa de un pleito entre dos mujeres que se disputan a un hombre. Y la intrascendencia social de este hecho delictuoso, tanto como la insignificancia de los personajes que en él intervienen, le recorta el vuelo al desenlace. Si en lugar del asesinato de una chica un poco casquivana perpetrado por la esposa —encanallada, pero esposa y mujer ofendida— el autor nos hubiera dado como climax el asesinato de Obregón, por ejemplo, realizado por aquellos mismos días, el desenlace habría estado más en relación con el carácter semi-histórico y político que la novela tiene. Este acontecimiento de gran trascendencia en la vida mexicana, habría sido un remate adecuado y digno de tal obra; pero el descenso que en las últimas páginas se advierte, pasando del orden político y trascendente al campo de lo privado y anecdótico, es lo que en inglés se denomina un *anti-climax*.

Por lo demás, con esta novela parece iniciarse una nueva etapa en la parábola literaria del autor. Tres son los aspectos fundamentales en que difiere de las precedentes: el primero es el tema mismo, que deja de ser ya la Revolución. Es la post-Revolución o la Revolución hecha gobierno, lo que ahora le interesa. Pero no en sus efectos sobre los individuos, como en *La luciérnaga*, por ejemplo, sino en sí misma, en su conducta y en sus hombres. *El camarada Pantoja* viene a ser algo así como el complemento de *Los de abajo*, y viene a completar el ciclo de las novelas revolucionarias. Es, en relación con la post-Revolución, lo que *Los de abajo* a la Revolución. Ambos son especie de radiografías de dos fases diversas y consecutivas del mismo movimiento.

El segundo aspecto en que se aparta de las novelas previas, ha sido mencionado ya: la fusión de las dos técnicas hasta ahora empleadas: la generalmente usada con antelación a *La malhora* (1923), y la novísima utilizada en ésta y las dos siguientes. Ya no se trata de una técnica consistente y definida, sino de un procedimiento híbrido o mixto en el que se combinan dos modalidades narrativas que hasta ahora el autor había mantenido aisladas. Por último se percibe en esta novela una proclividad moralizante mucho más acentuada que en ninguna otra. La intención satírica en esta novela, trasciende los linderos artísticos de una obra de creación pura, e invade el campo de la didáctica o de la ética política. Hasta ahora, el doctor Azuela no había caído en el abismo de la prédica directa ni en el despeñadero estético de la docencia y la moralización. La sátira de buena ley abunda en él siempre y es su máximo recurso técnico y la característica más pronunciada de su arte de novelar, pero no ha dado nunca en la moralina lizardiana ni en la prédica directa. Tampoco en *El camarada Pantoja* se ha incurrido —todavía— en tal error, pero se notan en esta novela síntomas alarmantes en tal sentido. Quieran nuestros manes que tales escollos no se den más pronunciados en su futura labor, porque se

nos malograría el recio narrador que en Azuela teníamos. El cambio de enfoque de la realidad pretérita a la
contemporánea constituye en sí un grave riesgo de
convertir la novela en púlpito. De la visión retrospectiva
se pasa ahora a la contemplación de lo actual, y al en-
juiciamiento del ambiente en que el autor está inmerso en
el momento en que escribe y del cual es víctima. Esta circunstancia es en extremo peligrosa y propicia a caer en
el precipicio de la prédica didáctico-moralizante. Ojalá
don Mariano se ponga en guardia contra ésta sirena
mendaz que a tanto novelista mexicano sedujo y frustró.

Regina Landa, México, 1939. 244 p.

Son ya más de veinte obras las que el autor lleva publicadas sobre la vida mexicana contemporánea que él conoce bien por haberla sufrido. Cuando historiadores y sociólogos de futuras generaciones quieran analizar este volcánico período de la historia de México, tendrán que consultar la producción novelística de este modesto galeno como el más auténtico retrato que del decenio trágico y los veinte años que le sucedieron dejó la generación que hizo la revolución.

No creo equivocarme al afirmar que la característica esencial de la obra toda del doctor Mariano Azuela es su acentuada propensión satírica. Esta tendencia es ya evidente en *Los fracasados* y *Mala yerba,* sus dos primeras novelas bien calibradas. Desde entonces, la nota satírica cobra cada día mayor importancia hasta convertirse en las últimas obras *El camarada Pantoja* (1937), *San Gabriel de Valdivias* (1938) y la que nos ocupa —en propósito consciente y casi único. Lo que antes era secuela poco menos que inevitable dada la injusticia social imperante, hase convertido ahora en finalidad y objeto preconcebidos. El lector imparcial y enterado verá probablemente casi tanta injusticia hoy día como en la época de don Porfirio; por lo tanto, la sátira del autor está social y políticamente justificada. Visto el problema desde un ángulo distinto, no es posible, sin embargo, dejar de condenar el que la haya elevado a categoría de sistema. Me explicaré.

En *Los fracasados, Mala yerba, Los caciques, Las moscas, Los de Abajo, Tribulaciones de una familia decente* y otras obras menores, la sátira era una resultante obligada teniendo en cuenta la probidad intelectual y moral del autor y la sinceridad de su anhelo de renovación y mejoramiento económico y social de México; pero en aquellas obras, la vena satírica se mantenía todavía en segundo término. Ahora, por el contrario, es el novelista el que ha pasado a segundo plano y el propósito satírico o docente viene a con-

vertirse en *raison d'etre,* principio y fin de su obra.
¿Resultado de esta evolución? Que el narrador genial
que en el doctor Azuela había, se ha inhibido por así
decir y ha sido desplazado por el moralista. Lo que
antes fuera impulso creador, es ahora mero pretexto
para enristrar a diestro y siniestro contra todo bicho
viviente. La sinceridad de intenciones y lo justificado de
su actitud son incontrovertibles; pero es innegable también que el gran novelista que en él había ha quedado
supeditado al moralista y al reformador. Todo lo que
estas tres últimas novelas ganan en eficacia didáctica
para corregir el viciado ambiente político, lo pierden
en valía artística. Son tres panfletos de gran fuerza satírica, mas su mérito literario como novelas es muy inferior al de sus cuadros revolucionarios. Diríase que
el novelista ha muerto asesinado por el satírico que con
él convivió durante 30 años. Es ésta una evolución análoga a la sufrida por otro intelectual revolucionario de
la misma generación del Dr. Azuela: José Vasconcelos,
en quien se malogró un ensayista notable y sólo nos
queda un desorbitado panfletista, resentido y megalómano, carente de la transida sinceridad evidente en el
doctor Azuela.

¿Cómo explicar esta lamentable evolución que por
desgracia parece indicar una definitiva orientación? No
creo difícil la tarea. Por una parte, la conducta de los
revolucionarios en el poder ha sido tan inepta y tan
corrompida que han venido a hacer buenas las administraciones pre-revolucionarias. En la época de don Porfirio había funcionarios venales, pero también los había
de una integridad a toda prueba, empezando por don
Porfirio mismo que tras de más de treinta años en el
poder, lo abandonó más pobre que cualquiera de los
pelagatos que desde 1920, habiendo ocupado un ministerio
un par de años, salen millonarios. Y como don Porfirio, López Portillo y Rojas, don Justo Sierra, don Ezequiel A. Chávez y tantos otros. La nauseabunda conducta de la revolución hecha gobierno es la justificación y la causa que pudiéramos llamar objetiva de la
obsesión satírica del gran novelista en los últimos años;
pero además existen otros motivos más personales.

El Dr. Azuela pertenece a la primera promoción
revolucionaria, a la maderista. Aquellos hombres, comenzando con el propio Madero, eran "evolucionistas".
Todos ellos aspiraban a restaurar el funcionamiento democrático y las libertades públicas siguiendo la pauta

liberal-democrática que habían aprendido en los postulados de la revolución francesa. Su revolucionarismo
era muy moderado y no rebasaba los límites de una
renovación meramente política. El único *leader* de aquella generación que tuvo una visión clara de los problemas de México y encontró la fórmula salvadora fué
el casi analfabeto Emiliano Zapata. Los demás aspiraban a un cambio de régimen político sin destruir la
organización liberal-capitalista que ya por los años de
1910 a 1914 presentaba síntomas inequívocos de agotamiento en todo el mundo. Es decir que ya en el
momento en que Madero y sus hombres surgían, el programa con que venían al poder era anacrónico y por
consiguiente, inadecuado para resolver los problemas económicos y sociales del país. La tragedia de México
no podía solucionarse con la panacea política del bien-
aventurado don Francisco I. Madero y sus utópicos con-
sejeros. Zapata al demandar la parcelación y devolu-
ción de las tierras al indio había puesto el dedo sobre
la llaga del latifundismo —mal de males de México y
de toda América— y señalado la única pauta realmente
revolucionaria y justiciera. Pero Madero y sus hombres, mejor intencionados que aptos, no se atrevieron
a aplicar la fórmula salvadora y el sangriento conflicto
de intereses entre los desposeídos y hambrientos y los
potentados se hizo inevitable. Tras la bacanal de sangre, los nuevos revolucionarios victoriosos que habían
prohijado el plan zapatista lo convirtieron en bandera
política más que en realidad económica y a su sombra
medraron. Asesinado Zapata, su programa sirvió a los
pescadores de río revuelto y en contubernio con otras
ideologías foráneas se adulteró sin haber sido nunca
debidamente aplicado.

De la marejada revolucionaria de nuevo cuño, quedaron desplazados la mayor parte de los ideólogos maderistas como Luis Cabrera, Alberto J. Pani, Felix F.
Palavicini, José Vasconcelos, Martín Luis Guzmán y
tantos otros. Aparte la inmoralidad de todos los
gobiernos revolucionarios, es innegable que la ideología que ha servido a los demagogos de las administraciones ulteriores es mucho más avanzada y radical
que la de Madero y sus hombres a cuyo grupo pertenece el doctor Azuela. De ahí que hoy casi todos
ellos ocupen una posición conservadora y hasta reac-
cionaria algunos de ellos, como Vasconcelos, por ejemplo. Políticos resentidos casi todos, al quedar preteridos

del banquete oficial, hanse convertido en los más duros censores y denostadores de los últimos regímenes revolucionarios.

El Dr. Azuela no ha sido político militante nunca ni ha aspirado a prebendas oficiales. Patriota y hombre honrado a carta cabal, no ha podido, sin embargo, sustraerse al pernicioso influjo de la política y a vapulear la corrupción imperante, y a desenmascarar la traición a los principios revolucionarios perpertrada por los mismos que hicieron la revolución y ahora la usufructúan en provecho propio y en detrimento de la masa, ha consagrado su talento en los últimos años. Pero como dicho queda, el novelista se ha inhibido en favor del reformador y del moralista. Así, don Mariano Azuela, tras haber sido un novelista revolucionario —en la técnica más que en la ideología— que le marcó nuevos rumbos a la novela mexicana, vuelve al sendero ya recorrido por todos sus congéneres del siglo XIX y entra en el rumbo que a este género le señalara el primer novelista mexicano, José Joaquín Fernández de Lizardi: la proclividad moralizadora.

En *El camarada Pantoja* el doctor Azuela nos dió un cuadro que pudiéramos llamar de costumbres políticas, un aguafuerte de la corrupción imperante en las postrimerías del gobierno callista; en *Regina Landa* el autor arremete contra la administración del general Cárdenas. ¿Habrá que decir que no deja títere con cabeza? Ni siquiera Miguel Ángel del Río que al presentárnoslo parece gozar de las simpatías del autor, escapa a su iracundia, y de hombre refinado, elegante y de talento, se nos transforma en el curso de la obra en un simulador egoísta y mediocre, más odioso quizás que la mayoría de los demás personajillos que por estas páginas desfilan.

En su afán satírico, el doctor Azuela no sólo descuida ahora el dibujo de los caracteres nunca muy firme en sus obras anteriores, sino que los unce al yugo de sus prejuicios. Todos los personajes de esta novela son como títeres de una farsa guiñolesca en la que cada muñeco ejecuta sólo aquellos grotescos gestos que el manipulador —el autor— les obliga a realizar. Todo aquí está premeditado y condicionado por el propósito satírico. De ahí que los títeres que con nombre propio vemos moverse en estas páginas no adquieran personalidad ni relieves definidos. Son muñecos que el autor ha dibujado para demostrar su tesis

y todos ellos aparecen en función de caricaturas de
un periódico político de la oposición. A veces surge un
carácter que amenaza con rebelarse contra la tiranía
del autor y adquirir vida independiente y propia. Tales
los casos del ya citado Miguel Angel y el del personaje apellidado de la Torre; pero el moralista que ha
suplantado al novelista que en el doctor Azuela había,
pronto interviene para recortarles las alas y someterlos
al común denominador.

De "reaccionario" oí que tildaban al doctor Azuela
algunos de sus discípulos y admiradores de ayer y ne-
gadores de hoy, durante mi reciente estancia en México. La palabreja se ha desacreditado mucho allí en
los últimos tiempos. Como si ello implicase un dicterio
terrible o la consumación de un horrendo crimen, se
acusa de "reaccionario" a todo el que en alguna forma
censura la rapacidad o la ineptitud de los politicastros
manidos que en México como en casi toda nuestra
América desfalcan el tesoro público. No es mi intención confirmar ni negar la justicia de esta calificación;
no me interesa tampoco averiguar si la realidad política
mexicana justifica la actitud del autor, aunque concedo
de buen grado que así sea. En estas notas volanderas se
analiza la labor del novelista y no la actitud y la honradez del ciudadano. Lo que en uno es una virtud cívica
respetabilísima y de mucha eficacia docente, puede
convertirse en la más grave quiebra del novelista y del
creador. Y eso es, precisamente, lo que ha ocurrido en la
evolución artística del doctor Azuela. Por eso el crítico
imparcial no podrá menos que aplaudir aquella rebeldía
y al mismo tiempo condenar esta supeditación del arte
a otros fines y a propósitos que nada tienen que ver
con la creación estética. Es éste un viejo tema todavía
en disputa; pero el arte tiene sus fueros que no pueden
vulnerarse impunemente. El doctor Azuela ha transgredido en sus últimas obras las fronteras artísticas y en
el pecado lleva la penitencia, como reza el viejo refrán.
¿Volverá el gran narrador algún día sobre sus pasos?
Lo dudamos. El, como Paul Bourget y otros muchos
en Francia, Manuel Gálvez, Eduardo Barrios, Leopoldo
Lugones y otros tantos antaño rebeldes, en América,
parece haber entrado en el sendero de las rectificaciones
y del imperativo ético, sendero que jamás condujo al
remanso de la auténtica inspiración y de la creación artística de gran aliento. (1940).

Nueva burguesía. Buenos Aires, 1941, 189 p.

Debo aclarar aquí que después del comentario que le dediqué a *Regina Landa* en 1940, decidí no escribir más sobre las novelas azuelistas de ambiente contemporáneo y de tendencia satírico-docente tan acentuada como la que caracteriza las cuatro obras inmediatamente anteriores a *Nueva burguesía.* Soy un fervoroso admirador de Azuela y me une a él un acendrado afecto. En virtud de los vínculos emocionales que a él me ligan, resultábame penoso tener que admitir públicamente su innegable descenso como creador y reconocer los yerros en que cae en sus últimas novelas, y opté por el silencio. Hasta muy recientemente no había leído *Avanzada* ni *Nueva burguesía,* pero sí traté de leer *La marchanta* cuando apareció en 1944. A fuer de honrado tengo que confesar que no la terminé. Años más tarde volví sobre ella y logré concluirla no sin un esfuerzo de buena voluntad. Por las razones dichas no se comentan, pues, en este libro *San Gabriel de Valdivias, Avanzada, La marchanta, La mujer domada* ni *Sendas perdidas,* aunque varias de ellas aparecen aludidas en no pocos lugares. Esta preterición no implica desdén hacia estas obras, sino deseo de no incurrir en tautología aun más evidente. Toda la labor del doctor Azuela posterior a 1937 está viciada por el mismo ímpetu satírico, la misma implacable indignación frente a la universal granjería que de los cargos públicos han hecho sus usufructuarios y la bribona rapacería de la chusma liderista. El comento de todas y cada una de estas novelas implicaba la fatigosa reiteración de los mismos temas y el señalamiento de los mismos defectos artísticos ya sobradamente indicados con ocasión de *Regina Landa.*

¿Por qué se exceptúa entonces *Nueva burguesía,* en la que pueden señalarse todas las máculas comunes a las novelas de esta etapa? Porque a pesar de los consabidos lunares, hay en esta obra otros valores que la convierten en una de las seis creaciones de mayor

significación del repertorio azuelista y debe sumarse a
las cinco que en 1938, a propósito de *El camarada
Pantoja,* designé como representativas.

En su meritorio libro *Los novelistas de la Revolución
mexicana,* aparecido en 1949, el señor F. Rand Morton,
proclama la *Nueva burguesía* "como el mejor libro de
Azuela" y "puede considerarse el libro entero como la
más perfecta tragedia mexicana que se haya escrito".
Cinco veces por lo menos, y en términos similarmente
entusiásticos, el señor Morton asigna a esta novela
el carácter de "obra más importante de Azuela y de
México". No comparte el que escribe tan hiperbólica
admiración por esta obra, en varios sentidos notable, y
en alguno culminatoria. Pero si dejamos de lado los
comparativos superlativos con que el señor Morton la
ensalza, no hay inconveniente en aceptar como certero
y justificado su criterio.

Lo primero que en *Nueva burguesía* se destaca es
la técnica en ella empleada. Aquí vuelve Azuela a su
antiguo *metier,* al que lo definió y le valió fama de
narrador fuerte y originalísimo, ya muchas veces aludido
en las notas anteriores. Esa humanidad gregaria, sin
perfiles individuales muy precisos, sin ideas ni ideales
propios, retratada por el autor en tantas novelas previas, reaparece en este cuadro arrabalero pintada con
una frescura, y con un intenso colorido que apenas
da lugar a los matices. Como en las anteriores, los caracteres de esta novela aparecen un poco desvaídos o
borrosos; lo que sí es poco menos que insuperable es el
conjunto, el "conglomerado" —para usar el término que
tanto se prodiga con intención satírica en estas mismas
páginas.

Como siempre, es la masa lo que Azuela capta en
Nueva burguesía con destreza. Una vez más aparecen
aquí los individuos en función de grupos o de clases,
aunque no carezcan de lineamientos personales muchos
de ellos. Pero el énfasis está —otra vez— desplazado
hacia el conjunto, hacia el pueblo. En este sentido, Azuela es el menos romántico —o el más antirromántico—
de nuestros novelistas. Las individualidades ejemplares
o diabólicamente perversas, el autor no las descubre
en la vida mexicana o no le interesan. Lo que él observa
y retrata es la mediocridad común, lo colectivo de escaso
nivel intelectual y moral, el anonimato sin relieve en la
conducta cívica más que para la rapiña. Humanidad
~~da~~ y mezquina en su ínfima pequeñez, incapaz de

regirse a sí misma, estulta, y siempre a la deriva, sin
norte ideal que la oriente, propicia a dejarse guiar —y
expoliar— por los camanduleros de la política o de la
religión.

Lo que en *Nueva burguesía* nos da Azuela es el ambiente de su propio barrio en la colonia de Santa
María, próximo a la estación de Buenavista. Por su con-
sultorio médico o por la puerta de su casa en la calle del
Alamo ha desfilado esta muchedumbre de seres insignificantes, y él ha observado sus deformaciones físicas
y morales, su inanidad, sus pequeñas miserias, su amo-
ralismo acomodaticio, su tontería innocua o sus pujos
de trepadores sin escrúpulos. Toda gente más o menos
encanallada, dispuesta a hacer almoneda de todo y por
todos los medios. Y sin embargo, en este "mural"
arrabalero que es *Nueva burguesía*, en el que tanta
gente figura, no hay un solo hombre realmente perverso
o criminal. Mucha pillería, muchos vividores, muchos
"catrines" y "pelados" —y algún "lépero" más o menos
auténtico—, pero no malvados propiamente dichos. Es
la clientela que de la consulta médica diaria ha pasado
a las páginas de *Nueva burguesía*, sin añadiduras ni
retoques.

Así ha "visto" el autor a toda esta multitud de pobres diablos que se afanan por lucrar y presumir, más
por artes de birlibirloque, trapacerías y "leperadas" que
por el esfuerzo honrado y tenaz. Al igual que las más
logradas de sus novelas, ésta nos deja el regusto de lo
auténtico, del cuadro fiel y pintado *au naturel*. Así es su
barrio; esta es la caravana que Azuela ha contemplado
desde la ventana de su casa durante sus treinta años
de residencia capitalina. No es esto "todo México".
En el país hay zonas —muchas zonas— a las que Azuela
nunca se ha asomado y, por consiguiente, se abstiene de
pintarlas, fiel a su consigna de escribir sólo de lo que
conoce directamente y le es familiar. México es un
país muy complejo, de infinitas variantes y de perfiles
diversos y hasta contradictorios. Hay en él zonas de
cultura que son verdaderas ínsulas en las que aún
perduran formas de vida, costumbres, ritos y manifestaciones artísticas precolombinas. Desde los centros
intelectuales más refinados y los círculos sociales más
opulentos de la capital, hasta las modalidades de vida
y de cultura más primitivas, de algunas regiones, la
gama de matices de la vida mexicana es numerosísima.
No hay en América país más heterogéneo ni más rico y

variado en manifestaciones culturales. Por eso ningún novelista ha podido dar el panorama completo. Quien juzgue al país por cualquiera de sus novelas, incurrirá en grave error y en lamentable injusticia. Este "film" que es *Nueva burguesía* está, pues, circunscrito al barrio susodicho y a la enorme "vecindad" o conventillo de la calzada de Nonoalco.

"Ocupada —dice el autor— por obreros, choferes, ferrocarrileros, mecánicos, constaba de doce buenos departamentos sobre el patio central y cuarenta viviendítas en los cuatro largos y angostos pasillos que lo cruzaban".

En este gallinero vive y muere gran parte de la muchedumbre retratada en la obra.

El segundo aspecto que más sobresale en *Nueva burguesía* es el realismo crudo del estilo. La fantasía creadora del autor se revela en este libro principalmente en el cúmulo de símiles, imágenes, metáforas y demás recursos descriptivos que emplea. En ninguna otra novela suya se prodiga tanto el popularismo lingüístico ni se acentúa tanto tampoco el grafismo prosopográfico. La riqueza verbal, el lenguaje verista del pueblo y el realismo sin compasión de que Azuela hace gala en esta creación, carecen de paralelo en todo su repertorio novelístico. En este aspecto, *Nueva burguesía* representa una culminación de la fantasía descriptiva del autor, aplicada al ser humano. Necesario sería recurrir a Quevedo y a la novela picaresca para encontrar en nuestra lengua una tan escueta y desgarrada técnica descriptiva. El esquematismo de estas "siluetas" caricaturescas nunca se excede de las tres o cuatro líneas. Véanse algunos ejemplos.

"Libertad tenía la frente estrecha y vellosa de borriquito de un mes en armonía con una larga jeta, piernas casoorvas y mala suerte en amores".

"Don Roque... Sus mejillas arcillosas, sus labios más que gruesos, sin pelo de barba, sus líneas de pétrea inmovilidad. ¿Un sacrificador azteca? Nada de eso: un simple paria que de tanto verlo no da risa ni miedo".

"... el garrotero se curaba de toda idea impura no más con ver aquel par de clavículas que serpenteaban en un cuello de viejo zopilote —el de Emmita— bajo una piel áspera y prieta, rebelde a todos los afeites".

Y así todos. Unos cuantos trazos rápidos le bastan para darnos el perfil —físico o moral— en cada caso. Nótese la concomitancia entre la apariencia y el alma de esta gentecilla. A los defectos o innocuidad física corresponden similares taras idiosincrásicas o total nulidad ética. Cuando por excepción nos ofrece un carácter de cierta valía y digno de estimación —Bartolo, el zapatero remendón, su mujer, Angelina, la madre de ésta, los ancianos que duermen en el cuchitril del zapatero, "el viejecito de arriba", que carecen hasta de patronímico en la novela— el autor silencia sus imperfecciones físicas.

Un lector poco avisado sacaría conclusiones en extremo pesimistas de la lectura de esta novela y acaso pensaría que el autor ha caído en la misantropía y en un pesimismo desolado. No hay tal. Así es esta gente que Azuela nos pinta, así vive, así se conduce y así muere. El autor se limita al retrato realista y fiel. Si los pícaros y los logreros predominan sobre los honrados y laboriosos, culpa es del ambiente y no del fotógrafo. El nos ofrece una especie de "fresco" de su barrio, y su barrio no da para más. No abundan en él los modelos de virtudes cívicas ni los dechados de probidad. Recuérdese, por otra parte, la profesión médica de Azuela. El médico observa a la humanidad en crisis siempre y en sus aspectos más deleznables. Su profesión le pone en contacto directo con el alma humana en trance de anormalidad —ya sea fisiológica, emocional o neurológica— y le permite conocerla mejor quizás que ningún otro profesional. De ahí que su concepto del hombre y su filosofía de la vida sean casi siempre escépticas y desilusionadas. Este antecedente hay que tomarlo en cuenta siempre para la recta apreciación de la novela azuelista. Quien prescinda de él marrará el juicio.

En *Nueva burguesía* casi no hay enredo, argumento o acción, en el sentido tradicional y académico en que estos términos se emplean. O, en todo caso, hay tantos argumentos como personajes. Porque en esta novela —como en *Los de abajo* y en *Las moscas,* con las cuales guarda muy íntima afinidad técnica —no hay protagonista central ninguno. El protagonista es la masa, el barrio, y, en último término, el ambiente de la vecindad o conventillo en el que se hacina gran parte de la plebe dibujada en estas páginas. Cada una de estas figuras —o familias— tiene sus antecedentes y su historia. Cada cual vive su vida y tiene sus problemas, sus angustias y sus deleites. Pero todos tienen varios denominadores comunes. Todos pertenecen a la misma ralea, todos viven en el mismo barrio, todos se afanan por medrar y mejorar su situación aunque por distintos medios, algunos de ellos, siguiendo los dictados de su conciencia más exigente. Todos sufren —y muchos mueren —en similares circunstancias. El destino los juntó y el destino los separa. El protagonista, pues, es la vida misma, conforme la ha observado Azuela desde su propia casa.

El autor ubica esta novela en las postrimerías de la administración del general Lázaro Cárdenas. Esto le permite romper lanzas contra él y sus colaboradores, como en otras obras anteriores lo había hecho contra Calles. No deseo repetirme aquí. Ya en el capítulo "Reflexiones sobre la Revolución Mexicana" dije lo que México debe a este mandatario. Cualesquiera que fuesen los errores en que incurrió durante su tránsito por la presidencia, y por grandes que fueran el desbarajuste y los latrocinios que a su sombra cometieron muchos de sus colaboradores, Cárdenas, personalmente, es acreedor a mayor estimación y respeto de los que el autor le concede en esta obra. En esto consiste su principal falla. Pero añadamos que aquí la sátira política es un tema más bien marginal y no un objetivo esencial, como en otras novelas de la última etapa.

El tema y el carácter de la novela obligan al autor a desarrollarla en la consabida barriada y esto le resta oportunidad al poeta que en Azuela hay para revelarse en la pintura del paisaje. Mas el poeta no se resigna a la preterición a que el novelista lo mantiene enclenado en casi todo el libro e irrumpe hacia el. Para conseguirlo, le sugiere la excursión de una amartelada a Guadalajara, y en los dos capítulos muy cortos, en que se narra este episodio —"Cómo se instaló Rosita" y "Desazón"— se desborda la imaginación poética de Azuela y su amor por la capital jaliciense. Las páginas destinadas a captar el espíritu de la ciudad, su estilo de vida, su paisaje, y algunos tipos y lugares, tales como el "jacalón de Valentina" o la catedral, son brevísimas, pero están saturadas de intensa emoción retrospectiva. Como en todas sus otras obras, el paisaje en ésta está aludido con rapidísimas pinceladas cargadas

de lirismo y plasticidad. En estos dos capítulos se pone
de manifiesto el acendrado amor de Azuela por la ciudad
tapatía en la que vivió largos años de adolescencia y
juventud, y a la que se ha mantenido emocionalmente
vinculado a lo largo de toda su vida. Estos dos capítulos
son los más bellos del libro y nos desquitan del ambiente
de sordidez y materialismo craso que en él predomina.

Cien años de novela mexicana [*]

Debido quizás a la escasa densidad del ambiente intelectual de los países iberoamericanos y al confusionismo que en ellos priva, no es raro encontrar personalidades que cultiven varios géneros a la vez y hasta las hay que se prodigan en tres y aun en cuatro campos diversos. El tránsito de la poesía, con la cual se inician casi todos nuestros escritores, a la crítica y al ensayo en su característica fluidez contemporánea, parece ser relativamente fácil y, por ende, muy común. Abundan también los que, además de las tres variantes aludidas, invaden el predio de la literatura dramática o hacen incursiones en el de la novela, y no se diga el periodismo.

Sin embargo, esta multiplicidad de actividades de la mayoría de nuestros hombres de letras, se debe, no tanto a la diversidad de aptitudes genuinas como a indigencia económica y al reducido número de lectores que obligan al escritor a dispersar sus energías creadoras en varias formas de expresión artística. Secuela inevitable de esta lamentable dispersión es el hecho de que los creadores que en ella caen sólo por excepción logran dominar la técnica de alguno de los géneros cultivados. En los centros de cultura intensa este desperdigamiento o fraccionamiento de actividades literarias es mucho menos frecuente, porque el quehacer artístico o intelectual está especializado —igual que el fabril o manual. Lejos, pues, de envanecernos de este pluralismo de dudoso éxito debiéramos lamentarlo y procurarle coto y remedio.

El doctor Mariano Azuela, como Rómulo Gallegos, Benito Lynch y Carlos Reyles, por vía de ejemplos similares, se ha limitado casi exclusivamente al cultivo de la novela. El libro que aquí acotamos no es propiamente una excepción, puesto que, como luego veremos,

[*] Por el doctor Mariano Azuela, México, Ediciones Botas, 1947. 226 pp.

no fué concebido como obra de crítica ni aspira al rango de tal. Mas ni por la intención que dictó estas páginas ni por el resultado debe considerarse al autor como crítico, no puede negársele tampoco agudeza para percibir los valores auténticos y señalar los graves defectos en que cayeron sus congéneres del siglo pasado.

Esta tentativa del doctor Azuela de estudiar el desarrollo del género literario que él mismo ha enriquecido acaso más que nadie en México, tiene en aquel país dos antecedentes ilustres en lo que del siglo llevamos andado, amén de otros muchos de menor alcurnia. Refiérome a Federico Gamboa y a Enrique González Martínez que en sendos estudios nos dieron el panorama de la novela y la lírica mexicanas, respectivamente. En *La novela mexicana* (1914), don Federico ofreció una síntesis histórico-crítica de la evolución del género hasta las postrimerías del siglo diecinueve. Por su parte, en *Algunos aspectos de la lírica mexicana* (1932) (discurso de entrada en la Academia Mexicana de la Lengua), González Martínez compuso un certero índice de la poesía. En él se reveló como fino crítico y buen conocedor del parnaso vernacular. A semejanza de estos dos precedentes, el libro del doctor Azuela tuvo también su origen en una serie de conferencias que dictó en El Colegio Nacional, en 1943 y 1947.

Ya por el título se colige que la centuria a que alude es la comprendida entre los años de 1816 a 1916, las dos fechas decisivas en el curso de la novelística mexicana. La primera señala la publicación del *Periquillo Sarniento*, de Fernández de Lizardi, que le marcó rumbo al género hasta 1916. En este último año apareció la primera edición en forma de libro de *Los de abajo*, del propio doctor Azuela, que a su vez, rompe con la orientación costumbrista y la proclividad moralizante que Lizardi le impuso a la novela mexicana del décimonono y le imprime nuevos derroteros, lo mismo en cuanto a tema que en lo que a técnica y forma respecta.

Necesario es aclarar que el doctor Azuela no alude a *Los de abajo* en ninguna de estas semblanzas ni mucho menos al año 1916. La demarcación centenaria por los dos años que he señalado es una circunstancia histórica inmodificable porque a un siglo exacto de distancia se publicaron las dos novelas más importantes de México y las que más hondamente han influído en el desarrollo de esta particular modalidad narrativa. Ya

13

está fuera de discusión y de toda duda el hecho de que la aparición de *Los de abajo* en 1916 constituye un hito fundamental en el desenvolvimiento de la novela mexicana. Marca el fin de una época y el definitivo abandono de una técnica y una peculiarísima manera de concebir la realidad nacional y el arte de novelarla y, a la vez, determina el punto de partida de una modalidad inédita, de un método originalísimo y novedoso que nada tiene que ver con las formas anteriores, cualesquiera que sean los méritos o defectos de lo que se ha dado en llamar "novela de la Revolución".

Doce son las figuras que en otros tantos capítulos o conferencias analiza el doctor Azuela en este libro: J. J. Fernández de Lizardi, Luis G. Inclán, Manuel Payno, José Tomás de Cuéllar, Vicente Riva Palacio, Ignacio M. Altamirano, Rafael Delgado, José López Portillo y Rojas, Emilio Rabasa, Manuel H. San Juan, Federico Gamboa y Heriberto Frías. Al estudio de estas figuras preceden tres interesantes notas tituladas "Preliminar", "¿Hay una novela mexicana?" y "Antecedentes de la novela mexicana". La primera de estas notas es de especial interés porque en ella aclara el doctor Azuela su método crítico y el punto de vista desde el cual enfoca los temas.

Hemos dicho "método crítico" y la expresión es inadecuada porque el autor no asume actitudes de crítico ni aspira a que el lector le considere como tal. Esto no quiere decir que del libro estén ausentes el análisis y el juicio de los libros y autores en él tratados. Al contrario. Si el análisis es por lo general parco y rápido, los juicios se prodigan con una franqueza que sorprenderá a quien no conozca la honradez y la espontaneidad del autor.

Al enjuiciar las doce figuras en el libro incluidas, el doctor Azuela prescinde de toda pose crítica y se coloca frente al autor y su obra como un simple lector de novelas que en ellas busca un agradable pasatiempo. Si el libro logra interesarlo y distraerlo hasta el final, el autor ha llenado su misión aunque esté horro de galanuras de estilo. De esta actitud tanto como de su honrada franqueza que tanto disuena en el insincero mundillo literario, son elocuente ejemplo los siguientes párrafos del prefacio:

"Advierto —y lo repetiré cuantas veces lo crea necesario— que este trabajo nada tiene de didáctico, por más que así lo parezca, debido a cierto tonillo enfático y hasta pedante a veces, que no le pude quitar. Clasifíquese como se quiera, no es en realidad más que la expresión fiel de mi pensamiento, de mis aficiones y de mis gustos personales. No habría trazado una sola de estas líneas si se me hubiere puesto en el caso de hacer crítica literaria. Sainte-Beuve, el escritor más eminente que he leído en este género, afirma que el que no hace coincidir sus juicios con la opinión del público para quien escribe no merece el nombre de crítico. Con frecuencia alarmante disiento de los juicios consagrados. Motivo por el cual sólo por excepción recomiendo el libro o la obra de arte que me agradan".

"Me coloco en el plano del lector ordinario que lee y da la impresión de lo que lee, despreocupadamente y sin cuidarse de pareceres ajenos".

"Como lector tengo la manga muy ancha: dos veces he leído la obra completa de Marcel Proust y hace treinta años no puedo acabar el *Ulises* de James Joyce. En cambio no cuento las veces que leí *Gil Blas de Santillana* y *Los tres mosqueteros*".

En el resto del libro se reitera esta actitud con una frecuencia acaso innecesaria.

Dadas la honradez esencial, la sinceridad y la cruda franqueza que caracterizan al hombre cabal que es el doctor Mariano Azuela, no pueden sorprendernos los juicios tajantes que a veces emite sobre la mayoría de los novelistas estudiados. El autor prescinde de las valoraciones previas que de estos libros habían hecho los profesionales de la crítica literaria y los historiadores, las cuales ni respeta ni tiene en cuenta. Al enfocarlos lo hace virgen de prejuicios y de opiniones preconcebidas para ofrecernos su reacción paladinamente como simple lector. Y en esta actitud desprevenida e ingenua, fresca y veraz, de lector que expresa libremente su parecer, sin atenuaciones ni concesiones al criterio ajeno, consiste precisamente el mérito principal de este libro. A muchos lectores, tanto nacionales como extranjeros, los juicios del doctor Azuela les parecerán iconoclastas y subjetivos en exceso. Otros, quizás, calificarán de arbitrarios y hasta polémicos su postura y el lenguaje que emplea, debido a la sinceridad y franqueza con que se expresa.

El Azuela crítico —como el novelista— exige del autor honradez y lógica, sentido de la realidad, retrato fiel del ambiente mexicano y de la vida conforme se manifiesta en el campo y en la ciudad. De ahí que rechace enérgicamente el pastiche y el clisé literarios, lo mismo que esa híbrida mezcolanza de procedimientos y escuelas que se observa en algunos escritores de la generaración anterior a la suya, tales como López Portillo y Rojas, Rafael Delgado y Federico Gamboa. Por eso no debe extrañarnos su preferencia por dos novelas mexicanas escasamente leídas y peyorativamente olvidadas por los críticos profesionales: *Astucia* de Luis G. Inclán y *Tomochic* de Heriberto Frías. Ambas son obras escritas sin técnica ni pulimento literario, pero en ellas la realidad social y el paisaje están captados con un verismo sorprendente y desmañada elocuencia.

Prueba de la sagacidad crítica del doctor Azuela y de su perspicacia para percibir los valores auténticos es, en parte, el capítulo que le dedica a Emilio Rabasa, autor relegado a un segundo o tercer plano por los profesionales de la crítica en México y apenas conocido del público lector hoy. En Rabasa había madera de novelista genuino y para el cultivo de este género estaba mucho más generosamente dotado que no pocos de sus congéneres que gozan de gran popularidad y de mucho predicamento entre los críticos. La agudeza con que supo observar —y retratar— el ambiente en los inicios de la era porfiriana, su capacidad de ironía y de humor de buena ley, su sátira regocijada —en los primeros tres tomitos de su única novela— sin dar jamás en el sermón, lo acreditan como narrador nato. El supo esquivar —en los tres primeros tomos y mientras no se le agotó el tema— los dos escollos en que naufragaron casi todos los novelistas mexicanos anteriores a Azuela: la pedestre moralización y el costumbrismo ramplón que Lizardi les impuso. Rabasa es casi el único novelista mexicano del siglo XIX que sabe reír —sonreír, mejor— y prodiga el humor generosamente. Si se tiene en cuenta que escribió esta obra cuando apenas rebasaba los años juveniles, y que la concibió y compuso como un simple pasatiempo y hasta un poco vergonzantemente al margen de tareas que él estimaba más dignas y serias, al extremo de que ni siquiera se dignó prohijarla con su nombre sino con el seudónimo de "Sancho Polo", podremos comprender que no hay hipérbole en lo antedicho. Cuando Rabasa renunció a seguir cultivando la novela, México perdió en él al creador mejor dotado que entonces poseía. De haber continuado escribiendo novelas probablemente habría superado a Portillo y Rojas, a Gamboa y a Delgado.

Al analizar la copiosa labor de José Tomás de Cuéllar ("Facundo"), novelista tan fecundo como pedestre, pero todavía sobrestimado por los historiadores literarios, el doctor Azuela emite el siguiente juicio que a muchos parecerá hipérbolico, arbitrario y hasta antipatriótico. Por lo que al concepto contenido en la primera sentencia se refiere, estamos en absoluto acuerdo. Siempre hemos considerado a "Facundo" como uno de los novelistas más soporíferos de nuestras letras. Respecto a la última conclusión, diremos que "es la exageración de un hecho cierto":

"Con permiso de los sabios y de los eruditos, yo absuelvo con la mayor caridad a los que no hayan leído *La linterna mágica.* Sin intención de ofender a nadie, afirmo que exceptuando unas cuantas novelas mexicanas que se pueden contar con los dedos de una mano, nada se pierde con ignorar las demás."

En relación con "Facundo" también, el autor sienta un principio general aplicable a la novelística mexicana más que a la de ningún otro país hermano. Porque la procilividad moralizante es un común denominador del que prácticamente ningún autor se libra en México con antelación a 1916:

"El apostolado y la propaganda dañan a la novela. Paul Bourget y Emilio Zola perdieron toda su fuerza como novelistas en cuanto se presentaron como reformadores sociales. Por otra parte con esto, en muchas ocasiones, el novelista sólo confiesa inconscientemente su incapacidad creadora encubriéndose con trucos que sólo a los bobos engañan."

Necesario es añadir aquí que el propio doctor Azuela ha caído en esta tradición moralizante desde que apareció su novela *El camarada Pantoja* en 1937. Verdad que la suya no es la moral sacristanesca y ñoña que antes se estilaba. Su prédica revela un superior sentido ético y una clara conciencia de responsabilidad social. Mas en último análisis es una actitud ajena a la pura creación artística que le ha perjudicado.

El estilo del doctor Azuela no es atildado ni académico nunca, pero en éste su último libro el desaliño y la ausencia de galas retóricas son más aparentes que en su obra de creación. La llaneza campechana que priva en estas semblanzas se confunde con la despreocupación del lenguaje hablado. Quien alguna vez haya gozado el placer de la charla íntima con el autor notará fácilmente la identidad entre las formas vivas por él usadas y la que en estas páginas emplea. El hecho de haberlo concebido como una serie de charlas de popularización destinadas a un público iletrado, explica esta naturalidad sin aderezos ni retórica.

(En *Revista Iberoamericana*, 1948)

Post-scriptum: Se reproduce aquí esta acotación marginal por tratarse de un libro de excepcional importancia para la cabal interpretación de la obra tanto como de la personalidad humana del autor. El exégeta de la novela azuelista encontrará en estas vibrantes y sinceras páginas la doctrina que guía al autor, su concepto del arte de novelar y sus gustos como lector expuestos con deliciosa ingenuidad y franqueza. Como en cualquiera otro de sus libros —y más que en ninguno— se descubre aquí al hombre probo y justo, al alto valor humano que tras el creador se esconde. Es, pues, un auxiliar indispensable para la recta valoración de ambos —el novelista y el hombre, 1950).

Nómina de los libros publicados por el doctor Mariano Azuela hasta la fecha *

NOVELAS

María Luisa, 1907
Los fracasados, 1908
Mala yerba, 1909
Andrés Pérez, maderista, 1911
Sin amor, 1912

---

* A los libros que aquí se registran habría que agregar un gran número de cuentos, artículos y comentarios de varia índole desperdigados en muchas revistas y periódicos desde 1896 hasta la fecha. El lector curioso puede consultar a este respecto la *Bibliografía de Novelistas de la Revolución Mexicana* del profesor Ernest Moore, y la del autor, aparecidas ambas en 1941, en México la primera y en la Habana la otra.

Los de abajo, 1915
Los caciques, 1917
Domitilo quiere ser diputado, 1918.
Las Moscas, 1918
Las tribulaciones de una familia decente, 1918
La malhora, 1923
El desquite, 1925
La luciérnaga, 1932
Precursores, 1935
Pedro Moreno, el insurgente, 1935
El camarada Pantoja, 1937
San Gabriel de Valdivias, 1938
Regina Landa, 1939
Avanzada, 1940
Nueva burguesía, 1941
La marchanta, 1944
La mujer domada, 1946
Sendas perdidas, 1949

TEATRO: *Los de abajo, El buho en la noche,* y *Del Llano Hnos., S. en C.,* 1938

BIOGRAFIA: *El padre don Agustín Rivera,* 1942

CRITICA: *Cien años de novela mexicana,* 1947

CUENTOS: *El jurado,* 1945.

Capítulo XIII

Martín Luis Guzmán

El "caso" de este notable escritor es arduo de explicar. Guarda cierta analogía con el de Emilio Rabasa en el sentido de que estando admirablemente dotado para el cultivo de la novela, ha renunciado a ella tras haber demostrado sus magníficas aptitudes en dos ocasiones ya lejanas. Unos diez años más tarde, volvió a intentar el género, pero lo hizo en una forma que lo condenaba al fracaso de antemano.

Martín Luis Guzmán nació en Chihuahua, en 1887, pero vivió la mayor parte de su adolescencia y su juventud en la capital en donde se educó. Era hijo de un alto oficial del ejército que si mal no recuerdo llegó a ser director o profesor del Colegio Militar de Chapultepec, circunstancia que debe tenerse en cuenta para la clara comprensión de su ideología política y de su labor como novelista. Perteneció a la llamada generación del Ateneo de la Juventud, cuya actividad colectiva fué efímera porque la Revolución interrumpió sus esfuerzos y dispersó a sus componentes (1910-1913). Máximo inspirador del grupo fué el dominicano Pedro Henríquez Ureña, uno de los pocos grandes maestros de la alta cultura que en América hemos tenido en este siglo. Integraban el juvenil cotarro, además de los ya citados, Antonio Caso, Alfonso Reyes, José Vasconcelos, Julio Torri, Alfonso Cravioto, Genaro Fernández McGregor, Luis Castillo Ledón, Carlos González Peña, Enrique González Martínez y otros varios. El espíritu de esta generación era liberal en política y renovador y superador en el orden de la cultura. Desde el primer momento se pronunciaron sus componentes contra el positivismo cerrado que había alcanzado categoría de filosofía oficial o poco menos bajo el régimen porfirista.

Pero el ambiente caldeado por las pasiones políticas y los intereses de clase que se veían amenazados, no era propicio para la serena especulación. Durante la

breve existencia del grupo, se sucedieron rápidamente
los siguientes hechos históricos: la campaña política
de Francisco I. Madero contra el porfirismo, su prisión
y su fuga después, la reelección de don Porfirio, la
celebración del centenario de la independencia, la revolución de Madero, la caída de don Porfirio, la exaltación de Madero a la presidencia, la decena trágica,
el odioso asesinato del presidente y del vice-presidente
y, por último, se desencadenó el vendaval revolucionario.
Fueron tres años de agitación, de inquietud y de fermento sedicioso en política y de renovación en el orden
de la cultura, y apenas se concibe cómo en medio de
aquel torbellino pasional pudieron estos hombres mantener encendida y alta la antorcha de la inteligencia. Al
disgregarse y desparramarse por diversos países de
Europa y América los representantes de esta generación,
se frustró la ejecutoria colectiva y en parte, quizás, la
individual de alguno de sus miembros que necesitaban
el estímulo del ambiente, como en el caso de Julio Torri,
por ejemplo, o de la crítica y la influencia colectiva que
actuaran como freno para la autolimitación, como en
el caso de Vasconcelos. Mas otros habían madurado
y encontrado su camino y nos han dejado una labor
fecunda y trascendente. Tales los casos de Henríquez
Ureña, Antonio Caso, González Martínez y Alfonso
Reyes.

La vida de Martín Luis Guzmán, al contrario de la del
doctor Mariano Azuela, Gregorio López y Fuentes y
otros que casi no han salido de México, ha sido andariega y trajinada desde niño. La profesión de su padre,
primero, y los vaivenes y azares de la Revolución y de
la política, después, lo mantuvieron en constante ajetreo
y en viajes constantes hasta 1934 en que pudo radi-
carse definitivamente en su país, aunque después haya
hecho otros viajes a los Estados Unidos, pero no ya
forzados. De México a la Habana y New York, de
aquí a México otra vez para incorporarse a la Revolución (1913-1915). Luego a New York de nuevo, de allí
a España de donde regresó a la metrópoli norteamericana en 1917. Allí residió hasta 1920 en que volvió a
México. Fué diputado y se afilió a la agrupación política que durante la administración de Obregón auspició
la candidatura presidencial de Adolfo de la Huerta
frente a la de Plutarco Elías Calles que al parecer era
el candidato apoyado por el gobierno. El fracaso de
la revuelta contra Obregón, lo lanzó al exilio de nuevo

— a los Estados Unidos— y otra vez a España. Allí permaneció hasta que el crepúsculo del callismo le permitió establecerse en su patria.

La vocación periodística parece habérsele revelado a Martín Luis Guzmán en plena adolescencia cuando siendo estudiante todavía, dirigió la revista bisemanal, *La Juventud*, en Veracruz. Luego colaboró en *El Imparcial* de la capital en las postrimerías porfiristas y en el hebdomadario madrileño "España" durante su primera estancia allí. En New York dirigió *El Gráfico* y a su vuelta a México el diario *El Mundo*. Durante su larga y última permanencia en España llegó a ser director del más importante cotidiano español, *El Sol*, de Madrid. Después que se reintegró a México ha dirigido la revista informativa, *Tiempo*, que todavía perdura. Además ha colaborado constantemente en otras muchas publicaciones, particularmente en *El Universal*, de México.

A Martín Luis Guzmán le atrajo la política desde muy temprano y en la Revolución —política en trance violento— y en la política mañosa y sin escrúpulos, se inspiraron sus dos libros más logrados y sus casi únicas novelas: *El águila y la serpiente* (1928) y *La sombra del caudillo* (1929). Antes había publicado *La querella de México* (1915) ensayo muy valioso sobre la Revolución, y *A orillas del Hudson* (1920), colección de ensayos sobre diversos temas de los cuales no está ausente la preocupación política. En 1931, publicó *Aventura democrática* y al año siguiente una excelente biografía —incompleta todavía— sobre el famoso guerrillero español que combatió la vergonzosa tiranía de Fernando VII en España y luchó luego por la independencia de México en donde fue fusilado por los españoles, Francisco Javier de Mina. El título: *Mina, el mozo*. Por último, entre 1938 y 1940, publicó en *El Universal* las *Memorias de Pancho Villa* que luego recogió en cuatro volúmenes con los sendos títulos de: *El hombre y sus armas* (1938), *Campos de Batalla* (1939), *Panoramas políticos* (1939) y *La causa del pobre* (1940). Su labor periodística sumaría muchos volúmenes si se decidiera a recogerla en libro. De ella merece destacarse una serie de artículos que publicó en *El Universal*, titulados *Muertes paralelas* y es de lamentar que no los continuara y más aun que no hayan aparecido en forma de libro o folleto.

A diferencia de la inmensa mayoría de los novelistas de filiación revolucionaria, Martín Luis Guzmán es hombre de cultura, de cultura histórica, literaria y filosófica. Desde su juventud se aficionó a los estudios serios y a la lectura disciplinada. Su filiación con los hombres del Ateneo de la Juventud y sus largas estancias en Madrid en donde se mantuvo siempre en contacto estrecho con los elementos más representativos del intelecto español, fomentaron estas apetencias y beneficiaron su natural talento. Frente a la improvisación literaria, al estilo descuidado, desmañado y con frecuencia incorrecto, de muchos novelistas mexicanos contemporáneos; frente al escasísimo bagaje cultural y filosófico fácilmente perceptible en muchos de estos llenapáginas que han explotado el tema de la Revolución, se destaca la labor de Martín Luis Guzmán por la dignidad, la pulcritud, la elegancia y riqueza de su estilo. Desde el punto de vista de la forma, él y José Rubén Romero son, de toda la caterva que ha cultivado la novela revolucionaria, los más artistas, los que más se han preocupado por la belleza formal, los que más importancia han concedido al estilo. Ambos escriben con aguda conciencia estética sin caer en el barroquismo ni en la retórica. El estilo de Rubén Romero, es más plástico, más poético a veces, más espontáneo, más tamizado de influjo popular y de la lengua viva de los humildes en la que sabe descubrir valores estéticos de muy fina calidad. El de Martín Luis Guzmán es, quizás, más rico y severo, más trabajado y pulcro —sin que jamás se perciba el esfuerzo ni la tarea de la lima—, más correcto, sin dar nunca en lo académico, ni academizante y, acaso, más fluido. Guzmán se mantiene siempre en una tonalidad elevada que por su aparente naturalidad y sencillez, no cansa ni empalaga, como nos ocurre con la manía arcaizante y académica de don Federico Gamboa, por ejemplo. Otra circunstancia que emparenta a Martín Luis Guzmán y a José Rubén Romero es que ambos han viajado mucho y se han familiarizado con otros ambientes intelectuales que les han permitido añadir a la cultura libresca, la vital o vivida, en contacto con otros medios y otras gentes.

La producción novelesca de Martín Luis Guzmán es la más exigua que encontramos entre el abigarrado grupo que ha cultivado la variante revolucionaria. Si le aplicáramos los términos "novelista" y "novela" en un sentido riguroso, habría que llegar a la conclusión de que no ha escrito más que un libro que estrictamente hablando puede clasificarse como novela: *La sombra del* caudillo. Tanto *El águila y la serpiente* como las *Memorias de Pancho Villa*, aparecen siempre encasilladas por los críticos en este género —como también se incluye el *Facundo* de D. F. Sarmiento— pero sólo por analogía o extensión, y por conveniencia o comodidad pueden clasificarse de tales estas dos obras.

En realidad, *El águila y la serpiente* es inclasificable exactamente dentro de ninguno de los géneros académicos y sería curioso averiguar bajo qué denominación la han catalogado los señores técnicos de la bibliografía en las bibliotecas más serias como la del Museo Británico, la Nacional, de París, o la del Congreso, en Washington. El que escribe ha hecho una limitada encuesta sobre el asunto entre literatos mexicanos —incluyendo al autor— y no ha encontrado dos definiciones coincidentes. Unos lo llaman novela —con sentido peyorativo en el que se trasluce animadversión o encubierta envidia—, otros auto-exaltación, otros relato, otros reportaje, otros memorias, otros diario, otros ensayo, otros panorama político, y así *ad infinitum*. Cuando en 1938 tuve ocasión de charlar con el autor, quise saber su opinión al respecto, pero se abstuvo de clasificarlo. Mas ¿qué importan las catalogaciones? Lo que monta es la valía intrínseca del libro y no el rótulo en que se le encasille. La misma divergencia de pareceres sobre el tema es prueba concluyente de su mérito. De hecho, el libro participa de las características de todos los géneros arriba citados, pero rebasa los límites de cada uno de ellos, y se mantiene cimero y único en el acervo literario mexicano como una de sus obras más interesantes y perdurables por su fina calidad artística y por los valores psicológicos y sociales que contiene.

Como ya se apuntó antes, *El águila y la serpiente* es uno de los dos grandes libros que la Revolución produjo y comparte con *Los de abajo* la gloria de reflejarla mejor que ninguno de los centenares que el epónimo acontecimiento inspiró. Ocho años después de publicada la obra maestra de Guzmán, apareció otro libro importante, hasta cierto punto similar por lo que tiene también de visión directa y personal de los hombres y los hechos de la Revolución, el *Ulises Criollo*, de José Vasconcelos, en cuatro gruesos volúmenes, de los cuales, el segundo titulado *La tormenta*, apareció el mismo año; el tercero —*El desastre*— se publicó en 1938 y *El proconsulado* en 1939. Pero la egolatría, el apasionamiento y la violencia temperamental del autor,

hacen de esta obra un fárrago de dicterios, ataques
personales, fobias y nimiedades sentimentales que le
restan objetividad y valor exegético para la recta interpretación del hecho histórico lo mismo que para conocer
a los hombres que en él intervinieron. Más que un
documento es un alegato vindicativo escrito *pro domo
sua*. Gran parte de él pertenece al género de la literatura de chismografía y de escándalo. Sin embargo, el
libro de Vasconcelos, considerado como novela o como
obra de fantasía, podría colocarse en tercer lugar entre
los que la Revolución inspiró, aunque carezca de los
quilates artísticos que avaloran las sendas creaciones de
Azuela y de Guzmán.

En *El águila y la serpiente* hay que distinguir dos
categorías de valores: la formal o estilística ya mencionada y la psicológica. Martín Luis Guzmán posee una
inusitada capacidad para la prosopografía tanto como
para el retrato psicológico. Unas cuantas líneas le bastan para darnos completa la idiosincrasia de un personaje. En esta aptitud de penetración y de síntesis radica principalmente el encanto y la valía artística de su
libro más logrado. *El águila y la serpiente* es todavía
hoy la más completa y reveladora colección de "retratos"
que de los hombres de la Revolución poseemos. En esta
infinita serie de magníficas etopeyas pudo haber inter-
venido la simpatía o la ojeriza personales del autor, sus
afinidades o sus divergencias intelectuales y morales con
ciertos personajes, el interés o el afecto, como ocurre
en toda obra o expresión humana. (La absoluta impersonalidad es inalcanzable.) Pero lo que nadie puede negarle al autor es el talento y la finura psicológica y estética con que supo retratar a tantas figuras y figurones
que en la Revolución intervinieron. Es posible —como se
dice y repite en los corrillos literarios mexicanos— que
el autor se atribuya una importancia que no tuvo y facultades de que carecía. Mas esto, por una parte, es
achaque común a casi toda la literatura de carácter autobiográfico. Por la otra, aún aceptando que así sea,
esta dosis de egocentrismo en nada invalida ni disminuye la jerarquía artística de la obra.

Lo indiscutible es que Martín Luis Guzmán, durante
sus andanzas revolucionarias desde 1911 hasta 1915,
conoció personalmente y trató a los personajes más importantes del movimiento, lo mismo jefes militares que
líderes intelectuales. Actuó junto a Carranza y en el
campo villista; asistió a la convención de Aguascalien-

tes y formó parte del gobierno revolucionario de Eulalio
Gutiérrez que allí resultó elegido. Por eso ha podido
darnos un cuadro estupendo de todo ese mundo de intrigas, de envidias, de inquinas y de ambiciones personales en que se movían los jefes facciosos, cuadro que
hasta el presente no ha sido superado. Es que aquí el
tema —el ambiente revolucionario en sus más altas
jerarquías— ha encontrado su cronista ideal. A Martín
Luis Guzmán le atrae y le seduce la atmósfera política
en sus rangos superiores y en este clima de pugnas y
pasiones, de intrigas y personalismos desbordados, se
mueve y se desenvuelve con agilidad y diríase que con
complacencia. A despecho de sus reflexiones éticas y
de su innegable patriotismo que deplora el caos que
observa y los crímenes que a su presencia se cometen,
el lector intuye en él cierta fruición, una especie de placer secreto y vergonzante de índole estética. Es el deleite del artista frente a la línea del mármol virgen que
luego se trocará en estatua o del pintor frente al lienzo.
Es probable que Martín Luis Guzmán jamás pensara en
escribir sus memorias en los momentos en que contempla-
ba a estos hombres y observaba el torbellino de las pasiones desatadas como furiosos vendavales allá por 1913 a
1915, pero el artista que en él alentaba subconscientemen-
te toma nota de todo y todo lo analiza con ojo zahorí y
con sagaz inteligencia. El repertorio de temas, de personajes y acontecimientos que en este libro se registra
es infinito y asombran la lucidez y la memoria con que
trece años más tarde los plasmó en este libro que bien
puede figurar junto al de Bernal Díaz del Castillo, con
el cual guarda sorprendentes analogías. Porque a la
vuelta de cincuenta o cien años, cuando los actores de
la tragedia y sus inmediatos descendientes hayan desaparecido, *El águila y la serpiente* figurará junto a la
Verdadera historia de la conquista de Nueva España
como las dos crónicas más interesantes y artísticamente
más valiosas de dos momentos decisivos en la historia
de México.

En uno de los primeros y más penetrantes estudios
de conjunto que de la novela revolucionaria se publicaron,
"La novela de la revolución mexicana y la novela hispanoamericana actual", por Juan Uribe Echevarría, aparecido en los *Anales de la Universidad de Chile*, en
1936, contrasta su autor la visión que del magno acontecimiento nos dejaron Azuela y Guzmán en las siguientes certeras líneas:

"Así como Mariano Azuela logra dar en sus mejores páginas el ambiente y la literatura de cien acontecimientos que no aparecen en su obra, Martín Luis Guzmán coloca ante nuestros ojos el álbum de esos cien acontecimientos.

"Si de Azuela ha podido decirse que ha hecho la novela *"De los de abajo"*, Guzmán nos hace la novela de "los de arriba".

....

"Una de las características de Guzmán es lo épico; una épica sana, irreflexiva y jocunda. Todos sus personajes tienen excelentes condiciones físicas; son en su mayoría, musculados y apuestos, valientes y desaprensivos".

Esta ambivalencia es exacta y define perfectamente el arte con que estos dos escritores captaron la gran tragedia mexicana. Por eso desde que se publicó *El águila y la serpiente* en 1928, tanto los críticos como los lectores con sentido —o con intuición— histórico la hermanaron con *Los de abajo* y mancomunadas se mantienen hasta hoy. Son dos libros que se completan recíprocamente porque cada uno enfoca el conflicto que retrata desde un ángulo diferente y sólo mediante la lectura de ambos completamos la visión y se nos revela íntegro el panorama. Son dos obras que se complementan porque ninguna de las dos logró aprisionar en su totalidad el fenómeno social que las inspiró.

Azuela, hombre sencillo y modesto, se siente más próximo al pueblo y más identificado con los humildes que con los poderosos. Por eso su visión de la Revolución es diametralmente opuesta a la de Guzmán; Azuela enfoca el hecho histórico a través de la masa, de los de abajo, y sus tipos están sorprendidos y pintados en función de masa y la misma Revolución es un fenómeno de masas para él. A Guzmán, en cambio —en cuanto artista— no le preocupa ni le interesa el pueblo al que ni siquiera comprende. No es que no *quiera* es que no *puede* comprenderlo. Martín Luis Guzmán es hijo de un alto oficial del ejército porfirista y por más sinceros que fuesen sus sentimientos revolucionarios y sus ideales renovadores, no podía alterar las circunstancias que presidieron su vida, ni torcerle el rumbo al influjo que su educación y el ambiente aristocrático en que se desenvolvió su juventud ejercieron sobre él. Hay en su vida un determinismo cuyo predominio no podía él con-

trarrestar más que en mínima parte. Esto es evidente
en sus libros. A él le interesan las grandes figuras, los
caudillos y los hechos bélicos que aquéllos desencade-
nan; pero la anónima carne de cañón que sufre y se sacrifica sin saber por qué ni para qué, lo deja indiferente. Ejemplo evidenciador de esta actitud y de esta ausencia de *sympathy* hacia el pueblo es su injusta y hasta
poco simpática pintura de los zapatistas en las páginas
en que los describe durante los días que permanecieron
en la capital y eran dueños de ella. Ahora bien, el zapatismo constituyó el sector más humilde, pero también
el más sincero y menos criminoso de la Revolución, y
el de espíritu más auténticamente renovador. Ni la rapacidad ni el crimen odioso se dieron entre ellos en las
proporciones que revistieron en los campos carrancista
y villista. Y cuando invadieron la capital, lejos de en-
tregarse al saqueo y al pillaje como hicieron los otros,
mendigaban el sustento de puerta en puerta con el sombrero en una mano y el fusil en la otra. Pero Martín
Luis Guzmán no puede ver o percibir la virtud humilde ni mucho menos aplaudir esta conducta, y se entrega
en varias páginas a ridiculizar la ignorancia y el asom-
bro primitivo de los zapatistas ante los esplendores de
la capital. Por eso en *El águila y la serpiente* el pueblo
no aparece ni cuenta para nada. Su actitud y la de
Azuela son, pues, diametralmente opuestas y lo mismo
las respectivas "visiones" o panoramas que de la gran
tragedia nos legaron.

Pero además de los valores señalados, en el libro
de Guzmán se perciben otros de índole filosófica y poética de muy finos quilates también. Sus reflexiones sobre la Revolución y sus hombres, y sobre la psicología
del pueblo mexicano y sus destinos, añaden médula al
libro. Lo mismo ocurre con sus rápidas alusiones paisajistas en las que se desborda la vena poética del autor.
No faltan tampoco en este libro la ironía, la sátira y
el sentido de humor, no obstante lo poco propicio del
tema.

Un año después de publicada *El águila y la serpiente*, apareció *La sombra del caudillo*, como aquélla
impresa también en Madrid durante la última estancia
del autor en España. *La sombra del caudillo* es una de
las mejores novelas de ambiente político que hasta ahora se han escrito en Hispanoamérica. La boga de que
gozó *El águila y la serpiente* desde su aparición, ha
perjudicado la divulgación y la fama de *La sombra del*

caudillo. Así como el doctor Azuela es conocido fuera de México como el autor de *Los de abajo*, Martín Luis Guzmán lo es como autor de *El águila y la serpiente*. Escasísimos son los que en Hispanoamérica han leído ninguno de los otros libros de estos dos autores.

Por mucho tiempo creí yo que Martín Luis Guzmán se había inspirado para escribir esta novela, en el ambiente de la administración de Alvaro Obregón y en la pugna dentro de su gabinete entre sus ministros Adolfo de la Huerta y Plutarco Elías Calles por suceder en la presidencia al vencedor de Celaya. Por lo visto esta interpretación era errónea. El personaje que le sirvió de modelo para su "caudillo", no parece haber sido Obregón sino Calles, según los datos que el señor F. Rand Morton aporta en su libro *Los novelistas de la Revolución mexicana*, facilitados —según afirma— por el propio autor. Las circunstancias de la novela, sin embargo, coinciden más con la atmósfera y los hechos del obregonismo que con los del callismo. Pero se trata de una novela y no de un estudio histórico y, por consiguiente, lo importante no es averiguar quiénes fueron los personajes reales que en ella aparecen apenas disfrazados, sino el hecho mismo de que es probablemente la mejor novela de ambiente político que hasta ahora se ha publicado en México.

Nada hay de nuevo u original en *La sombra del caudillo* en cuanto a técnica. El autor se aparta de la fórmula azuelista que luego desenvolverán los novelistas posteriores y se ajusta al patrón realista tradicional. Pero si desde el punto de vista técnico *La sombra del caudillo* no contiene innovación ninguna, en cambio inauguró la novela de ambiente político contemporáneo en México y sin duda ha influido en algunos de los que después han cultivado el género. Así como Azuela inició la novela revolucionaria y dió la pauta a los que en pos de él llegaron, Martín Luis Guzmán es el introductor de la novela post-revolucionaria, de la que tiene por tema la Revolución hecha gobierno.

En *La sombra del caudillo* nos encontramos de nuevo dentro del ámbito político, el ambiente en que Guzmán se mueve a sus anchas y brilla y supera a todos sus congéneres hispanoamericanos. La imaginación creadora de Guzmán es muy limitada, su capacidad para crear caracteres de fantasía es poco menos que nula, pero los excede a todos en la aptitud para el retrato de

14

personajes vivos que él ha podido observar en la realidad social o política. Por eso su renuncia a seguir escribiendo novelas de ambiente político representó una gran quiebra para la novela mexicana, porque nadie allí ha demostrado hasta ahora poseer tan idóneas disposiciones para sobresalir en el género como él.

En Hispanoamérica es axiomático ya el aforismo de que los peores enemigos de la libertad son los libertadores. Los libertadores se tornan tiranos en cuanto escalan el poder, y los caudillos de la Revolución mexicana no fueron excepción a esta ley del devenir político de todo el continente. Bajo las dos primeras administraciones revolucionarias —la de Alvaro Obregón y la de Plutarco Elías Calles— no sólo se amordazó la libertad, sino que el latrocinio y la inmoralidad alcanzaron proporciones alarmantes. Tampoco fueron ajenas a los asesinatos políticos más repugnantes.

En *La sombra del caudillo*, Martín Luis Guzmán dramatiza este ambiente de rapiña y de intriga, de ambiciones y deslealtades, de francachelas y concupiscencias en el que las pasiones caldeadas hasta el rojo vivo, pierden todo control y prescinden hasta de la ética más elemental. Guzmán levanta el telón que cubre el escenario y nos presenta el retablo de la política mexicana en su tétrica realidad con una crudeza que a veces aterra o repugna al lector.

Nunca antes de 1929 se había pintado un cuadro tan sombrío y tan descarnado de la trágica farsa política de nuestros países. Pero no se crea por ello que Guzmán persigue fines didácticos ni que lo impulsan anhelos reformadores, como a Lizardi o al Azuela de la última etapa. No. El ve en la podredumbre política un tema de estética y a base de ella realiza una estupenda creación artística. Con la marrullería y el encanallamiento del ambiente oficial de aquellos años, escribe Guzmán una novela realista y deleitosa, profunda y desencantada, sin dar nunca en la prédica directa ni en el propósito edificante.

La galería de personajes y personajillos que por estas páginas desfila es casi tan copiosa como la que enriquece *El águila y la serpiente*. Desde el caudillo que en ningún momento vemos aparecer en escena, aunque su sombra siniestra se proyecta y condiciona toda la acción de la novela, hasta las hetairas de los burdeles elegantes, pasando por ministros, diputados, senadores, generales y paniaguados y guardaespaldas de los pode-

rosos titiriteros, toda la fauna política mexicana queda
aquí retratada con un verismo implacable, mas despro-
visto de animosidad y de indignaciones moralizantes.
Otra vez es el artista, el creador, el que priva sobre
el reformador o teorizante. Todo este mundo maleante,
inescrupuloso, violento y egoísta, está retratado con objetividad y hasta con simpatía. Tanto Ignacio Aguirre
como su contrincante, Hilario Jiménez, Olivier Fernández, Axkaná González y toda la caterva que les hace
coro, están vistos y pintados con amor de artista, por
más odiosas que al autor y al lector le resulten algunas
de las vitandas artimañas y recursos de que se valen
para conseguir sus fines. Es éste un mundo de pícaros
—pero pícaros trágicos— canallesco e inmoral hasta el
crimen; pero la visión que de él nos deja el autor es
más bien artística que ética. Su enfoque de esta realidad manida es más estético que moral. Sólo un personaje entre la rica galería que avalora estas páginas,
posee una conciencia limpia y se rige por una ética noble y levantada: Axkaná González. Axkaná González
viene a ser, dentro de la tónica de la novela, algo así
como la conciencia moral de la Revolución. Pues bien,
Axkaná González es el único ente de ficción, el único
que Guzmán creó porque no pudo encontrarlo en el
ambiente, que pintó. Todos los demás son copia o retrato auténtico de personajes vivos por él observados.
Este dato me fué suministrado por persona bien enterada
y que sabía lo que decía.

De lo anterior se infiere fácilmente que *La sombra
del caudillo* es una novela de tonos sombríos y pesimistas, más sombríos y pesimistas que los que matizan
El águila y la serpiente. El ambiente de intriga, de saqueo, de odios y de crimen que en ésta priva, si no se
justifica, por lo menos se *explica*, debido al propio caos
de violencia que era la Revolución; mas ahora nos encontramos ya en un período de organización y de paz,
en el que se supone que aquellas proclividades han desaparecido. Y sin embargo subsisten. Las conclusiones del
autor son ahora mucho más desalentadoras y su "visión" de la realidad mexicana mucho más escéptica.

De todos los caudillos de la Revolución, Pancho Villa es, sin duda, el más famoso y el que mayor fortuna
literaria ha tenido. Desde Santos Chocano que estuvo
a su servicio y lo proclamaba "el Napoleón de América", Vicente Blasco Ibáñez y Luis Araquistain, hasta
el humilde y anónimo autor de corridos, pasando por

Martín Luis Guzmán, José Vasconcelos, Miguel Alesio
Robles, Manuel W. González, Rafael F. Muñoz, Nellie
Campobello y tantísimos otros, son legión los historiadores, novelistas, cuentistas, biógrafos, etc., que del turbulento jefe de la "División del Norte" se han ocupado. Existe una verdadera literatura "villista". Todavía
vivía el héroe y ya se había convertido en mito, en tema
folklórico. Ningún otro caudillo inspiró tantos corridos
más o menos anónimos. Por último, esta fecunda literatura "villista" ha sido ya tema de eruditas tesis docto-
rales en las universidades norteamericanas. La personalidad misma de Villa —aparte su importantísima ejecutoria como figura histórica— es tan poderosa, tan contradictoria y volcánica, que no podía menos de ejercer
cierta fascinación sobre los artistas y hombres de letras.
Pancho Villa era una especie de fuerza de la naturaleza, un volcán, un terremoto o un huracán, tierno y
violento a la vez, sentimental y sanguinario, ignorante
pero intuitivo, bruto y casi genial por instantes, patriota
y al mismo tiempo azote de la patria, celoso defensor,
amante y leal para con los humildes y a la vez pródigo
de su sangre, tosco, sensual, egocéntrico, absorbente,
desalmado, despótico, amoral y, no obstante, blando y
sensible a ratos y generoso con frecuencia. Pancho Villa era una personalidad complejísima de la cual irra-
diaban una especie de fuerza magnética, un vigor físico
y un poder de fascinación poco menos que irresistibles.
Nadie en aquellos años trágicos despertó odios tan furibundos ni lealtades tan heroicas. Ninguno de los otros
caudillos se hizo querer y seguir hasta el sacrificio y la
muerte con tan ciega fidelidad. Los hombres que lo
rodeaban dejaban de serlo para convertirse en simples
instrumentos al servicio de su voluntad omnipotente. Junto a Villa desaparecía el libre albedrío. Los hombres
devenían autómatas.

Una personalidad tan poderosa y compleja, necesariamente tenía que seducir y tentar a los escritores.
Pero hasta el presente, ninguno ha podido atraparla en
toda su demoníaca grandeza y darnos todos los perfiles
de su temperamento y de su alma atormentada y feroz.
No obstante la ingente bibliografía que sobre Villa existe, el tema no se ha agotado. Todavía no se ha escrito
la biografía o la novela que nos lo devuelva íntegro en
sus múltiples facetas. Ese es el libro que debió escribir
Martín Luis Guzmán, que debe escribir. Nadie en México hoy está tan dotado como él para hacer esta bio-

grafía o biografía novelada. Probablemente nadie tampoco está tan bien documentado ni ha meditado tanto el tema como él. Pancho Villa, como diría Pirandello, sigue siendo un carácter —un tema— en busca de un autor que lo plasme en una obra definitiva.

A Martín Luis Guzmán le ocurrió con Pancho Villa lo que a José Rubén Romero con Pito Pérez. Desde que se puso en contacto con él en 1913, el tema lo persiguió como una tentación irresistible. En *El águila y la serpiente* es una especie de *ritornello*, un estribillo que aparece y reaparece constantemente. El lector advierte la fascinación que sobre el artista ejerce la poderosa figura de Villa, por más que al hombre refinado y culto le repugnen las atrocidades del sedicioso. Durante los diez años que median entre la aparición de aquel libro y la de las *Memorias de Pancho Villa*, no es muy dudoso ni aventurado suponer que el tema fué una especie de obsesión para él hasta obligarle a realizar el esfuerzo más arduo y sostenido de toda su carrera literaria. Desdichadamente, la intuición artística de Guzmán, tan certera en sus dos grandes libros anteriores, le falló esta vez y frustró en gran parte su magna labor. Apenas se concibe cómo pudo Martín Luis Guzmán incurrir en la falla artística de pretender "suplantar" a Villa en su personalidad íntima y en su estilo, de retratarlo "desde dentro", o de dentro a fuera, en lugar de enfocarlo desde su propio ángulo de visión, como él lo vió y lo comprendió, es decir, de fuera hacia dentro. Al substituir la personalidad y el estilo del caudillo a los suyos propios, Guzmán se inhibió, se autolimitó, como creador y como estilista, y se impuso un ímprobo esfuerzo estilístico en el que se agotó su ingente tarea. Durante el verano de 1938, cuando Guzmán empezaba a escribir el primer volumen de las *Memorias*, tuvo el que escribe ocasión de hablar con él y entonces hubo de manifestarle que el esfuerzo de imaginación que le costaba imitar la peculiarísima manera de expresarse de Villa era realmente agotador.

En esto consistió el error artístico de Guzmán: en renunciar a su propio estilo narrativo, tan fluído y rico, tan refinado y épico, para tratar de imitar el del caudillo, tan diametralmente opuesto y que tan mal se condice con el suyo propio. Empeño demasiado arduo para un escritor culto y elegante que jamás ha condescendido a emplear las formas del populismo lingüístico mexicano. Junto con esta inhibición artística o formal,

renunció también a *su* propia visión de Villa, a *su* interpretación del truculento personaje en un agobiador propósito de presentarlo como si fuera Villa mismo quien
escribiera y conforme al concepto que él tenía de sí
mismo, de su actuación y de su importancia en los destinos de la Revolución. Era éste un plan o intento condenado de antemano a agotarse en un hercúleo esfuerzo
lingüístico con detrimento de los valores psicológicos y
estéticos. De ahí que los cuatro volúmenes de las *Memorias* representen la más difícil empresa literaria que
Guzmán o ningún otro escritor mexicano se haya propuesto realizar y, al mismo tiempo, la más fallida de
las tres novelas que nos ha dado. Siendo la más extensa
y la más empeñosa de las tres, es la que menos repercusión ha tenido y la menos estimada por la minoría
culta —la que el autor tiene presente siempre a pesar de
su vocación y profesión de periodista. La reputación de Martín Luis Guzmán como creador, descansa,
pues, sobre sus dos primeras obras. Si su intuición estética no le hubiera traicionado y en lugar de las *Memorias* hubiera escrito una biografía novelada o una
simple biografía de Villa, es posible que tal obra hubiera superado la prestancia artística de *El águila y la
serpiente* que tantos laureles le valió. El tema se prestaba, y Guzmán era —y sigue siendo— el escritor más
idóneo para escribir esa obra de tono épico que la personalidad de Villa reclama. En *Mina, el mozo*, el autor
demostró cumplidamente su talento para el cultivo del
género biográfico. Confiemos en que algún día vuelva
Guzmán sobre el tema de Pancho Villa. Aún hay sol
en las bardas...

Para concluir esta volandera semblanza, quisiera
transcribir la justa definición del crítico chileno ya aludido: "Martín Luis Guzmán es el novelista más sano
y alegre de la Revolución, y su actitud corresponde a
todo lo que en el movimiento hubo de juego épico, de
apostura viril, de gesta heroica para hombres dignos de
vivirla".

Una novela de la Revolución casi desconocida

A la amabilidad de don Jesús Silva Herzog debo el placer de haber leído una de las novelas más injustamente ignoradas entre las que hacen referencia a la Revolución: *La revancha. Novela mexicana de la época revolucionaria*, por Agustín Vera, fechada el dos de abril de 1930 e impresa en los Talleres Linotipográficos *Acción*, en San Luis Potosí. Contiene 241 páginas. Tengo entendido que no se ha hecho una segunda edición y según me han informado libreros y algunos críticos de la capital, es prácticamente desconocida allí. Tan desconocida que ni siquiera en las dos bibliografías más copiosas que del género existen —la de José Luis Martínez y la del profesor Ernest Moore— aparece citada. Tampoco existe ejemplar de ella en la Biblioteca Nacional ni se la encuentra en las librerías.

Agustín Vera parece haber sido más dado a la literatura dramática que a la narrativa. En la lista de "Obras del Autor" aparecen citadas cinco piezas teatrales y sólo una novela, además de la que aquí se comenta: *En la profunda sombra*, que no conozco. Y sin embargo, *La revancha* evidencia que su autor tenía madera de novelista y que no desconocía el arte de mantener la atención del lector.

Con esta obra podría decirse que comenzó la década de intenso cultivo del tema revolucionario —1930-1940. Agustín Vera se adelantó a Rubén Romero, a López y Fuentes, a Magdaleno, a Ferretis, a Muñoz y a todos los que en estos dos lustros explotaron el filón revolucionario. A esta luz hay que juzgar al autor para comprender su técnica tan distinta de la que luego se empleó. Vera es en realidad un precursor, pero su obra no ejerció influencia ninguna sobre los que a la zaga de él llegaron, la mayoría de los cuales, probablemente, nunca tuvieron noticia de *La revancha*.

Lo primero que hay que decir de esta novela es que la técnica es deficiente. Hay en ella varias acciones o tramas que se superponen y es necesario llegar hasta la mitad del libro para descubrir quién va a ser el pro-

tagonista central entre el gran número de caracteres
que en él figuran. En los primeros capítulos se perfilan
varios personajes bien sorprendidos y delineados con
firmeza, cualquiera de los cuales contenía potencialidades de protagonista; pero el autor los sacrifica o se
olvida de ellos. Sólo uno reaparece hacia el final de la
obra para que la heroína pueda consumar la venganza
que el título implica. Tal.parece haber sido el designio
o tesis fundamental del autor y a él subordina todo el
acontecer de la obra. Vera observaba bien los caracteres y dibujaba sus relieves físicos y morales con destreza, pero no los desarrollaba lo suficiente. Por otra parte,
la concepción original —la tesis— de nítida procedencia
romántica, le lleva a preferir el carácter que menos posibilidades artísticas ofrecía para en torno a esta figura
femenina urdir la trama de su obra.

En realidad *La revancha* es una novela de amor —o
de amores— que se desenvuelve sobre un fondo o en
un ambiente revolucionario. Por eso encontramos en
ella dos tramas, dos acciones que se desarrollan para-
lelamente y también sendas técnicas que corresponden
a los dos motivos que en la obra se dramatizan: el
revolucionario y el enredo amoroso. Tanto el enfoque
de las peripecias revolucionarias y sus personajes, como
el estilo en que los pinta son realistas; la concepción de
la protagonista, en cambio, es romántica, aunque la pintura esté muy aligerada de retórica romántica. (En este
sentido, *La revancha* recuerda la *Amalia,* de José Mármol, en la que se da también esta dualidad temática
y estilística.) Huelga decir que el aspecto más interesante del libro y el de mayor médula artística y psicológica
es el consagrado a los episodios revolucionarios y a los
hombres que en ellos intervienen. Desdichadamente, en
la concepción original del autor, esto era lo secundario y adjetivo, especie de material de relleno destinado
a servir sólo de marco para dentro de él urdir una trama amorosa sin.vigor ni trascendencia estética ni psicológica. Es uno de tantos casos en que la intuición artística le falla a un autor de positivas dotes narrativas.

Al contrario de lo que ocurrió después con la inmensa mayoría de las novelas de ambiente revolucionario en las que la mujer y el enredo amoroso casi no
aparecen, en *La revancha* estos dos elementos constituyen el nervio central de la trama y el acontecer revolucionario pasa a un segundo término. Otro aspecto en
que esta novela se distingue de las de su clase, es el

concepto idealizado y de legítima ascendencia romántica
que el autor tiene de la mujer y del amor. En este
sentido *La revancha* entronca con las novelas finiseculares de la época porfiriana, no tanto por el estilo como
por la concepción. Vera nos presenta aquí las visicitu-
des y tribulaciones de una mujer de veintidós años a
quien la Revolución le mata a su novio —un terrateniente— y hiere a su padre, el administrador de la finca.
Pero en realidad, la muerte de Manuel, el novio y hacendado, no es una venganza de los revolucionarios sino
la liquidación en buena lid de un pleito personal entre
él y el cabecilla revolucionario Abundio Guerrero, cuya
mujer había sido maltratada por el hacendado y, por
último, entregada a la furia erótica de la soldadesca
huertista para que la violaran. La muerte de Manuel,
pues, está moralmente justificada y las simpatías del
lector están con el vengador que es la verdadera víctima.
Por lo que a la herida que en la refriega recibe el padre de Lupe, la heroína, fué un mero accidente. Ni con
él ni con los demás defensores de la hacienda que habían
matado a no pocos asaltantes, se ensañan los revolucionarios de Abundio y a todos les conceden el derecho
a la vida.

Pasó el tiempo, Villa fué vencido y los carrancistas en control de la capital y de casi toda la república,
se preparan a asaltar todos los cargos públicos. Lupe,
huérfana y pobre, se traslada de San Luis a México en
busca de medios de vida como hicieron centenares de miles en aquel bienio de 1915 a 1917. Es bella y el autor
nos la presenta tierna, honesta, pura como un ángel y fiel
a la memoria de Manuel, cuya muerte había jurado vengar. Entre los muchos políticos y generales que desfilan
por el despacho del licenciado Prieto donde ella trabaja,
aparece un día el antiguo guerrillero Abundio Guerrero, ahora convertido en general y en un perfecto "gen-
tleman". Naturalmente se enamora de Lupe y ella de él.
Un perfecto "flechazo". Lupe se siente más que atraída,
seducida, por el vigor, la gentileza y la fuerza magnética
que del antiguo faccioso se desprenden; pero allá en el
fondo de la subconsciencia hay algo innominado e in-
cierto que le impide casarse con él como el galante general desea. Una noche, durante un paseo en auto por
el campo, a instancias de Lupe, Abundio narra el episodio más personal y doloroso de su carrera revolucionaria, ignorante de que su novia era parte en el pleito.
Lupe entonces recuerda su juramento y con el revólver

de su amado lo asesina, cumpliendo así la promesa que
había hecho ante el cadáver de su primer novio. Parodiando el título del más famoso y típico drama romántico español, Agustín Vera pudo haber rotulado su novela *Lupe o la fuerza del sino*.

La concepción romàntica de la heroína traiciona el
realismo de buena ley que el autor había evidenciado
en los primeros capítulos y hace que caiga en una vacua
idealización de su protagonista sin nexo con la realidad
de la psicología femenina. Véase, por ejemplo, la escena
de amor que el autor nos pinta entre Lupe y Guerrero
en las páginas 208-9:

"Acercóse él a donde ella estaba y oprimiéndola contra su
robusto pecho, la besó apasionadamente, locamente, furiosamente,
en los ojos, en la boca, en las mejillas tersas y perfumadas, en
las manos pequeñas y suaves y en el cuello donde la presión de
la sangre corriendo tumultuosamente hinchaba levemente una del-
gada arteria azul.."

....

"Ella no se defendía, no hacía el menor esfuerzo por oponerse a aquellas caricias que a un mismo tiempo la hundían en
un abismo de sensaciones hasta entonces no sentidas y levantaban
su espíritu hacia goces de una nueva vida del alma... Sentía que
una fuerza superior a ella, la dominaba, la tenía allí inerte y
atada con ligaduras más potentes que si fueran cadenas asidas a
sus miembros. Y cuando sobre sus labios sentía el fuego de aquellos otros labios que le cortaban el aliento, de las profundidades de
su ser, de las fuentes mismas de su vida, le parecía que una voz
brotaba e iba subiendo convertida también en oleada de fuego
hasta sus mismos labios, donde sólo podía convertirse en un
grito desesperado e imperioso que decía: "¡Te amo! ¡Te amo!
¡Haz de mí lo que quieras, porque soy tuya... tuya...!"

Esto es verídico, real, humano y certeramente ex-
presado. Así reaccionan dos seres que se quieren y se
desean. El hombre, que en nuestras tierras hispánicas
se reserva el derecho —o el privilegio— a la iniciativa
en el amor y es el elemento agresivo —y así quieren
las mujeres que sea— le escamotea unos besos a su
amada a quien por lo demás, le saben a gloria porque
está enamorada de él y lo desea como toda mujer de
sexualidad normal. La escena, como se ha visto, no
pasó a cosa mayor. No hubo ni siquiera intento de posesión por parte de él ni de entrega por parte de ella.
En esa primera y única ocasión en que los cuerpos de

los amantes se sintieron vibrar al unísono con sus almas enamoradas, floreció el sentimiento amoroso en ambos y a ella, sobre todo, se le reveló la intensidad de su pasión por el hombre querido y deseado. Cualquier mujer normal, sin complejos religiosos ni traumas psicológicos —y Vera no nos pone en antecedentes de que Lupe los sufriera— se habría sentido feliz tras esta revelación de su cariño por el primer hombre que la hizo estremecer de deseo y despertó su feminidad erótica hasta entonces adormecida. Sin embargo, la escena transcrita se le convierte a Lupe en un recuerdo torturante y terrible y el dolor y la pesadumbre se le hacen insoportables. El autor no nos explica el por qué de este tormento que la aniquila por semanas y meses. No es una conciencia mojigata, ni una niña quinceañera sin experiencia amorosa ni de la vida. (Es de suponer que durante los años que fué novia de Manuel, alguna vez debieron besarse; de lo contrario apenas se explica que ella estuviera enamorada de él). Y, sin embargo, véase cómo el autor, páginas más adelante, en la 222, retrata su estado de ánimo. Se refiere a las consecuencias morales que para ella tuvieron los besos que su novio le prodigó en la escena antes copiada. Para comprender —mejor dicho—, para hacer aún más absurda e incomprensible— la reacción de Lupe, el lector debe recordar que ambos son libres y se quieren y que el general Guerrero sólo espera a que ella fije la fecha para la boda. Y, no obstante, Lupe sufre horriblemente aunque el lector no logra descubrir la razón:

"¡Qué lucha tan tremenda! ¡Qué inmensa tragedia era la que tenía lugar en su alma! ¡Qué dolor tan agudo y tenaz, qué desencanto de la vida y de todo lo que la rodeaba ensombrecía continuamente su pensamiento! ¡Qué deseo tan grande de llorar, de desahogar en alguien que fuera como un hermano o un padre, toda la amargura que había en su pecho y que aún en sueños la martirizaba como una obsesión fuertemente arraigada a su cerebro!

"Durante aquellos días de tortura mental y espiritual en los que no tenía ni la más remota idea de lo que pudiera ser de ella y de su vida, guardó en el fondo de su pecho el dolor y la angustia que la mataban. No dejó que nadie adivinara cuál era el motivo de su honda pena. Y sólo por las noches, en el silencio y entre las sombras de su habitación, daba expansión a su llanto hundiendo la cabeza entre las almohadas para que nadie la oyera"

Y así por páginas y más páginas y durante semanas y más semanas hasta que descubrimos o sospechamos —sin que el autor nos ponga al tanto de ello— que
se trata del *fatum* romántico, de la voz secreta, de la
"fuerza del sino" que le avisa en la forma misteriosa
tan dilecta de poetas y novelistas entre 1830 y 1850
que no debe querer a aquel hombre porque fué el ma-
tador de su primer novio. El hecho de que Manuel había sido un canalla en su conducta para con la mujer
de Abundio y las circunstancias en que éste lo mató
—en buena lid y dándole a su contrincante oportunidad
de que a su vez lo matara— no cuentan para nada.
La fatalidad, el hado, la "fuerza del sino" es lo que al
autor le interesa demostrar. Hay todavía una flagrante
contradicción entre lo transcrito de las páginas 208-9 y
lo que se dice en el tercer párrafo de la página 237
que no se copia para no hacer excesivamente extensa
esta nota.

Tales son los defectos capitales de esta obra en
cierto modo malograda. Defectos por lo demás comunes
a gran número de novelas anteriores en las que los caracteres más endebles y falsos, por exceso de idealización, son precisamente los protagonistas. Desde la Prudenciana de Lizardi y su insoportable papá, hasta ciertos personajes de don Federico Gamboa y de Delgado,
la lista de tales fallas es muy copiosa. Son resabios
del ocaso romántico que todavía en 1930 hacía estragos
en San Luis Potosí y podía desviar y hasta malograr
la intuición artística de un narrador de mérito como lo
fué sin duda Agustín Vera. Aunque no he leído las
comedias de este autor, sospecho que debió ser influído
por el romanticismo de procedencia echegarayana de su
conterráneo Manuel José Othón en su labor dramática.
Es una mera conjetura sin base suficiente, pero se me
antoja probable.

Ocurre con *Los de abajo* de Azuela en relación con
la novela revolucionaria, lo que con el *Lazarillo de Tormes* y la novela picaresca, o *Martín Fierro* y *Don Segundo Sombra* y la épica y la novela gauchescas, o *La
vorágine*, en relación con la novela de la selva tropical.
Cada una de estas obras se convirtió en una especie de
modelo o arquetipo dentro del género que iniciaron o
que llevaron a la perfección y muchos de los escritores
que en los respectivos campos surgieron más tarde, no
pudieron eludir el influjo de aquellas obras maestras.
Tal le ocurrió a Agustín Vera. No creo aventurado

afirmar que el novelista potosino leyó *Los de abajo* y se dejó impresionar por su crudo realismo, por el vigor y la economía de elementos con que Azuela pintó ese "fresco" hasta hoy insuperado. Esto es evidente en los capítulos destinados a retratar las figuras y el ambiente revolucionario. No hay en Vera propósito imitativo en ningún instante ni en su libro se descubre nada que amengüe su originalidad. Pero sí se descubren sugerencias azuelistas de las que el autor potosino probablemente no tenía conciencia. El retrato de "el cojo Timoteo", coronel de filiación carrancista que en los primeros capítulos parece que va a ser el protagonista, recuerda muy de cerca el que Azuela nos dejó de Demetrio Macías. Por su ausencia de ambiciones personales, por su arrojo, su valentía, su rusticidad, su despego o su indiferencia por el dinero; por su individualismo, por su ingenuidad, su patriotismo sano, por su apego a la tierra y hasta por los motivos que lo lanzaron a la "bola", "el cojo Timoteo" es un hermano menor de Demetrio y ostenta un inconfundible aire de familia. Pero no es sólo este recio carácter el que recuerda la creación de Azuela. La filosofía de algunos personajes respecto a la Revolución —y quizás la del autor mismo— ciertos incidentes, el empleo del símil o metáfora de la hoja seca arrastrada por el huracán para explicar la incapacidad del hombre que se ha entregado a la Revolución para regir sus destinos, y otros detalles, nos prueban que no se trata de coincidencias fortuitas sino de poderosas sugerencias azuelistas que se filtraron en la novela de Vera sin que él se percatara del contrabando. Nada en realidad objetable. Por lo demás, son legión los que se han dejado influir por la técnica empleada en *Los de abajo*.

La figura del "cojo Timoteo" está bien dibujada y lo mismo la de su lugarteniente Abundio Guerrero. Ambos aparecen con una fisonomía moral de nítidos perfiles y vigorosos rasgos. Desgraciadamente, el autor no los desarrolla porque la concepción romántica a que antes aludí le obliga a sacrificar al primero y a transformar al segundo en una especie de "catrín" en uniforme. Estos caracteres merecían más amplio desenvolvimiento. Sin embargo, el coronel Timoteo se nos pierde de vista hacia la página 78 y no reaparece hasta la 185, y esto para morir. La parca descripción de la muerte de Timoteo es una de las páginas más logradas del libro. En cuanto a su ayudante, Abundio Guerrero, tampoco sabemos nada de sus hazañas desde la muerte de su jefe

hasta que lo encontramos ya de general después de la
derrota definitiva de Villa. No le vemos crecer ni actuar. Aparece primero con un perfil moral definido pero
no muy firme todavía; cuando de nuevo tropezamos con
él, ya es otro distinto: ahora se nos ha metamorfoseado
para servir a la concepción romántica del autor. Todavía
podrían señalarse otros personajes que no merecían el
olvido en que el autor los deja. Tales "don Juanito", el
tenedor de libros de la hacienda y algunos de los compañeros de Timoteo.

Para concluir: *La revancha* es una novela interesante que en nada desmerece junto a la inmensa mayoría
de las que la Revolución inspiró, y ciertamente no merece el desconocimiento y el olvido en que se la ha
mantenido durante veinte años. Agustín Vera poseía
talento de narrador llano, sencillo, sin grandes pretensiones literarias, pero correcto y fluido. Sabía captar la
psicología popular y el lenguaje del pueblo campesino,
y lo usaba con destreza en todo su pintoresco expresionismo. En él, este popularismo lingüístico es más un
factor psicológico que estético. De él se sirve con frecuencia como elemento auxiliar para definir sus personajes de extracción humilde y campesina. Este es uno
de los encantos de la primera mitad de la novela —la
más valiosa— que desaparece en la última, porque en
ésta se acentúa el influjo romántico. Por último, Agustín Vera sabe hacer justicia a tirios y troyanos. Se coloca en una posición equidistante entre revolucionarios
y porfiristas y huertistas. Reconoce la justicia y la necesidad de la Revolución, pero condena sus excesos. No
hay en toda la novela, sin embargo, un tipo malvado
ni odioso, aunque los políticos, los licenciados y pescadores de río revuelto, abundan en ella, y todos están
proyectados satíricamente. Confieso que tras haber leído
más de un centenar de novelas de la Revolución, *La revancha* no me pareció inferior al noventa y cinco por
ciento de sus hermanas. Las máculas que en ella he
señalado son achaques muy comunes a gran número de
novelas hispanoamericanas y mexicanas sobre todo. Prueba de ello es el hecho de que casi todos estos defectos
reaparecen 18 años más tarde, en 1948, en la obra de
un excelente poeta, novelista y dramaturgo de más recia
personalidad artística que Vera: *La escondida*, de Miguel N. Lira.

Capítulo XIV

José Rubén Romero

Es un hecho significativo que debe mencionarse:
la novela mexicana contemporánea, empezando por su
decano, el doctor Mariano Azuela, está escrita por provincianos. He hecho una nómina de los treinta novelistas de mayor significación que han sobresalido en México durante los últimos treinta años y ninguno de ellos
es capitalino, ni siquiera nacido en el Distrito Federal.
Hay muchos Estados que no han producido ninguno de
cierta jerarquía; otros, en cambio, han dado varios, como Jalisco, Michoacán, Veracruz, Durango, San Luis
Potosí, Chihuahua, Coahuila, etc. Ni siquiera entre las
mujeres que empiezan a cultivar el género con validez
artística: Nellie Campobello nació en Durango; Alba
Sandoiz, en San Luis; Magdalena Mondragón, en Torreón; Adriana García Roel, en Monterrey; Rosa de
Castaño creo que es norteña también y así otras varias.
Es difícil explicar el fenómeno. Desde 1910 la capital de México ha triplicado su población que va camino
de los tres millones ya. Desde entonces se ha convertido en uno de los más importantes centros de cultura del
mundo hispánico. En la actualidad pesa demasiado sobre el resto del país, al extremo de que succiona las
energías económicas, culturales, políticas y sociales del
resto de la nación, y va reduciendo a las capitales pro-
vincianas a meros centros políticos de muy escasa significación cultural. A fines del siglo anterior, Guadalajara, por ejemplo, mantenía cierta autonomía cultural y
allí se desarrolló un notable movimiento intelectual, y
lo mismo San Luis Potosí y otras ciudades. Hoy han
perdido esta alcurnia totalmente, porque la capital federal actúa como una gigantesca máquina de succión que
las despoja de sus mejores hombres y las mantiene ané-
micas y privadas de energía creadora. Es el mismo fenómeno que se ha producido en la Argentina con relación a Buenos Aires durante el mismo período, en el

Uruguay con respecto a Montevideo y que empieza a observarse en Cuba en donde La Habana ha aniquilado o poco menos la vida intelectual de las provincias. Y sin embargo, la capital mexicana difiere de las otras tres mencionadas en el hecho apuntado. En tanto los principales novelistas argentinos son porteños, montevideanos los uruguayos, y habaneros los cubanos, la capital mexicana no nos ha dado un solo creador de talla en este campo en lo que de siglo llevamos andado. Es un contrasentido y una antinomia que en las apariencias, por lo menos, desmiente la eficacia de la educación y el ambiente refinado para propiciar la floración del talento creador. Pero ya se dijo en las primeras páginas de este libro que México es *sui generis*, complejo, contradictorio y único. A su peculiaridad habrá que reducir el fenómeno a que aquí se hace referencia para explicárnoslo, con lo cual nos quedamos tan a ciegas como estábamos y no se explica nada.

No obstante el hecho apuntado, la mayoría de los novelistas mexicanos rehuyen el provincialismo cerrado, el localismo estrecho, y eluden en lo que pueden el ambiente aldeano. Sospecho que en este empeño que la mayoría pone en evitar la clasificación de novelistas provincianos, interviene un complejo de inferioridad más que la ausencia de valores estéticos locales. México es muy variado y muy rico en matices. No pocos estados gozan de un ambiente cultural, de tradiciones y modalidades artísticas autóctonas, muy bellas y pintorescas, y sería de desear que sus novelistas, despojándose del complejo provinciano, reflejaran estos valores que enriquecerían y completarían el panorama nacional. El ambiente de la capital federal ha sido ya ampliamente explorado —quizás demasiado— desde Fernández de Lizardi hasta los novelistas de la última hornada. Ahora hace falta incorporar a las provincias para completar el cuadro nacional, y nadie mejor capacitado para hacerlo que los que de la provincia proceden. "Cada lechón en su teta, es el modo de mamar", decía Martín Fierro. ¿A qué se reduciría la novelística española si la despojáramos del ambiente regional que pintaron Pereda, Valle Inclán, la Pardo Bazán, Blasco Ibáñez, Valera, Miró, Pérez de Ayala, Baroja, etc.?.

José Rubén Romero es la más señalada excepción a la falla anterior. Lejos de desdeñar el ambiente provinciano, Romero se ha adentrado en él en todas sus novelas y por haberlo amado y reflejado con fidelidad, ha

sabido superarlo y ennoblecerlo hasta elevarlo al plano
de lo universal humano. No es soslayando o pretiriendo
lo propio —y por tal más entrañablemente conocido—
como se llega a la meta de lo universal, sino al contrario. Por los caminos de la provinca y del ambiente
provinciano descubrió Flaubert la universalidad del alma de *Madame Bovary* y todos sus caracteres. Más
rudimentaria es aún la atmósfera social en que Eça de
Queiroz coloca la rica galería de personajes de la mejor
novela que en la península ibérica se ha escrito desde el
Quijote: O primo Basilio. El alma humana es la misma
en lo esencial en París como en Pekín, en Moscú como
en Tacámbaro, porque en todas partes está regida por
los mismos impulsos y responde a las mismas incitaciones
e instintos. En todas las latitudes la guían y gobiernan
dos fuerzas: el interés y las emociones. Y lo importante
no es el ambiente más o menos brillante en que los personajes se mueven sino la hondura con que el novelista
haya sabido adentrarse en el mundo interior de sus
caracteres. Ese es el secreto de los grandes novelistas
rusos, desde Chejov, Tolstoi y Dostoiewski, hasta An-
dreiev y Gorky. Todos descubrieron en la provincia y
en el ambiente aldeano y rural el alma de Rusia y lo que
en ella hay de universal y permanente. Por los campos
de Castilla y por las hosterías y los rústicos mesones
campesinos encontró Cervantes el secreto de lo humano.

Por no haberse divorciado de su medio ni repudia-
do su ambiente y su herencia, José Rubén Romero, sin
alcanzar el rango de creador genial ni mucho menos, es
uno de los novelistas mexicanos de más "universal
appeal" que hoy tiene el país. Es uno de los pocos narradores que el extranjero lee con gusto y al leerlo se
descubre a sí mismo en estos humildes personajes michoacanos que Romero nos pinta. De esto puedo dar fe
porque ha sido una experiencia repetida durante muchos
años de profesar una cátedra en los Estados Unidos,
y puedo afirmar que no existe en México otro novelista
a quien con más íntimo deleite lea un estudiante mentalmente adulto en aquel país que éste fiel hijo de Michoacán. Creo que lo mismo ocurriría en Alemania o en
China si por aquellas latitudes se dictaran cátedras de
literatura mexicana. Porque no abjuró ni abdicó de su
clima moral y social ni de nada de lo que le es entrañablemente familiar y querido; porque no buscó ambientes cosmopolitas sino que fué directamente a la raíz de
lo propio, de lo que le es congénito y como parte de él

mismo, es que Romero ha podido escribir una serie de
novelas que siendo intensamente mexicanas en el espíritu y en la forma, son también universales en el interés que despiertan. Pero el mérito de sus novelas no
descansa en lo pintoresco ni en el color local, sino en
haber sabido descubrir lo que en el campesino michoacano hay de esencial humano, de universal y permanente.

Nació José Rubén Romero en Cotija de la Paz, en
el estado de Michoacán, en el año de gracia de 1890.
Sus padres pertenecían a lo que pudiéramos llamar baja
clase media, aunque ya se dijo que el término "clase
media" —en el sentido económico con que se le emplea
en países como Inglaterra, Estados Unidos y Francia—
casi no tenía aplicación en México en aquella época ni
aun hoy. Era su padre un modestísimo comerciante en
el giro de abarrotes y más tarde ocupó algunos cargos
administrativos. La misma trayectoria recorrerá su hijo
José. Las peripecias de su infancia, adolescencia y juventud las ha contado él mismo con gracia y humor de-
liciosos en uno de sus más interesantes libros, el primero
que lo acreditó como excelente prosista: *Apuntes de un
lugareño*. Esta obra tiene no sólo una innegable validez
artística, sino también importancia decisiva para conocer
la vida y el temperamento de su autor.

Junto con su padre se sumó a la revolución de Madero que dió al traste con la dictadura porfirista y ambos fueron recompensados con sendos cargos: a los dos
los ascendió el nuevo régimen en las respectivas posiciones que antes habían ocupado en la recepción de rentas del estado. Poco después, en 1912, el futuro novelista pasará a ser secretario particular del gobernador Miguel Silva y con él corrió la suerte del maderismo. Tras
varios incidentes y algún episodio que estuvo a punto
de restarle tiempo para contarlo, volvió a Tacámbaro
y al modesto comercio de abarrotes en un tendajón propio. Las experiencias comerciales por su cuenta y riesgo,
le servirán para escribir, años más tarde, su deleitosa
segunda novela: *Desbandada*. En 1917 volvió a la política y fué elegido representante por Michoacán a la
convención constituyente que aquel año dió a México
la carta fundamental que aún rige. En 1919 se trasladó
definitivamente a la capital federal. Ingresó en la redacción de *El Universal* y transitoriamente desempeñó otro
cargo político que propició su estrecha amistad con Alvaro Obregón, a la sazón Presidente de la República.
Pasó después a trabajar en el Ministerio de Relaciones

Exteriores hasta que en 1930 fué enviado a Barcelona como Cónsul General de México en España. Allí permaneció hasta 1934. Después de una corta estancia en México, volvió a España con el mismo cargo. En 1936, el general Lázaro Cárdenas lo nombró Ministro Plenipotenciario en el Brasil y tres años más tarde lo ascendió al rango de Embajador en La Habana. Con tal categoría residió en la capital antillana hasta 1945. Durante el último lustro, dió a luz una de sus mejores novelas, *Rosenda*, y ha publicado varios opúsculos y conferencias.

La carrera literaria de José Rubén Romero se inició siendo el autor todavía adolescente, y como la inmensa mayoría de los escritores hispanos, comenzó escribiendo versos. Desde 1908 en que aparecieron sus *Fantasías* hasta 1932 en que publicó su primer libro importante en prosa, dió a luz siete libros de versos, de los cuales, el que mayor reputación le valió fue *Tacámbaro* (1922) pero el que él más estima parece ser *Versos viejos* (1930). A partir de esta última fecha no ha vuelto a cultivar la poesía. En la intimidad Romero usa de un chusco símil para explicar esta renuncia al verso, pero es excesivamente gráfico y elocuente para reproducirlo aquí. Pero la esencia de su teoría la expuso en la *Breve historia de mis libros,* con estas palabras:

"Con el tiempo, los hombres nos avergonzamos de haber producido cierto tipo de poesía rimada; se necesita una gran vocación para llegar a viejo con la lira a cuestas. Todos hemos versificado en la juventud y al llegar a la madurez o a la culminación de una carrera universitaria, el camino se bifurca y del poeta surge el historiador, el ensayista, el novelista o el filósofo. ¡Qué pocos hombres han tenido el valor de renunciar a una profesión lucrativa para dedicarse por entero a los versos, mostrando el contraste entre una cabeza nevada por los años y un corazón lleno de trinos juveniles! En estos instantes recuerdo a Enrique González Martínez, el mejor poeta de México, quien prefirió ser siempre poeta a médico eminente".

Como poeta, Romero no alcanzó nunca la reputación y el prestigio de que han gozado algunos de sus contemporáneos, tales como Ramón López Velarde, Carlos Pellicer, Alfonso Reyes, y otros más jóvenes.

Es posible que la crítica haya sido injusta con el poeta y acaso el silencio y el olvido a que lo mantuvo

relegado hasta la aparición de *Tacámbaro*, haya influído
en su abdicación de la poesía. Pero lo indudable es que
la vena narrativa en Romero es muy superior a la lírica
y el prosista al poeta. Es el suyo un curioso caso de
retardamiento en la revelación de la aptitud tanto como
de la vocación. Durante cuarenta y dos años, el novelista nato y el prosador genuino que en él alentaban se
mantuvieron incógnitos y disfrazados con el antifaz del
poeta. Quizá el tardío descubrimiento favoreció su obra
en prosa: por una parte, el hombre vivió la vida intensamente y el escritor maduró y se hizo mentalmente
adulto; por la otra, el cultivo de la poesía durante veinticuatro años, desarrolló en él su capacidad lírica y plástica, su dominio de la lengua, su originalidad estilística.
Son veinticuatro años de "entrenamiento" y paulatina
formación en los que poco a poco se fué gestando el
gran escritor en prosa que se nos revelará en 1932 en
Apuntes de un lugareño, en el que se nos muestra ya
maduro y en pleno dominio del arte de narrar. No fué
éste, sin embargo, su primer ensayo en prosa. En 1915
había publicado *Cuentos rurales* y en 1921 un opúsculo
titulado *Mis amigos, mis enemigos*. Pero ambos carecen
de trascendencia artística todavía, al extremo de que en
un recuento que de su obra literaria hizo el autor en
1942, los pasa por alto a los dos.

En su estudio *La evolución literaria de Rubén Romero*, Gastón Lafarga sostiene que Romero escribe como habla, que el novelista y el conversador se identifican en él. Esto es cierto. Quien haya gozado el placer
de escuchar su charla durante horas, salpimentada de
anécdotas chuscas, de cuentos picantes, de giros y expresiones metafóricas de extracción popular, de "experiencias" regocijadas o dolorosas, pero que él ameniza
con su gracia, su simpatía, su ingenio y su humor de
buena ley, habrá podido comprobar la veracidad de la
definición de Lafarga.

En 1938, mientras se imprimía la primera edición de
La vida inútil de Pito Pérez, tuvo el que escribe la fortuna de visitar a Romero durante muchos días con el
propósito de recoger en su archivo los materiales necesarios para una bibliografía. Empeño inútil. Tan pronto
se iniciaba la encantadora charla, se olvidaba uno de
toda intención de trabajo o de búsqueda de datos. La
fuerte intuición artística de Romero le había hecho concebir grandes esperanzas en la novela que entonces se
imprimía a la que consideraba su mejor creación. Leída

por el autor en el manuscrito original conoció el que escribe, el *Pito Pérez*. Fué aquélla una "experiencia" única. Rubén Romero es un lector formidable y un gran actor. Hubiera podido ser un excelente cómico. *Pito Pérez*, leído por su creador, adquiere una dimensión cómica y lírica, humorística y regocijada, superior a la que la obra en sí misma contiene. Romero interrumpía la lectura para añadir comentarios marginales, chascarrillos y anécdotas que no figuran en la obra, y el embelesado escuchante apenas distinguía entre la lectura directa y las apostillas que el autor iba poniéndole al margen. Era como si el oyente asistiera a la prístina creación de la obra, de tal manera se borraban las fronteras entre lo ya creado y las improvisaciones que sobre la marcha de la lectura añadía el autor. Entonces pensé —y sigo pensándolo— que Romero, a semejanza de los juglares medioevales, de los payadores gauchescos y de los "lectores del *Martín Fierro*" de fines del siglo pasado en la Pampa argentina, hubiera podido ganarse la vida con lecturas al gran público del *Pito Pérez*. Habría sido un delicioso espectáculo en el que colaboraran el talento del creador y el arte del lector con el del actor. Cuando más tarde leí la acertada definición de Lafarga, pude comprender su innegable exactitud.

En su *Breve historia de mis libros* que leyó en la Habana en 1942, ha narrado Romero las peripecias atingentes a la publicación de casi todas sus obras y el destino que las acompañó. En este opúsculo como en casi todos sus libros, encontrará el lector referencias autobiográficas de gran interés y con frecuencia de subido color exegético. A pesar de lo mucho que sobre él se ha escrito, nadie hasta ahora nos ha dado su fisonomía moral tan justamente aquilatada como nos la entregó él mismo en un autorretrato que tituló "Yo soy así" y que reproduzco aquí por ser poco conocido fuera de México:

"Como un pavo real soy vanidoso;
hago alarde de cosas que no tengo;
en el amor soy falso y caprichoso;
cobarde, ante el peligro me detengo.

Suelo ser indiscreto o mentiroso;
de toda ofensa sin piedad me vengo,
e indiferente al bien, por perezoso,
con malas artes a vivir me avengo.

Tal soy; y en el exceso, sin reparo.
Mas, a veces —contrito lo declaro—
quisiera, desoyendo mi egoísmo,

enseñar lo que mi ánimo atesora:
una gran compasión para el que llora
y un poco de rigor para mí mismo."

Una autodefinición similar encontraremos al final

de *Tacámbaro:*

"¿Soy bueno? ¿Soy malo? Yo no me lo explico,
amo a Don Quijote y sigo a Sancho Panza;
la virtud invoco cuando el mal practico,
pero a veces siento que me purifico
en la propia hoguera de mi destemplanza."

En estas breves autoetopeyas se nos ha desnu-
dado moralmente Romero con un candor y una sinceridad de que pocos escritores serían capaces. Y no es
que sean mejores ni más nobles ni más puros. Son
sencillamente más hipócritas y más cobardes. Este primer autorretrato nos devuelve su imagen con la fidelidad de un espejo, lo mismo las flaquezas que narra
en los cuartetos que el aliento de piedad y de *sympathy* con el que el soneto concluye. Ambos extremos
se dan en él y ambos son igualmente reales por más
que parezcan contradictorios. Nuestra ñoña y mojigata
moral de hoy se alarma y hace aspavientos hipócritas
ante este desenfado y esta ausencia de pudibundez.
Ella disimula las picardías, pero no admite que se les
llame por su nombre en público.

Romero es un escritor de rancio abolengo. Por
el temperamento, por la inclinación, por los temas y
por la peculiar manera de enfocarlos, es un novelista
que entronca directamente con la picaresca española
y con José Joaquín Fernández de Lizardi, pasando
por "Facundo" y "Sancho Polo". Los temas y las formas picarescas sólo se dieron en América con cierta
lozanía en los dos principales virreinatos: México y
Perú. En este último país adquirió formas y expresión
originalísimas debido al genio creador de Ricardo Palma, cuyas "tradiciones" están saturadas del espíritu
y del ambiente de la picaresca. En México el género
se mantuvo más fiel al modelo español. En los demás
países hermanos casi no se ha producido ningún novelista de este tipo con la posible excepción de Roberto
J. Payró, en la Argentina.

Todas las novelas de José Rubén Romero son de filiación picaresca por más que difieran en varios sentidos de los modelos clásicos porque el mundo en que se enmarcan es muy distinto al que en la España de los siglos XVI y XVII dió origen a la picaresca, y también porque la fuerte personalidad del autor les imprime el sello de su originalidad. Pero aun haciendo todas las salvedades que el momento, el ambiente y la robusta individualidad del autor imponen, todavía sería necesario ubicar las novelas de Romero en la vieja y fecunda corriente picaresca. Con ninguna otra modalidad novelística guardan estas obras una tan estrecha consanguinidad. Y es que dados el temperamento, el genio, la educación, la filosofía de la vida, los gustos, el individualismo volteriano y anárquico que definen la personalidad del autor, Romero no hubiera podido cultivar ningún otro género de novela más que la picaresca. Hay aquí una especie de determinismo o predestinación que el autor no hubiera podido eludir aunque se lo hubiera propuesto. El no buscó las formas ni los temas picarescos como ha hecho otro compatriota suyo, Artemio del Valle-Arizpe, para quien el mundo de los pícaros es un tema erudito, buscado y explotado como materia histórica y ambiental más que entrañablemente sentido. Tampoco se da en Romero el caso de don Diego Hurtado de Mendoza —si es que algún día llega a comprobarse que fué él el autor de *Lazarillo*— y de Cervantes. Para éstos el ambiente picaresco era un tema estético, un motivo de inspiración, objetivo y ajeno a su mundo intelectual y moral, por más que a base de él escribieran sendas novelas de imperecedero mérito. Algo similar le ocurrió en nuestros días a don Ramón María del Valle Inclán con las guerras carlistas, las liturgias católicas y los motivos y la lengua populares.

Lo picaresco en José Rubén Romero es otra cosa mucho más íntima y cordial. El no anda a caza de asuntos picarescos para en torno a ellos bordar filigranas estilísticas, a lo Valle Inclán, o escribir amasijos eruditos en un lenguaje arcaizante y falso como hace Valle-Arizpe. Si Romero gusta de presentarnos este ambiente de picardía y estos personajes despreocupados, escépticos, cínicos y estoicos, es porque él los lleva en sí mismo. Así ve él la farsa social, política y religiosa; así, egoísta, hipócrita y tonta ve él a la humanidad, y así la retrata. Este buen humor, esta gracia jocunda a veces, a veces triste; esta simpatía por los desvalidos, por los que sufren las injusticias de los poderosos; esta burla desengañada y escéptica que ríe de los prejuicios y se mofa jocosamente de los convencionalismos sociales tanto como de los *tabús* morales de nuestro mundo de privilegiados y de víctimas; esta filosofía horra de ilusiones, realista hasta la crueldad; un poco fatalista, un poco estoica y cínica —como la de todo pícaro auténtico—; todo esto que integra y define al héroe picaresco, no lo ha encontrado Romero por las aldeas de Michoacán por modo fortuito. Lo ha descubierto allí y en todas partes porque lo llevaba muy enraizado en su espíritu y en su temperamento. El pícaro alentaba en el alma de José Rubén Romero antes de plasmarse en sus novelas. En él, como en Torres Villarroel, la actitud frente a la vida y la visión que de ésta tiene el pícaro, son vivencias propias, valores íntimos, personales, que perfilan su temperamento y su carácter. En su caso, los temas y las formas que emplea y su propio mundo interior, son de una afinidad sorprendente. Por eso se funden y se identifican tan estrechamente en sus novelas. De ahí que Romero ande —él mismo— mezclado siempre y confundido entre los personajes de ficción que pinta. No hay una sola novela suya en la que él no aparezca inmiscuido y apenas disfrazado bajo la apariencia de un carácter ficticio. A veces como en *El pueblo inocente*— es una especie de *split personality* que se bifurca o divide entre dos protagonistas. Allí don Vicente y Daniel no son más que dos versiones o variantes —dos etapas cronológicas— del autor. Daniel es el Romero adolescente en tanto que don Vicente no es más que el Romero de cuarenta y cinco años, cargado ya de experiencia y de sabiduría vital.

Esta absoluta identificación entre el autor y sus personajes, entre su mundo interior y el mundo objetivo creado por su fantasía, explica esa impresión de espontaneidad, de naturalidad, de cosa real y vivida más que imaginada, que las novelas de Romero dejan en el lector. Esa íntima fusión entre el autor y sus criaturas explica también el hecho de que Romero pueda escribir sin grande esfuerzo de meditación, improvisando al correr de la pluma, por así decir. El mismo nos confiesa en la *Breve historia de mis libros* que *Apuntes de un lugareño* no fué ni siquiera escrita sino dictada y aun se conserva el nombre de la taquígrafa

que la copió. "Entre las cuatrocientas páginas que yo
dicté de los *Apuntes de un lugareño* —dice— hay solamente dos escritas de mi puño y letra". En una confe-
rencia titulada "En torno a la literatura mexicana"
recogida en su último libro, *Rostros,* Romero cuenta una
deliciosa anécdota relacionada con cierto joven y can-
doroso norteamericano que se proponía investigar sus
"métodos de escritor". La anécdota es en extremo valiosa para conocer tanto los procedimientos de Romero
como la ingenuidad del reportero. En este trabajo afirma el autor:

"Desde mi primer relato, llamado *Nico,* inspirado en aquel
mandaderillo de mi casa, que comenzaba sus comidas por los frijoles, "por si después no le cabían", hasta los personajes de *Rosenda,* mi estilo es el mismo. Quizás esto obedezca a que los escritores mexicanos somos poco estudiosos y nos contentamos con lo
que nos da el ambiente reducido en que nos movemos. Pensamos
que perdemos el tiempo leyéndonos unos a otros".

La conclusión a que Romero llega respecto a la
inmutabilidad de su estilo es falsa. Si su estilo no se
ha renovado, no es por las razones que él apunta, sino
porque nació ya formado, porque ha encontrado al fin
su camino, tanto en la forma como en los temas, y
desviarse de ellos equivaldría a renunciar a lo que le
es propio y congénito para incurrir en una apostasía
literaria que lo desvirtuaría y le restaría autenticidad.
Ya se cometen demasiadas supercherías literarias por
toda nuestra América en el cándido afán de remedar a
Europa. Y uno de los méritos más sobresalientes de
la labor de Romero consiste en haber sido leal consigo
mismo y con su público. Por eso precisamente es uno
de los novelistas más leídos en México y fuera de él
hoy.

La labor novelística de Romero es toda ella de
genuina filiación popular dentro del marco picaresco.
El autor se siente más próximo al pueblo que a los
círculos aristocráticos y a las altas jerarquías políticas
en cuyo ambiente se ha movido desde que empezó
a escribir novelas. En todas ellas lo que nos pinta es
el ambiente popular michoacano y la psicología de los
humildes. Sólo por excepción aparece en sus obras un
rico o un poderoso, y eso para denunciar su injusticia
o su egoísmo, nunca para ensalzarlo ni para rendirle
homenajes. Tampoco adula ni idealiza a la masa a la

que con frecuencia enristra su ignorancia, su estupidez, su fanatismo y su incapacidad para regirse a sí misma y hacerse justicia. Pero es evidente que su amor y sus simpatías caen siempre del lado de los desvalidos y de los que sufren. El pueblo intuye esta inclinación y le es fiel, lo mismo que se ha mantenido leal a Lizardi, por idéntica razón, por más de un siglo.

Durante treinta años, José Rubén Romero vivió en íntimo contacto con los campesinos y aldeanos de Michoacán y se familiarizó con sus peculiaridades idiosincrásicas y lingüísticas, con sus hábitos y costumbres. En Cotija de la Paz, en Morelia, en Tacámbaro, en Pátzcuaro, en Santa Clara del Cobre, en Ario, y demás pueblos michoacanos, vivió y observó Romero a los humildes y a los ricos, a los curas taimados, a los políticos trapisondistas, a las muchachas a caza de marido, a los militarotes ensoberbecidos, a los derrotados de la vida que destilan su dolor y su desencanto en una filosofía desilusionada y triste, y a los que de su miseria y sus penas escapan por la vía del pulque, del mezcal o del tequila, según la cuantía que su desmedrada bolsa atesore escasos cobres o alguna moneda de plata. Toda esa humanidad sufrida y mísera, o arrogante y despiadada que retrata en sus novelas, la copió de la realidad en que transcurrieron sus primeros treinta años. Luego, al trasladarla a sus novelas, le insufló un aliento de poesía sin por ello desvirtuarla, idealizándola o deprimiéndola, antes bien copiándola con el verismo y la crudeza con que su retina la percibió. Pero la fantasía del poeta que jamás se ha inhibido en Romero, la anima y la recrea en un marco paisajista de muy noble calidad lírica y plástica, al mismo tiempo que el novelista condensaba y exprimía los más valiosos jugos del alma popular. Por eso Pedro de Alba, en uno de los estudios más enjundiosos que sobre el autor se han escrito hasta ahora, *Rubén Romero y sus novelas populares*, ha podido decir:

"Rubén Romero dibuja caracteres inconfundibles, mueve el material humano con soltura y destreza; da aire de realidades a cuanto ocurre en sus libros, avalora su ambiente con el calor del paisaje y con los sentimientos de los personajes; condiciones fundamentales de un verdadero novelista".

"La calidad extraordinaria de este escritor consiste en que nos va incorporando a su caravana y nos va haciendo partícipes de sus actos y de sus pensamientos, y cuando menos lo sospechamos nos envuelve en su ambiente subjetivo y lo seguimos con interés vigilante y cordial. No se trata de la amenidad superficial, hay algo profundo que nos cautiva".

*   *   *

Apuntes de un lugareño, su primera novela, apareció en Barcelona en 1932. ¿Puede llamarse novela este libro escrito a base de recuerdos y peripecias reales, hechos históricos y trivialidades autobiográficas, en el cual la enorme multitud de personajes que por sus páginas desfila son todos verdaderos, históricos, y aparecen retratados con sus respectivos nombres propios y desempeñando el papel que en la realidad política y social les tocó hacer? Desde el autor y sus progenitores, pasando por el doctor Miguel Silva, gobernador de Michoacán, Francisco I. Madero, Pascual Ortiz Rubio y Amado Nervo hasta Pito Pérez, que ya desde esta primera tentativa persigue al autor, el cúmulo de caracteres que en este libro aparecen retratados son auténticos. Ni uno solo es contrahecho o imaginado. A ninguno se le disfraza con nombre fingido ni se le trueca o desfigura su función política, su profesión o su oficio. A lo sumo se exageran o se disminuyen su respectiva importancia, sus méritos o sus defectos. Por otra parte, el impulso que dictó este libro distaba mucho de obedecer al puro deleite estético según la confidencia que el autor le hizo al que escribe en 1938 y que cuatro años más tarde, omitiendo nombres propios, confirmaría en su *Breve historia de mis libros*, en donde afirma:

"Mi primer libro en prosa fué los "Apuntes de un lugareño", que dicté en Barcelona, ausente de la patria, recordándola a toda hora. De los desvanes obscuros de mi memoria fui extrayendo recuerdos de infancia, ropas raídas por la miseria, prendas inútiles, retratos cubiertos de polvo, miniaturas de mujeres, rotas por el olvido y paisajes arañados por la mano cruel del tiempo. Al evocar estos años de mi vida, tan lejos de mi pueblo, emocionábame profundamente, pero no me interesaba describirlos. Quería pasar por ellos de prisa, para llegar a los ca-

pítulos de las ingratitudes políticas y desahogar la amargura de
mi destierro. Entonces, de un soplo apagué las lámparas que
ardían en el altar de mis más caros afectos y que, sin merecerlo,
iluminaban los retratos de todos mis amigos desleales".

Apuntes de un lugareño guarda, pues, cierta analogía con *El águila y la serpiente* en cuanto es inclasificable y en la circunstancia de haber sido escrita a
base de recuerdos, de personajes reales y de acontecimientos y sucedidos autobiográficos e históricos. Mas
cualquiera que sea el rótulo bajo el cual los peritos de la
bibliografía lo encasillen, lo cierto y lo importante es que
estos *Apuntes* constituyen una lectura deleitable y provechosa a la vez. El libro tiene un marcado carácter
autobiográfico y está escrito en primera persona, como
todas las novelas de Romero. Todo el acontecer de la
obra gira en torno al narrador; pero este egocentrismo
se aproxima ya más a la técnica de la novela picaresca
que al culto del "yo" romántico. Picaresca es también
la visión que de la realidad mexicana nos deja el autor
en esta su primicia novelística, no sólo por la técnica
y la filosofía de la vida que contiene, sino también
por el estilo de raíz popular, por las anécdotas chuscas,
por la crudeza con que retrata tipos y costumbres, por
la malicia y el humor regocijado.

Como en un *film* cinemático, asistimos aquí al diario
devenir de la infancia, de la adolescencia y la juventud
del autor-protagonista. Nada extraordinario ocurre en
esta vida vulgar, maguer trajinada, debido a la inesta-
bilidad económica de su familia y a los altibajos de la
política provinciana en las postrimerías del porfiriato.
Inocentes aventuras y de:venturas de adolescente pobre
que se asoma a la vida; donosos recuerdos de la
infancia, desdichas de párvulo escolar en una época y
en un medio en que los métodos pedagógicos se redu-
cían a una sola máxima: "la letra con sangre entra".
Más tarde, la algarada maderista a la que el autor se
incorpora con su padre y con otros amigos michoacanos,
pero sin que ocurra ningún hecho bélico digno de mención ni se destaque ninguna personalidad de recia
contextura como las que más tarde surgirán; luego sus
experiencias como secretario del gobernador del estado
que le permiten observar las artimañas de los capita-
listas, el alto clero, los políticos cambia-casacas y los
generalotes sin conciencia, es decir, los puntales del ré-

gimen anterior que, apoyándose mutuamente y en tácito acuerdo, darán al traste con el inocente Francisco I. Madero y su gobierno.

Tal es el contenido de este interesantísimo libro. Aquí y allá aparecen toques paisajistas cuya importancia estética realza la imaginación poética del autor y como apropiado telón de fondo, el ambiente pueblerino sobriamente diseñado. Pero todo ello encerrado dentro del marco de la realidad histórico-social, sin vulnerarla, sin exaltarla ni adulterarla, antes bien captándola con un verismo tan agudo que sólo el regocijado sentido de humor del autor, su gracia, su chispa y el hálito de poesía que la animan, la libran de parecer irremediablemente vulgar y sórdida. Y es precisamente el contraste y la desproporción entre la endeblez del tema y el interés y la amenidad de la narración, lo que nos da la medida de la talla artística de José Rubén Romero ya desde este primer ensayo.

Desbandada (1934) más que novela "es una sucesión de cuadros", como el propio autor lo califica, escrita con amor y basada en los recuerdos y experiencias de su vida de abarrotero en Tacámbaro durante cinco años. Es la más corta de las novelas de Romero y una de las más bellamente escritas. El estupendo paisaje que circunda a la pequeña ciudad, le proporciona ocasión para escribir algunas de las páginas de mayor colorido y plasticidad que podríamos encontrar en ninguna de sus novelas. Con el ambiente social de Tacámbaro, con sus costumbres y sus rancheros circundantes se familiarizó Romero y los amó quizás más que los de ninguna otra aldea en que vivió. Por eso a ratos esta novela adquiere una discreta tonalidad poemática y alienta en ella cierta velada nostalgia.

Dice Gastón Lafarga en el estudio citado:

"Romero perfecciona la técnica de uno a otro libro. Vigoroso en cada capítulo es débil en el conjunto de cada novela. Fábula a base de sucedidos, anécdotas y conversaciones, evocados por un poeta en prosa, por un narrador que da a cada pasaje y, a veces, a cada período, el valor de una obra completa. Así es muy difícil llegar a un fin gigantesco. El autor escribe para su propio halago y entretenimiento de sus amigos".

Esto es aplicable principalmente a *Desbandada* y también a *Mi caballo, mi perro y mi rifle*. La estructura de estas novelas es deficiente; los episodios y las anécdotas, los cuadros paisajistas y los chascarrillos valen más que el conjunto. Son como esas iglesias del barroco mexicano en las que los detalles escultóricos y ornamentales son primorosos, pero la arquitectura es pobre. Así estas novelas de Romero. Es que en él priva el conversador sobre el novelista y su obra escrita no es más que una prolongación de su arte de narrar *viva voce*. Excepciones son *El pueblo inocente, Pito Pérez* y *Rosenda,* su última creación, en las cuales se nota una trama mejor coordinada y desarrollada con más arte. Por eso son sus tres novelas de más recia envergadura y las que probablemente alcanzarán vida más longeva.

Las peripecias autobiográficas, lo mismo que la personalidad íntima del autor, su particular manera de ver la vida y sus prejuicios, tanto como sus simpatías, forman parte integrante de cada una de las novelas de Romero. En todas ellas el autor dramatiza episodios de su vida o se introduce él mismo bajo la máscara de algún personaje supuestamente ficticio. Ya apunté el desdoblamiento de su propia personalidad en los dos principales protagonistas de *El pueblo inocente,* aparecida en 1934 también. Es ésta la más trabajada y la mejor urdida de sus tres primeras novelas, y también la de mayor contenido psicológico y filosófico. El montaje está mejor planeado y los caracteres dibujados con mayor precisión. La nota humorística se torna más abundante y adquiere trascendencia; el perfil picaresco se agudiza y la trama se desenvuelve con lógica y naturalidad.

Como en las dos anteriores y en la siguiente, el protagonista y narrador de *El pueblo inocente* es un adolescente imberbe todavía. (El autor parece tener cierta predilección por esta edad juvenil, optimista y confiada en la que el hombre empieza a asomarse a la vida). Asistimos aquí al despertar del instinto erótico y a los primeros encontronazos del héroe con la realidad. Pero a semejanza del *Don Segundo Sombra* de Güiraldes, en *El pueblo inocente* el protagonista y narrador pasa a un segundo término opacado por la prestancia artística de don Vicente, su mentor y compañero de aventuras. Como en la magistral creación de Güiraldes, Romero ha colocado junto a Daniel, héroe juvenil, un anciano sirviente que es su guía y consejero; pero mientras Daniel permanece un poco indefinido y borroso, como corresponde a su condición de adolescente, la personalidad de don Vicente adquiere pleno desarrollo y acaba por absorber el interés del lector, no obstante que hay otros muchos personajes bien sorprendidos y esbozados con rara habilidad.

Don Vicente, además de ser algo así como el *alter ego* del autor, encarna el espíritu del pueblo y la idiosincrasia un poco marrullera y taimada del campesino universal que todo lo aprendió a golpes de dura experiencia. Por su boca fluye la sabiduría de los que se han graduado en la escuela del infortunio tras mucho bregar con la propia fortuna. Al acervo común de la filosofía vulgar, don Vicente añade el rico emporio de su larga vida de septuagenario. Todos los oficios le dejaron alguna enseñanza provechosa —menos el de mozo de estribo— pero ninguno logró destruir su natural regocijado ni abatir su carácter. Su buen humor lo salva de la misantropía que los años y la pobreza van filtrando en el alma de los ancianos. Como símbolo perfecto de la experiencia y del espíritu populares, don Vicente habla sentenciosamente y con frecuencia intercala metáforas, apólogos, cuentos, símbolos y refranes que hacen de su verba una modalidad expresiva rica en matices, pintoresca y salpimentada con las expresiones ni muy pulcras, ni muy académicas a que Romero es aficionado. Don Vicente desciende directamente del tronco picaresco español y es una de las más felices creaciones que el autor nos ha dado hasta ahora. Con *Pito Pérez* y *Rosenda* forma la trilogía de caracteres más vigorosos y bien definidos de su abundantísima galería.

El tema de la Revolución reviste escasa importancia en las tres primeras novelas de Romero. En la cuarta, en cambio, ocupa lugar preponderante. Como las tres anteriores, *Mi caballo, mi perro y mi rifle* (1936) se publicó también en España. Los primeros capítulos nos ponen en antecedentes de la vida del futuro insurgente. Respiramos al principio el ambiente doméstico en donde vegeta este niño enfermizo y triste. Asistimos luego a la escuela de don Severino en la que su madre desea "que estudie con los niños decentes". Más que escuela de primeras letras era la de don Severino academia de injusticias y asiento de irritantes privilegios. De ella salió el párvulo hecho un rebelde y doctorado ya en infortunios que lo predisponen contra el orden establecido. Tras las peripecias escolares, vienen los años de juventud, opacos, aburridos y tristes. Sólo un picaresco episodio, discreta y sobriamente narrado, influye de modo decisivo —y desdichado— en la trayectoria vital del protagonista. Secuela inevitable fué su matrimonio tan disparejo como el de sus padres, sólo que al revés, puesto que su indeseada esposa le duplica la edad. Esta jugarreta del destino, lo hace aún más huraño, más inconforme, abúlico y replegado sobre sí mismo, hasta que la proximidad de la Revolución se le aparece como una liberación. Desde el primer momento se incorpora a ella. Unas semanas de convivencia en los campamentos y en penosas jornadas con los revolucionarios, le bastan para darse cuenta de lo que es la Revolución por dentro. Hace la campaña de Michoacán y participa en varios episodios bélicos, pero el entusiasmo original ha decaído mucho en él ahora que ha visto de cerca la deleznable contextura moral de muchos "libertadores". No es que el ideal se haya desprestigiado a sus ojos ni que haya amenguado su fervor por la justicia de la causa, pero el contacto con los revolucionarios le ha dejado un regusto de decepción y un sedimento pesimista. La Revolución está vista aquí en sus aspectos menos dignos y heroicos. El humor sano y gozoso del autor, sorprende aspectos risibles y ridículos que describe con donosura regocijada. A veces aparece la sátira quevedesca, como por ejemplo, cuando describe la superabundacia de generales y el desconcierto que reina en las filas libertarias debido precisamente a esta mezcla de altas jerarquías castrenses. Mas su sátira apunta siempre a los poderosos, a los que a la sombra de la Revolución se aúpan y acrecen su peculio privado lo mismo que contra los que usufructuaban el régimen porfirista. Su visión de la Revolución es tan desencantada y escéptica como la de Azuela, Guzmán, Vasconcelos, López y Fuentes, Muñoz y todos los que sobre ella han escrito novelas de algún mérito.

Ninguno de los muchos caracteres que Romero ha dibujado, tuvo una tan larga gestación como Pito Pérez. Aparece ya perfectamente delineado en la primera novela —*Apuntes de un lugareño*— y más tarde en *El pueblo inocente* sin que su fisonomía moral se haya alterado en nada. (No recuerdo si participó también en las pláticas del tendajón de *Desbandada*.) Pito Pérez era un perdulario que deambulaba por las aldeas michoacanas a quien Romero se encontró varias veces y llegó a intimar con él. Era un truhán que parecía arrancado a

las páginas del *Periquillo* o de cualquiera de las novelas
picarescas del período clásico español. Romero conserva dos retratos suyos que yo he visto y, efectivamente,
el aspecto físico lo hermana con Lazarillo, Rinconete
y Estebanillo. Como buen pícaro, Pito Pérez era también
filósofo y ambas características sedujeron a Romero. De
ahí que al morir Pito Pérez, el estrafalario personaje
se le convirtiera al novelista en una especie de obsesión
que le perseguía demandándole atención. Era, como los
personajes de Pirandello, un carácter en busca de autor
que lo plasmara. Romero lo presenta con no escaso relieve en las dos novelas precitadas, pero Pito Pérez
no estaba satisfecho y exigía un libro, y a la postre se
salió con la suya. A base de esta vida picaresca y humilde, pero que tenía sorprendentes afinidades filosóficas
y éticas con el autor, escribió Romero *La vida inútil de
Pito Pérez* (1938), la más popular de sus novelas y la
que mejor lo define. De sus cuatro primeras novelas se
han hecho tres ediciones de cada una de ellas; de *Pito
Pérez*, en cambio, se han hecho ya seis, lo cual acredita
la buena acogida que tuvo entre los lectores desde que
apareció. Otro detalle significativo y revelador. Apenas
se había puesto a la venta la obra cuando ya la gente
empezó a llamar "Pito Pérez" al autor, lo cual prueba la
afinidad y la identificación entre creador y personaje.

Pero ni siquiera con la novela que le consagró en
1938 quedó Pito Pérez complacido, y dejó en paz a su
creador. En la *Breve historia de mis libros*, Romero le
consagra tres páginas a este carácter en las cuales nos
explica la génesis del libro. Oigámosle:

"Estas disquisiciones vienen a cuento de que, como ya dije,
una vez me sentí académico y preparé con suma paciencia un
libro pesado y confuso.

"Vivía yo en Río de Janeiro y frecuentaba el trato de Hernández Catá, entonces Ministro de Cuba, a quien cierto día, después de un copioso almuerzo, le leí unas páginas inéditas. El
gran Alfonso comenzó a escucharme sonriente y acabó dormido
bajo la obscura arquería de mi prosa de piedra. Esa noche rompí
el original sin el menor remordimiento y volví a ser yo, el mal
pensado de siempre, el mal hablado, el refranero, el zafio, ¡pero
yo!, con mi prosa que, quizás huela a establo, pero que hace reír
o llorar a los pastores y a los mesoneros.

Y para situarme en el corazón de mi parroquia y correspon-
der al favor de mis viejos lectores, me puse a hilvanar de prisa,

en unas cuantas noches de velada, *La vida inútil de Pito Pérez,*
ese personaje medio real, medio ficción, que he clavado en mi
sementera como un espantapájaros para que no vengan otros go-
rriones a comerme el poco trigo de mi fantasía.

"Pito Pérez existió. Aun se descubren por los caminos de
Michoacán las huellas de sus zapatones; aun vibran en las calles de Morelia las campanas que pregonaron su triunfo y su
derrota. En mi libro, las travesuras regocijadas fueron de él;
la tristeza de su vida es toda mía. De él los donaires y el
ingenio; de mí, la rebeldía y la audacia de llamar a las cosas
por su nombre y de dar a los hombres su intrínseco valor.

"Pito Pérez se ha servido de mí, y yo he abusado de Pito
Pérez. El, desde la eternidad, me dió su vida para que yo la
contara como un divertimiento agradable. ¡Y qué hice con tan
inocente legado! Servirme de Pito Pérez para gritar por su boca
mis propios sentimientos, para llamarle ladrón al rico, déspota
al gobernador, avieso al cura, tornadizas a las mujeres y noble
y generoso a Nuestro Señor el Diablo. Cierro los ojos y veo
pasar a Pito Pérez, como un fantasma melancólico. Va envuelto
en sus mismos harapos y mueve la cabeza con pesadumbre, como
si me dijese:

"—¿Y qué he ganado yo con tus blasfemias y el mundo con
sus rebeldías? Los ricos ultrajan como siempre al pobre y éste,
como una paradoja increíble, para poder vivir, sigue dejándose
matar por cosas que no le incumben ni le interesarán nunca. Y
una interminable procesión de Pitos Pérez viene detrás de mí,
cargando con el alma muerta y llevando a rastras la carroña del
cuerpo, como un barco desarbolado. ¡Tú pretendiste hacer mi vida
inútil, y lo que has hecho es inútil mi muerte!"

"Pito Pérez está en lo justo y yo me avergüenzo de haber
prolongado su vida, para irrisión de las gentes, en un libro que
el tiempo se encargará de matar.."

Y cuatro años más tarde, en 1946, todavía volverá
sobre el tema con *Algunas cosillas de Pito Pérez que se
me quedaron en el tintero,* amén de pasajeras alusiones
diseminadas en otros muchos escritos. Es, sin duda, el
carácter más afín con la idiosincrasia del autor y aquél
que él más ama. En Pito Pérez descubrió Rubén Romero, no sólo las travesuras y bellaquerías características de los héroes de la picaresca, sino también una es-

pecie de símbolo de la filosofía y del espíritu populares, además de una actitud volteriana y cínica que se conjugaba perfectamente con la suya propia. De ahí el cariño con que lo creara y la predilección que por él siente. Pito Pérez es uno de los escasísimos caracteres que sobreviven —y sobrevivirán al autor— en el fárrago de centenares de novelas que en México se han publicado en las últimas dos décadas. Del naufragio del tiempo en que tantos miles de personajes de ficción han perecido y nadie recuerda ya, Pito Pérez, don Vicente y Rosenda, se mantienen a flote y puede asegurárseles larga vida, particularmente al primero.

Ni don Vicente, ni Pito Pérez, ni ningún otro carácter menor de filiación picaresca, ni el propio Romero, responden fielmente al concepto de los héroes picarescos clásicos. Mucho más próximos a ellos se encuentra el Periquillo que Pito Pérez. En primer lugar porque la vigorosa personalidad del autor es demasiado fuerte para ajustarse fielmente a los lineamientos de ningún género ni modelo. En segundo lugar, porque los tiempos son otros muy distintos y muy diferentes también la filosofía de la vida y la actitud que han engendrado en las masas frente a la iglesia, a las instituciones sociales, a los poderosos, etc. En los pícaros de José Rubén Romero —y en el autor mismo— persiste la doble corriente filosófica que define al pícaro de antaño: la estoica y la cínica, pero ha desaparecido por completo la proclividad sermonera y moralizante, tan falsa, tan artificial, y por ende, tan impropia, tanto en Guzmán de Alfarache y otros coetáneos suyos como en el Periquillo. Esta ridícula y soporífica moralina es una superchería, un elemento adúltero, apócrifo, ficticio y totalmente extraño al legítimo espíritu de la picaresca. Es un añadido espurio impuesto por la atmósfera de terror y de fanatismo que trajo la contrarreforma. En la primera novela picaresca —primera en el tiempo y primera también en el mérito— el *Lazarillo de Tormes*, escrita antes de que en Trento se declarara la guerra a la inteligencia, a la razón y a la bondad, no existen esos interminables sermones con que Mateo Alemán y Lizardi nos abruman y ponen a dormir. Rubén Romero tomó la corriente picaresca en su fuente original y le devolvió su prístino desenfado, su humor agridulce, regocijado a ratos, a ratos triste, su realismo descarnado, su gracia y su ligereza, despojándola de toda esa bastardía moralizante, aburrida y contraproducente, con que

el espíritu de la contrarreforma afeó y desprestigió la
literatura hispánica desde fines del siglo XVI. Del original conservó la actitud estoica y el influjo de los cínicos antiguos que se acoplan perfectamente con su propia filosofía, y le añadió el espíritu volteriano, iconoclasta,
satírico y mordaz, propio de nuestra época. De ahí que
los héroes picarescos de Romero sean más filosóficos que
Lazarillo, Guzmán, Estebanillo, Pablos, Rinconete y demás cofrades del ilustre gremio de la picardía.

Ignoro si don Vicente vivió realmente en Ario, en
Morelia, en Cotija de la Paz o en algún otro pueblo
michoacano, pero me inclino a creer que sí porque Romero rara vez inventa sus personajes. Su fantasía creadora en este sentido es muy limitada. El no *crea* sino
recrea literariamente los caracteres que ha podido observar en el ambiente social. Desde este punto de vista,
guarda una estrecha analogía con Martín Luis Guzmán,
siendo tan disímil de él en otros muchos aspectos. Es
probable, pues, que don Vicente existiera de verdad.
En su caso, como en el de Pito Pérez, su creador se
identificó con él y le insufló su propio gracejo y travesura, le prestó su donaire y su simpatía por los menese-
rosos y por los que sufren. A diferencia de Azuela, de
López y Fuentes, de Magdaleno, de Ferretis y de la
mayoría de los novelistas mexicanos contemporáneos
en los que apenas se descubren elementos autobiográficos en sus producciones, las novelas de Romero están
saturadas de experiencias personales y de episodios de
su propia vida. Lo real y lo imaginado, lo biográfico y
lo fingido, están en sus novelas tan estrechamente fun-
didos que resulta muy arduo distinguir la línea divisoria
entre lo realmente acaecido y lo imaginado. Realidad
y fantasía entran por partes iguales en la argamasa de
sus novelas.

Así el caso de su última creación importante, *Rosenda* (1946). ¿Se trata aquí de una de las tantas aventuras amorosas del autor que *mutatis mutandis* ha novelado, o de una trama imaginada y fingida toda ella? Me
inclino a lo primero. Hay demasiados detalles coincidentes con el carácter y con las actividades de Romero,
y la protagonista está retratada con demasiada finura
emotiva para que sea un ente de ficción pura. Mas esto
carece de cuantía artística; lo que sí la tiene y muy cre-
cida es el hecho de que Rosenda sea uno de los más in-
delebles caracteres femeninos que hasta ahora figuran
en la novela mexicana. Las mujeres, por lo general, no

salen muy bien libradas de las novelas de José Rubén Romero. El concepto que de ellas tiene no es superior al que los hombres le merecen. Rosenda es la excepción a la regla, y por serlo, y porque en ella supo su crea-dor infundir un soplo de poesía que no desvirtúa en nada el realismo de su concepción, es uno de los caracteres más firmes que hasta ahora nos ha dado el autor.

Pero no solamente Rosenda, el personaje, es una excepción, sino la novela misma. Por de pronto es la obra de Romero en que menos elementos picarescos in-tervienen; luego se trata de una novela de amor —único caso entre las seis o siete obras de este género que hasta el presente ha publicado. Es también la obra más *seria* del autor, quiero decir que en ella los elementos humor, sátira, broma, burla, chascarrillos, cuentos más o menos crudos, y todo el arsenal de truhanerías con que nos deleita y hace reír en sus otras producciones, están poco menos que ausentes de *Rosenda*. En esta obra, de trama sencilla y con muy limitado número de personajes, el autor concentra su interés en el dibujo de la protagonista que poco a poco se va perfilando hasta dárnosla viva y palpitante, noble, leal, abnegada y tierna en su rústica ingenuidad y hermetismo. La evolución psicológica que en Rosenda se opera mediante el milagro del amor es lógica, humana, y se desarrolla con una naturalidad con-movedora. Es ésta una feliz visión retrospectiva en la que se percibe una cierta añoranza, un tenue y discreto velo de melancolía. Es una remembranza gozosa a la que la pátina de los años ha añadido un sutil velo de poesía delicadamente triste. Se intuye fácilmente que Romero ama más y mejor a su criatura literaria de lo que amó a la mujer de carne y hueso que le sirvió de modelo para crear el más bello carácter femenino que ha forjado su fantasía. Como ha dicho José Luis Mar-tínez:

"*Rosenda* es acaso el relato más afortunado y perfecto de José Rubén Romero. Con recuerdos personales y en uno de los estilos narrativos más sobrios y eficaces de nuestra novelística actual, crea poéticamente un bello personaje lleno de sencillez y abnegación que enaltece los rasgos originales de la mujer mexi-cana".

Por rebasar el marco del ambiente michoacano en el que se ubican todas sus otras novelas y por romper el molde picaresco y realista que hermana a todas sus

otras producciones, se comenta ahora la novela o narración más inusitada de José Rubén Romero, *Anticipación a la muerte*, aparecida en 1939. Es el libro más
insólito que ha escrito, pero muy mexicano por el tema
y característicamente suyo por la forma en que lo trata. El tema de la muerte es el más común y familiar
que se encuentra en la vida y en la literatura mexicanas. Sobre este asunto podría escribirse un interesantísimo libro de psicología social mexicana. Cuatro factores
intervienen en esta predilección del pueblo mexicano
por la muerte y en la familiaridad con que la trata. En
este punto coinciden las religiones primitivas, con la católica. Esta última, con sus liturgias mortuorias; su concepto fúnebre de la vida; su reducción a la muerte y a
la trasvida de todo lo que en ésta es amable, y su constante recordatorio de que hemos de morir, llevaron al
alma del mexicano esta concepción lúgubre de la vida.
Por su parte, las religiones precortesianas de México
también rendían culto a dioses feroces, como Huitzilopochtli, por ejemplo, en cuyos altares se celebraban ritos
bárbaros y cuya cólera debía aplacarse con sacrificios
humanos. Ambas religiones mantienen al indio en perpetua contemplación de la muerte. Luego el hambre, las
enfermedades y el trato de los blancos explotadores han
hecho la vida odiosa para el indio y el mestizo, y la
muerte un fenómeno diario, un hecho consuetudinario
para el mexicano. Por último, la historia de México ha
sido terriblemente sangrienta y ha contribuido a fami-
liarizar al pueblo con la muerte. De ahí la indiferencia,
la confianza, la intimidad con que el mexicano se codea
con la muerte y hasta la exalta y la conmemora en ju-
guetes, comestibles, expresiones folklóricas, etc.

A la luz de este ambiente y de esta tradición hay
que juzgar la narración de Romero a que ahora se alude,
la cual tiene también antecedentes muy significativos en
España desde la Edad Media. Pero ni siquiera lo tétrico del tema desvirtúa o amengua el sentido de humor
del autor ni destierra su jocosidad ni su intención satírica. En esta fantasía hay hilaridad y burlas, ironía y
volterianismo como en todos los demás libros suyos, pero
casi no podemos llamarlo novela. Nadie mejor que el
propio autor ha descrito el espíritu de estas páginas:

"Anticipación a la muerte" es un viaje a ultratumba con billete
de ida y vuelta, porque de otra manera no hubiera yo podido con-

tar lo que vi detrás de esos prados azules en donde pacen las estrellas.

"Un deleite morboso indújome a escribir estas páginas, como espectador de mí mismo, en el proceso de descomposición de mi carne. Y sentí el tránsito plenamente, desde la repugnancia por los gusanos que invadían mi cuerpo, hasta la desesperación angustiosa de dejar a los míos. Sin embargo, pude corroborar que la Muerte no es tan temible y que así como podemos ir a ella con sólo quererlo, también podemos regresar de ella, como yo lo hice.

"El libro tiene una honda sinceridad y, al escribirlo, sentí realmente el frío de lo ignoto, y la presencia augusta de mis muertos que calentaron mi espíritu aterido, con la brasa de su eterno amor".

Las demás publicaciones en prosa, tales como *Una vez fui rico, Semblanza de una mujer, Morelos, Viaje a Mazatlán, Cómo leemos el Quijote, Rostros,* etc., son producciones de varia índole ajenas al tema de este libro de carácter monográfico. *Una vez fui rico* es la única que podría considerarse como novela, pero es la más endeble y de menos alcance artístico de todas sus narraciones. No son, sin embargo, desdeñables estos trabajos de Romero. En todos ellos se filtra la personalidad del autor, su filosofía de la vida y de la muerte, su peculiar humor agridulce y su propensión satírica y regocijada. En casi todos ellos hay referencias autobiográficas que son valiosos auxiliares para conocer e interpretar acertadamente al hombre y al autor. El último de sus trabajos permanece inédito todavía en el instante en que se escriben estas líneas: es el discurso (?) o disertación que leyó el día 14 de junio del presente año de 1950 en el Palacio de Bellas Artes con motivo de su promoción al rango de académico de número de la Academia Mexicana de la Lengua. A pesar de la solemnidad del acto, presidido en esta ocasión por el Presidente de la República, Romero deleitó a la numerosa audiencia con su arte de gran lector, con su ingenio picaresco, con sus chanzas donairosas y sus alusiones satíricas que como dardos bien disparados iban a clavarse en los flancos de los políticos trapisondistas y manidos y en los entorchados de los generales revolucionarios, a pesar de que ambas faunas estaban generosamente representadas en la concurrencia. Como siempre, empezó por hacer chiste y burla de sí mismo y acabó por reír y hacernos reír de sus ilustres colegas académicos, pero todo ello envuelto en la magia de su travesura, de su agudeza y de su gracejo, por lo cual reían también los aludidos.

Ya con ocasión de *El águila y la serpiente* se hizo referencia al estilo de Romero. Es uno de los encantos mayores de su labor novelística. No tiene la concisión ni el vigor descriptivo del de Azuela, ni la uniformidad elegante y refinada, ni la capacidad épica del de Martín Luis Guzmán, pero es uno de los más originales, plásticos y discretamente poéticos que en México se cultivan hoy. En Romero se funden admirablemente lo popular y lo culto, las formas habladas por los rancheros y aldeanos de Michoacán, con las que su fantasía de poeta le sugiere. Este feliz maridaje de símiles y metáforas de origen culto y poético y de gran fuerza expresiva con giros y léxico de legítima extracción popular, define su personalísima modalidad estilística. Hay en Romero una capacidad de humor y de burla sandunguera, de simpatía contagiosa y de chanza picaresca, poco menos que única en lengua castellana hoy. Los dos elementos integrantes de su estilo pueden descubrirse en Valle-Inclán o en Gabriel Miró, por ejemplo, pero ambos carecen de los otros factores mencionados. El estilo de Romero no es tributario de ningún otro ni de nadie. Es legítimamente suyo, autóctono, tanto en sus bondades como en sus chocarrerías, si bien en la tendencia al empleo de expresiones de grueso bulto, escatológicas a veces, y de chistes de subido color, ha sido probablemente influído por toda la tradición picaresca española y lizardiana. Esta es la única influencia que en su manera de escribir —y de hablar— se descubre.

Capítulo XV

Gregorio López y Fuentes

A semejanza de José Rubén Romero y del noventa por ciento de los prosistas hispánicos, López y Fuentes empezó escribiendo versos y a los diecisiete años publicó la *Siringa de cristal* (1914). Todavía reincidirá en las formas poéticas hasta los veinticinco con *Claros de selva* (1922). A partir de este año, convencido a tiempo de que las musas no le eran propicias, les volvió la espalda y se consagró a la prosa que es la forma que mejor se aviene con su temperamento y sus aptitudes de narrador.

Nació Gregorio López y Fuentes en la región de la Huasteca veracruzana en 1897. Era hijo de un modesto agricultor, que traficaba en el negocio de ganado y poseía, además, un pequeño tendajón de abarrotes en el que el futuro novelista se familiarizó con muchos de los tipos campesinos que aparecen retratados en sus obras. Su infancia y su adolescencia transcurrieron, pues, en el campo, en contacto con peones y arrieros, indios y mestizos, circunstancia que le permitió conocer íntimamente la vida rural de la Huasteca veracruzana, aunque hasta ahora no ha publicado ninguna novela de tipo rural propiamente dicho. Las dos que más se aproximan a esta clasificación son *El indio* y *Los peregrinos inmóviles*, pero ambas emparentan más con el género que se ha dado en llamar "novela indianista" o "indigenista" que con la denominada "rural".

Su padre quiso que estudiara la carrera de maestro y habiendo hecho los estudios preliminares en la provincia, pasó luego a estudiar en la Escuela Normal de Maestros en la capital federal. Allí lo sorprendió "el cuartelazo" o traición de Victoriano Huerta, que derribó al gobierno del presidente Madero y lanzó más tarde al autor al campo de la Revolución. Según se ha dicho, López y Fuentes formó parte de las huestes carrancistas entre 1914 y 1916. Pero a López y Fuentes no le atraía

la pedagogía ni la política. Su verdadera vocación eran
las letras y a ellas se ha consagrado desde entonces.

Desde su primera juventud Gregorio López y Fuentes se vinculó al periodismo del que no ha desertado
hasta hoy. De él ha hecho una profesión durante treinta años y ha recorrido toda la escala, desde el anónimo
reportaje, colaborador, autor de cuentos ya firmados con
su propio nombre que publicaba *El Universal Gráfico,*
luego director del mismo, y por último director de *El
Universal* —de la misma empresa— que es uno de los
diarios más influyentes de México, cargo que aún desempeña al escribirse estas líneas. López y Fuentes es
periodista de profesión y novelista de vocación. Este
maridaje es fácilmente perceptible en su labor novelística y la ha perjudicado mucho, como a la de tantos
otros congéneres mexicanos del pasado y del presente.

Su primera narración fue *El vagabundo,* aparecida
en 1922 en las páginas de *El Universal Ilustrado.* Dos
años después dará a luz *El alma del poblacho.* En este
mismo año de 1924 empezó a publicar en *El Gráfico*
un cuento cotidiano que titulaba *La novela diaria de la
vida real.* Esta sección del periódico tuvo un gran éxito,
y le ganó numerosísimos lectores durante varios años.
En ella López y Fuentes dramatizaba día a día los sucesos criminosos que leía en los partes policiales. Fué éste
una especie de "entrenamiento" que le proporcionó el
dominio de la técnica del cuento y facilitó el de la novela. Pero en realidad le ha sido perjudicial porque le
habituó a escribir sin graves preocupaciones por la forma ni por el contenido, y a concebir la novela y el
cuento como tarea volandera, intranscendente, destinada
a entretener por unas horas al lector y ser olvidada
como toda faena periodística. Desarrolló también en el
autor la fácil improvisación y la tendencia a escribir novelas con la misma despreocupación por los valores
estéticos y psicológicos con que bordaba su cuento diario
sobre los dramas que la crónica policíaca le deparaba.
Más tarde publicó en el mismo *Gráfico* un cuento sema-
nal mucho más meditado y desenvuelto con mayor finura.

Hay novelistas en quienes predomina el literato o
forjador de estilo sobre el narrador. Tales los casos de
Azorín y de Miró, en España, y en el momento actual
en México, Agustín Yáñez y Miguel Angel Menéndez.
En otros se conjugan perfectamente las dos potencias:
así Martín Luis Guzmán y José Rubén Romero, en los

que ninguna de las dos categorías de valores se subordina a la otra, antes al contrario, se apoyan y prestigian recíprocamente. Todavía hay un tercer grupo: el de los narradores natos en quienes la capacidad y el propósito esenciales se centran en el relato mismo, en la creación más que en la forma o estilo en que la obra ha de plasmarse. No es que estos autores, cuando son de cierta envergadura, carezcan de estilo propio, no. Muy al contrario. Mas para ellos, el interés radica principalmente en *recrear* la vida y la cuestión de forma es valor objetivo o por lo menos supeditado. El ejemplo ya clásico en México es el doctor Mariano Azuela. A este tercer grupo pertenece también Gregorio López y Fuentes, cuyas novelas acusan inusitada capacidad narrativa a la vez que cierta despreocupación por los problemas estilísticos. López y Fuentes escribe en formas llanas, sencillas y correctas, sin dar en la manía académica ni mucho menos en filigranas de esteta. Su lenguaje es el que las personas cultas emplean en la conversación, salpimentado de expresiones populares y con frecuencia de términos indígenas. Pero carece del vigor, la plasticidad y el relieve que se descubre en las obras de Azuela, Guzmán y Romero. En esta uniforme naturalidad sin gran prestancia artística que define su estilo, es probable que haya influído mucho su hábito de escribir para el periódico.

La primera obra que acreditó a López y Fuentes como novelista de fuste fué *Campamento* (1931). Todo lo que en este género, como en el del cuento había publicado antes, no pasa de ser labor de neófito que ensaya sus fuerzas para la faena de mucho mayor alcance que luego realizaría. En 1932, cuando aún no tenía noticia de la obra realizada anteriormente por el autor, leí *Campamento*, y apunté mi impresión de ella en esta escueta nota cuyo contenido ratifico ahora:

Esta parece ser la primera novela publicada por el autor —por lo menos la primera de que yo tengo noticia. Sin embargo, la obra está demasiado bien hecha y su técnica es demasiado segura para que no haga sospechar un previo "entrenamiento" en el género. Difícilmente puede admitirse que Campamento sea el ensayo incipiente de un autor novel. A la realización de esta originalísima narración debieron preceder otras tentativas. No de otra manera puede explicarse el perfecto métier de esta singularísima creación.

Ya se ha visto que no iba yo muy descarriado en
mi suspicacia de hace dieciocho años. Intentemos ahora
una somera interpretación de esta obra de tan original
factura.

Ante todo nos encontramos frente a una novedad
técnica aunque tenga sus antecedentes más incontrovertibles en *Los de abajo* y, sobre todo, en *Las moscas*, del
doctor Azuela. De esta última arranca directamente el
montaje de *Campamento*, el ensayo más audaz que en
cuanto a ejecución técnica se ha producido hasta ahora
en la novela mexicana. En esta obra prescinde López
y Fuentes de todos los elementos que antes integraban
una novela bien urdida. No hay aquí argumento o trama
de ningún género; carece en absoluto de protagonistas;
descarta por completo el enredo amoroso; la mujer apenas hace acto de presencia en ella, y eso desconectada
totalmente de su papel o función biológica en el juego
de los sexos. Nada de esto existe en *Campamento* y, sin
embargo, la obra constituye una lectura deleitosa y en
ningún instante decae el interés. Al interpretar *Los de
abajo* se empleó el símil del *cameraman* para explicar la
técnica de Azuela. Lo mismo —y con más razón— hay
que hacer ahora con relación a *Campamento*. López y
Fuentes es un diestro *cameraman* que equipado, además,
con un aparato reproductor de sonidos, se introduce como un duendecillo invisible en este vivaque nocturno y
va recogiendo con sagaz habilidad y donoso humorismo
una larga serie de *close-ups*, de escenas chuscas que nos
mueven a risa o de episodios dramáticos que impresionan
dolorosamente.

La acción —llamémosla así— se desarrolla en una
sola noche. El lugar —ya lo indica el título— es el campamento de una columna revolucionaria. Con los últimos resplandores del ocaso vemos llegar a una mísera
ranchería la vanguardia de una fuerza rebelde, y con
los destellos del alba asistimos a la partida de la reta-
guardia. Nunca las famosas unidades de tiempo y de
lugar fueron más escrupulosamente observadas ni más
desdeñada la tercera: la unidad de acción.

Para mejor comprender la ejecución y la técnica de
esta obra, debemos conservar los símiles del *cameraman*
y del *film*. El autor recorre el campamento durante la
noche y recoge con singular penetración y maestría una
larga serie de ocurrencias y detalles, al parecer grotescos o triviales, pero en realidad henchidos de contenido
humano y en extremo reveladores para el cabal cono-

cimiento de ese gran desquiciamiento social que fué la
Revolución mexicana. Leer esta obra es como haber per-
noctado con la columna y haber presenciado las innumerables peripecias y pequeños dramas que en una noche
de pesadilla pueden desarrollarse en tales circunstancias.
En estas páginas ha quedado aprisionado un instante y
un pequeñísimo sector de la Revolución, al parecer in-
transcendentes y vulgares, pero de gran valor exegético.
Así fué la Revolución vista desde adentro, con todas sus
miserias físicas y morales, con todos sus egoísmos y sus
grandes abnegaciones. Humanidad andrajosa y adolorida, ignorante, heroica y a la vez cobarde, con frecuencia vil y a ratos noble y desprendida, que sufre y se
ofrenda sin saber exactamente a dónde va ni lo que
quiere, pero a la cual la injusticia y el maltrato de los
privilegiados ha lanzado a la trágica aventura.

Como en *Las moscas* y siguiendo fielmente la técnica del perfecto "cuadro" azuelista, López y Fuentes
nos ofrece una descarnada pintura fragmentaria del epónimo acontecimiento. El ángulo desde el cual el autor
enfoca los hechos nos permite observarlos en sus aspectos menos heroicos y en sus detalles más grotescos y
reveladores. Casi huelga decir que todo ello está visto
con cierto humorismo sano, impregnado, a veces, de simpatía por los humildes y al mismo tiempo sazonado con
la pimienta de la sátira contra los falsos líderes que de
todo hacen granjería y que explotan la Revolución como
industria muy lucrativa.

Con tan parcos elementos y con tan peregrina técnica escribió López y Fuentes su primera novela importante. Es posible que, además de las dos obras de Azuela precitadas, haya influído en la creación de esta
obra una novela rusa que años más tarde ejercerá decisivo influjo en otros congéneres mexicanos. Refiérome
a *La caballería roja*, de Isaac Babel que fué traducida
al español unos tres años antes de aparecer *Campamento*
y con antelación a la española había aparecido la traducción inglesa. La crudeza de ciertos cuadros y la
forma de agruparlos sugiere un vago parentesco con
la obra de Babel, pero esta posible consanguinidad dista
mucho de ser tan evidente como la que se descubre en
Nellie Campobello, Hernán Robleto y probablemente
en Rafael F. Muñoz.

En esta obra —como en *El indio* y más tarde en
Los peregrinos inmóviles— López y Fuentes realiza la
novela del anonimato, de lo impersonal o, con otras

palabras, la novela de masas. En ella se prescinde
hasta de los nombres propios, todos los personajes que
por ella desfilan carecen de apelativo —lo mismo que
en *El indio*. Es la perfecta novela de multitudes en
trance revolucionario. Juan Uribe Echevarría la resume
con las exactas siguientes palabras en el estudio precitado:

"El autor ha dejado fuera de sus páginas a los caudillos famosos, y a las grandes batallas con título. Pero en cambio, aparece en el relato el participante anónimo, multitudinario, sin
brillo. Así la soldadera que acompaña al rebelde en sus fatigas.
Los generales honrados y los ladrones, los que sólo roban para
sí, y los que dejan robar a la tropa sin robar ellos. Las confesiones que en las noches de campamento hacen el bandido sin re-
nombre y el pequeño agricultor, o el presidiario a quien los rebeldes pusieron en libertad, de los motivos que los impulsaron a
la revolución.

. . . .

"*Campamento* es una novela que puede situarse dentro de la
línea novelesca de Azuela, del Azuela de *Los de abajo,* por lo que
tiene de anónimo, aunque en esta obra de López y Fuentes el
anonimato de los personajes es aún más absoluto.

"Azuela crea, con Demetrio Macías, el tipo del pequeño caudillo; del guerrillero serrano que llega a general.

"López y Fuentes capta de preferencia lo impersonal, lo que
dicen todos, y todos pueden decir".

Un año después de *Campamento* apareció *Tierra*
(1932). Es la mejor novela que hasta hoy se ha
producido inspirada en el agrarismo o zapatismo. La
Revolución se fraccionó en tres grandes sectores —aparte
otras fracciones menores que a la postre fueron absor-
bidas por aquéllos. Cada uno de estos sectores tenía
su caudillo que le dió nombre a su grupo: el carrancista o constitucionalista que fué el que en definitiva
triunfó porque fué el reconocido —y ayudado— por
los Estados Unidos; el villismo, y el zapatismo o agrarismo, conocido también por "revolución del sur", en
oposición a los otros dos movimientos que se gestaron
en el norte. Cada uno de estos sectores y sendos cau-

dillos cuenta con una serie de novelas y novelistas que han dramatizado sus hazañas. Hasta el presente nadie ha superado a López y Fuentes en la presentación que del agrarismo realizó en *Tierra*.

Ábrese esta novela con una escena campera en la hacienda del latifundista y acaparador de tierras don Bernardo González. Nos encontramos en el año de 1910, postrero del porfirismo e inicial de la Revolución. A poco andar nos percatamos de que asistimos a la encomienda superviva. Unas cuantas páginas le bastan al autor para ponernos en autos del estado de servidumbre y vasallaje en que viven el infeliz indio y el peón —blanco o mestizo. A los cien años de independencia política, el campesinado mexicano se encuentra todavía en plena esclavitud económica. El encomendero de antaño hase transformado hogaño en latifundista y en cacique político, es decir, en perfecto señor feudal en pleno siglo XX. Sus puntales son la ignorancia y la incapacidad de la masa, el ejército y la iglesia. La corrupción política que pone a su servicio la fuerza pública, y el régimen tiránico que necesita apoyarse en el caciquismo local, mantienen a la masa proletaria huérfana de justicia y de protección legal, y a merced del hacendado y sumida en la más espantosa miseria y, *de facto*, en la esclavitud. La iglesia aparece en esta novela simbolizada en el cura trapisondista que apoya y usufructúa la expoliación de los humildes perpetrada por el patrón, del cual es aliado.

La hacienda de don Bernardo González es un símbolo de México una centuria después de haber proclamado su independencia: arriba, en la cúspide de la pirámide social, un pequeño grupo de grandes terratenientes, comerciantes, industriales, generales y altos dignatarios eclesiásticos que gozan de suculentas rentas; abajo, una inmensa muchedumbre haraposa y hambrienta, inmanumisa todavía, a pesar de la epopeya libertadora y de las guerras y constitución de la Reforma. De pronto, en el patio de la hacienda del potentado se oye un ¡Viva Madero! Y el grito preñado de anhelos redentores encuentra eco en el alma campesina que lo repite esperanzada en toda la región sureña.

Los diez capítulos de esta novela no llevan otro rótulo que el año en que los acontecimientos en ellos descritos tuvieron lugar. 1911, 1912, 1913. Ha triunfado la algarada maderista. Se ha derrumbado la antigua dictadura; pero la situación del peonaje no ha variado. El campesino sigue fertilizando con su esfuerzo y con su sangre tierras que no le pertenecen y su mísera existencia sigue siendo tan precaria y angustiosa como bajo el régimen caído. Para él todo ha sido una burda farsa. El latifundista, el cacique, el alto clero y los generales han sabido maniobrar a tiempo y entre sus poderosos tentáculos ha quedado extrangulada la tímida tentativa reformista del bueno cuanto inepto don Francisco I. Madero. Pero el fermento revolucionario y la rebeldía contra la secular injusticia han prendido en el alma popular. Empiezan a sonar los nombres de algunos líderes aureolados de ansias redentoras. Entre todos hay uno que encarna el anhelo común: el hambre de tierra y de libertad. Para estos infelices indios y campesinos, la tierra lo es todo, y a ella está vinculada su vida y su esperanza. El privilegio y la corrupción lo despojaron de ella y con la tierra, el acaparador le robó el albedrío y lo redujo de nuevo a la esclavitud económica. Los ejidos comunales han desaparecido y con ellos el pequeño feudo de los inermes propietarios. De la turba revolucionaria, sin ideales ni programa concreto, se destaca un nombre que es un símbolo: Emiliano Zapata. Es un hombre todo instinto, intuición pura, poco menos que analfabeto, pero en su parca ideología se resume la aspiración campesina: la necesidad de recuperar la tierra que sustenta y la libertad que ampara. De los varios centenares de generales y líderes de la Revolución mexicana, ninguno encarnó tan fielmente las ansias reivindicadoras de las grandes masas desposeídas como este caudillo sureño. En su escueta y simple fórmula "Tierra y Libertad", se cifraron los anhelos y las esperanzas de los humildes. De ahí su popularidad y el prestigio de que gozó durante aquella década trágica. De ahí también, el aura de fervor popular que nimbó su nombre desde el instante en que fué asesinado a traición en uno de los actos más odiosos y repugnantes que registra la historia de México, perpetrado por uno de los subordinados del tenebroso general Pablo González y, según se ha afirmado, por su orden o con su anuencia.

Entre los campesinos de Morelos y las montañas sureñas, el nombre de Emiliano Zapata sigue siendo hoy día, a los varios lustros de su muerte, un programa y una bandera. Apenas desaparecido, la leyenda se apoderó de él y la fantasía popular, por mucho tiempo reacia a aceptar como cierta la noticia de su muerte, lo ha incorporado a su folklore y a su tradición. Durante las noches plateadas de las montañas meriodionales, la imaginación rural lo ve todavía cabalgando en su caballo bélico, con su amplio sombrero y su blanca vestimenta como a uno de sus manes más dilectos.

Tierra, por consiguiente, es la novela de la Revolución mexicana vista a través del agrarismo personificado éste en Emiliano Zapata. La acción se desarrolla entre 1910 y 1920. A grandes rasgos traza López y Fuentes los altibajos de este aspecto de la gran conmoción. El autor se mantiene dentro de una penumbra semi-histórica y semi-novelesca. Casi todos los personajes que en la obra figuran son reales y aparecen desempeñando las funciones que en el conflicto les tocó en suerte ejecutar. Pero la novela no puede clasificarse como histórica. El ambiente campesino y castrense, lo mismo que la psicología del indio, están retratados con veracidad y vigor y la acción se desenvuelve con rapidez y concisión, en un estilo directo y horro de galas estilísticas, pero enérgico, eficaz y hasta dramático cuando las peripecias del argumento así lo demandan.

Así como *Campamento* desciende de *Las moscas*, *¡Mi general!* (1934) habría que clasificarla como novela política post-revolucionaria, género que inició Martín Luis Guzmán con *La sombra del caudillo*. Aunque las dos novelas son muy diferentes y la de López y Fuentes es completamente original, no creo aventurado afirmar que éste había leído la creación de Guzmán y hasta es posible que se haya dejado impresionar por ella, sugiriéndole, acaso, algunos detalles. Posible es también que el éxito que tuvieron las tres primeras novelas de José Rubén Romero hayan sugerido a López y Fuentes la temática picaresca y la forma autobiográfica para escribir *¡Mi general!* Pero aunque así haya sucedido la originalidad de esta novela queda completamente a salvo. Las insinuaciones que de Guzmán y Romero pudo haber recibido, no invalidan su novedad ni su personal tratamiento del tema.

¡Mi general! es la novela del desencanto revolucionario. Del anonimato de *Campamento*, el autor ha pasado al extremo opuesto, a la forma autobiográfica, la más personal e individualizada de todas. Es que tanto la novela como el protagonista-narrador están concebidos dentro del marco de la picaresca y la forma autobiográfica es la que mejor se adapta a este género

de narraciones. La Revolución y la post-revolución están
vistas ahora a través de la conducta de este pícaro
con uniforme y estrellas de general, cuyas trapisondas
y las de sus colegas resultan trágicas para el país y
terriblemente onerosas. Desde los primeros capítulos
nos percatamos de la intención veladamente satírica
del autor. La forma autobiográfica y el humorismo que
en esta obra se prodiga mucho más que en las dos
anteriores, le permiten a López y Fuentes poner en solfa
y desenmascarar a los falsos revolucionarios, a los que
de sus "servicios a la causa" hacen alcabala y granjería. El héroe de ¡Mi general! es un ente de ficción
sin duda, pero en él deben haberse visto retratados
centenares de pretendidos revolucionarios. Cualquier
lector familiarizado con la política mexicana posterior
a 1916, podría dar nombre propio al protagonista, pues
este personaje se llama legión en la vida real. Su meteó-
rica trayectoria y su poco edificante conducta, en nada
difiere de los muchísimos personajillos que en el México
de las últimas décadas han sido "prohombres" de su
vida pública y hasta presidentes.

En la evolución de esta vida, descubrimos cuatro
etapas. Primero aparece el héroe en su ambiente natural:
un distrito rural en donde el futuro jefe de partido
se ocupa en modestas faenas de ganadero y pequeño
agricultor. A poco lo encontramos incorporado a la Revolución en la que alcanza el grado de general. El
titulillo y el regusto por la vida holgada y sin esfuerzo
impídenle volver a su rincón y a sus tareas. Ya le ha
tomado el gusto a la profesión jugosa y muelle de la
política. Es diputado, jefe de partido y personaje de
gran predicamento aunque poco menos que analfabeto.
(La cultura estorba. La pistola y la marrullería bastan).
Pero una nueva asonada subversiva en la que se ve
envuelto, le priva de su alcurnia política, de sus sucu-
lentos haberes de general y le reduce a la miseria. Del
contraste entre sus ambiciones y la vida regalada a la
que ya está acostumbrado y su presente condición de
pobre diablo, surge el legítimo héroe de novela picaresca. Hasta ahora existía más la pillería política
que la picardía. Ahora el protagonista tiene que inge-
niarse para ganar el mendrugo y le vemos descender
hasta convertirse en matón y guardaespaldas de otro
"prohombre" tan pillo como él lo había sido. Hay
en esta novela humor sano, ironía y sátira contra los

Judas y fariseos de la Revolución, contra todos los que
la han falseado y explotado.

Ya se ha hecho alusión al interés que la· Revolución
despertó por el indio y por los temas indigenistas. A
López y Fuentes le cabe la gloria de haber iniciado
la novela "indigenista" o "indianista" mexicana. Antes
de él se habían publicado algunas tentativas que no
alcanzaron resonancia ni lograron despertar interés por
el tema en otros autores. López y Fuentes, por el
contrario, echa los cimientos del género indianista
que en el momento actual es la variante novelística más
y mejor cultivada en México. Así como Azuela creó la
novela revolucionaria y la dotó de una técnica propia,
y Martín Luis Guzmán creó la novela política, Gregorio
López y Fuentes creó la novela indianista. De *El indio*
(1935) arranca el interés por este tipo de novela y
su cultivo con cierta dignidad artística. Quizás el hecho
de que la obra de López y Fuentes fué traducida al
inglés y publicada en New·York en 1937, y también
en Londres, y al año siguiente al alemán y publicada
en Leipzig, contribuyó a despertar interés en México por
los motivos indigenistas. Mas lo indiscutible es que López y Fuentes no gozó de estos estímulos antes de aparecer *El Indio*, ni necesitó de ellos para escribir su más
famosa creación. El influjo de la escuela de pintura rural, en cambio, sí me parece incontrovertible. Los verdaderos antecedentes o precursores de *El indio* hay que
buscarlos en los grandes frescos de Orozco, de Rivera,
de Siqueiros, Mérida y demás pintores que durante los
tres lustros anteriores habían plasmado el espíritu de
la Revolución en gran número de cuadros murales en los
que el indio, su historia y su vida de paria explotado
y vejado, constituían los temas centrales de estos formi-
dables frescos.

El indio, pues, señala el punto de partida de una
nueva fase de la novela mexicana y a la vez la culminación de una técnica que se había iniciado con el
doctor Azuela. Desde este punto de vista, *Campamento*
y *El indio* son las dos obras más audaces y revolucionarias del autor y de la novelística mexicana anterior y
posterior. Todo lo que respecto a la técnica de *Campamento* se dijo es aplicable a *El indio* y debe suponerse
dicho aquí también. El procedimiento es exactamente el
mismo; lo que varía ahora es la temática. Sólo en otra
novela ulterior —*Los peregrinos inmóviles*— volverá López y Fuentes a emplear el anonimato, la masa imper-

sonalizada como protagonista; pero el radicalismo de la
técnica en esta última obra está mucho más atenuado
que en *El indio*.

Esta novela podría considerarse como una discreta
síntesis de la historia mexicana vista a través de las
vicisitudes de una ranchería indígena. Ignoro si tal fué
la intención del autor al escribirla, pero así la interpreto.
No se necesita mucho esfuerzo imaginativo para descubrir en el episodio inicial un símbolo de la avaricia y
la crueldad de los conquistadores, en tanto que los incidentes que se suceden hasta la etapa final, bien pudieran representar el calvario que la vida del indio ha
sido durante los últimos cuatrocientos años. López y
Fuentes conoce bien la vida indígena —sobre todo la de
los náhuatl y otomíes— sus tradiciones, costumbres y
leyendas, y en *El indio* logró dramatizar con arte y
vigor la vida de una comunidad india en la región
montañosa del centro.

Lo que en esta novela interesa al autor no es el
individuo sino la tribu —la masa. Una humilde ranchería
le sirve de tema y a la vez de protagonista. Contra el
telón de fondo de las agrestes montañas, se destacan
estas míseras figuras embrutecidas y depauperadas por
siglos de hambre y de maltrato. Montaraces y cimarro-
nes, temen al blanco y huyen de él como los ciervos
de la jauría perseguidora. Contra las incursiones y los
abusos de los blancos, su único refugio fué la sierra
inhóspita y helada, pero menos enemiga que el hombre
cristiano. Hacia el final del libro describe López y
Fuentes las reformas que la Revolución introdujo en la
región, reformas que en nada han beneficiado al indio.
Por un lado los líderes que lo explotan y traicionan, por
el otro el cura que también los explota y los fanatiza.
Entre ambos poderes, el civil y el eclesiástico, el indio
sigue siendo víctima después de la Revolución lo mismo
que antes de ella. López y Fuentes no parece vislumbrar solución para este problema esencial de México.
La única que señala por boca del maestro hacia la mitad
del libro es más idealista que práctica. El maestro no
cuenta con "las impurezas de la realidad", es decir,
con el egoísmo y la crueldad del hombre civilizado.
Las conclusiones finales del libro son de un escepticismo
deprimente y el indio parece condenado a seguir siendo
paria en su tierra.

Aunque desde 1935 se han publicado varias novelas
indigenistas de subido mérito, ninguna hasta ahora

ha superado a *El indio*, López y Fuentes consiguió darnos en esta obra un retrato cabal de la psicología india, de sus costumbres, sus tradiciones, su economía, sus fiestas y modos de vida apenas modificados por un vago sincretismo religioso que no ha ahuyentado a los dioses paganos. La técnica que en esta novela emplea no le permite el desarrollo de caracteres individualizados, pero en cambio propicia el diseño del cuadro colectivo, y le ayuda a dibujar la idiosincrasia racial. Desde el punto de vista técnico es quizás su novela más perfecta.

Dos años después de *El indio* apareció *Arrieros* (1937), una de las novelas de más nítido carácter folklórico y rural que hasta ahora se han publicado en México. En ella recoge López y Fuentes los recuerdos y enseñanzas de su adolescencia y juventud transcurrida entre campesinos —arrieros y labradores— y la abundante filosofía popular que de los labios de esta gente sabia y tosca, escuchó. En su acostumbrado estilo sencillo, natural y llano, narra el autor este cuento intrascendente, sin argumento y sin hechos extraordinarios, sin episodios ni personajes novelescos, y sin embargo, interesantísimo todo él. La novela toda no es más que un relato amenamente escrito de la vida y experiencias cotidianas de los arrieros de la Huasteca veracruzana que trasiegan los productos y mercancías de la zona montañosa a la baja y viceversa. Nada raro ni sorprendente ocurre en esta obra. Asistimos en ella a los hechos comunes y vulgares de esta vida trajinada de los arrieros con sus escasas y desagradables sorpresas de lluvias torrenciales o tempestades que desbordan los arroyos y hacen más riesgoso el tránsito por los malos caminos de las montañas. Ni siquiera los sobresaltados encuentros con salteadores o con la policía, como ocurre en *Astucia* o en *Los bandidos de Río Frío*, por ejemplo. Todo en esta obra es consuetudinario: los mismos hombres, los mismos tendajones, las mismas hosterías en este eterno vaivén de péndulo que es la vida de los arrieros, oscilando monótonamente entre las tierras altas y las bajas. Sólo el arte de narrador genuino de López y Fuentes salva esta obra de la monotonía y la mediocridad.

Y sin embargo, con tan parcos elementos el autor ha escrito una de sus novelas más entretenidas y ha creado uno de los caracteres más firmes que hasta ahora ha dibujado: "Refranero". Por lo que tiene de espejo de costumbres rurales y de gente andariega y trafi-

cante, *Arrieros* entronca con la ya mentada *Astucia* de
Luis G. Inclán, con la cual guarda mayor afinidad que
con ninguna otra novela mexicana. Pero hay que añadir en seguida que la obra de López y Fuentes no le
debe nada a la de Inclán y la supera en el arte de
narrar y en el sentido crítico y en la capacidad de síntesis. Su autor es mucho más artista que el creador de
Astucia.

 Arrieros podría definirse como un admirable repertorio paremiológico. Si se exceptúa *Capítulos que se le ol-
vidaron a Cervantes,* del ecuatoriano Juan Montalvo, no
recuerdo otra novela americana más rica en refranes que
ésta de López y Fuentes. "Refranero", el carácter central
de la obra, es una especie de Sancho Panza de la Huasteca, alegre, dicharachero y decidor, cuya filosofía de la
vida y de la muerte está acuñada en infinito número
de refranes que él prodiga con arte y con gracia a cada
momento y en toda ocasión. Para cada una de las circunstancias en que sus andanzas lo colocan, tiene él
gran acopio de estas expresiones en que la experiencia
de los humildes ha acuñado su filosofía. La novela, por
lo tanto, tiene un alto valor filológico porque el refranero de López y Fuentes es original y local en buena
parte. Quizás éste sea el mérito más subido de esta deliciosa novela y sería en extremo interesante hacer un
estudio paremiológico de ella, cotejando sus dichos re-
franescos con los contenidos en otros libros españoles
e hispanoamericanos.

 Lo verdaderamente asombroso es que López y
Fuentes haya retenido en la memoria tantos centenares de refranes a pesar de los muchos años que llevaba
ya desvinculado del ambiente de la Huasteca cuando escribió la obra. Porque no es muy arriesgado suponer que
tanto el protagonista, "Refranero", como su peculiarísima verba los encontró López y Fuentes por las rutas
de su tierra natal durante los años que allí vivió y los
trasladó al libro unos veinte años después de haber
perdido de vista al pintoresco personaje.

 En 1939 escribí para la *Revista Iberoamericana* esta
referencia a *Huasteca* (1939), de la cual suprimo los
dos primeros párrafos por aludir a temas ya expuestos.
Como mi criterio sobre esta novela no ha cambiado, reproduzco a continuación la impresión que aquella primera lectura me dejó:

 "Como se ve la producción novelesca toda de
López y Fuentes surgió y se ha desarrollado a la som-

bra del periódico y esta indeseable asociación ha sido
para él tan perniciosa como para la mayoría de sus colegas mexicanos. En pocos novelistas contemporáneos
es tan flagrante este contubernio como en López y
Fuentes; en ninguna otra novela suya es tan evidente
este influjo como en la última. En cada una de sus
obras anteriores, el gran narrador que en López y Fuentes alienta, había hecho graves concesiones al periodista;
pero todas ellas se redimen por el interés de los temas,
por la habilidad en desarrollarlos y la audacia y novedad de la técnica en la que se llega a la total supresión
del argumento, de los protagonistas y hasta los nombres propios. Este era un procedimiento original y novedoso, que ningún otro autor de nuestra lengua se
había atrevido a llevar tan lejos. Contra lo que pudiera pensarse, estas novelas sin enredo ni acción ni
conflicto amoroso ni caracteres individualizados, resultan interesantísimas. El *metier* las salva y hasta las
prestigia artísticamente. En todas ellas, predomina el
creador sobre el periodista, aunque la influencia de
éste sea fácilmente perceptible.

"Desdichadamente en *Huasteca* se ha invertido el
orden de los factores: el novelista ha abdicado subor-
dinándose al periodista. De ahí que ésta sea la obra
más deleznable que hasta hoy nos ha dado López y
Fuentes. Nada en ella recuerda la agilidad narrativa
y la excelente pintura de ambiente revolucionario que
encontramos en *Campamento;* ni la integral comprensión del drama zapatista, de *Tierra;* ni la perfecta síntesis histórica que *El indio* comporta; ni siquiera aparece realizada con la rica vena fólklórica y el inagotable
refranero que ennoblecen a *Arrieros.* Todo en *Huasteca*
es incoloro y mediocre. Los caracteres apenas están
dibujados, el ambiente casi no existe, el argumento es
magro y desmañado; el estilo más desaliñado y pedestre
que en ninguna de sus novelas previas. Todo aquí parece ser producto de la improvisación y hasta del desgano
artístico, hecho a retazos, sin plan ni madurez. A ratos el lector cree estar leyendo el editorial de algún
diario mexicano contemporáneo. Por ejemplo:

"Mucho se logrará el día que la muy necesaria labor social,
sea deslindada de la política electiva. Pero este deslinde, más
difícil que el reparto de un latifundio, sólo podrá hacerlo un
legislador que no sea un político de oficio. Para ello es indispen-

sable acabar con el fraude electoral, que el voto sea respetado, que las autoridades municipales no admitan ser cómplices en la confección de paquetes electorales y que la representación del país sea verdaderamente, en tales casos, un auténtico colegio electoral".

"Nótese que no habla ningún personaje sino el autor directamente. Y así páginas y más páginas que parecen arrancadas de los artículos de fondo de *El Universal Gráfico*. Otras veces son capítulos enteros compuestos con "material de relleno"; trozos de supuestos discursos de politicastros manidos, opiniones de charlatanes de café, etc. Tales capítulos me recuerdan esos periódicos que a última hora y por falta de material, insertan pensamientos, poesías, charadas o acertijos tomados de almanaques o de cualquier parte para no dejar un extremo de columna en blanco.

"El autor no parece tener idea definida de lo que se propone hacer. El argumento es inconexo, los personajes intermitentes, el tema petrolero tratado sin vigor dramático ni dignidad artística. La técnica parece recordar lejanamente la empleada en otras novelas anteriores, principalmente en *Tierra*, pero mucho más desaliñada ahora. *Huasteca* es lo que pudiéramos llamar una novela de ocasión, como esos poemas ripiosos, sin inspiración ni emotividad, hechos de encargo para conmemorar alguna efemérides o satisfacer la vanidad de alguna muchacha coleccionadora de autógrafos célebres. La cuestión petrolera es asunto palpitante en México y fuera de él, sobre todo desde que se proclamó el decreto de expropiación. López y Fuentes parece haber creído que sobre tema tan de actualidad podría hacerse una novela de fácil venta y acaso con posibilidades de ser traducida al inglés. Y ya sobre esta pista se lanzó a improvisar *Huasteca*. Pero no es ésta la novela que el petróleo puede darnos todavía. El tema está visto y tratado aquí "en periodista" y para aprisionarlo en toda su honda significación política, económica y social es necesario olvidarse del impresionismo reportero y de la estridente actualidad del tema. Una visión más penetrante y más artística de la tragedia humana —lo económico no es más que un aspecto esencial de lo humano— que el petróleo ha significado para el pueblo mexicano, nos habría dado un drama palpitante de avaricia y sordidez, de intrigas y pugilatos internacionales, de dolor, de vicio, de miseria y de sangre proletarias. El tema se presta para una obra universal y profundamente humana y está pidiendo a gritos un creador genial que sepa aprovecharlo. En *Huasteca* parece que hubo el propósito de darnos esta fuerte visión; pero como dicho queda, el autor no logró plasmarla en realidad artística. Al contrario de las caucherías tropicales, la Huasteca espera todavía un José Eustasio Rivera mexicano que nos dé esa otra vorágine del imperialismo petrolero".

No muy superior en el mérito a *Huasteca* es la siguiente novela titulada *Acomodaticio: novela de un político de convicciones* (1943). Como ya el título indica, se trata de una obra de tesis satírica en la intención. De filiación política, *Acomodaticio* continúa la serie de novelas de este ambiente que había iniciado Martín Luis Guzmán en 1929 con *La sombra del caudillo*, prosigue con *¡Mi general!* del propio López y Fuentes y se prolongará en 1937 con *El Camarada Pantoja* y otras posteriores del doctor Azuela, a las que habría que añadir varias más que caen dentro de la misma definición de novela de ambiente político, como las de Jorge Ferretis, Mauricio Magdaleno, Juan B. García, José María Benítez, etc.

Casi todas estas novelas son de carácter satírico y más que obras de arte son panfletos de ataque contra la corrupción y el desbarajuste de los gobiernos revolucionarios. Ya con ocasión de *El camarada Pantoja* y *Regina Landa*, del doctor Azuela, se explicaron las razones objetivas que justifican la proclividad satírica de estas obras, la cual por desdicha, va haciéndose sistemática. Por haber subordinado estos autores los fines puramente estéticos al propósito reformador y docente, todas estas novelas de ambiente político son mediocres. Ningún creador puede abdicar impunemente el fin primordial de toda obra de arte. Los autores indicados han transgredido estas fronteras para penetrar en las de la moral política y en el pecado llevan la penitencia. No se pretende defender aquí la truhanería oficial que en estos libros se combate ni mucho menos se desea restarle justificación objetiva a la inquina con que todos estos autores arremeten contra la inmoralidad imperante. Pero el arte tiene sus fueros que no pueden violarse sin que la obra se desmedre. *Acomodaticio* no es excepción a esta regla y a ella puede aplicarse literalmente lo que en relación con las dos novelas de Azuela que acabo de mencionar se dijo.

Hasta el momento actual, la única obra de ambiente
político que merece el título de gran novela es la que
echó los cimientos del género, *La sombra del caudillo*,
precisamente por ser la única en la que el creador no
se subordina al satírico reformador.

En *Los peregrinos inmóviles* (1944) Gregorio López y Fuentes retornó al tema indigenista. En una serie
de conferencias que en torno a la novela mexicana
contemporánea leyó Fausto Vega en el Palacio de
Bellas Artes en junio del presente año, oí que cali-
ficaba esta novela como la más lograda del autor. Tal
calificación me parece excesiva e injusta para con varias
anteriores y aun *Entresuelo* que la siguió. Cierto que
Los peregrinos inmóviles no es tan desmañada y soporífica como *Huasteca*, pero tampoco alcanza el dinamismo y el interés de *Tierra*, ni el vigor y el movimiento de *Campamento* y *¡Mi general!* y mucho menos
el perfecto montaje y ejecución de *El indio*.

Los peregrinos inmóviles —como su antecedente,
El indio— encierra un discreto simbolismo. El tema
en las dos novelas es muy similar aunque tratado de
manera diferente. Como en casi todas las novelas indianistas mexicanas, la cronología de ésta es intencionadamente vaga. Al principio creeríase que la acción
va a tener lugar en los años post-revolucionarios, pero
luego nos enteramos de que no es así. La novela carece de argumento en el sentido en que acostumbramos
a usar el término, pero no de acción. Esta se reduce
a una serie de peripecias y desdichas de que es víctima una tribu india que en su largo peregrinar por
las montañas en busca de un lugar donde establecerse,
va dejando a muchos de sus miembros por el camino
y aun a núcleos enteros que se desprenden del tronco
común. El relato de esta odisea acaba por hacerse
monótono por la repetición de las mismas desdichas.
Cuando por fin la tribu se establece, la narración cobra
agilidad, mayor colorido y cierto dramatismo que hace
la lectura más entretenida. El final, sin embargo, es tan
desalentador como el de *El indio*. López y Fuentes no
parece vislumbrar una solución idónea para este grave
problema.

La última novela que López y Fuentes ha publicado es *Entresuelo* (1948). En ella abandona los temas indigenistas, revolucionarios o políticos, cada uno
de los cuales le había inspirado dos obras, para novelar las desdichas de una familia de la clase media

de la capital, tema de la especial predilección de sus colegas del siglo pasado. En *Entresuelo* abandona el autor también la técnica que lo hizo famoso desde *Campamento* y emplea la tradicional de la novela realista. Dentro de ésta habría que ubicar a *Entresuelo*, tanto por el tema como por la manera de enfocarlo. Es una obra que lo mismo pudo haberla escrito Rafael Delgado, López Portillo y Rojas que Emilio Rabasa, aunque López y Fuentes tuvo el buen gusto de suprimir los sermones que aquellos posibles autores le habrían añadido.

Entresuelo no desmerece junto a las novelas de los tres autores precitados y con ellos emparenta más estrechamente que con ninguna de las que previamente había escrito el propio autor. Es lo que podríamos llamar una novela intrascendente, pero bien planeada y bien desarrollada, escrita con la tradicional llaneza y corrección que caracterizan el estilo de López y Fuentes, entretenida y no exenta de atisbos psicológicos bien dibujados. No podría decirse que añada prestigio a la fama ya bien cimentada del autor, pero demuestra la versatilidad de su talento de narrador auténtico.

López y Fuentes ha traspuesto apenas los cincuenta años. Ha alcanzado, pues, plena madurez mental. Es posible —y aun probable— que su mejor obra esté por escribir todavía. De los cuatro novelistas de mayor calibre que la Revolución produjo, él es el más joven y aquél de quien hay derecho a esperar todavía obras que superen las que hasta ahora nos ha dado. Esto parece improbable ya en Azuela, Guzmán y Romero, porque los tres han rebasado los sesenta años, mas no así en López y Fuentes que es el Benjamín de los cuatro. Con la experiencia y el dominio de la técnica que posee, más su desahogada posición que le permite toda la holgura de tiempo necesaria, no es muy aventurado predecir que López y Fuentes no ha escrito todavía su mejor novela.

Capítulo XVI

Iracundia y apostasía de José Vasconcelos *

Hubo un momento en la vida de José Vasconcelos en que estuvo a punto de convertirse en "leader" y mentor de la juventud hispanoamericana. A pocos hombres se les ha abierto por aquellas latitudes un tan generoso crédito intelectual y moral como a este contradictorio, apasionado y exuberante panfletista. Muertos Rodó, González Prada, Ingenieros, Mariátegui, y silenciosos o poco menos, otros como Varona, el interés de la juventud indoamericana convergió hacia Vasconcelos, el ex-secretario de educación de México que tan honda huella había dejado a su paso por aquel ministerio. Fuimos muchos los que, engañados por el espejismo de la distancia, creímos descubrir en Vasconcelos el espíritu orientador que llenaría el vacío dejado por la muerte de los guías precitados y continuaría su rectoría. Vasconcelos tuvo su apoteosis por aquellas calendas —hacia 1925-26— dentro y fuera de México, principalmente entre la juventud letrada sudamericana.

Mas el aura de popularidad que por aquellos días lo envolvió fué de escasa duración. El propio Vasconcelos, a poco andar, nos arrancó la venda a todos. Vasconcelos sintió la atracción de las alturas y aceptó la postulación como candidato de oposición a la presidencia de la república al terminar el período gubernamental de Plutarco Elías Calles. Tras una campaña turbulenta y violentísima, resultó triunfador su contrincante, el candidato del gobierno y del único partido organizado y fuerte que existía, el Nacional Revolucionario.

Vasconcelos y sus partidarios impugnaron aquellos comicios y denunciaron su resultado como uno de los

--- --- ---

* A propósito de *La Tormenta*. Segunda parte de *Ulises Criollo*. 5ª edición. México, 1937. 590 P.

fraudes electorales más escandalosos que se habían
perpetrado en la historia de México. Sus enemigos,
por el contrario, sostuvieron la legitimidad de la elección de Ortiz Rubio. Por otra parte, mexicanos neu-
trales en la contienda, aunque inclinados a Vasconcelos
por afinidades ideológicas y culturales, nos aseguraron
que Vasconcelos habría perdido aunque no hubiesen
mediado la violencia y el fraude, ya que por una parte,
carecía del apoyo de un partido organizado y fuerte
como el P.N.R. y, por la otra, era una figura poco
menos que desconocida de la gran masa. A nosotros
el pleito —sub judice todavía— sólo nos interesa en
su carácter de experiencia personal de Vasconcelos y
como factor que influyó profundamente en toda su labor
intelectual posterior.

Vasconcelos fué siempre uno de esos temperamentos exaltados y vehementes que tanto se prodigan por
nuestras tierras, pero a partir de su campaña presidencial, esta alta tensión pasional se exacerbó hasta
adquirir perfiles poco menos que endémicos o morbosos. Ya en sus obras iniciales como *Pitágoras* (1916),
El monismo estético (1918), *Estudios indostánicos*
(1918), *Prometeo vencedor* (1921), etc., era fácilmente
perceptible esa ausencia de objetividad y de serenidad
filosófica que contrastaba con la índole de los temas
allí tratados, pero sus admiradores lo atribuían a la
fogosa juventud del autor y al caótico ambiente revolucionario en que se había movido. Vinieron luego
La raza cósmica (1925), *Indología* (1927), *Tratado de
Metafísica* (1929), *Pesimismo alegre* (1930), *Etica*
(1930), *Estética* (1934) y *Bolivarismo y monroísmo*
(1935), y la proclividad pasional, lejos de atemperarse,
se exasperó hasta la hiperestesia. Los temas por Vasconcelos preferidos, parecían revelar una vocación filosófica y un temperamento equilibrado y reflexivo; mas
la forma subjetiva y hasta atrabiliaria en que a veces
los enfoca, nos descubre al moralista destemplado y
ególatra que en él predomina. Tras la pantalla filosófica en que su obra se escuda, se vislumbra fácilmente
al panfletista desorbitado y furibundo que lo define. Estas dos tendencias —la moralizante en cuanto a intención
y contenido y panfletaria en cuanto a forma, que para
nosotros constituyen las características esenciales de su
terrible fecundidad— lejos de atenuarse con los años,
se han agravado en sus últimas obras que son ya producto de la madurez espiritual del hombre. Nos refe-

rimos a su *Historia del pensamiento filosófico, Qué es
el comunismo, Breve historia de México, Ulises criollo*
y *La tormenta,* escritos ya rebasados los cincuenta
años, pues el autor nació en 1882.

La virulencia del lenguaje, la pasión, la ofusca-
ción y la tendencia denostadora se acentúan y cobran
ya un carácter endémico con la aparición de *La Antorcha,* la revista que desde París y Madrid dirigió
en los años subsiguientes a su campaña presidencial.
Era aquel un panfleto saturado de odio y de violencia
que contribuyó mucho a su descrédito entre los hombres de cultura en la América hispana. En aquellas
páginas volcánicas se plasmaron sus dos fobias más
furibundas: el rencor contra Plutarco Elías Calles y
la inquina contra los Estados Unidos. Eran éstas dos
obsesiones que perseguían al director de la revista
y condicionaban todo lo que en ella escribía. Cualquiera que fuese el asunto que allí trataba Vasconcelos, sus argumentos remataban siempre en estos dos
temas. Al principio se creyó que *La Antorcha* continuaba la labor de los grandes destructores de tiranos
en América, como Sarmiento y Montalvo, y no faltó
quien la reputara como las *Catilinarias* de nuestra era.
Pronto se vió, sin embargo, que era una publicación
al servicio de unególatra resentido y enconado, y el
mensuario pasó a mejor vida sin haber dejado huella
en la vida espiritual de nuestros países. A Vasconcelos
se le consideró como un megalómano resentido y un
"poor loser". La violencia de sus pasiones y la acri-
monia de su lenguaje, le restaron simpatía y eficacia
a su labor que, por lo necesaria, debió ser fecunda
y provechosa.

Desde entonces, estas características han cobrado
mayor relieve aún, y no obstante los cincuenta y seis
años y las copiosas lecturas que debieron inducirle
a una mayor serenidad para enfocar los problemas,
los libros publicados en los últimos dos o tres años
evidencian precisamente lo contrario. Como una característica más, habría que señalar su incontenible y
alarmante facundia, que de continuar, lo convertirá
en el más prolífico escritor de nuestra lengua, condición
que por fortuna, va dejando de ser una virtud por
nuestras tierras. Por el momento, no existe en castellano otro escritor que tanto dé que hacer a las im-
prentas. No sólo son varios los libros que publica
anualmente, sino que muchos de ellos rebasan las qui-

nientas páginas y aun los hay más próximos a las
ochocientas que a las seiscientas. Es esta una impedimenta que irremisiblemente lo retirará de la circulación
para relegarlo a la somnolencia de las bibliotecas. En
el instante en que escribimos (1938), es el autor
que más se lee en México; pero esta boga se debe
al espíritu de animosidad y controversia que en México
predomina en este instante frente a la Revolución,
la política y la iglesia. Vasconcelos se ha convertido
en el máximo vocero de la extrema derecha y ello
le ha valido una extraordinaria popularidad. Por otra
parte, los temas de murmuración y de escándalo a que
acude en sus libros y el impudor con que expone sus
más íntimas nimiedades sentimentales o eróticas, hacen
que mucha gente lea libros como *La tormenta* con la malsana curiosidad con que se lee una novela pornográfica.
Pero dentro de cincuenta años, cuando toda esta pasión
partidarista se haya olvidado, mucho dudamos de que
a Vasconcelos se le siga leyendo como se lee a Lizardi,
por ejemplo, a más de un siglo de distancia.

No es nuestro propósito en esta nota marginal
detenernos a analizar la obra de Vasconcelos en su
doble función de escritor y de hombre público. Tal
estudio —urgente ya— requiere más espacio y tiempo
del que ahora disponemos. Nuestra intención se limita
a un rápido comentario de aquel de sus libros que más
directamente se relaciona con el tema de la novela de
la Revolución mexicana y que en cierto modo lo es:
La tormenta. Mas para que el lector poco familiarizado con la obra y el temperamento de Vasconcelos
pueda comprender lo que sobre este libro hemos de
decir, se hacían necesarias estas consideraciones previas.

Si casi todos los críticos —con razón o sin ella—
clasifican como novela *El águila y la serpiente* de
Martín Luis Guzmán, no existe motivo ninguno para
que demos otro nombre a *La tormenta*. Como la obra
maestra de Guzmán, este volumen de Vasconcelos es
complejo y no encaja exactamente dentro de ninguno
de los géneros consagrados en las clasificaciones académicas. Como aquélla, participa de la autobiografía
y de la crónica política, de las memorias y del diario
íntimo a lo Amiel —de las confesiones a lo Rousseau—
y del ensayo y del panfleto y de la diatriba periodística. Todo ello adobado con la salsa de sus experiencias y recuerdos conservados en la salmuera de sus
pasiones, rencores y fobias personales. Sin embargo,

por su forma narrativa y a veces dialogada, porque
en ella, más aún que en la estupenda creación de
Guzmán, figura un personaje central —el propio Vasconcelos— en torno al cual gira todo el cúmulo de
hechos e incidentes que el autor nos relata, dándole
todas las apariencias de un verdadero protagonista,
porque —sospechamos— en ella realidad y fantasía
se confunden aunque el autor no se percate de ello,
esta obra tiene derecho a que se la encasille en el
género novela, aunque con las reservas con que le
atribuimos tal rango al susodicho libro de Guzmán.

   La tormenta, no obstante, carece de la relativa
objetividad o serenidad que en la obra de Guzmán
se advierte. A pesar del vendaval de pasiones políticas en cuyo vórtice se mueve el autor, en *El águila y
la serpiente* echamos de ver una cierta ecuanimidad de
espíritu, un tenaz esfuerzo para elevar el tema al plano
superior de las ideas y contemplarlo en una actitud
filosófica por más que se exceda en el relieve que a
su propia personalidad se atribuye. Aunque Guzmán
no siempre logra ocultar sus propias afinidades y oje-
rizas, no puede negársele un loable propósito de sacar
el tema del plano subjetivo y personal. Lo que en él
primero nos sorprende es su gran capacidad narrativa,
su extraordinaria aptitud para el retrato psicológico,
su visión estética, pudiéramos decir, del torbellino revolucionario. Su estilo es admirable de corrección, de elegancia, de concisión y sentido del matiz. En él predomina la intención artística sobre todo otro motivo, ya
sea ideológico o de política partidarista. Con la cruda
y fea realidad del ambiente revolucionario ha escrito
Guzmán una de las obras de más aliento y contenido
estético con que México cuenta hasta ahora. De ahí
que nos impresione más como una creación artística
inclasificable que como un relato histórico. La razón
es que Guzmán emplea uno de los estilos más pulcra-
mente trabajados y poéticos que encontramos en el
México contemporáneo.

   ¡Cuán distante de esta fina intuición artística se
revela Vasconcelos en *La tormenta!* Aquí todo es
subjetivo y violento, apasionado y contradictorio, como
el propio autor. Su ego se desborda sobre cada una de
estas seiscientas páginas con obsesión ególatra y mega-
lómana. El autor se desnuda mental y moralmente —y
nos hace partícipes de sus confidencias más íntimas y
de sus actos menos edificantes. Vasconcelos es un ro-

mántico extravertido que necesita decirlo todo aunque
de esta confesión general saque el lector un concepto
poco envidiable de su personalidad. Sus veleidades amo,
rosas, sus desavenencias domésticas, sus fobias personales y políticas, sus arrebatos sexuales, sus pasiones des-
bordadas, todo cuanto constituyó su intimidad, su actividad revolucionaria y su vida sentimental y sexual por
los años de 1913 a 1920 se vierte como un torrente incontenible en este mar de páginas no siempre bellas que
es *La tormenta*. Junto a hechos y documentos históricos
surge la anécdota personal, el relato procaz de intimida,
des eróticas, el recuerdo de aventuras donjuanescas, o
pasajes de novela picaresca, todo lo cual hace del libro
algo híbrido, farragoso, sin seriedad ni fineza estética.
Vasconcelos se nos revela aquí como un romántico exaltado y en exceso locuaz, de libídine exacerbada, que
tiene demasiado prontas las lágrimas. Por cualquier nimiedad y con lamentable frecuencia llora, lo mismo des-
víos amorosos que ilusiones y ambiciones políticas desva-
necidas. Como buen romántico es egocéntrico y ególatra incurable que todo lo revierte a su ego desbordado.
Temperamento subjetivo si los hay, Vasconcelos parece
incapaz de objetivar nada, de echarse él mismo fuera de
los hechos y los temas que trata. El amor y la política,
la Revolución, sus hombres y sus ideales, todo está visto
e interpretado aquí a través del prisma de su egolatría
desaforada.

A veces notamos una total ausencia de sentido ético en estas páginas de marcada propensión adoctrinadora y no son raros en ellas los pasajes rufianescos y de
pésimo gusto. Con una impavidez limítrofe del cinismo
y de la chabacanería de los hampones, que más que
impudor denota carencia de sensibilidad estética. Vasconcelos nos agobia —y aburre— con el recuento reiterado
de sus rifirrafes con su amante, la cual le juega la cabeza con un su amigo, primero, y le abandona más tarde
para casarse con un "gringo" a quien el burlado tenorio
—según propia confesión— insulta por escrito, a tal extremo que el esposo vejado lleva el asunto a los tribu-
nales de justicia. Véase como modelo de las nobles y
elevadas reacciones que en el alma del *soi-disant* místico Vasconcelos —tan dilecto hoy a la grey ensotanada
y a la púdica "gente bien" de la extrema derecha mexicana— provocaban las veleidades sentimentales de su
barragana, el siguiente párrafo que transcribimos de la
página 409;

18

"Pero al instante hablaba la carne; rugía el macho herido...
"Si pudiera, pensaba, le abriría el vientre desnudo con una hoja
filosa", o bien con engaños habría de conducirla a Harlem para
que una docena de negros, pagados, la violaran en mi presencia".

La pasión amorosa de un escritor no nos interesa,
a menos que logre transformarla en obra de arte, dándole así sentido tracendente y humano —es decir, universal. Lo demás es puro chisme, anécdota, baratija o
zarandaja que sólo como documento psicológico y materia de análisis biográfico puede ofrecernos algún interés. Desgraciadamente el "affair" erótico o más o menos sentimental que Vasconcelos con tanta prolijidad
nos relata en este cansado libro, no rebasa los límites
de una aventura vulgar en la forma que aquí se nos
ofrece. Por otra parte, el autor no ha sabido ennoblecerlo
artísticamente. Su importancia, pues, queda reducida a
la categoría de un episodio biográfico que nos permite
analizar— y conocer— mejor el volátil temperamento del
autor tanto como su ética personal y su sensibilidad.
Cuando Vasconcelos se olvida de sus aventuras donjuanescas, de sí mismo y de sus dos implacables fobias
—los anglosajones y Plutarco Elías Calles— cosa que
sólo muy de tarde en tarde ocurre, su narración se hace
instructiva y amena, sin carecer de mérito literario e
histórico. Por desdicha, el libro tiene más de desahogo
agresivo y de panfleto airado que de exégesis ponderada
de los hombres y de los hechos de la Revolución. A
pesar de sus aficiones a la filosofía y sus pujos de moralista, su libro se resiente de ausencia de ecuanimidad
en los juicios tanto como de sentido de responsabilidad
y de comprensión humana. Aquí se revela Vasconcelos
como un resentido rencoroso y tal disposición de ánimo
le hace incurrir en frecuentes injusticias y lo lleva a
vulnerar la verdad histórica a sabiendas. Entre otros
muchos ejemplos de adulteraciones de los hechos y de
la realidad, podría citarse lo que dice en la página 385.
Allí arremete contra las instituciones de alta cultura y
los hombres de ciencia de los Estados Unidos que se
interesan por la arqueología mexicana y les atribuye gra-
tuitamente fines y propósitos que jamás tuvieron. Con
los arqueólogos mexicanos es aún más agresivo e injusto y no se conforma con menos que con llamarlos "ca-
nallitas". Su situación de político fracasado e ignorado
por las camarillas "presupuestívoras" que se han suce-

dido desde la administración de Obregón, lo ha agriado
e inducido a asumir el "role" de Catón mexicano y el
papel de vengador y reivindicador de lo que él cree la
justicia; pero lo que aquí se percibe es un resentimiento
tan implacable que ni siquiera respeta las venerables
figuras de Hidalgo y Juárez.

Una de las muchas contradicciones que en este descomunal panfleto se advierten, consiste en el flagrante
divorcio entre la prédica y la conducta del autor. Así,
por ejemplo, a lo largo de estas 600 páginas se enristra
empecinadamente contra el imperialismo capitalista de
los Estados Unidos que según él explota y esquilma a
los pueblos iberoamericanos. Este es un tema que se repite a lo largo del libro todo. No hay duda de que en
esta denuncia lo acompañan la razón y las simpatías del
lector; mas lo que no se comprende es que este Júpiter
tonante que desata los rayos de su ira sobre la roca
del capitalismo imperialista yanqui, pusiera reiteradamente su talento, su cultura y hasta su influencia y sus relaciones personales al servicio de este mismo imperialismo en detrimento de la riqueza y el bienestar de los
pueblos que pretende defender y se convierta en instrumento y agente del "monstruo".

Según propia confesión, tal cosa ocurrió por lo menos tres veces en los seis o siete años de su vida que
esta crónica abarca. Primero regenteando una empresa
norteamericana en el Perú; intentando luego levantar capital en Wall Street para ir a explotar cierta fibra peruana y, por último, fungiendo como abogado y media-
dor de otra empresa yanqui que se proponía la explotación de las pesquerías de la Baja California. Una de dos:
o esa invasión del capital imperialista es funesta para
la economía y la independencia de aquellos países como
el autor con tanta elocuencia predica, en cuyo caso, los
hombres probos y de visión patriótica no deben fomentar-
la, y mucho menos servirle ellos mismos de agente y
promotor o, si así lo hacen, tal prédica resulta una farsa
y la integridad moral del predicador es un mito.

Otro aspecto sorprendente de este libro es la actitud que en él adopta el autor frente al indio. Hubo una
época en que Vasconcelos fué el más exaltado paladín
del indio. Fueron los años de su tránsito por la Secretaría de Educación y los inmediatamente posteriores. Esta posición frente al indio culminó en su *Indología*. Después de haber alardeado de indofilia, ahora reacciona
contra ese elemento básico de la vida, la cultura y la

economía mexicanas y lo trata con injusto desdén y con total carencia de comprensión y simpatía.

En resumen, *La tormenta* es un libro que la pasión malogró. De la cultura y del talento de Vasconcelos teníamos derecho a esperar una obra de más fina calidad artística o, por lo menos, más seria y de mayor provecho. Desgraciadamente, el estudioso de la gran tragedia mexicana tendrá que leerlo con grandes reservas y, en todo caso, tomar sus afirmaciones y juicios a beneficio de inventario, como dicen los leguleyos. La posición de Vasconcelos frente al devenir de la Revolución y a los gobernantes mexicanos, guarda cierta analogía con la de Trotzky frente al comunismo ruso y a Stalin, salvando, por supuesto, la distancia no corta que media entre ambos movimientos y entre estos dos hombres desplazados por la revolución que respectivamente ayudaron a desencadenar. Sólo que Trotzky se mantuvo fiel a sus principios en tanto que Vasconcelos ha abjurado de los suyos y se ha entregado a los elementos de extrema derecha que tan dañinos y funestos han sido para México.

Nada, pues, añadirá este libro a la reputación de Vasconcelos ya muy mermada, ni como "leader" o mentor ni como moralista. El prestigio de uno y otro tienen siempre como base una fuerte sinceridad, una estrecha identificación de la prédica con la conducta pública y privada y un inquebrantable espíritu de justicia. Por desgracia, estas tres virtudes cardinales de todo orientador salen bastante maltrechas de las páginas de *La tormenta*. Por esto nos sentimos tentados a cerrar estos comentarios con el aforismo que a guisa de autodefinición se aplica el propio Vasconcelos en la página 432: "En todo moralista que fracasa aparece el fariseo." (1938).

Post scriptum: La glosa anterior fué escrita hace doce años y aunque la exégesis de Vasconcelos ha dado un viraje radical, no deseo alterar ni suprimir nada de lo que en 1938 escribí en serio, porque en serio se tomaba todavía a Vasconcelos entonces, y en serio se tomaba él mismo. Tal fué, quizás, mi error y el de todos los que sobre el proteico y dinámico personaje escribieron por aquellas calendas. La estimativa vasconceliana ha sufrido un cambio total. Por una parte, los que el autor considera sus libros fundamentales, que son los de índole filosófica, son cada día menos apreciados por los especialistas de estas disciplinas; en cambio, los libros

que Vasconcelos desdeña —sus memorias— los considera la crítica actual como su obra maestra y su máxima contribución a la literatura mexicana, pero inter-
pretados como novela u obra imaginativa, no como ensayo de interpretación de la realidad político-social de
su momento, ni como autobiografía. A lo sumo una autobiografía novelada. Vistos a esta luz los cuatro volúmenes de *Ulises criollo*, del cual *La tormenta* es el
segundo tomo, no tengo inconveniente en compartir el
criterio de la crítica actual. Como historia novelada estos
cuatro volúmenes constituyen, sin duda una de las aportaciones más vigorosas e interesantes que podemos encontrar en la trayectoria de la novela en México. Si
reproduzco aquí lo que en 1938 escribí, es porque la
glosa representa un criterio de época, la visión que del
autor se tenía todavía. El concepto de la crítica actual
está sintetizado en las líneas que reproduzco de una
lectura todavía inédita que el doctor Mariano Azuela
le consagró en el Colegio Nacional el 29 de mayo del
presente año de 1950, en la que lo define con las siguientes palabras:

"*Por más que Vasconcelos no haya escrito novelas, lo reputo como el mejor novelista de México. Como
novelas juzgo yo sus famosas memorias en cuatro volúmenes y —que se me permita la osadía— como novela
estimo su "Breve Historia de México".*

Con su honradez característica, el doctor Azuela
me explicó que esta idea había sido expresada antes
por Xavier Villaurrutia y así desea que lo haga constar.

Capítulo XVII

Acotaciones a otras novelas y novelistas menores

Dentro de la variante denominada "novela de la Revolución" se ha producido un gran número de narradores de muy escaso mérito la mayoría de ellos. Aquí se hará mención únicamente de aquéllos que tienen en su haber siquiera un relato digno de leerse. Quien desee ampliar el tema encontrará más que abundante material en las tres últimas bibliografías citadas en la primera página del "Prefacio". La inmensa mayoría de estas *soi disant* novelas, no son más que desmayados relatos, escritos sin maestría y sin eficacia artística, lo mismo que el noventa por ciento de los publicados en la centuria anterior de los cuales, por respeto a la inteligencia del lector, no me hago eco en este libro.

Dentro de esta segunda categoría, los tres nombres más acreedores a que se les tome en cuenta son Rafael F. Muñoz, Jorge Ferretis y Mauricio Magdaleno. Los cito por orden cronológico de nacimiento. De ellos el más prolífico ha sido el último, pero tanto Muñoz como Ferretis poseen talento narrativo y es de lamentar que hayan abandonado el cultivo de la novela.

Rafael F. Muñoz nació en Chihuahua en 1899 y desde los quince años se dedicó al periodismo. Con excepción de una biografía de Antonio López de Santa Anna y otra de Pancho Villa, y de su labor periodística, toda la actividad literaria de Muñoz ha sido consagrada al cuento y a la novela. No se toman en consideración aquí los "argumentos" que ha escrito para las compañías cinematográficas mexicanas, faena subalterna a la que tanto él como Magdaleno y otros muchos jóvenes de talento se han consagrado durante los últimos lustros. Atraídos por el señuelo de la pingüe remuneración, gran número de intelectuales mexicanos derrochan hoy sus excelentes aptitudes en esta tarea económicamente provechosa, más perniciosa para su capacidad creadora. El

cine y el periodismo son las dos industrias que más no-
civo influjo ejercen en México hoy sobre las mentes más
aptas para el cultivo del cuento, del teatro y la novela.
Como el hombre de letras no puede allí vivir de su pluma, necesita acudir a estos expedientes para subsistir;
mas ello redunda en detrimento de su obra porque los
habitúa a la improvisación y a la superficialidad impre-
sionística y anecdótica, sin médula psicológica ni contenido artístico.

En Rafael F. Muñoz el cuentista prevalece sobre el
novelista. Su genio es sintético más que analítico. Aun
su novela más lograda,¡Vámonos con Pancho Villa!, podría definirse como una serie de cuadros superpuestos
y entrelazados los episodios por ciertos personajes que
le dan cohesión y continuidad a la obra. Cualquiera de
los capítulos de que se compone podría desglosarse del
conjunto porque son cuentos acabados. La obra, a pesar
de su dramatismo y del interés que despierta en el lector, deja la impresión de que fué concebida y escrita a
retazos, como si se tratara de una serie de cuentos amal-
gamados. Muñoz ha escrito un gran número de narraciones cortas, y sólo dos novelas. De aquéllos ha publicado solamente tres colecciones: El feroz cabecilla
(1928); El hombre malo y otros relatos (1930); y Si
me han de matar mañana... (1934), pero quedan otras
muchas publicadas en periódicos y revistas no recopi-
ladas en volúmenes todavía.

Rafael F. Muñoz posee una gran habilidad para el
cultivo del cuento. Aparte su innegable aptitud de síntesis ya aludida, tiene un agudo sentido dramático y sabe
descubrir la dimensión trágica —y también la cómica—
de los sucesos. Su estilo nervioso, expresivo, de frase
corta y de diálogo vivo y gráfico, se aduna perfectamente con su mente compendiosa. Por todas estas cualidades que en él se dan generosamente, Muñoz es,
probablemente, el cuentista de más recia personalidad
que la Revolución produjo.

Casi la totalidad de la labor de creación de Muñoz
hace referencia a la Revolución, tanto los cuentos como
las novelas. El autor se unió, adolescente aún, a las
fuerzas villistas en calidad de reportero y asistió a la
decadencia del famoso caudillo. Tuvo, pues, una visión
trágica del gran acontecimiento y trágicos son casi todos estos cuentos y los episodios de su mejor novela.
La técnica del autor es de un realismo descarnado, tan
crudo en las descripciones de hechos sangrientos que a

veces hiere nuestra sensibilidad. En él se continúa la técnica narrativa empleada por Azuela en sus "cuadros y escenas de la Revolución", pero en Muñoz la crudeza de la pintura alcanza tonos tan despiadados y sombríos que a veces ponen a prueba los nervios del lector. Pero lo curioso de estas narraciones tétricas es la indiferencia y el impersonalismo con que el autor retrata toda esta barbarie. Muñoz no parece vinculado emocionalmente a los temas que dramatiza. En tal sentido, su técnica es muy similar a la que por aquellos mismos días empleaba Nellie Campobello en sus relatos reunidos bajo el título de *Cartucho* y publicados el mismo año en que apareció la primera edición de *¡Vámonos con Pancho Villa!* Tengo la sospecha de que ambos fueron intensamente influídos por una novela de la revolución rusa, *La caballería roja*, de Isaac Babel. Esta obra, si mal no recuerdo, se publicó primero en una revista de 1922 a 1923, y de este último año debe datar la primera edición rusa en volumen. Hacia 1925 creo que se tradujo al inglés y entre 1927 y 1929 apareció la traducción española. Por la similitud de los temas —revolucionarios y castrenses— y por la técnica novedosa de esta obra, *La caballería roja* estaba llamada a ejercer influencia decisiva en algunos novelistas mexicanos como Nellie Campobello, Hernán Robleto —nicaragüense vinculado a México y a los temas revolucionarios autor de *La mascota de Pancho Villa*—, Cipriano Campos Alatorre, el propio Muñoz y otros.

La narración que dió la talla de Muñoz como novelista fué *¡Vámonos con Pancho Villa!* Según propia confesión, Rafael F. Muñoz conoció a Villa cuando apenas contaba trece años y a los quince se unió a sus huestes en calidad de periodista. El famoso guerrillero debió impresionar profundamente al incipiente escritor porque su personalidad, su vida, sus hazañas, sus crímenes y bondades, son temas que se reiteran en gran número de cuentos de Muñoz e inspiraron su más famosa novela. Además, en 1923, con ocasión del asesinato de Villa, Muñoz escribió, en colaboración con el doctor Ramón Puente, unas *Memorias de Pancho Villa* que aparecieron en *El Universal Gráfico*. Muñoz, pues, como tantos otros escritores y novelistas mexicanos y extranjeros, se dejó seducir por la poderosa personalidad de Villa y le ha consagrado sus más logrados esfuerzos literarios. Sin embargo, no lo idealiza, ni lo ensalza, ni lo deprime. De su pluma sale uno de los Villas más auténticos que hasta ahora tenemos. Entre los muchos que sobre la granítica figura han escrito, quizás Martín Luis Guzmán y Rafael F. Muñoz sean los que mejor lo han comprendido y los que más fiel retrato nos han dejado. Ya con ocasión de Martín Luis Guzmán se dijo cuáles eran las características más sobresalientes de este dramático y pintoresco caudillo y no hay para qué repetirlas aquí. Lo que sí debe reiterarse es que Muñoz capta admirablemente la contradictoria y volcánica idiosincrasia del genial guerrillero en esta novela. Con la posible excepción de Guzmán, nadie hasta ahora nos ha dado un Villa más genuino y total que el que Muñoz pintó en estas páginas.

En ¡*Vámonos con Pancho Villa!* —como en *El águila y la serpiente* o en los *Apuntes de un lugareño*—, el lector nunca sabe dónde termina la realidad histórica y dónde principia el libre juego de la fantasía. En una nota preliminar, nos advierte el autor: "Los sucesos referidos aquí son ciertos, uno por uno..." Sólo en su agrupación y disposición parece haberse permitido el autor ciertas libertades, pero sin vulnerar la realidad psicológica del ambiente y de los caracteres. A los hombres y a los hechos que por estas páginas desfilan, añade el autor algunos comentarios de su propia cosecha, pero las materias primas con que trabaja no le pertenecen. Ambos son del dominio de la historia. Y en esto precisamente consiste el mérito de esta obra: en haber sabido captar la realidad histórica y humana, sin exaltarla ni deprimirla, y ajustándose fielmente a ella haber escrito una de las más interesantes novelas que sobre el tema de la Revolución tenemos, la cual mereció el honor de la traducción al inglés y al alemán en 1933 y en 1935, respectivamente.

¡*Vámonos con Pancho Villa!* no es una biografía novelada del indómito guerrillero ni siquiera un relato de sus hazañas revolucionarias. Al contrario, la mayor parte del libro está consagrada a narrar la odisea de su decadencia como fuerza militar después de la derrota que Obregón le infligió en Celaya. El autor rehuye la fría cronología, pero fácilmente se colige que los hechos a que alude tuvieron lugar entre 1915 y 1917. Muñoz es uno de los émulos más aptos de la técnica inaugurada en *Los de abajo* y a semejanza de ésta, en ¡*Vámonos con Pancho Villa!* apenas puede decirse que haya un protagonista central, especialmente en la primera parte, pero ya hacia el final, la épica figura de Tiburcio Maya

cobra un relieve tan heroico que se convierte en el centro
de la atención y del interés del lector. Es evidente que
Muñoz no se propuso hacer de Villa el protagonista de
su obra; al contrario, el guerrillero apenas aparece en las
primeras cien páginas. Pero si Villa no se destaca en el
primer plano, su terrible sombra condiciona el destino de
sus hombres y subyuga la voluntad de cuantos lo rodean.
Derrotado y perseguido como una fiera por carrancistas
y norteamericanos, abandonado o traicionado por muchos de sus antiguos partidarios, el implacable faccioso
despliega ahora toda su astucia y ferocidad. Descon-
fiado, sanguinario, felino y audaz, resurge en él el bandido de antaño, el hombre primitivo que conoce sus
montañas palmo a palmo y todos los recursos de la naturaleza. Villa evidencia ahora una suspicacia y una
crueldad increíbles y se convierte en una especie de Némesis implacable.

Entre el grupo cada día más exiguo de sus incon-
dicionales, Tiburcio Maya representa algo así como la
conciencia de la Revolución. En él la furia vandálica y
la sangre vertida no han aniquilado el sentido de justicia ni la conciencia moral. Pero su admiración y su lealtad al jefe son tan fuertes que le sigue y en su defensa
se inmola, a pesar de que por mano de Villa murieron
su esposa y su hija, y a su lado en la agresión a Colón,
en 1916, su hijo todavía adolescente.

La segunda y última novela de Muñoz carece de
la tonalidad épica de la primera. *Se llevaron el cañón
para Bachimba* apareció en 1941. (José Luis Martínez
registra una edición de esta obra correspondiente a 1924.
Creo que es un error. La primera corresponde al año citado). El tema de esta segunda novela es la revuelta de
Pascual Orozco, en 1913, contra el gobierno del presidente Madero. La "bola" orozquista está vista aquí por
los ojos del joven protagonista de la obra, Alvaro. El
tema ahora se ha empequeñecido y no le ofrece oportunidad al autor de desplegar sus aptitudes para el retrato de fuertes caracteres ni para la pintura de acciones
heroicas, como en la novela anterior. La narración, sin
embargo, es viva e interesante porque Muñoz es un
ameno relator siempre. El libro abunda en situaciones
humorísticas y en paisajes poéticos. El estilo ha perdido
ahora el vigor de antes, pero ha ganado en corrección
y lirismo.

Jorge Ferretis, nacido en el estado de San Luis Potosí en 1902, es un idealista desilusionado y un ideólogo

que ha convertido la novela en vehículo de ideas renovadoras y en cátedra desde la cual divulga su mensaje redentor. No se crea, sin embargo, que es un sermoneador a lo Lizardi y sus émulos del siglo pasado. Sus novelas contienen siempre una tesis y una enseñanza, pero ambas se manifiestan en forma indirecta mediante el desarrollo de la trama y el fracaso de sus nobles protagonistas —alter egos del autor— más bien que por la prédica directa y moralizante. Su ética es levantada y trascendente y en todo caso purgada de aquella moralina sacristanesca tan prodigada en la novela del siglo anterior. La corrupción del ambiente oficial desde que se entronizaron los gobiernos revolucionarios, le ofrece a este denodado soñador —como a casi todos sus cofrades posteriores a 1935— amplia oportunidad para emplear su capacidad irónica y satírica. Contra los camanduleros de la política y contra los traidores al espíritu de la Revolución, dispara Ferretis los dardos de su sátira mordaz de hombre probo y de idealista luchador. Ferretis, sin ser hombre de extrema izquierda, admite —o por lo menos coincide con ella— la tesis marxista de que la obra de arte, lo mismo que el artista, deben estar al servicio de los grandes ideales de renovación y de justicia social y así lo declara en la introducción a su segundo libro de narraciones.

A Jorge Ferretis lo tentó el periodismo y de él ha hecho un heraldo de ideas. También lo atrae la política y ha ocupado cargos subalternos como el de oficial mayor de la Cámara de Diputados. Su filiación política es socialista. Que yo sepa, nunca compartió la ideología comunista. Ni el comunismo ni el socialismo han arraigado en la realidad política y social mexicana. La constitución vigente en México, lo mismo que la legislación complementaria que desde 1917 se ha promulgado, se suponen ser moderadamente socialistas, pero solamente en la letra y el espíritu. En la práctica lo que predomina es un capitalismo rampante y sin escrúpulos que se burla de las leyes y las convierte en letra muerta.

La producción novelística de Ferretis se reduce a cinco volúmenes: *Tierra caliente* (1935), *El sur quema* (1937), *Cuando engorda el Quijote* (1937), *San automóvil* (1938) y *Hombres en tempestad* (1941). Ninguna de ellas es lo que pudiera llamarse una novela bien construida y técnicamente perfecta. Más que narraciones de tipo artístico, son novelas ensayísticas en las que el autor desarrolla una tesis. La intención satírica y do-

cente es demasiado evidente y subordina toda finalidad
estética. Lo que en estas obras es más digno de estimación son las ideas del autor, su impulso generoso, su
afán renovador, su transida desilusión de patriota mexicano que ve frustrados los ideales y sacrificios del
pueblo ingenuo que se lanzó a la Revolución con la esperanza de mejorar su vida. Como obra de arte puro,
estas novelas son muy deficientes; pero el autor se coloca explícitamente fuera de esta categoría y renuncia a
tal filiación en favor de una novela al servicio del pueblo
y de su causa, y como tal ha de juzgársele. Quizás Ferretis es más ensayista que novelista, más sociólogo que
creador. El autor se proyecta él mismo demasiado en
todos sus relatos y los temas están demasiado subje-
tivados, y de ello se resienten todas sus narraciones.
Por lo demás, Ferretis no se preocupa mucho de la lógica artística ni del desarrollo armonioso de sus personajes ni de sus temas. El tiene una tesis que probar y
un mensaje que transmitir a las masas, y eso es lo que
le importa. Que la trama esté mal urdida y peor inte-
grada; que la obra resulte desperdigada, farragosa, episódica, dispersa en las múltiples actividades de su protagonista, como en *Cuando engorda el Quijote*, por ejemplo, es materia secundaria para el autor. Lo importante
son las ideas y la lección que el lector debe aprovechar.

No hay novela de Ferretis que no contenga un
alter ego del autor. Por lo general, éste habla por boca
del protagonista. Así el ex-profesor universitario y ahora
coronel villista de *Tierra caliente,* don Ponciano, Jaime
Pacheco y Humberto de los tres relatos que forman *El
sur quema,* Angel Mallén de *Cuando engorda el Quijote, etc.* Todos son idealistas, honrados, amantes del
pueblo y, por ende, condenados al fracaso en un medio
en el que sólo triunfan los pícaros de pistola y los "lam-
biscones" sin escrúpulos y sin dignidad. Todos los héroes de Ferretis son víctima de su propio idealismo y de
su probidad porque actúan en un medio hostil que los
repele y frustra. Ferretis no descubre más que corrupción y falacia en las esferas políticas, e ignorancia, incapacidad y fanatismo en las masas. Hay algo intensamente pesimista y trágico en estas novelas de conclusiones sombrías y desesperadas. El total fracaso en que culminan siempre los empeños idealistas de estos soñadores
que no saben adaptarse a las impurezas del medio, es de

una ironía tan amarga y tan desesperada que a veces no deja lugar ni a la esperanza.

Lo mejor de Ferretis —desde un punto de vista exclusivamente artístico— son sus narraciones cortas como los tres relatos de *El sur quema*. Sus novelas más extensas resultan demasiado dispersas y embrolladas; en ellas, la endeblez de la técnica se hace más perceptible. De Ferretis hay que decir lo que ya se afirmó de Azuela: sus defectos como novelista son atribuíbles —en parte, por lo menos— a sus méritos como ciudadano. El imperativo ético en él —como en Azuela— priva sobre la preocupación artística.

Gran parte de lo que dicho queda sobre la obra de Ferretis, podría afirmarse de las novelas de Mauricio Magdaleno, escritor caudaloso y hombre de ideas firmes y bien orientadas. Magdaleno es uno de los escritores más proteicos y fecundos de su generación. Ha cultivado la biografía: *Fulgor de Marti* y *José María Luis Mora, el civilizador;* el ensayo literario, político o social: *Vida y poesía; Polonia; Rango; Tierra y canto*, y muchos estudios de crítica histórica o literaria. Tiene en su haber un volumen contentivo de tres piezas teatrales muy estimables: *Teatro revolucionario mexicano*, y una copiosísima labor periodística no recogida en libro. Esta última ejecutoria versa casi toda ella sobre temas trascendentes —historia, sociología, política, biografía, etc., tratados seriamente y, por lo general, con abundante información. Al margen de tan ingente esfuerzo ha escrito no pocos "argumentos" para las compañías cinematográficas en años recientes.

Pero la actividad intelectual de este prolífico y multiforme escritor que mejor define su personalidad es la novelística. Fuera de su faena periodística, es la que más ha frecuentado y en este género lleva ya publicados ocho volúmenes de muy diverso contenido y de mérito muy desigual. También ha escrito un buen número de cuentos.

Nació Mauricio Magdaleno en la ciudad de Zacatecas en 1906. Allí transcurrieron su infancia y adolescencia, pero reside en la capital federal desde hace muchos años. Para no ser excepción a la regla, además de cultivar el periodismo ha ocupado no pocos cargos burocráticos, los cuales fueron su principal fuente de ingresos hasta que empezó a escribir para el cine. Durante una temporada residió en Madrid, aunque ignoro si en calidad de exilado, voluntariamente o con algún cargo

en el servicio consular o diplomático. En Madrid publicó
el volumen de piezas teatrales ya aludido y algunas
narraciones cortas.

A los veintiún años publicó Magdaleno su primera novela, *Mapimí 37* (1927) cuyo tema llevó al teatro
más tarde con el título de *Pánuco 137*. Vinieron luego
Campo Celis (1935) y *Concha Bretón* (1936) que no
obstante su escasa virtualidad artística habría que calificar como novelas psicológicas —en la intención, por lo
menos. La cuarta novela, *El resplandor* (1937) es todavía la más lograda de cuántas hasta hoy ha publicado
y la más estrechamente relacionado con el tema de la
Revolución. *Sonata* (1941) es quizás la de mayor complejidad técnica y aquélla en que su autor hizo un esfuerzo consciente por imitar la factura de ciertas novelas
rusas, norteamericanas o inglesas de tempo lento y de
profundidad en el análisis. Pero Magdaleno es un temperamento demasiado impetuoso y subjetivo para sobresalir en este procedimiento. En 1949 aparecieron *Cabello de elote* y *Tierra grande*. Como "de próxima publicación" se anuncia una novela titulada *Historias de
Aguascalientes*.

Cabello de elote es una novela malograda por exceso de problemas y carencia de densidad en el análisis
de ninguno de ellos. Al principio da la impresión de que
leemos una novela psicológica, pero a medida que avan-
zamos, los temas se multiplican sin que ninguno de ellos
alcance el desarrollo necesario. Ni el ambiente pueblerino, ni los problemas del agrarismo, ni los que plantean
los emigrantes europeos, ni los muchos caracteres que
en la obra se presentan, están convincentemente desarrollados. Por eso la trama deja la impresión de algo improvisado, mal urdido, mal integrado y farragoso. Tanto
Florentina como Casimiro ofrecían mayores posibilidades, pero Magdaleno no supo —o no pudo— hacer de
ellos caracteres robustos.

Algo similar ocurre con *Tierra grande*, si bien el
argumento tiene un centro de gravedad en la figura de
Gustavo Suárez Medrano, el protagonista. Este carácter despótico, egoísta y criminoso, está pintado con enérgico colorido. En esta obra vuelve Magdaleno al tema
de la Revolución, pero resulta un poco truculenta y
melodramática por el cúmulo de crímenes y hasta inces-
tos que en ella se hacinan, imputables todos al carácter
central. Pero desde el punto de vista de la composición
es superior a *Cabello de elote*.

Sin embargo, *El resplandor* sigue siendo la novela de mayor prestancia artística que Magdaleno ha creado hasta ahora. Más que como novela de la Revolución debiera clasificarse como novela indianista, y como tal debe figurar entre las mejores que dentro de esta filiación han escrito los autores mexicanos. Es posible que *El indio* de Gregorio López y Fuentes, publicada dos años antes, haya sugerido a Magdaleno la idea de una novela indigenista y aun algún detalle como el del líder indio que habiendo salido del ambiente de los suyos se vuelve contra ellos cuando se mezcla con los ladinos y adquiere sus mañas. No sería extraño tampoco que las novelas indianistas de Bruno Traven hayan influido en la concepción de esta máxima creación de Magdaleno.

El estilo de Mauricio Magdaleno es uno de los más pomposos y menos ceñidos que en México podrían descubrirse hoy. A veces da en lo retórico y grandilocuente, características que por fortuna van dejando de considerarse como virtudes artísticas en nuestra lengua. Esto, lo mismo que los defectos técnicos de la mayoría de sus novelas, y la ausencia de profundidad en el análisis, puede achacarse —en parte por lo menos— a la peligrosa fecundidad del autor. No es posible escribir con la festinación con que él lo hace y producir obras maestras ni mucho menos un estilo trabajado y preciso. Y no obstante, Magdaleno tiene talento y fantasía. Lo que necesita es rumiar más sus temas, darles tiempo a que maduren, y podar la excesiva ramazón del lenguaje. De la improvisación precipitada rara vez ha resultado una novela de cierto calibre. Tal es el defecto capital de las que en México se escriben actualmente. La verdadera obra de arte, como los vinos generosos, necesita de la acción depuradora del tiempo, de lo que los franceses llaman *duree*. La impaciencia ha sido siempre una funesta consejera.

Ignoro si Nellie Campobello es la única mujer que escribió una novela de tema revolucionario antes de 1935, pero confieso que es la única de quien tengo noticias ciertas. Es también la única que aparece citada en la Biografía de Ernest Moore.

Escasas son las noticias que de esta escritora puedo dar. Según se dice nació en Durango, en 1909. De niña parece que fué testigo de no pocas escenas de la Revolución y conoció a Pancho Villa. Más tarde se hizo bailarina. A los veinte años publicó un libro de versos: *Yo*. A los veintidós, el libro que le dió fama: *Car-*

tucho (1931). Seis años después, dió a luz *Las manos de mamá* (1937). En 1940 aparecieron sus *Apuntes sobre la vida militar de Francisco Villa* y el mismo año, *Ritmos indígenas de México*, escrito en colaboración con Gloria Campobello.

Por varios conceptos *Cartucho* es un libro desconcertante y de ingrata lectura. Tanto su estilo como la manera de enfocar los temas acusan cierta innegable originalidad. Aquél se ha infantilizado ex-profeso y ésta se reviste de cierta incongruencia y arbitrariedad bien estudiada para dar la impresión de los relatos infantiles. En este intento de remedar la garrulería un poco ilógica y caprichosa de los párvulos estriba la originalidad estilística de Nellie Campobello.

Difícilmente podrían clasificarse como cuentos los treinta y tres episodios que integran el volumen. Ni por la extensión ni por la factura alcanzan tal categoría. La total ausencia de trama o argumento es otra característica que los excluye de tal encasillamiento.

La modalidad estilística empleada por la autora tiende a aproximarse a la narración hablada, procurando en cada caso reproducir la locuaz arbitrariedad y la ausencia de lógica y de ordenamiento de las ideas que caracterizan la parlería de los niños. Esto en cuanto a forma. Por lo que al asunto o tema respecta, la autora se mantiene en un plano semi-histórico, barajando personajes y hechos reales con incidentes contrahechos y fingidos, pero manteniendo siempre la ficción de que los relata una "testigo ocular", que no excediera de los ocho o diez años. Son estos, pues, especie de estampas macabras, algo así como caprichos goyescos dibujados por la mano de un niño. Otras veces recuerdan la tradición mexicana y la forma en que allí se celebra el día de difuntos con dulces y golosinas en forma de tibias, calaveras y demás simbólicas representaciones de la muerte.

Cartucho es la Revolución en su fase villista en el momento en que esta facción entra en conflicto de exterminio con los carrancistas, pero vista a través de un prisma infantil. La mentalidad adulta de la autora procura inhibirse para imitar la ingenuidad, la sencillez y el estilo arbitrario y directo de los niños. Pero no nos dejemos engañar por la candidez, más aparente que real, de estos sangrientos *sketches*. Tras la inocente urdimbre de estos relatos, se adivina fácilmente el sostenido esfuerzo técnico del truco y la intención —no por bien lograda menos evidente— de remedar el lenguaje y reproducir la visión objetiva y simplista de la imaginación pueril.

La nota más sobresaliente y desconcertante de estas historias de Nellie Campobello, es la insensibilidad —real o fingida— de la autora frente a los horrores que pinta. Es éste un aspecto poco menos que repugnante por lo inhumano y terrible. Ni por un momento se conmueve la narradora ante las atrocidades que con morbosa delectación y pertinacia nos refiere. ¿Cómo explicar esta fría indiferencia en una mujer y esta sostenida persistencia en pintarnos escenas de barbarie en las que ella parece experimentar un deleite de oscuro origen sádico, sin que jamás percibamos un estremecimiento de horror ni la más ligera vibración cordial? *Cartucho* es, sin duda, el libro más terriblemente cruel que sobre la Revolución he leído y aquél en que más sostenidamente brilla por su ausencia la sensibilidad del autor. Inútilmente se buscará en sus páginas una nota conmiserativa, una vibración piadosa, un gesto de horror o de protesta simplemente humano frente a tanta repulsiva barbarie y a tanto cuadro macabro. Hasta ahora no se ha estudiado el contenido sadístico de las novelas de la Revolución. Es este un aspecto importante que nadie ha explorado —que yo sepa. Ahora bien, este elemento sádico y hasta masoquista, es mucho más evidente en *Cartucho* que en ninguno de los otros libros sobre el mismo tema. Ni siquiera hay grandeza demoníaca en estos relatos como en algunas páginas de Guzmán o de Muñoz. No. Nellie Campobello incide y reincide en las minucias macabras, en la visión inerte y sangrante de la muerte, en lo repugnante por excesivo e innecesario. Se argüirá que esta estrangulación de la sensibilidad está en armonía con el mendaz infantilismo empleado. El argumento no convence. El niño normal no reacciona en esta forma ante la sangre y la muerte, máxime tratándose de niñas —como en este caso— más propicias por lo general a las reacciones conmiserativas o, cuando menos, de miedo y de horror. En gran número de novelas de tema revolucionario, se siente palpitar la entraña humana del autor y se percibe la tácita protesta contra la despiadada crueldad de los hechos que narra. Pero en este primer libro producto de la mentalidad femenina referente a la Revolución, están ausentes estas reacciones.

La explicación de esta anomalía creo que hay que buscarla en la influencia que *La caballería roja*, de Isaac Babel, ejerció sobre Nellie Campobello. Ya con ocasión

de Rafael F. Muñoz se aludió al influjo que este libro
tuvo en ciertos novelistas mexicanos posteriores a 1928.
En ninguno, quizás, es tan evidente este ascendiente de
Babel como en Nellie Campobello. Quien lea las dos
obras con sentido crítico descubrirá fácilmente el paralelo en la composición, en la manera de tratar los temas, en la carencia de sensibilidad, en la arbitrariedad
y el descoyuntamiento del estilo y de las imágenes
y la insistencia en los cuadros horripilantes. Es posible
que me equivoque, pero tal es, a mi entender, la madre
del cordero.

En *Las manos de mamá* aparecen mucho más atenua-
dos los lineamientos ya apuntados que caracterizan el
estilo y la técnica empleada en *Cartucho*. Aquí los temas macabros poco menos que han desaparecido y la
crueldad de la Revolución deja de ser tema y deviene
episódica. La temática central de esta narración es la
imagen de *Ella,* la sombra maternal que la autora evoca con ternura. El estilo ahora, sin abandonar la ficción
infantilista, es más lírico, más poético y menos arbitrario.

Del doctor Salvador Quevedo y Zubieta (1859-
1936), sólo he leído una novela, pero confieso que se-
guí el ejemplo de don Quijote y renuncié a repetir la
experiencia, no obstante que publicó otras muchas. La
que leí se titula *México marimacho. Psicología social.
Novela histórica revolucionaria,* segunda edición, 1933.
Este señor dió mucho qué hacer a las prensas de París, Madrid y México desde 1879 hasta un año antes
de morir. Su bibliografía es muy copiosa. José Luis Martínez sólo registra seis títulos, pero en la de Ernest
Moore ocupa tres largas páginas y no contiene todo
lo que este prolífico autor escribió. En 1935, atraído
por el subtítulo, leí *México marimacho* y escribí la apos-
tilla que aquí transcribo en parte solamente porque el
libro no amerita más espacio.

"Es indudable que al doctor Quevedo y Zubieta no
lo llama Dios por el camino de la novela. Decía Cervantes que no hay libro por malo que sea que no tenga
algo bueno, pero después de leer *México marimacho,*
resulta difícil admitir la exactitud del aserto. El propio
autor clasifica esta obra de "novela histórico revolucionaria" y no satisfecho aún con el doble encasillamiento,
le añade una cuarta dimensión: "psicología social". Ardua tarea sería determinar cuál de las cuatro sale más

maltrecha de su pluma. A las cuatro víctimas —la novela, la historia, la sociología y la psicología— puede agregarse una quinta: el lector que por mal de sus pecados haya caído en la tentación de leerla. Todo en esta novela es deleznable y grotesco sin redención posible. Lo que no es absurdo es plebeyo y cansado hasta lo inverosímil. Los muñecos que aquí nos presenta el doctor Zubieta son entes degenerados y anormales, pero tan desmedrados, tan horros de levadura humana se nos revelan y tan raquítico es el aliento artístico del autor, que la novela resulta un excelente antídoto contra el insomnio. Es de lamentar que el doctor Zubieta no se haya limitado a los estudios profesionales y haya dejado en paz la novela que ciertamente no merecía ser tan maltratada."

No muy superior a *México marimacho* me parecen las novelas de Martín Gómez Palacio (Durango 1893) que hasta ahora he leído. El autor lleva ya publicadas unas ocho novelas y relatos, además de tres libros de versos. Ha cultivado diversos géneros de novela —entre ellos el de tema revolucionario— pero su aptitud más sobresaliente parece ser la vena satírica. Su primera novela —*La loca imaginación*— data de 1915. Es una narración desmadejada, sin nervio ni técnica que —lo confieso— no pude concluir. Gómez Palacio carece de habilidad para organizar e integrar en un desarrollo lógico y bien urdido los materiales de sus novelas. Deja la impresión de que no ha meditado sus temas ni madurado los caracteres, y que improvisa mientras va escribiendo. Tómense, por ejemplo dos de sus obras más elogiadas por los críticos: *La venda, la balanza y el ejpá* (1935) y la última, *El potro* (1940). Ninguna de las dos son novelas organizadas. En la primera, el ambiente corrompido de las cortes de justicia en México está bien sorprendido al principio, pero no hay desarrollo en los caracteres ni en el argumento. Lo que hasta cierto punto la salva de la total nulidad es la vena satírica. Por lo que a *El potro* se refiere es igualmente mediocre —mediocre hasta el hastío. Los cuatro políticos fracasados que en ella dialogan interminablemente, no dicen más que tonterías y el lector se aburre con tanta sandez. En la novela no hay acción ninguna, ni ideas, ni drama, ni nada. El pretendido simbolismo que la estulticia del protagonista parece encerrar, está tan torpemente desarrollado y tan magro de realidad psicológica que no

convence a nadie. Sin embargo, José Luis Martínez repu-
ta esta novela como "uno de los más valiosos intentos
realizados por incorporar a nuestra novelística las más
modernas innovaciones técnicas del género"...

En cuanto al estilo de Gómez Palacio es desmaña-
do, sin arte ni vigor. Por eso sorprende que el señor F.
Rand Morton afirme con toda seriedad refiriéndose a
El potro: "Escrita con un estilo que se asemeja al de
Aldous Huxley..." ¡Pobre Huxley!

Quedan todavía por aludir otros muchos autores
que escribieron relatos en torno a la Revolución. Por
falta de espacio sólo se mencionarán sus nombres y el
título de aquellos relatos menos canijos.

Teodoro Torres (1891-1944) era periodista de de-
rechas, pero cultivó la novela también, sin brillo ni gran
talento, mas en estilo correcto y con cierta dignidad.
En 1924 publicó *Pancho Villa* y *Como perros y gatos,*
pero la que le valió reputación de escritor y novelista
de fuste entre la gente conservadora y lo llevó a la
Academia de la Lengua, fué *La patria perdida.* El mismo
año de su muerte apareció —póstumamente— *Golondrina*
reputada por los críticos como superior a la anterior.
Teodoro Torres tiene en su haber otros libros como
Periodismo (1937). *Orígenes de las costumbres* (1935)
y un estudio valioso: *El humorismo y la sátira en México* (1943).

Xavier Icaza (1902) es abogado y ha escrito varias
novelas: *Dilema* (1921), *Gente mexicana* (1924), con
un muy interesante prólogo de Daniel Cosío Villegas; *La
hacienda* (1925). *Panchito Chapapote* (1928), etc. De
todas ellas, la menos endeble y la que le ha valido
cierta popularidad dentro y fuera de México es *Panchito
Chapapote.* El tema antimperialista de esta corta narración, ha favorecido su fortuna y quizás haya contri-
buído a que se le sobreestimara. Icaza ha publicado otros
muchos ensayos de índole diversa.

De Cipriano Campos Alatorre (1906) no conozco
más que un libro de relatos no mal urdidos y aun creo
que es lo único que ha publicado en el género narrativo:
Fusilados (1934). La influencia de Azuela es perceptible
en estos vigorosos cuentos.

Francisco L. Urquizo (1901) es una de las figuras más interesantes, cultas y dinámicas del ejército
mexicano. Siendo muy joven se incorporó a la revolución de Madero y luego al carrancismo. Junto al
"primer Jefe" permaneció hasta la noche en que éste

fué asesinado en Tlaxcalantongo en 1920. En el campo de la Revolución alcanzó las estrellas de general y el mismo rango conserva en el ejército nacional hoy. Ha ocupado un gran número de altos cargos y es hombre culto que ha viajado por Europa y América. Como Garcilaso, el general Urquizo podría decir que pasa su vida tomando ora la pluma ora la espada. Ha publicado un gran número de estudios históricos, relatos biográficos, cuentos y novelas. Su estilo es ameno, correcto sin pulimento, y no le faltan gracia y humor a veces. Sus cuentos revolucionarios con frecuencia basados en su propia experiencia o en hechos históricos, son quizás su más valiosa contribución a la literatura mexicana y deben figurar entre los mejores que la Revolución ha inspirado. Su "hoja de servicios" literarios es demasiado nutrida para reproducirla aquí, pero no debe pasarse por alto la que estimo como su novela más lograda, *Tropa vieja* (1943) que cuenta entre las más interesantes que la Revolución produjo.

El doctor Ramón Puente ha escrito muchos trabajos y comentarios sobre la Revolución y sus hombres, en particular sobre *Pancho Villa*, y una novela de tema revolucionario también; *Juan Rivera* (1936). Y como él Alfonso Taracena que entre otros relatos de diverso carácter escribió *Los abrasados*. Hasta cierto punto similar a los precitados es la obra de Manuel W. González (1889), como Urquizo, general y escritor, pero menos fecundo y no tan cultivado. La labor del general González es más histórica que novelística y no cae dentro del perímetro de este libro.

Quedan aun otros muchos a quienes debiera aludir, pero es necesario cerrar este capítulo. El lector que desee agotar el tema puede tomar como guías las tres últimas bibliografías citadas en la primera página del prólogo. Para concluir esta nómina deseo hacer referencia a una interesante novela que si bien no pertenece exactamente al género revolucionario, fué escrita en el período en que éste más se cultivaba y acaso debió su origen a una saludable reacción de su autor contra el abuso que de la Revolución hicieron los novelistas en aquella década.

Como se verá en la clasificación del capítulo final, la novela de ambiente rural es quizás la que menos se ha cultivado en México en los últimos años. No es fácil explicar el fenómeno porque la economía mexicana es esencialmente agrícola y la vida rural muy pintoresca y cambiante de un estado a otro. También

son muy variados los cultivos y las industrias agrícolas
del país, los cuales dan origen a una gran diversidad
de costumbres, hábitos, tipos, etc., con su respectivo e
inevitable colorido folklórico. Y sin embargo, la novela
descriptiva de la vida campesina es muy exigua, en
número y en calidad. Si comparamos esta variante de la
novela mexicana con su equivalente argentina, por
ejemplo, se verá lo raquítica que es la producción
mexicana. Cierto que Teodoro Torres, López y Fuentes,
Ferretis, Magdaleno, Sarah García Iglesias, etc., se han
asomado a este ambiente, pero ninguno de ellos está
suficientemente familiarizado con él ni se han adentrado
en la idiosincrasia del hombre del campo con ánimo de
captarla en todas sus magníficas posibilidades artísticas.
La novela rural mexicana no cuenta con una obra de
la talla de *Cantaclaro, Los caranchos de la Florida, El
Terruño* o *Cancha larga*, por ejemplo, ni tampoco hay
ninguna que pueda hombrearse con cualquiera de las
seis o siete novelas indigenistas mexicanas de los últimos tres lustros.

Una de las escasas excepciones es *El surco*, por
Joel Patiño, publicada en 1938. No es ésta una gran
novela, ni su autor es un prosista notable, pero la obrita
está escrita con amor y se deja leer sin fatiga. Ignoro la
edad de Joel Patiño y ni siquiera sé en qué estado
nació. Tengo entendido que es hombre joven todavía,
y su producción literaria parece reducirse a esta amena
narración. No debió tener mucha resonancia este relato
porque ni siquiera José Luis Martínez lo registra en sus
Guías bibliográficas que es el repertorio más completo
que de la literatura mexicana de los últimos cuarenta
años poseemos.

El surco es un cuadro de ambiente pueblerino y rural propiamente, escrito con simpatía por un hombre que
seguramente conoce la atmósfera que describe y está
identificado con ella. Nada extraordinario ocurre en esta
novela. Los personajes están borrosamente dibujados
y el autor peca de ingenuo en la pintura poco menos
que bucólica que de la vida campirana nos ofrece. Todo
lo concerniente a la vida rural está aquí un poco idealizado, pero sin llegar a la adulteración. No es necesario avanzar mucho en la lectura del libro para perca-
tarnos de que el autor es un neófito en el arte de novelar. Sus diálogos son desmayados e insípidos, sus
caracteres no se desarrollan, sus ideas carecen de firmeza y de orientación definida, y su dimensión trágica

es nula o poco menos. El autor no parece tener una concepción clara de lo que quiere hacer ni un plan definido. El libro deja la impresión de haber sido improvisado "sobre la marcha" y a medida que escribía. La intención parece haber sido contrastar la vida maleada y el pillaje de los politiqueros pueblerinos, con las costumbres sanas y sencillas de la vida rural, pero los personajes que las simbolizan carecen del relieve necesario para hacer de *El surco* una obra de mérito subido.

Y no obstante su intrascendencia, esta obrita no pone a dormir al lector. Lo que la salva es la dosis de simpatía y de cariño por las cosas del campo con que fué escrita. Si el autor hubiera perseverado en su intento, probablemente habría llegado a dominar el arte de narrar y hoy tendríamos en él a un excelente novelista del ambiente campesino. Con todas sus manquedades y limitaciones, *El surco* es una de las escasas narraciones recientes de auténtico carácter rural que se deja leer sin gran esfuerzo.

Capítulo XVIII

La novela cristera

Entre los ideales que la Revolución perseguía, acaso el más arduo de realizar y más peligroso de llevar a la práctica era el de someter a la iglesia al dominio de la ley y destruir su enorme poder económico y político. A pesar de las leyes de la Reforma, esta institución había recuperado en gran parte su prepotencia bajo el porfirismo y hacia 1910 había vuelto a ser una poderosa entidad económica que a la vez controlaba la conciencia de las masas a través de sus innumerables planteles de enseñanza, del púlpito, del confesonario, de la prensa católica y de otros medios de propaganda y de presión. La constitución de 1917 había echado las bases legales para neutralizar su tremenda influencia y someterla a la jurisdicción civil en todo lo que no fuera cuestión de dogma. En la carta fundamental no se hicieron distingos en favor de ninguna iglesia. Se estableció la libertad de cultos y la iglesia católica quedó reducida al rango y posición de cualquier otra religión. Pero esta institución era todavía demasiado poderosa y muy fuerte su influencia sobre las masas mexicanas. Ni Carranza, ni Adolfo de la Huerta, ni Alvaro Obregón se atrevieron a promulgar la legislación complementaria indispensable para aplicar en la práctica los principios consagrados en la constitución.

Cuando Plutarco Elías Calles fué elegido presidente, decidió poner en vigencia los preceptos constitucionales atingentes a la iglesia y recabó del congreso las leyes necesarias que empezó a aplicar con más energía que tacto en 1926. Las disposiciones legales vigentes respetaban la libertad de cultos y de conciencia, lo mismo que todos los dogmas, pero hería muchos intereses creados a la sombra de la iglesia y en su beneficio. Prohibía los conventos, nacionalizaba al clero, declaraba propiedad nacional los templos, suprimía los colegios religiosos, declaraba ilegales las procesiones y ritos fuera de la iglesia, vedaba el uso de sotanas y otros vestuarios religiosos fuera del templo, expulsaba de México a los jesuítas, limitaba el número de sacerdotes, etc. No se hizo esperar la violenta reacción de la iglesia y de los fanáticos. El clero se declaró en huelga y Calles cerró las iglesias tras de inventariar su contenido. De la protesta airada y la resistencia pasiva se pasó a la franca rebeldía y a la violencia contra el gobierno. Pronto se organizó la Liga Defensora de la Libertad Religiosa, organización muy poderosa que lo que menos deseaba era la libertad religiosa. La Liga declaró el boycot económico y empezó una de las guerras más implacables y sangrientas de la historia de México, en la que pelearon sacerdotes y mujeres con una furia y un odio inexorables. El clero la proclamó "cruzada" y "guerra santa" y, como todas las guerras de cariz religioso, ésta fué inhumana y salvaje. Al grito de "¡Viva Cristo Rey!" estos fanáticos energúmenos desarrollaron una ferocidad increíble y no daban cuartel. El gobierno empleó procedimientos casi tan bárbaros como los de los cristeros y durante tres años el país dió al mundo un bochornoso espectáculo de barbarie como no se había presenciado ni siquiera durante la Revolución. Ahora volvieron a surgir aquellos curas sanguinarios y fanáticos de las guerras carlistas españolas, de sotana arremangada, rifle terciado y pistola al cinto que en nombre de Cristo torturaban y asesinaban a cuantos caían en sus manos. Por su parte la soldadesca tampoco daba cuartel y de los postes del telégrafo o de los árboles más frondosos colgaba sin miramientos a cuanto cristero lograba atrapar vivo.

Al fin, la iglesia fué derrotada y vencidos los terribles cristeros mutiladores de seres humanos. En el dramático episodio intervinieron poderosos intereses económicos aliados de la iglesia, pero fué, ante todo, un triste espectáculo de intransigencia, de fanatismo y crueldad por ambas partes como sólo se ha visto en España en los últimos tiempos. Por desdicha para México, el eterno conflicto entre la iglesia y el estado que tanta sangre ha costado al país, está muy lejos de haberse solucionado y no sería raro que volviéramos a presenciar en plazo no lejano otra matanza similar.

La guerra cristera fué demasiado violenta y apasionada para que dejara de impresionar a narradores y poetas. Aparte un buen número de cuentos, de corridos y de literatura de propaganda, la dramática aventura

cristera nos ha dejado algunas novelas que merecen comentarse. No todas son de igual prestancia artística, pero
varias de ellas figuran entre las mejor calibradas de los
últimos años. Las citaré por el orden cronológico de
publicación.

La primera de cierto mérito que apareció fué *Héctor*,
escrita por un sacerdote llamado David G. Ramírez, pero
publicada bajo el seudónimo de Jorge Gram en Mar-
pha, Texas, en 1930, cuando aún no había terminado
del todo el conflicto. Esta obra ha circulado muy poco
en México y es desconocida de muchos intelectuales y
críticos. Que yo sepa, nunca se ha hecho una edición
mexicana aunque se volvió a editar en Chile años después de aparecer en Texas. José Luis Martínez no la
cita, quizás debido a la extranjería de las dos ediciones
que de ella se han hecho.

Tengo la sospecha de que el autor no es mexicano
sino español, pero nadie ha podido aclararme el misterio.
De todas maneras, la obra pertenece a la novelística
mexicana porque en ella, más que en ninguna otra, se
refleja el espíritu de los cristeros, su intransigencia y su
fanatismo. Más que novela, *Héctor* es un "pliego de
cargos", como dicen los abogados, un documento furibundo contra el presidente Calles, su gobierno y defensores. Lo que al autor principalmente interesa es demostrar la "santidad" de la causa cristera, la pureza
y el heroísmo de sus defensores y la crueldad y corrupción con que el gobierno procedió a extirpar la rebelión.
Héctor es, ante todo, una terrible diatriba contra Calles
y sus colaboradores a la vez que una loa exaltada del heroísmo, las virtudes y la pureza de los cristeros. Tan parcial y fanática es la actitud del autor que el libro traiciona
su propósito, y a los ojos de cualquier lector imparcial
y despojado de prejuicios partidaristas lo revela como
un escritor intransigente y obcecado por la pasión. Es
la obra de un energúmeno que desata los rayos de su
ira en denuestos contra el enemigo. Por ello, el valor
histórico de la obra es nulo. La realidad o verdad de la
guerra cristera está aquí vulnerada a sabiendas porque
el autor convierte la novela en panfleto furibundo y usa
de la pluma con la misma furia destructora con que sus
cofrades los curas cristeros usaron del rifle y la pistola. En tanto los oficiales y soldados del ejército nacional
aparecen pintados como desalmados y criminales, y a
Calles se le considera como un verdadero genio del mal,
los cristeros todos son poco menos que santos y mártires

que al autor ensalza con términos generalmente reser-
vados para la literatura hagiográfica. Ni uno solo de
los crímenes ni criminales cristeros aparece denunciado
ni siquiera aludido en estas casi cuatrocientas páginas.
Sus crímenes se cometían *ad majorem Dei gloriam* y, por
ende, no eran crímenes sino actos de heroísmo y de
nobleza. Todavía viven muchas personas mutiladas —especialmente maestros— a quienes los "desorejadores"
cristeros, amputaron las orejas. El término "desorejador"
en el sentido de ocupación u oficio, no se registra en
el diccionario español, pero lo crearon estos angelitos que
tanta admiración y piedad le merecen al padre Ramírez.

Pero si este apasionado alegato carece en absoluto
de validez para conocer el ambiente histórico que trata
de reflejar, en cambio le sobran vigor y agilidad en la
acción, y el diálogo se desarrolla con cierta vivacidad.
Si el padre Ramírez hubiera puesto coto a su truculencia desaforada y hubiera escrito su obra con un poco
más de serenidad y de respeto para la verdad histórica,
Héctor contaría entre las novelas más dinámicas y dramáticas de México. Por desdicha, la obra fué concebida
más como un anatema y como una exaltación apasionada
que como una obra de arte puro.

Fernando Robles (Guanajuato, 1897), había escrito
A la sombra de Alá (1929) cuando apareció su novela
más importante, *La virgen de los cristeros* (1934). Al
año siguiente publicó *El amor es así*, y en 1936, *El
santo que asesinó*, que no obstante su historicismo sin
vuelo puede considerarse también como novela cristera
de muy escasa valía. El santo que asesinó no es otro
que José de León Toral, el fanático que asesinó a
Álvaro Obregón en 1928 cuando ardía todavía la guerra
cristera. El libro es un relato sin trascendencia en el
que se glorifica a este oscuro personaje que en realidad
no merecía tal loa.

Ya por los títulos *La virgen de los cristeros* y *El
santo que asesinó* puede el lector colegir la filiación
religiosa de Fernando Robles. Pero si bien es cierto
que el autor defiende la ideología cristera y la conservadora en política, su novela dista mucho de la furia
y de la intolerancia que dictaron las páginas candentes
de *Héctor*.

Fernando Robles no sólo es conservador en política sino también en la técnica novelística. Desde este
punto de vista, *La virgen de los cristeros* sigue la tradición "realista" según la entendían Delgado, y López

Portillo y Rojas. De hecho, la arcadia que nos pinta
en esta novela —la hacienda de don Pedro— se parece
mucho a aquel otro cuadro bucólico que López Portillo
y Rojas nos dejó de la vida en la hacienda de su
don Pedro en *La parcela*. La magnanimidad y dulzura
con que el don Pedro de Robles trata a su peonada
y el ambiente de amor y generosidad que en su heredad
reina, son una réplica perfecta de los diseñados por
el novelista jalisciense en *La parcela*. Hasta en el nombre
coinciden los dos ricos estancieros.

Aunque la visión que de la realidad en los latifundios mexicanos anteriores a la Revolución nos da
Robles por boca de sus personajes no puede convencer
a nadie, *La virgen de los cristeros* se lee sin fatiga, debido principalmente a su acción movida y a la maestría,
viveza y abundancia del diálogo. No creo exagerar ni
adulterar la verdad al decir que *La virgen de los cristeros*
representa el espíritu de la contrarrevolución y el
punto de vista reaccionario. El padre del autor fué víctima de los villistas y según se ha dicho, murió a manos
de éstos. Este solo hecho basta para explicar —y aún
justificar— la reacción del autor contra aquella hecatombe social. Su inquina, sin embargo, no enristra tanto
en esta novela contra el villismo —liquidado hacía ya
veinte años cuando escribió esta obra—, como contra
el callismo y su política agraria y religiosa. Contra
los tres arremete denodado Fernando Robles. Calles y
su política —más demagógica que anticlerical en realidad— son los blancos de sus ataques.

Fernando Robles y Teodoro Torres son los dos
novelistas de más talento que desde la Revolución ha
producido la ideología conservadora en México y es de
lamentar que el último muriera cuando apenas empezaba
a dominar la técnica novelística y que Robles no haya
vuelto a cultivar el género desde 1935. En *La virgen
de los cristeros* se contraponen dos concepciones de la realidad rural, dos políticas frente al problema del campesinado. No hay duda de que el autor representa el punto
de vista reaccionario y conservador, pero sus ideas
personales son tácitas y están implícitas en la pintura
que de la hacienda del Nopal nos da. Esta hacienda
es una verdadera utopía. La conducta de don Pedro
—el hacendado— y su hijo Carlos para con los indios
y la peonada en general, es tan paternal, tan generosa
y altruista, que resulta irreal y absurda. En contraste
con este cuadro de novela pastoril que simboliza el régi-

men campesino de la era porfirista, el autor nos ofrece
otro en el que se describe la situación del campesinado
después de que Calles parceló muchos latifundios y re-
partió las tierras. Según Robles, la peonada comía más
y vivía mejor bajo el régimen fenecido que ahora.
Habría que preguntárselo a los campesinos mismos.
Sobre este tema se ha argüido mucho por ambas partes,
pero lo único cierto es que hasta el presente los indios
y peones campesinos no han pedido que se restablezcan
los latifundos ni que se les reintegre a ellos el vasallaje
a que antes estaban sometidos.

Involucrado con los problemas que el agrarismo
callista plantea, aparece el pavoroso tema de la guerra
cristera de la cual se hace responsable a Calles. Con
gran maestría técnica, el autor contrapone otra vez dos
puntos de vista, dos filosofías antitéticas que se encarnan respectivamente en Carlos y la heroína —la virgen
de los cristeros— Carmen, joven fanática que consagra
su vida al triunfo de la "santa causa". Al concepto
religioso rígido, fanático e intransigente de la conspi-
radora, opone el autor la tesis más tolerante y *civilizada*
de Carlos, su contrincante. En reiterados y hábiles co-
loquios, los amantes exponen con rica argumentación
sus respectivas interpretaciones de la realidad espiritual
y social mexicana. Es aquí donde más alto brilla la
capacidad dialéctica de Fernando Robles. A ratos diríase
que Carlos es su *alter ego* y portavoz de sus personales
teorías; mas con tanta firmeza y abundancia de argumentos defiende Carmen su punto de vista, que el
lector perplejo duda si no será ella la que más legítimamente representa al autor. Los dos sostienen —en
principio— la santidad de la causa cristera, pero Carlos
es mucho más moderado y tolerante que la belicosa y
fanática Carmen. Ambos personajes, sin embargo, están
en extremo idealizados. Más que carateres con levadura humana se nos antojan símbolos o personificaciones
de sendas concepciones de la realidad política y social de México en un instante crucial de su historia
contemporánea.

Un detalle digno de anotarse. En toda la novela
de ambiente revolucionario, la mujer apenas aparece y no
tiene importancia ninguna. En la novela cristera, por
el contrario, la mujer es con frecuencia la protagonista
principal y aun en aquéllas en que se le asigna este
papel a un hombre, como en *Héctor,* por ejemplo, Consuelo es tan audaz y valiente como el propio héroe. Lo mismo

que en el caso de la novela revolucionaria, la cristera
se ajusta a la realidad histórica. Así como en la Revolución la mujer no participó más que como soldadera
adherida a su hombre sin conciencia social ninguna, en la
guerra cristera, en cambio, representó un papel importantísimo y con frecuencia fué tan cruel y despiadada
como los clérigos que la comandaban y aun más que sus
enemigos.

La cuarta novela cristera y una de las más interesantes y valiosas para conocer la psicología social del
momento y el ambiente de odios frenéticos, de intolerancia y de crueldad que se desató sobre algunas regiones de México entre 1926 y 1930, es la titulada
Los cristeros (La guerra santa en los Altos), por José
Guadalupe de Anda (1937). Las tres novelas anteriores
reflejan la militancia —y aun la beligerancia— católica
de sus respectivos autores. Están escritas en función
de propaganda y defensa de la causa cristera. Son partidaristas, tendenciosas y *one-sided,* como quien dice. En
ellas, sólo se presenta —sublimada y adulterada por
exceso de fanatismo— la ideología cristera, en tanto que
los que la combatieron aparecen condenados sin apela-
ción.

El espíritu de *Los cristeros* es antitético del que
dictó las tres novelas anteriores. José Guadalupe de
Anda no escribe en función de clerófobo ni de apologista
o defensor del callismo. Cierto que de Anda condena
la sublevación cristera en tanto que el padre Ramírez
la aplaude y colma de bendiciones y Robles tácitamente
la disculpa y justifica; pero de Anda reprueba los crímenes del gobierno y sus secuaces lo mismo que los de
los curas y sus auxiliares. Si estos últimos aparecen
más implacables y sanguinarios que los soldados de
Calles en la novela de Anda, es porque así fueron en
realidad. La soldadesca ahorcaba o fusilaba a los prisio-
neros, pero no los torturaba ni mutilaba como hacían
los sublevados. La actitud del autor es mucho más serena
e imparcial que la de los dos novelistas anteriores, sin
que esto implique ausencia de simpatías. Posiblemente,
ni la demagogia inescrupulosa del callismo fué tan criminosa como Ramírez y Robles la pintan, ni los curas
que comandaban las hordas cristeras tan depravados y
sanguinarios como de Anda los retrata. Mas lo que hace
de *Los cristeros* un documento más fehaciente que las
tres novelas anteriores es el hecho de que su autor no
escribe en función de defensor de ninguna de los dos

ideologías contendientes y reprueba los procedimientos de ambos.

Ninguno de los muchos caracteres que Guadalupe de Anda presenta en esta novela adquiere pleno desarrollo. Casi todos ellos son esbozos psicológicos sin pretensiones trascendentales. No obstante, en estos rápidos diseños quedan firmemente dibujados los perfiles más característicos de cada uno de esos personajes, y evidenciada la capacidad novelística del autor. Frente a la idealización que de sus respectivos protagonistas habían hecho el padre Ramírez y Robles, estos "retratos" de Guadalupe de Anda se caracterizan por su realismo y por su "humanidad" innegable. La acción de la novela está bien urdida, desenvuelta con lógica artística y sin vulnerar la verdad histórica. El autor abre la obra con un sobrio cuadro dialogado en el cual introduce a casi todos los caracteres de más robusta personalidad de su novela. Es la hora del atardecer en una hacienda de Los Altos y a medida que la heredad "se aquieta y se recoge", van llegando a la casa familiar el tío Alejo, Ramón, sus hijos, Policarpo y Felipe, algún peón, etc. Este ambiente patriarcal está presidido por la recia figura de doña María Eugenia que "con el rosario en la mano, reparte sufragios, equitativamente, entre todos sus muertos". Nótese la rara habilidad con que el autor capta la belleza del instante crepuscular, y su destreza para resumir el cuadro de geórgica virgiliana:

"Es la hora romántica de los crepúsculos, cuando las aguas dormidas de los "estanques" se tiñen de sangre y aparecen tupidos batallones de tordos bullangueros, ennegreciendo el cielo.

Pero aquella gente no sueña ni se conmueve con estas cosas...

Muge la vacada entrando a los corrales.

Berrean los becerros.

Alegan en voz alta, en disputa de campo, las gallinas.

Traquetean a lo lejos las carretas, camino de las trojes y se presentan las primeras avanzadas de la noche".

Sobre este fondo de naturaleza reposada y maternal, se destacan estas figuras de una familia campesina que, por la divergente y opuesta actitud que divide a sus miembros frente al conflicto político-religioso que se avecina, bien podría simbolizar a la gran familia mexicana, y de hecho la simboliza, aunque el autor no

se haya percatado de ello. Así doña María Eugenia,
obcecada y rígida, que niega el agua y la sal a todos
los que apoyen al gobierno o simpaticen con su política; Policarpo, hombre de acción, ambicioso y sediento
de poder que en la revuelta cristera ve su oportunidad
para alcanzar el aguilita de los generales; el tío Alejo,
socarrón y hasta un poco volteriano en su ignorancia
campera, mas lleno de experiencia. En el fondo es noble
y generoso, y se ríe para sus adentros de tirios y troyanos sin tomar partido por ninguno de los dos bandos.
Felipe, el ex-seminarista que al abandonar los estudios
sacerdotales lo hará penetrado de una gran desilusión
y minado por incipiente incredulidad debido al contagio
de las doctrinas positivistas. Es el carácter más amable,
digno y humano de toda la novela. Por ser el más culto
de la familia, es el único que en este hogar se atreve
a condenar francamente la carnicería cristera y a afron-
tar los anatemas de doña María Eugenia. Es también
el único que descubre el egoísmo y las motivaciones
nada altruistas ni cristianas de los que azuzan a los infelices ignorantes y fanáticos, y conspiran contra el gobierno. Don Ramón, manso y crédulo, incoloro y bue-
nazo como buey de labor, que nada entiende de todos
estos embrollos, pero acata sin discernimiento la autoridad de los "padrecitos" a quienes de buena fe cree
víctimas de las truhanerías del gobierno...

Luego se ampliará el cuadro: aparecerán las siniestras figuras del padre Vega, del padre Angulo, y del
padre Pedroza que por su ferocidad recuerdan los curas
de las guerras carlistas españolas retratados por los novelistas peninsulares. Veremos también a los ricachos, cons-
piradores civiles, que mientras incitan a las masas
analfabetas a la rebelión y dan dinero para la "santa
causa", huyen de ella y se refugian en las grandes
ciudades acogiéndose al amparo de las fuerzas federales que disimuladamente combaten. Son los especula-
dores de la revuelta que juegan con cartas dobles. Asistimos aquí, como se ve, a la algarada cristera vista desde
adentro en toda su repugnante fealdad y crudeza. Ni la
concupiscencia y el excesivo rigor de muchos oficiales
y representantes venales del gobierno federal escapan
a la perspicaz observación del autor. De ahí el valor documental de esta novela.

El diálogo, ágil y nervioso, conducido en un tempo
rápido es el procedimiento técnico de que generalmente
se vale de Anda para retratar a sus múltiples personajes.

Una respuesta aguda o procaz, una enérgica interjección
en un instante decisivo, le bastan a veces para dibujar
el temple moral de un hombre. Y entreverado con suma
destreza el sentimiento de la naturaleza y del paisaje
plasmado en rápidos "pasteles" y en alusiones pasajeras, pero de una gran plasticidad. Otras veces surge en
forma de metáforas de una gran fuerza sugeridora o de
un fino matiz poético. Y siempre ese crudo realismo
—que no excluye la poesía de buena ley— que caracteriza a la novela mexicana posterior a Azuela. Por todas
las cualidades apuntadas, esta primera narración de
José Guadalupe de Anda, sin alcanzar la categoría de
gran novela, es una de las más interesantes que la algarada cristera produjo y puede colocarse entre las más
afortunadas de las últimas dos décadas.

En 1942 apareció la segunda novela de las tres que
de Anda ha publicado: *Los bragados*. Aunque el tema
de esta breve narración no es exactamente la guerra
cristera, debe incluirse en este capítulo porque en ella
reaparecen algunos personajes de la anterior y, sobre
todo, porque el tema novelado no es más que la
secuela inevitable del cruento conflicto que los intereses económicos afectados por la política de Calles des-
encadenaron. No asistimos ahora a la guerra cristera
propiamente dicha sino a las fechorías, robos, asesinatos, mutilaciones y estupros a que se entrega una pandilla de fanáticos cristeros —los bragados— después de
que la alta jerarquía católica aceptó la paz —¿acaso sólo
una tregua?— con el gobierno. Al sacrílego grito de ¡Viva
Dios! estos catecúmenos criminales y sádicos, realizan
sus fechorías y son ahora el azote de las aldeas y haciendas pacíficas de Los Altos en el Estado de Jalisco.
Ya no se combate a los soldados del gobierno, sino a
los maestros de escuela principalmente, y al que no matan
lo mutilan cortándole las orejas. Reaparece ahora el
"desorejador" profesional cuyo oficio se inauguró durante la guerra cristera.

Del repugnante fanatismo que priva en esta región,
es prueba inequívoca el corrido popular de Policarpo
Bermúdez, uno de los héroes cristeros, al cual pertenecen estas estrofas:

. . . .

San Julián se llama el pueblo
donde se honra a Cristo Rey,

donde las mujeres paren
a puros hombres de ley.

. . . .

De este poblado los hombres,
como todo buen cristiano,
llevan el rosario al cuello
y la pistola en la mano.

. . . .

Las mujeres echan bala
de ventanas y balcones,
gritándoles a los sardos
que son pájaros nalgones...

. . . .

La técnica del autor, tan estrechamente emparentada
con la que Azuela inauguró, aparece en *Los bragados*
aun más perfeccionada. Su capacidad de síntesis da a
sus "cuadros" dramáticos, paisajistas o costumbristas,
a sus esbozos psicológicos un fuerte esquematismo y una
elocuencia poco menos que insuperables. De Anda, siguiendo la tradición azuelista, comprime la acción y
poda la ramazón malsana del lenguaje hasta dar casi
en el laconismo, pero sin mermar en un ápice el vigor
del estilo ni la fuerza dramática de los hechos que
narra. Es, sin duda, uno de los novelistas que mayor
capacidad de síntesis y de autocrítica poseen en México
en la actualidad.

Ignoro la edad y la procedencia de José Guadalupe
de Anda, pero me inclino a creer que es jalisciense por
lo familiarizado que parece estar con el carácter, las
costumbres y el habla popular de la gente de aquel estado. En esta novela el autor emplea con gran abundancia
y no menos acierto artístico los modismos expresivos
del campesinado. Es uno de los aspectos más interesantes
y valiosos de esta novela. En el prólogo que la antecede
señala José Garnier el alto valor de este popularismo
lingüístico:

"Parece como si la severa economía del paisaje alteño, más
lineal, a lo Cézanne, que dispensador de molicies o dilatado en
ternuras, haya inspirado los cánones del autor de este libro. En

esta obra, como en "Los Cristeros", (de que ella es secuencia, sin detrimento de la propia autarquía), el estilo es vivo, a la vez preciso y de ejemplar despejo, siempre en derechura a lo esencial y avanzando como sin peso. Y sus gentes y sus escenas, evocadas con rara felicidad de retina e infalible instinto de la expresión popular, determinan en cada ademán un acrecimiento de relieve, y en cada dicho la definición de quien habla. Pasan en la novela sus personajes (al fin como seres de carne y hueso) "velut umbra"; pero su huella dura en la memoria harto mejor que la de tantos vagos humanos a quienes fuimos presentados no sabemos por quién y a los que saludamos porque sí".

"En la copiosa haldada de populares recobros mexicanos, típica de la literatura post-porfirista, sorprende y encanta este nuevo fruto de realismo popular y de poesía perenne que, pasando del fácil diletantismo, o del limitado empeño del alegato oficioso, puede envanecerse de su quieta y segura maestría".

En 1943 publicó José Guadalupe de Anda su tercera y última novela hasta el presente: *Juan del riel*. Por más diligencias que he hecho, no he podido obtener esta obra que ni siquiera las librerías de lance poseen. Pero a juzgar por las dos primeras, de Anda es uno de los novelistas mejor dotados en México hoy y es de lamentar que no se prodigue más.

Un año después que *Los cristeros*, en 1938, se publicó *¡Ay, Jalisco... no te rajes!* o *La guerra santa*, por Aurelio Robles Castillo, nacido en Guadalajara en 1897. Robles Castillo ha publicado otras cuatro novelas, pero la que más interesa aquí es la mencionada, seguida de las cinco que hasta ahora ha producido.

Las novelas de Robles Castillo interesan más por el contenido social que por el artístico o el literario. Su técnica es floja, su estilo, sin grandes pretensiones literarias, es desaliñado y sin nervio ni eficacia descriptiva. Su procedimiento o composición novelística es pobre, difuso y se pierde en una maleza de personajes, hechos, incidentes y comentarios mal concatenados e innecesarios muchas veces. Sus personajes carecen de relieve y no se desarrollan nunca lo suficiente.

¡Ay, Jalisco... no te rajes! tiene interés como documento, pero no como obra de arte. En ella se acumulan tantos caracteres y episodios sin ninguna relación

con lo que se supone ser la acción central de la obra —la guerra santa— que la lectura se vuelve cansada y la atención se desparrama en múltiples direcciones. Al desperdigar el interés y el esfuerzo en tan variados y superfluos incidentes y personajes, el autor no logra hacer vivir a ninguno. Todos dan la impresión de muñecos o de entecas figuras sin viabilidad artística. El personaje que asume —o pretende asumir— en la intención del autor las proporciones de protagonista, el doctor Hornedo, es un ente ridículo al final de la novela y carece de levadura humana. Su conducta en relación con su esposa y el amante de ésta es perfectamente idiota e irreal. ¿A qué mexicano normal —o a qué latino— colocado en el trance de sorprender *in fraganti* a su esposa cometiendo adulterio, se le ocurriría espetarles a los delincuentes un sermón u homilía de seis largas páginas? ¡Y luego, como remate, el suicidio encerrado en la tumba de su madre! Tales tonterías se escribían entre 1830 y 1860, pero ni siquiera en aquella época las cometían los hombres normales, sobre todo los médicos de procedencia humilde, como el doctor Hornedo, que se forjaron un nombre y una posición gracias a su tenacidad, a su inteligencia y a su esfuerzo.

Tan absurda es la conducta del doctor Hornedo, que el lector sospecha si Robles Castillo habrá querido darnos la tragedia de un hombre frustrado por el complejo de Edipo que el exceso de mimo y de atención maternales pudo haber desarrollado en este famoso pediatra. Pero no; el autor está horro de influencias freudianas en esta novela. Lo que sí revela es un pueril influjo romántico incomprensible en la fecha en que escribe.

Pero si esta novela es artísticamente endeble, en cambio atesora un gran contenido social, y como estudio del ambiente de Guadalajara y de la guerra cristera debe interpretarse para no ser demasiado injustos con ella.

Como ya se dijo, Robles Castillo nació en Guadalajara y conoce bien y ama las tradiciones, costumbres y características de Jalisco y de su gente en general. Ahora bien, la guerra cristera alcanzó en aquel estado una pugnacidad aterradora y es de lamentar que el autor no se haya detenido a estudiar mejor este fenómeno en lugar de subordinarlo a la dispersión episódica en que se resuelve su obra. Las páginas más interesantes son las destinadas a revelar la enorme riqueza, la soberbia y el poderío del clero a través de la historia de México

y el ambiente de fanatismo cerril y criminoso que creó
al declararse en rebeldía contra el gobierno y las leyes
de la nación. Así nos dirá en la página 97:

"El clero se insubordinaba en México, queriendo establecer normas y modificaciones a las leyes. Pretendían un gobierno dentro
de otro. A consecuencia de esto, la revolución tuvo que obrar con
energía, reglamentó la Ley de Cultos, señalando determinada cantidad de sacerdotes por habitantes, según los credos existentes en
el país. Se incautaron al clero los cuantiosos bienes que disfrutaba,
tomándole el exceso de templos para realizar dentro de ellos
fines sociales: se convertían en escuelas, bibliotecas o graneros.
Poblado había que, no teniendo dos mil habitantes, contaba con
trescientos templos y tan sólo un mísero local le servía para escuela".

Y en las 159 y 160:

"No obstante la ecuanimidad del Estado, la sangre empezó
a correr. La fobia antigobiernista se desataba, sobre todo, en las
mujeres que se sentían Juanas de Arco, e incitaban a la rebelión
a sus esposos y a sus hijos".

. . . .

"Al pueblo fanatizado se le azuzaba a la rebelión, especialmente en las zonas más incomunicadas y donde los auxilios federales eran difíciles de obtener. Los habitantes se levantaban en
masa, sacrificando a las pequeñas guarniciones. Colgaban y marti-
rizaban a los maestros rurales y se cazaba como ilotas, como bes-
tias, a los agraristas desarmados".

No se crea, sin embargo, que Robles Castillo escribe en función de callista o defensor de las tropas y
de la política federales. Tan duras son las frases de
condenación que tiene para los generales y políticos del
régimen que lucran con esta guerra atroz y roban y
matan igual que los cristeros, como los términos en que
reprueba los crímenes de estos últimos. El autor se coloca en un punto equidistante de ambas facciones y a las
dos las condena con igual indignación. Pero entiéndase
que lo que él censura y desaprueba no es la política ni
las leyes que el régimen de Calles promulgó para po-

ner en vigor los preceptos constitucionales, sino la desalmada conducta de los políticos y generales a quienes
se encomendó su aplicación y el sometimiento de los
facciosos cristeros que se habían declarado en rebeldía.

En la guerra cristera está inspirada también la
primera y más celebrada novela de Jesús Goytortúa
Santos, *Pensativa* (1945), laureada con el Premio Lanz
Duret en 1944. Es ésta una de las novelas más entretenidas y de interés más sostenido que en México se
han publicado últimamente. El autor se propuso escribir
un libro de amena cultura con el cual pudiera solazarse
el leyente en cada capítulo, y es de justicia reconocer
que lo logró cumplidamente. *Pensativa* no se deja de
lado·hasta concluirla. El interés de la obra no consiste
en la firmeza con que el autor dibuja los caracteres, ni
en el cuadro ambiental, ni en los valores ideológicos. La
razón por la cual *Pensativa* agrada tanto, radica única
y exclusivamente en su factura técnica. La trama está
bien urdida, bien planeada y desarrallada con indiscutible talento novelístico. *Los cristeros* de Anda se deja
leer por su contenido social principalmente; en el caso
de *Pensativa* lo que más seduce al lector es la intriga
misma. No es ésta una gran novela, pero sí una novela
bien hecha. (Las grandes novelas son frecuentemente
defectuosas en cuanto a técnica y a ratos cansadas. Cervantes, Tolstoi, Dostoiewski, Dickens, Balzac, y aun
Thomas Mann, son ejemplos incontrovertibles.)

Goytortúa resume en esta obra varios géneros de
novela. Por una parte es, esencialmente, una novela
de tema amoroso combinado con el tema histórico que
fué la guerra cristera; pero además la trama, a ratos,
nos da la impresión de que estamos leyendo una novela
de misterio, una novela fantástica y aun policíaca y en
todo momento una narración romántica. Todo ello ade-
rezado con una técnica bien trabajada y la trama calcu-
lada y dispuesta para intrigar y sostener la atención
hasta la última página.

Pensativa, a primera vista, deja la impresión de que
—como *Héctor* y *La virgen de los cristeros*— defiende
la "santa causa" y es vocero de ella. El hecho de que
en toda la obra, con excepción del protagonista-narrador, sólo aparezcan personajes facciosos y prosélitos vehementes que sostienen con ardor la bondad y la legitimidad de su conducta durante la revuelta, contribuye a
crear esta falsa impresión. Lo que ocurre en realidad

es que Goytortúa es un novelista de gran habilidad técnica que maneja los trucos de este montaje con destreza de prestidigitador. Por eso al presentar sólo a cristeros y dejarlos exponer y defender libremente su ideología y sus crímenes, lo único que hace es darles suficiente soga para que se ahorquen ellos mismos. En ninguna otra novela vemos tan al desnudo la intolerancia y la ferocidad implacable de estos "soldados de Cristo" como en ésta. Aquí no asistimos a la guerra misma, como en el caso de *Héctor* y *Los cristeros*, sino a la post-guerra. El conflicto está visto retrospectivamente y con todo el odio, la exaltación y el despecho del fracaso. Ahora no son el gobierno y los liberales los únicos objetos de rencor de estos posesos, sino también los curas y los obispos que aceptaron la tregua y firmaron la paz con el gobierno. Ni siquiera el obispo de la localidad tiene autoridad sobre estos energúmenos. Al único que respetan y acatan es al padre Ledesma uno de los "cruzados" que nunca se rindió y permanece todavía en las montañas.

Tan sutilmente disfrazadas están aquí las intenciones del autor, que la mayor parte de los lectores no se dan cuenta del truco y hasta cierto crítico mexicano sostenía recientemente la filiación cristera de la novela. Mas cualquier lector inteligente y culto que la lea sin prejuicios parditaristas, sentirá verdadera repugnancia por estos personajes que se ufanan de sus crímenes y se arrogan la exclusiva representación de Cristo en cuyo nombre cometen sus atrocidades.

Sin embargo, lo que en *Pensativa* predomina no es el propósito de poner en evidencia a los cristeros y revelar sus bárbaros procedimientos; lo que en ella priva es la intención artística. Goytortúa descubre en la fiereza y el fanatismo de estos personajes, un tema de estética y un motivo novelable y supo aprovecharlos con gran destreza. Sobre este fondo de inaudita ferocidad teje una romántica intriga amorosa cuyo desenlace está condicionado por la realidad histórica ya consumada.

De la otra novela que el autor ha publicado se dará cuenta en otro capítulo.

Los demás relatos que la guerra cristera ha inspirado son de mucha menor cuantía artística y no merecen que nos detengamos en ellos.

Capítulo XIX

La novela indigenista

Tanto en el "Prefacio" como en los capítulos precedentes he aludido reiteradamente al tema indígena y a la frecuencia y calidad con que le han cultivado en los últimos tres lustros varios novelistas mexicanos y un extranjero genial. Antes de analizar el desarrollo de esta variante temática, conviene resumir las causas que han propiciado el interés de los creadores mexicanos contemporáneos por este asunto tan desdeñado por sus congéneres de la generación porfirista.

Ya he citado el empeño que puso la Revolución en rehabilitar al indio. Fué uno de los postulados esenciales de aquel movimiento. Los ideales que la Revolución perseguía pueden agruparse, *grosso modo,* en cinco grandes anhelos reformadores. *El político*: eliminación de la dictadura, restablecimiento de la libertad individual y colectiva, lo mismo que la de pensamiento y prensa, sufragio efectivo, no reelección, etc.; *el económico*: nacionalización de la riqueza del subsuelo, eliminación del latifundismo, sometimiento del capital extranjero a la exclusiva jurisdicción de las leyes nacionales, desarrollo industrial del país, etc.; *el religioso*: así se ha llamado, pero en realidad no era tal, pues ni la constitución ni las leyes vigentes afectan al dogma ni a los ritos de la iglesia dentro del templo, sino a sus prácticas fuera de las iglesias, y sobre todo, a la tremenda fuerza política, económica, educacional y social que la iglesia representaba y aun representa; *el educacional*: enseñanza obligatoria y laica, nacionalización de esta función, reformas pedagógicas, etc.; y *el social*: rehabilitación del indio mediante su redención económica y cultural, reconocimiento de los derechos del obrero a organizarse en gremios y a la huelga para su defensa en la lucha de clases, etc.

La revolución le dió un tremendo impulso al interés por los problemas que la vida indígena planteaba.

Los gobiernos revolucionarios están muy lejos de haber realizado todo lo que debieron —y pudieron— haber hecho por el indio y aun en lo que hasta ahora se ha llevado a cabo, no siempre se ha procedido con eficacia ni con honradez. Pero maguer las fallas que en tal sentido podrían señalarse, aún queda un margen de iniciativas, de reformas, de hechos beneficiosos para esta sufrida clase social a favor de las administraciones revolucionarias. Por otra parte, desde 1920, el gobierno ha propiciado en múltiples formas los estudios e investigaciones indigenistas, los trabajos arqueológicos y antropológicos para descubrir y valorizar las culturas autóctonas primitivas tanto como las investigaciones sobre las variantes culturales que aun persisten. Al amparo oficial se ha revalorizado la historia de México, exaltando los valores nativos y destacando la contribución de las culturas indias al acervo presente. En una palabra, en los últimos treinta años se ha procurado rehabilitar al indio y las culturas indígenas, no obstante que en muchas ocasiones este noble empeño ha sido aprovechado como bandera política por politicastros manidos en provecho propio.

Sobre el tema indigenista existe una ingente literatura en México. El número de libros y folletos que sobre los diferentes aspectos que el problema indio plantea se han publicado, suma muchos centenares, para no contar los miles de artículos y editoriales de los periódicos que ha inspirado. En esta abigarrada producción hay de todo, como en la viña del Señor, desde los estudios técnicos muy valiosos de un Alfonso Caso y un Manuel Gamio, hasta las fantasías —y apostasías— del renegado José Vasconcelos. También han proliferado los libros de índole histórica, interpretativa y artística —sin llegar a ser novelas— como los escritos por Andrés Henestrosa, Ermilo Abreu Gómez, Francisco Monterde, Antonio Médiz Bolio y otros muchos.

Tampoco debe olvidarse la aportación de la pintura mural, la atención que le consagró al indio y el hondo influjo que ejerció en el desarrollo de la novela, tanto en lo que atañe a los temas como a la técnica.

En pos de los estudios serios llegó la novela que se inició con una obra desorbitada, fantástica, y a ratos poco *sympathetic* hacia México y sus problemas, pero que a vuelta de muchas fantasías sin nexo con la realidad social mexicana, contiene atisbos geniales: *The plumed serpent* de D. H. Lawrence, publicada en inglés allá por 1926 y reeditada nueve veces en dicha lengua desde entonces, además de haber sido traducida al español y a otros idiomas. *La serpiente emplumada* no es propiamente una novela indianista, pero la genial intuición de Lawrence supo captar en ella muchas esencias de la idiosincrasia indígena y sin duda contribuyó a despertar interés en México por el tema.

A partir de la publicación de la citada obra de Lawrence, han aparecido en México una serie de novelas de muy diverso mérito y carácter, todas ellas inspiradas en el indio, en su historia, en sus costumbres, cultura, leyendas y tradiciones. Citaré algunas de ellas por el orden cronológico de su respectiva publicación. *Entre riscos y entre ventisqueros. Novela de un indio* (1931), por Martín Gómez Palacio; *El indio* (1935), por Gregorio López y Fuentes, la más difundida y la que más éxito ha tenido en el extranjero de las escritas por mexicanos sobre el tema; *El resplandor* (1937) por Mauricio Magdaleno; *Nayar* (1941), por Miguel Angel Menéndez; *Los peregrinos inmóviles* (1944), por Gregorio López y Fuentes; *Taetzani* (1946), por Alba Sandoiz; *Lola Casanova* (1947), por Francisco Rojas González.; *Donde crecen los tepozanes* (1947), por Miguel N. Lira; *Cajeme. Novela de indios* (1948), por Armando Chávez Camacho y *El callado dolor de los Tzotziles* (1949), por Ramón Rubín. Según se me ha informado, en el instante en que escribo se está terminando otra novela atingente al mismo asunto por uno de los autores precitados, que parece prometer mucho. Además de las mencionadas, hay otras narraciones novelescas que podrían incluirse a justo título en este capítulo, pero son de mucha menor categoría.

Las novelas más bien hechas y de mayor enjundia entre las narraciones aludidas son *El indio, El resplandor, Nayar, Los peregrinos inmóviles, Lola Casanova, Donde crecen los tepozanes y El callado dolor de los tzotziles.* Varias han sido comentadas ya y no es necesario volver sobre ellas. Si se nombran aquí es para dar idea del desarrollo que esta variante ha tenido en México en los últimos quince años y de la importancia que reviste en la actualidad. Mas antes de referirme a las restantes, creo pertinente —y necesario— hacer un paréntesis sobre el más importante de los autores que se han inspirado en el tema indígena, quien no sólo ha influido a algunos de los creadores mexicanos, sino que a través de sus novelas ha revelado a todo el mundo occidental la tragedia del indio mexicano y la grave injusticia que con él ha cometido durante siglos el hombre blanco y cristiano.

Bruno Traven, auténtico novelista mexicano

Por casi veinte años ya, la personalidad de ese fantástico novelista que firma sus obras con el seudónimo de Bruno Traven, ha constituído el misterio más impenetrable y apasionante de la vida literaria contemporánea. Nada conocemos exactamente de él, ni su nacionalidad, ni la lengua en que originalmente escribe, ni datos biográficos concretos. Ni siquiera sabemos si el nombre Bruno Traven es realmente el suyo o un seudónimo tras el cual se oculta el verdadero. No pocos periodistas y editores de México y de otros países se han propuesto la tarea de descorrer el velo que cubre este enigma sin que hasta ahora nadie haya dado con la clave. Sobre su pista se han lanzado muchos, pero hasta el presente nadie ha logrado identificarlo. Estoy por creer que serían necesarios los servicios de Scotland Yard de Londres, combinados con los de la Checa rusa y el F. B. I. norteamericano para develar el misterio. Todo lo que hasta ahora se ha publicado sobre el extraño personaje no son más que suposiciones y fantasías. El ha sabido eludir siempre a los sabuesos de las editoriales y de la prensa y hasta el presente mantiene impenetrable el incógnito.

En este verano de 1950 he escuchado en México las más contradictorias y hasta absurdas hipótesis sobre Bruno Traven. Según ellas es un ser ubicuo, pues mientras unos lo suponen en Acapulco, otros lo localizan en Veracruz o en los Estados Unidos o en Europa. Para unos es alemán, para otros norteamericano o inglés, y no faltan los que lo creen suizo. Alguien me ha dicho con toda convicción que es un sacerdote germano, en tanto que otros sostienen que es comunista. En fin que en torno a Bruno Traven existe ya una verdadera leyenda y el autor mismo se nos ha convertido en una especie de benévolo y proteico *nahual* o genio indigenista ya que nadie en México ha sabido ver y retratar al indio con el amor y la simpatía con que este vigoroso escritor lo ha hecho en cinco o seis novelas notables. Diríase un duende o un mito dotado de genio novelístico.

Pero si nada sabemos de Bruno Traven, poseemos, en cambio, sus libros y éstos le dan derecho a figurar en cualquier historia literaria o estudio de la novela mexicana como el autor que con mayor hondura y cordialidad ha dramatizado un aspecto importantísimo de la realidad social mexicana. Es un hecho que me ha llamado la atención desde hace años: ni Carlos González Peña, ni Julio Jiménez Rueda en sus respectivas *Historia de la literatura mexicana,* ni José Luis Martínez en su *Literatura mexicana. Siglo XX,* lo incluyen ni le reconocen beligerancia. César Garizurieta vá más lejos aún. En su libro *Realidades mexicanas,* lo menciona para proscribirlo y negarle mexicanidad.

Bien sé yo que la lengua en que un autor escribe es elemento esencial y hasta cierto punto definidor para determinar la nacionalidad de su obra. Pero estimo también que esta manera de enfocar el problema puede llevarse demasiado lejos y atribuirle excesiva importancia al idioma en la clasificación de un autor. Creo, por el contrario, que debe tenerse en cuenta, más que la lengua misma, que a la postre es sólo vehículo, materia externa, el espíritu del autor, el grado de vinculación emocional del escritor con el ambiente y con los elementos humanos que integran su obra. En otras palabras: ¿está el autor entrañablemente identificado con la atmósfera y con los seres que retrata, o los ve en turista, desde afuera y sin sumergirse él mismo en el mundo que intenta recrear? Esto, me parece, debiera ser factor de peso para decidir si un autor debe considerarse mexicano o no. La lengua por sí sola no basta. Tampoco la nacionalidad de origen del escritor. Mucho menos el tema y la ubicación de una obra. Así, por ejemplo, a D. H. Lawrence no se le puede incorporar a la literatura mexicana aunque haya escrito dos notables novelas de ambiente mexicano, ni a la literatura peruana el autor de *El puente de San Luis Rey,* ni a la española a Ernest Hemingway por su *Death in the afternoon* y *For Whom the bell talls.* En todos estos casos y en otros cien similares, la personalidad íntima del autor se mantiene divorciada de los temas y del ambiente que ha novelado. En todos estos ejemplos, el autor ve los problemas a distancia, un poco en turista, y permanece totalmente desvinculado de ellos. Los argentinos, en cambio, han in-

corporado a William Henry Hudson a la literatura nacional aunque escribió en inglés, y esto no por haber
nacido Hudson en la Pampa, sino por el hecho fundamental de haberla reflejado con sensibilidad y con
emoción argentinas, es decir, porque al escribir sobre
temas pampeanos los sentía y reflejaba como circunstancia personal. Lo mismo han hecho con Francisco Bond
Head y con Daireaux, que escribieron en inglés y en
francés respectivamente, con Paul Groussac, escritor bilingüe, con Horacio Quiroga y Florencio Sánchez, uruguayos de origen, con Alfonsina Storni, nacida en Sui-
za y con otros muchos. En México mismo tenemos el
caso de Rafael Landívar que ni nació en México ni
escribió en español su obra fundamental y, no obstante,
se le considera legítimamente como una gloria de la literatura mexicana porque supo identificarse con el medio
y las costumbres que cantó.

　　¿Por qué entonces se le niega mexicanidad a la obra
de Bruno Traven, siendo así que nadie se ha adentrado
con la transida ternura, con la amorosa comprensión y
con la indignada vehemencia con que él lo ha hecho
en el drama secular de un importantísimo sector de la
sociedad mexicana? ¿Qué novelista nacional se ha aproximado al indio con tan honda simpatía? ¿Cuál de ellos
ha sentido tan entrañablemente el sufrimiento del indio? ¿Quién en México ha sabido descubrir el dolor
y las magníficas virtudes del indígena con la conmiseración y la conmovida piedad con que Traven lo ha
hecho? ¿Dónde están las novelas indigenistas mexicanas
que ni remotamente puedan equipararse a las cinco o seis
que Traven lleva publicadas sobre este tema? ¿Qué
mexicano ha penetrado en la idiosincrasia del indio,
en su alma torturada por el dolor, el hambre y el maltrato que el hombre blanco y el mestizo cristianos le han
infligido durante siglos, con la sagacidad, con el amoroso
deseo de comprenderlo y de redimirlo con que Traven
se ha aproximado a él y lo ha retratado en una serie
de novelas que superan a todas las mexicanas? ¿Dónde
está la novela mexicana que nos dé la vida indígena
vista "desde adentro", tan dramática y tan fielmente
captada como la pintura que Traven nos dejó principalmente en *Puente en la selva, La carreta* o *La rebelión de
los colgados?*

　　Todos ignoramos la vida de Traven y sus andanzas
en México. Nadie sabe cómo ni cuándo exactamente

entró en contacto con el indio mexicano. Lo único que sabemos es que ningún escritor mexicano se ha preocupado tanto de los indígenas, ni ha escrito tantas ni tan bien calibradas novelas en torno a esta humillada, vejada y expoliada porción de la sociedad mexicana como este enigmático autor. Nadie en México se ha conmovido tampoco tan hondamente frente a la injusticia que el indio padece como él. ¿Por qué, pues, no se le reconoce beligerancia mexicana a Bruno Traven?

Sospecho que en este ostracismo literario en que se le mantiene entran de por mucho el interés de clase, el prejuicio, y acaso un oscuro complejo de inferioridad —el "malinchismo" de que tanto se habla en México ahora. Si Traven, en lugar de afiliarse con los humildes y ultrajados indios y consagrarse a estudiarlos, y a denunciar vehementemente los crímenes que contra ellos ha cometido el capitalismo cristiano, la corrupción y la crueldad de las clases dirigentes y la hipocresía católica, hubiera escrito una serie de novelas ensalzando las bondades del régimen capitalista, de la iglesia y de la burguesía adinerada de la capital, probablemente a estas horas se le habría aclamado ya como gloria literaria nacional.

Estimo que México tiene contraída una impagable deuda de gratitud con este formidable narrador. No sólo es el defensor más tenaz y denodado, más ferviente y artísticamente más eficaz que el indio ha tenido desde Fray Bartolomé de las Casas, sino que ha dramatizado una injusticia secular ante la cual la mayoría han permanecido ciegos, sordos y mudos por ciento cincuenta años. Gracias, en gran parte, al genio de Traven, a su generosa, inteligente y comprensiva actitud frente al indio, y a la amorosa simpatía con que los ha visto y retratado en sus obras de ambiente mexicano, tenemos hoy un grupo de novelistas nacionales que han tratado el tema en algunas de las mejores narraciones que en el país se han producido en los últimos diez o quince años. El influjo de Traven es fácilmente perceptible en obras como *La selva encantada*, de Alba Sandoiz; en *La escondida*, de Miguel N. Lira; en *El callado dolor de los tzotziles*, de Ramón Rubín, y otras. Traven ha revelado a los novelistas del patio las magníficas posibilidades estéticas que el alma y la vida del indio, con sus terribles complejos, con sus frustraciones, su espíritu escindido, su mutismo y su magia, atesoran. Este era un coto poco menos que inexplorado hasta hace ya casi veinte

años cuando Traven empezó a descubrirlo y a escribir
sus ya famosas novelas que revelaron a todo el mundo
occidental el horror que era la vida del indio mexicano
tras cuatro siglos de civilización cristiana. Sólo que Traven penetró en este antro indígena armado de una
actitud de *sympathy* y de transida cordialidad hacia
estas víctimas centenarias que no se descubre todavía
en ninguno de los novelistas nativos que en pos de
él llegaron. El único en quien se percibe un similar
estremecimiento de indignada protesta frente a tanta
injusticia, y a la vez una análoga simpatía, es Ramón
Rubín —quizás— por ser el que más y mejor ha leído a
Traven y más se ha dejado penetrar por el noble y generoso espíritu de su obra. Los demás han escrito desde
afuera, más o menos a distancia y sin compenetrarse
emocionalmente con el tema. Algunas de estas novelas
son de evidente filiación erudita, como *Lola Casanova*
de Rojas González, *Taetzani* de la aludida Alba Sandoiz
y *Cajeme* de Armando Chávez Camacho.

Bruno Traven, en cambio, llegó al conocimiento
y a la interpretación del indio por los caminos de la inteligencia, del contacto directo, de la simpatía, y de la
ternura. Por eso pudo escribir esa intensa elegía del
dolor maternal que es *Puente en la selva* y ese idilio
—el más bello, delicado y poético que pudiera descubrirse en toda la novelística mexicana— contenido en
La carreta, y las dos tremendas epopeyas del dolor, la
miseria y la desesperación indígenas que son ésta última
novela y *La rebelión de los colgados*. Pero además de
estas tres grandes creaciones, Traven tiene otras de ambiente mexicano igualmente notables, como *Tesoro de
la Sierra Madre*, *La rosa blanca*, etc., y a través de todas
ellas el mundo occidental ha conocido en varias lenguas
la verídica, palpitante y trágica realidad de diversos
sectores de la vida mexicana maravillosamente inter-
pretada.

Todas estas novelas están traducidas a varios idiomas, entre ellos al castellano, y va siendo hora ya de
que México le reconozca beligerancia a su autor, de que
se le incorpore a su literatura y se le estudie entre los
demás novelistas nativos. Dentro de cincuenta o cien
años se le considerará tan mexicano como el jesuíta
Landívar —y con mucho mejor título— y el día en que
los indios puedan leer sus novelas, lo considerarán como
a uno de sus manes más dilectos, y de seguro le levan-
tarán estatuas para honrarle y tributarle su gratitud.

Bruno Traven es un auténtico novelista mexicano y México debe sentir honra y orgullo en proclamarlo así.

*   *   *

Una rápida acotación ahora a las novelas indigenistas previamente mencionadas y no comentadas en otros capítulos.

Ya al referirme a los novelistas menores que se inspiraron en el tema de la Revolución, aludí a la deficiente técnica de Martín Gómez Palacio. Todo lo que allí se apuntó es aplicable a *Entre riscos y entre ventisqueros, Novela de un indio*. A pesar del subtítulo, esta obra difícilmente podría calificarse como novela indigenista ni siquiera como novela de ningún género o filiación. No se comprende bien por qué el autor rotuló "novela" este libro. Más apropiado habría sido llamarlo "Descripciones paisajistas", "Alpinismo mexicano" o con cualquier otro título atañedero o alusivo a las montañas que circundan el valle de Anáhuac que cobijarlo bajo el falaz nombre de "novela".

Son éstas cinco descripciones de sendas expediciones alpinistas para escalar el Iztaccíhuatl, el Popocatépetl, el Ajusco, el Xinantecatl y el Citlaltepetl. El libro consta de cinco capítulos que llevan por título respectivo el nombre de las montañas mencionadas. Por el abigarrado grupo de personajes que emprenden estas aventuras, y por la variedad de nacionalidades representadas, la narración casi pudiera clasificarse de fantástica. Entre tanto alemán, español, francés, japonés, noruego, etc., va un indio —el narrador. Pero ni éste ni sus cosmopolitas compañeros se definen ni adquieren personalidad. Lo que aquí predomina es la intención descriptiva del paisaje, los incidentes de las ascensiones, los fenómenos atmosféricos, etc. El libro pertenece a la literatura descriptiva y paisajista y sólo con una gran dosis de buena voluntad se le puede considerar novela. Es, sin embargo, el libro del autor en que mayor preocupación estilística se advierte. La forma aquí está mucho más trabajada y pulida que en ninguna otra de sus novelas.

De Asunción Izquierdo Albiñana como novelista se tratará en otro capítulo. Aquí sólo deseo referirme a *Taetzani*, su cuarta novela, publicada —al igual que la tercera, *La selva encantada*— bajo el seudónimo de Alba Sandoiz.

En *Taetzani* colaboraron tres mujeres: la autora

Graciana Alvarez del Castillo de Chacón que la pro-
logó y Emilia Ortiz que la ilustró. A reserva de ampliar el comentario sobre esta notable escritora al volver
sobre ella en otro capítulo, deseo transcribir aquí unas
líneas del prólogo que pondrán en antecedentes al lector
de las prendas físicas e intelectuales de esta novelista que
cada dos libros cambia de nombre y de editor y por
ello hace tiempo que trae despistados a los críticos y
lectores que no logran identificar los varios seudónimos
que ha empleado. Dice la prologuista que ". . .las páginas
de Taetzani están escritas por una mujer que lo reúne
todo: talento, cultura y belleza, una gran inquietud espiritual aunada a una exquisita sensibilidad, amén de amor
al estudio y disciplina para hacerlo..." ¡Grande y rara
cosa es que una sola persona acapare tantos dones! De
tales prodigios creo que no se habían dado antes más
que dos casos en nuestra América: el de las dos Juanas
famosas. Pero debemos aceptar como cierto este testimonio puesto que lo autentica otra mujer —*rara avis*— también.

El que escribe no podría dar fe de todo lo que
la prologuista descubre en esta afortunada señora
puesto que no la conoce personalmente. Al contrario
de casi todas las escritoras de agraciado palmito no
ha incluido su retrato en ninguna de las cinco novelas
que hasta ahora ha publicado. De lo que sí puede dar
testimonio es de que Alba Sandoiz tiene talento y posee
una cultura más que mediana, aunque la haya adquirido
sin método ni disciplina, y por más que algunas de sus
novelas estén plagadas —y afeadas— por centenares
de errores ortográficos, gramaticales y de construcción
que no debiera cometer un graduado de la preparatoria.
Pero de esto se hablará al discutir *La selva encantada* y
la obra de la autora en general.

Ya se indicó antes que esta novela, al igual que las
otras dos allí mencionadas, tiene un origen erudito, libresco, y por ello carece de la frescura, de la espontaneidad y del sabor de cosa vivida y con vigencia actual
que tienen las obras de Traven y aun las respectivas narraciones indigenistas de Lira y Rubín. La lectura de
Taetzani nos deja la impresión de que la autora escribe
desde su gabinete de trabajo, rodeada de libros y dic-
cionarios, pero sin contacto con la realidad viva y palpitante del indio. Este necesario conocimiento directo
del vivir, del sentir y del pensar indígenas, tan evidente

en los tres autores precitados, lo suple Alba Sandoiz aquí con sus lecturas y su fantasía.

Asunción Izquierdo Albiñana, a pesar de su indiscutible talento, de prolijas lecturas y de la tenacidad con que cultiva el género, no ha logrado todavía dominar la técnica novelística. Lleva ya cinco novelas publicadas, pero su composición es aún deficiente y de tanteo. Quizás ello se deba a una defectuosa preparación humanística. Sospecho que fué educada en algún colegio privado en los Estados Unidos y que en lo que a su conocimiento de la lengua y la cultura hispánicas respecta es una autodidáctica con más aptitud ingénita que preparación académica disciplinada y metódica. De ahí la titubeante incipiencia de su *metier* que revela ausencia de pericia y de gusto firme, aparte de los defectos elementales de construcción y gramática a que antes aludí.

Véase, por ejemplo, el siguiente galimatías entre otros muchos que pudieran espigarse en *Taetzani*:

Tamoámata apoan ceant, es decir, diez veces sobre uno, de las Huxacixatevi apoan huahpoa (*) de las cincuenta y dos germinaciones más siete ahuapoa, se habían sucedido, teniendo en cuenta que, en los dominios de los nayaritas, Ta-Te, Nuestra Madre, nos otorga el atar huakexatzi tres veces por curva completa de Tayaoppa desde aquel nefasto punto en el que el descendiente de Huitziton, Tecpaitzin y el propio Tenoch, o sea el bien pulido y gracioso Uei Tlatonai Moctezuma, viera brillar el majestuoso merit de la gran cola piramidal que nos llegó a tocar con su cabeza ígnea a Ta-Te, pero que, sin embargo, alargó inusitadamente el ciclo breve de la noche y todos creyeron, ¡oh Tayaoppa! que ya nunca podrías recoger de la cátedra nocturna tus pedazos brillantes para informar, una vez más y muchas otras, tu hermoso cuerpo redondo.

La autora necesita acudir con frecuencia a la teogonía, religión y lengua indígenas —como en el párrafo transcrito— para dar la sensación de ambiente y de idiosincrasia indios. Pero toda esta tramoya y aparato erudito no convencen al lector y hace la obra más tediosa que instructiva. Aquí se confunden los estudios históricos, antropológicos y lingüísticos con el fin estético que la novela persigue.

(*) 193 años de la Era Vulgar, o sea de 1509 del arribo de Hernán Cortés a la Villa Santa Clara de la Vera Cruz a 1702.

En *Taetzani*, Alba Sandoiz ha dramatizado las guerras que los indios de Nayarit sostuvieron con el blanco
durante la época colonial en defensa de su libertad y de
su indepependencia; pero el tema central de la obra son
los amores frustrados de Taetzani y la Condesa de Mi-
ravalle. Al margen de estos dos motivos principales,
la autora nos da un gran número de noticias sobre la
vida, el temple moral, las costumbres, tradiciones, mitos,
etc., de los valientes indios. Alba Sandoiz parece haberse
interesado seriamente en el estudio de estos temas y quizás de la lengua de los aborígenes de esta región. Mas
desgraciadamente, la preocupación histórica y erudita
priva sobre la intuición artística que debe guiar a todo
creador auténtico y ello redunda en detrimento de la
obra.

Armando Chávez Camacho es periodista de profesión y actualmente dirige *El Universal Gráfico* en la
capital de la República. Que yo sepa no ha escrito más
que una novela, *Cajeme* (1948). El autor debe ser sono-
rense porque en las páginas de este libro revela un
entrañable cariño a dicha región y un conocimiento
detallado de la historia, la vida, la lengua, las costumbres, tradiciones y psicología de las diversas tribus indias
que la habitan.

Cajeme vale más como documento que como obra
de entretenimiento. El autor no sólo parece familiarizado
con la vida indígena tal cual persiste hoy en aquel
estado, sino que ha estudiado seriamente a estas tribus y las diversas guerras que sostuvieron en defensa
de su independencia. El episodio central que en esta
obra se narra es el cruento conflicto bélico que acaudi-
lló el famoso jefe yaqui, José María Leyva, alias Cajeme, contra las tropas del porfirismo allá por los inicios del régimen entre 1882 y 1887. Pero si bien estas
guerras y la épica prestancia del caudillo yaqui constituyen el tema central de la novela, ésta no se limita a
narrar los episodios bélicos sino que se extiende a la
descripción de costumbres y tradiciones de varias tribus, no sólo los yaquis. Por sus páginas desfilan otros
núcleos indígenas habitadores de aquel estado, tales como
los ópatas, mayas, pimas, apaches y seris con sus respectivos hábitos y costumbres, su idiosincrasia y sus
creencias. Chávez Camacho parece familiarizado con todas esas ramas del recio tronco indígena y las describe
con simpatía y comprensión, sin idealizarlos ni depri-
mirlos. Aparecen también algunas figuras del campo

contrario, tales como el sanguinario general porfirista, Martínez, el más terrible enemigo de Cajeme y el que con más saña lo persiguió hasta que logró aplicarle la ley fuga.

Cajeme es una novela que lo mismo podría clasificarse como histórica que entre las indigenistas, pues toda ella está escrita a base de rigurosa documentación y con rica información. Mas el propósito de darnos un cuadro de la vida indígena en el estado de Sonora tal como se ofrecía a fines del siglo pasado es lo que aquí predomina. Por eso esta obra tiene un mérito excepcional como documento porque su autor es un profundo conocedor del ambiente que retrata. Aparte las citas de historiadores, el texto va acompañado de centenares de notas explicativas de vocablos indígenas y todas ellas tienen indiscutible valor filológico. El antropólogo, el folklorista, el filólogo y el historiador que se interesen por estos temas locales encontrarán en esta novela una rica fuente informativa.

Una faceta de *Cajeme* que merece destacarse es el estilo. Chávez Camacho ha llevado este aspecto de la novelística mexicana que innovó Azuela, a sus últimas conclusiones. Con excepción de las citas históricas que no le pertenecen, sólo se encuentran en toda ella cuatro párrafos que alcancen nueve líneas. Casi todos los demás contienen una, dos, tres o cuatro líneas. Nadie antes había llevado tan lejos en México esta peculiar factura estilística que tanto contrasta con las soporíferas e interminables parrafadas de tres y cuatro páginas que se estilaban en la novela de la era porfiriana.

Debe señalarse, por último, una curiosa coincidencia. En *Cajeme* aparece dramatizado el episodio de Lola Casanova que constituye el tema de la novela de Francisco Rojas González que lleva por título el nombre de esta legendaria criolla. Aunque *Cajeme* se publicó un año después de la obra de Rojas González, fué premiada en forma manuscrita por el estado de Sonora en 1947. Lo cual prueba que ninguno de los dos autores pudo ser influído por el otro. Ambos escribieron simultáneamente y apoyándose en la tradición y los documentos históricos, pero recíprocamente ignorantes de lo que cada uno de ellos gestaba. El tratamiento del tema coincide en lo fundamental en ambos, si bien Rojas González se aparta más de la tradición y se permite mayor libertad en su desarrollo.

Por último, una alusión a otra narración que si bien

no se le puede calificar entre las novelas indianistas puras, bordea esta filiación por los bien logrados cuadros de costumbres indígenas de la región de Oaxaca que contiene. Refiérome a *Guelaguetza, Novela oaxaqueña* de Rogelio Barriga Rivas (1947). Fué ésta la primera novela del autor y de esta incipiencia se resienten la técnica y el estilo poco formado todavía. Pero la obra contiene bellos cuadros costumbristas de la región, escritos con amor y simpatía, con sinceridad no exenta de eficacia descriptiva a ratos. Estos "cuadros" o estampas paisajistas y la descripción de temas y costumbres indígenas son quizás los aspectos más valiosos de esta obra primogénita.

Capítulo XX

Menciones honoríficas.—Agustín Yáñez.—Asunción Izquierdo Albiñana.—Magdalena Mondragón.—Rosa de Castaño.—Francisco Rojas González.—Miguel N. Lira.—Jesús Goytortúa Santos.—Miguel Angel Menéndez.—Ramón Rubín.—José María Dávila.—Antonio Magaña Esquivel.—José María Benítez.—Novelas de ambiente arrabalero: Felipe García Arroyo, Benigno Corona Rojas, Rogelio Barriga Rivas, Magdalena Mondragón

Se agrupan en este capítulo una serie de notas en torno a escritores y libros que han alcanzado cierta boga durante los últimos dos lustros. Casi todos estos novelistas son jóvenes aún y es probable que la mayoría de ellos no haya escrito todavía su mejor obra. Algunos no han publicado más que una novela, pero todos son acreedores a que se les tome en cuenta. Varios de los aquí incluídos con toda seguridad alcanzarán prestigio y fama en el transcurso de los próximos veinte años. Por eso el criterio provisional que de cada uno se da aquí tendrá que ser ratificado dentro de una o dos décadas con vistas a la obra que en ese período realicen. Por el momento, sin embargo, constituyen la más halagüeña promesa que la reciente promoción ofrece en el campo de la novela.

Al filo del agua por Agustín Yáñez. México, 1947. 400 p.

He aquí un novela para minorías, inusitada y excepcional —por lo menos dentro de la doble tradición que este género ha desarrollado en México, la que antecede a 1916 y la subsiguiente. Inusitada y excepcional por el tema, por la técnica y por el criterio que presidió su elaboración. Es lo que pudiera llamarse una "novela de intención estética", como aquéllas que se escribían en España y América durante el auge del modernismo, si bien con técnica muy distinta —Valle-Inclán, Díaz Rodríguez, Angel de Estrada, Enrique Larreta, etc.

Sobre el tema novelado, sobre la acción —muy parca, casi nula, —sobre el argumento o enredo— poco menos que inexistente— y sobre los personajes que en ella intervienen —de muy escaso relieve casi todos—, sobre todo, repetimos, predomina en *Al filo del agua* el propósito —consciente o inadvertido— del autor de utilizar estos elementos como simple pretexto para realizar obra de arte literario. Aquí todo está subordinado a la forma, al estilo. Acaso no fué tal la intención del autor y aun se concede que no tuviera conciencia de ello al escribirla, pero tal es el resultado.

Tres aspectos esenciales de este libro son fácilmente perceptibles a poco de adentrarse el lector en sus primeros capítulos: la utilización de un tema vulgar como materia estética; el empleo de una técnica peculiar y novedosa dentro de la novelística mexicana, y el énfasis o preocupación estilística a la cual quedan subordinados todos los demás elementos que integran la obra.

El tema —elevado aquí a categoría de protagonista —novelado en *Al filo del agua* ha sido ya tratado muchas veces en España y América por no pocos cultivadores del género. No faltan antecedentes en México tampoco, si bien en éstos se daba como ambiente y a modo de telón de fondo sobre el cual se destacaban la acción y los personajes que en la intención de aquellos autores constituían el material substantivo de la novela. Agustín Yáñez invierte el orden de los factores y relega la trama y los protagonistas a un segundo término, en tanto que el ambiente queda en primer plano y elevado a la jerarquía de tema central y materia novelable. Todos los personajes y personajillos que vemos desfilar por las páginas de este libro —y son multitud— están subordinados al propósito de hacer del ambiente el verdadero protagonista en tanto que a los caracteres se les asigna la función de testigos de prueba. Ninguno de ellos logra romper esta consigna para adquirir vida propia.

El tema que Yáñez se propuso novelar es el ambiente religioso de un pueblo de Jalisco, fanatizado, ignorante, supersticioso y amodorrado por cuatro siglos de dominación católica. Pero aclaremos que Yáñez no escribe en función de proselitista ni de volteriano. No hay en este libro partidarismo de ningún género. Ni sectarismo católico ni clerofobia. El autor se ha echado fuera del tema y lo contempla con serenidad estética. Como el Valle-Inclán de la primera época y otros muchos novelistas y poetas, Yáñez descubre en estas prácticas y ritos religiosos, en esta espesa atmósfera de incienso y beatería, en estos personajes tétricos, ascéticos, torturados por las tentaciones y el terror del infierno, y en estas vidas humildes, truncas, solicitadas por los apetitos de la carne y por el temor al castigo, un tema de arte y materia de novela. El autor saca el asunto del plano de las pasiones y de la lucha de católicos y anti-católicos en que lo han colocado los escritores mexicanos desde los días de José Joaquín Fernández de Lizardi, para contemplarlo con pura visión artística. Probablemente es ésta la primera vez que tal cosa ocurre en México con tan controvertido problema, y no es éste uno de los méritos menos sobresalientes de su libro.

Hay en esta novela dos temas esenciales: primero y fundamental, la pintura de las prácticas religiosas medioevales de este pueblucho aislado, y sus ceremonias, la repercusión que en la conciencia y en la conducta de los habitantes tiene la prédica sacerdotal y el exceso de fanatismo, superstición y los ejercicios ascéticos. El segundo tema viene a ser como secuela o corolario del primero, y aparece por lo general unido a él, lo mismo en la realidad de la vida monástica y sacerdotal, desde San Agustín hasta nuestros días, que en el mundo de ficción de las novelas en que se pintan estos ambientes.

Por reacción contra el libertinaje y la orgía sexual en que había caído la sociedad pagana en Roma y otras ciudades al comienzo de la era cristiana y en los tres siglos posteriores hasta que los bárbaros la conquistaron definitivamente, el cristianismo le declaró la guerra al sexo y se propuso estrangularlo, aniquilarlo. Ya desde el siglo cuatro con san Agustín, y desde mucho antes con otros padres de la iglesia, fué proscrito y anatematizado el sexo, y se exaltó la castidad como virtud máxima. Víctima de esta sañuda misogenia fué la mujer a quien se consideró impura, influencia maléfica, verdadera encarnación del pecado y símbolo de tentación y concupiscencia, por naturaleza frágil e inclinada a la lascivia. Su contacto debía evitarse. El estado de gracia consistía en el celibato y en la renuncia total de los placeres de la carne. Por reacción contra un pernicioso exceso, se cayó en la exageración opuesta, igualmente nociva por ir contra natura. Todas las iglesias cristianas han mantenido esta beligerancia intransigente y agresiva contra la sensualidad.

Naturalmente las primeras víctimas de tal ensañamiento fueron los propios padres de la iglesia en quienes las tentaciones de la carne se convierten en verdadera obsesión sexual. Quisieron abolir el sexo, extirparlo de raíz, pero no lograron nunca acallar sus reclamos que se les antojaban tentaciones y ardites del demonio. Lo mismo ha ocurrido con toda la grey ensotanada y célibe a través de dos mil años y con toda la feligresía religiosa. El instinto, intuición o sabiduría popular, sin embargo, ha sido mucho más realista, inteligente y cuerdo frente a este problema. Así durante la edad media —la etapa mística del cristianismo— y en el país en que esta guerra al sexo revistió formas más enconadas, España, hubo regiones en que los padres y esposos no permitían que sus hijas y mujeres se confesaran con curas que no tuvieran barragana, ni los admitían en sus casas si carecían de manceba oficial y declarada.

Esta obsesión sexual es, pues, el tema más obligado y común de toda la literatura católica, lo mismo la teológica y doctrinal, escrita por santos, prelados y ministros de la iglesia, que la profana que describe el ambiente religioso. Sigmund Freud nos explicó ya el por qué y huelga, por lo tanto, insistir en el tema aquí. Lo hemos mencionado porque la preocupación sexual es el segundo tema novelado por Agustín Yáñez en este libro. De manera discreta y hábil lo va él destacando a lo largo de estas 400 páginas. Cuanto más se intensifican las prácticas de ascetismo destinadas a mortificar la carne y a ahuyentar sus tentaciones, y más terribles y tétricas las fulminaciones de las curas contra la vitanda urgencia de los sentidos, más obsesionante e irresistible se vuelve este demonio rebelde. Es éste un aspecto bien logrado en esta novela al que Yáñez da extraordinario relieve sin caer en pedanterías técnicas ni explicaciones ex-cátedra, y sin tesis que probar.

Hemos clasificado de peculiar y novedosa —dentro de la novelística mexicana, que no en la de otros países— la técnica empleada por el autor en esta obra. Lo que pudiéramos llamar la parca acción de esta novela ocupa lugar insignificante en estas 400 páginas. Lo que aquí se nos da es la reacción de la conciencia y la subconsciencia de sus personajes. Más que los actos y la conducta de las individualidades que por el libro desfilan, percibimos aquí la repercusión que en la conciencia y la subconciencia tienen estas prédicas y mortificaciones severas con que los ingenuos y fanáticos curas del pueblo se proponen combatir los ardides y mañas de Satanás. A esta religiosidad ritualista, aparatosa, exterior y falsa, corresponde una conducta basada en la hipocresía y la observación de las apariencias, y una moral social ausente de sentido de responsabilidad cuyo cimiento es el privilegio, y cuya consecuencia —sancionada por la iglesia— es la explotación del débil por el fuerte.

La técnica del autor consiste en revelarnos estos estados mentales, estos "reflejos condicionados", producto de una educación y de un ambiente artificial, dogmático y severo en demasía. No siempre esta técnica se aplica con feliz éxito ni nos convence. El defecto capital de ella es que no vemos actuar a los personajes ni éstos se desarrollan y hablan libremente como ocurre en la vida y en la novelística tradicional. Dentro de esta modalidad técnica, el autor deviene una especie de ventrílocuo e intérprete a través del cual hablan todas sus criaturas. De ahí la sensación de monotonía y lentitud que estas novelas nos dejan. Más que una novela, a veces se nos antoja que leemos un ensayo psicoanalítico. Algo y aun mucho de esto ocurre en *Al filo del agua*. Los caracteres todos se mantienen siempre en un segundo término; el único que nunca desaparece del primer plano es el autor. Es a través de él y por su mediación que trabamos conocimiento con sus personajes. El es su intérprete, portavoz, trujamán y exégeta, todo combinado. El autor en esta técnica se proyecta demasiado él mismo y como secuela cohibe y aun inhibe —en el sentido psicológico— a sus criaturas.

Otra peculiaridad de la técnica empleada por Yáñez es el recurso de la repetición machacona de conceptos y palabras, tanto en castellano como en latín. Esta tautología bilingüe se emplea aquí con dos fines o propósitos muy diversos de los cuales tiene el autor conciencia clara en cada momento. Se emplea este truco, en primer lugar, en el sentido con que ya lo usó muy eficazmente, Dostoiewski dentro de una técnica muy diferente, para definir mejor los caracteres y develar la conciencia tanto como la subconciencia de los mismos. El segundo uso o ejemplo es más bien de orden artístico y obedece más a la estilística del autor que a la necesidad de definir la idiosincrasia de sus muñecos. Son varios los

empleos que el autor da a este recurso. A veces se trata
de producir en el ánimo del lector, mediante esta cansada
reiteración de conceptos, sentencias y palabras, la sensación de somnolencia, de quietud, de sopor y de inercia
de esta vida pueblerina en la que no ocurre nada y de
estas almas igualmente amodorradas que la reflejan.
Otras veces la sensación que el autor se propone provocar en el lector es de índole filosófica o metafísica
y por lo general hace relación a la muerte, a la otra
vida, etc. Pero los objetivos que con más frecuencia
se persiguen, quizás, son de mera forma o estilo: efectos
auditivos y musicales. No falta tampoco la intención de
agudizar mediante este recurso retórico el tempo lento
de la acción, su desarrollo pausado, tardo. Otras veces
es pura retórica lo que con este procedimiento se persigue —estilo Poe y sus imitadores.

Hemos mencionado a Dostoiewski y precisa una aclaración. Cierto que la lentitud del movimiento y la reiteración machacona lo recuerdan; pero en tanto en el
ruso esta última carece de intención estilística y está
destinada a develar la conciencia de sus caracteres, el
novelista jalisciense emplea este arbitrio o expediente
con el primordial propósito de obtener efectos de estilo.
Ahora bien, esto que en poesía puede añadir musicalidad
e intensidad al poema, en prosa cuando se prodiga demasiado —como en este libro— resulta un truco demasiado artificioso. Veamos un ejemplo entre otros cien que
pudieran aducirse, p. 196-7:

"...Profundísimo. A través de la Muerte. Inefable placer no
imaginado. A través de la Muerte. No imaginado siquiera en sueños o en los muchos placeres del espíritu y de la carne; viajes,
fiestas, relaciones, intimidades; no, nunca imaginado deleite. Y dolor. Dolor capaz de matar en un instante, de hacer venir por
tierra la fortaleza insigne. Dolor de vacío. A través de la Muerte.
Como si al golpe de las campanas fúnebres musicales, hubiérase
comenzado a caer, a caer, a caer sin término, en el doloroso vacío. A través de la Muerte. Solemnes campanas. Como un órgano
—a través de la Muerte— tocado por los vientos vacíos, por los
vientos grávidos de la eternidad. Un órgano tocado por la Muerte
misma. Voz no imaginada: presente aquella mañana en el interminable doblar de las campanas lugareñas, tocadas por la Muerte,
desde la eternidad. Campanas eternas. Eterno caer, derrumbado
por la macabra música de bronce. A través de la Muerte. ¿Quién
era el ministro, el artista ministro, que ayer, nomás, y antier,

cantaba el himno del mundo a la Resurrección y ahora, ministro de la Muerte, a través de la Muerte, desahuciaba las alegrías del mundo?"

Esto es indudablemente bello y rítmico, pero en prosa no se puede abusar impunemente de tal expediente sin producir la sensación de monotonía y de fatiga. En descargo del autor habría que aclarar que tal arbitrio lo emplea de preferencia cuando trata de pintar la caprichosa fantasmagoría de los sueños o el ilógico desarrollo del subconsciente. En ambos casos el procedimiento resulta apropiado y de gran eficacia descriptiva.

En cuanto al tercer aspecto aludido —el estilo— debió en realidad colocársele en primer lugar porque es el que predomina y subordina a todas las otras facetas del libro. Agustín Yáñez es profesor de estética o de teoría literaria en la Universidad Nacional de México y uno de los prosistas más ricos y elegantes de su generación en aquel país. La preocupación por las formas bellas no le abandona en nada de lo que escribe. En esta novela, esta preocupación estilística es acaso excesiva y redunda en detrimento de la obra porque impide el desarrollo espontáneo y natural, tanto de la trama como de sus caracteres. Como ya se indicó, el autor no deja hablar —ni actuar— a sus muñecos. Es él quien lo dice todo y es a través del alto diapasón de su estilo, sostenido en una tesitura aguda casi invariable, que nos enteramos de cuanto ocurre en el libro. La calidad de su prosa es excelente, pero debido a la técnica empleada que le obliga a ser él mismo el narrador, portavoz e intérprete de sus caracteres, en lugar de permitirles que hablen y actúen por su cuenta y riesgo, acaba por hacerse monótona por falta de flexibilidad y variación, como el género novela reclama. Por eso la lectura de este libro nos deja la impresión de que el autor usa de estos temas más que como materia novelable, como de meros pretextos para en torno a ellos bordar filigranas estilísticas. Por eso la obra, más que a Balzac, recuerda al Valle-Inclán de las "Sonatas", más que a Galdós, a Gabriel Miró. Por este consciente empeño en subordinarlo todo a los valores formales o estilísticos, bien podría decirse que *Al filo del Agua* es una novela antibalzaciana .

A veces este prurito de innovación y originalidad es demasiado evidente y su retórica excede los límites de la naturalidad. Véase como modelo de forma artificiosa y contrahecha, el siguiente párrafo de la página 205:

"Domingo. Tarde pueblerina. Después del rosario. Recogida
la plaza. Idas las gentes de los ranchos. Cerradas las tiendas. En-
cerradas las familias. Calladas las campanas. Las calles abando-
nadas. La angustia exasperada. Sin tener a dónde ir, hacia dónde
salir. Todavía el sol alto. La tarde clara, inútil. Sordos golpes de
sangre que quiere reventar. Tedio de las horas muertas. El más
pesado tiempo en este confín, en este confinamiento. Sin poder
trabajar, sin poder ir de visitas, ausente cualquier diversión, des-
pachado el ejercicio vespertino, lejanos todavía cena y lecho.
Conversaciones aburridas. Dentro de las casas. Bostezos. Lástima
de tarde bonita. De vez en vez, pasos de hombre. Dentro de las
casas pueden algunos leer, dormir, pero los más no. Domingo, fina-
do el ejercicio tempranero".

Otra vez habrá que burscarle la raíz o intención estética a esta enumeración detallada en forma de sentencias
cortísimas que a veces sólo alcanzan una sola palabra.
Trátase una vez más de llevar a la conciencia del lector
mediante el procedimiento, la sensación de modorra, de
hastío y cansancio que sobrecoge a los habitantes del
pueblo en las tardes dominicales.

Otro de los recursos de que acaso se abusa en este
libro es el empleo de latinajos tomados del ritual y de
los eucologios católicos. No faltan aquí personajes que
sueñan en latín. La intención, por supuesto, es estética
y no debe atribuirse a pujos de erudición de los cuales
está horro el señor Yáñez. Pero en fuerza de repetirse
pierden eficacia y le añaden monotonía a la obra.

Veamos todavía otros aspectos no mencionados de
la técnica por el señor Yáñez aplicada. Como dicho
queda, el protagonista de la obra es el pueblo y su ambiente religioso. Esto fuerza al autor a darnos una lar-
guísima serie de episodios, personajes y acciones cuyo
centro de relación y enlace es la iglesia y los directores
espirituales del pueblo. Cada uno de estos episodios es
una especie de novela homeopática en sí misma cuya
acción intermitente y constantemente interrumpida se desarrolla a lo largo de todo el libro. Con frecuencia hay
que hacer un esfuerzo imaginativo y mnemotécnico para
recobrar el hilo de cada una de estas vidas o acciones
y ubicar el respectivo héroe o heroína de las mismas.
Los episodios y sucesos se narran a veces en forma re-
trógada, es decir, comenzando por el desenlace, procedimiento que le resta interés y *suspense* al relato. Casos

hay en que primero se describe el funeral y luego el velorio que lo precedió. Otras veces se adelanta el desenlace y luego, capítulos más tarde, se nos da el desarrollo de la acción reflejado en la conciencia o en la subconciencia de los protagonistas.

La vida de este pueblo está aquí captada en una sola dimensión —la religiosa. De la vida de esta gente sólo conocemos sus nexos con la iglesia, su fanatismo, su religiosidad aparatosa, ritualista y externa, sus prácticas ascéticas y, como corolario, la obsesión sexual. De los otros aspectos de estos seres no sabemos nada o casi nada.

En esta aldea amodorrada no parece ocurrir nada. Todo aquí se resuelve en anécdotas, reminiscencias, chismería cominera. Hasta la página 164 no encontramos una inquietud, una idea nueva o un ansia renovadora. Hasta aquí todo se resuelve en pintura del ambiente, costumbrismo, descripción de prácticas y vejestorios medioevales sin actualidad ni interés para el lector de hoy, fuera del puramente estético que el estilo del autor le añade. Pero el sentimiento renovador que el episódico personaje introduce en la página aludida, no encuentra eco en este ambiente de mojigatería soporífera y el pueblo vuelve a su modorra —y lo mismo la obra.

Hay, no obstante, ocasiones en que Yáñez abandona la modalidad descriptiva azorinesca y nos hace vibrar de emoción con la magia de su verbo. No abundan estos casos en el libro, pero cuando acierta con una evocación bien plasmada, nos recompensa de tanta minucia intrascendente. Así, por ejemplo, las páginas del capítulo "Ascención" —253-7— magnífica de poesía y de realidad psicológica y humana. Esta evocación del humilde y mudo campanero que, incapaz de dar forma a su angustia, echa a vuelo las campanas y a través de los bronces expresa su amor y su dolor desesperados. Aquí Yáñez alcanza una tonalidad lírica y dramática a la vez que no tiene paralelo en toda la novela. Diríase que asistimos a la lírica interpretación de una sinfonía beethoviana. Lástima que el autor no haya prodigado más esta forma de narración directa y la calidad de alto valor artístico y humano que hacen de este episodio un formidable "climax".

Sea por la semejanza del ambiente descrito con el de algunos de los pueblos de Castilla pintados por Azorín, o porque el escritor levantino ha influído en el estilo del jalisciense, lo cierto es que a veces el lector descubre afinidades de procedimiento entre ambos y más aún

con Gabriel Miró. Del pórtico con que se abre la novela
son estos párrafos:

"Cuando la vida se consume, las campanas mudan ritmo y los
vecinos tienen cuenta de que un alma está rindiendo severísimo
Juicio. Corre una común angustia por las calles, por las tiendas,
entre las casas. Algunas gentes que han entrado a ayudar a bien
morir, se retiran: otras, de mayor confianza, se quedan a ayudar
a vestir al difunto, cuando se ha pasado un rato de respeto, mientras acaba el Juicio, pero antes de que el cuerpo se enfríe.

Las campanas repican los domingos y fiestas de guardar. También los jueves en la noche. Sólo son alegres cuando repican a
horas de sol. El sol es la alegría del pueblo, una casi incógnita
alegría, una disimulada alegría, como los afectos, como los instintos.

Como los afectos, como los deseos, como los instintos, el miedo, los miedos asoman, agitan sus manos invisibles, como de ca-
dáveres, en ventanas y puertas herméticas, en los ojos de las
mujeres enlutadas y en los pasos precipitados por la calle y en
sus bocas contraídas en la gravedad masculina y en el silencio
de los niños".

*   *   *

Una referencia baladí a los contactos que en esta
novela se advierten con otra publicada en México cuarenta años antes. A medida que se avanza en la lectura
de *Al filo del agua,* viene a la mente del lector el inevitable recuerdo de *Los fracasados,* la segunda novela del
doctor Mariano Azuela, publicada en 1908. En cuanto a
técnica, intención y estilo, estas obras son tan disímiles como podrían serlo una comadreja y un elefante.
Nada en estos tres aspectos de la alquitarada producción de Yáñez recuerda al vigoroso cuadro satírico del
famoso novelista galeno. Sin embargo, el ambiente en
que ambos se inspiran y ubican sus respectivas creaciones, es idéntico. La diferencia consiste en que Yáñez
dramatiza y convierte en protagonista o tema central
de su obra, lo que en la de Azuela no es más que un
factor o elemento concurrente en el cuadro total de la
vida pueblerina. En tanto esta visión del ambiente en
Yáñez se nos ofrece en una sola dimensión —la religiosa—, en Azuela se totaliza e integra. Lo que una gana

en intensidad, lo pierde en extensión, y vice-versa. Otra divergencia notable. En tanto en Agustín Yáñez el tema religioso es pura materia estética, en Azuela es pretexto de sátira cruda y mordaz de hombre probo y patriota acrisolado que se duele de las injusticias, el fanatismo y la hipocresía canallesca de los que explotan la ignorancia y la estupidez de las masas en beneficio propio. La respectiva actitud, pues, frente al ambiente social que ambos aspiran a reflejar, es diametralmente opuesta: satírica en uno y estética en el otro. Mas apuntadas estas discrepancias, todavía podrían señalarse muchos detalles y episodíos en que coinciden.

Como esta glosa se alarga ya demasiado, señalemos sólo el perfecto paralelismo psicológico y social de cuatro sacerdotes —entre otros varios— que en ambas novelas figuran. El párroco o jefe de la iglesia local en la obra de Yáñez, parece haber sido fundido en el mismo molde en que el doctor Azuela plasmó al presbítero Cabezudo, máximo dignatario también en su novela, si bien Yáñez —por urgencias de su técnica y de su visión estética del tema— acentúa los rasgos ascéticos del clérigo mucho más que el doctor Azuela. Pero ambos son fanáticos, rígidos, inflexibles, intransigentes y profundamente sinceros en su prédica y en la austeridad de su vida. Ambos parecen dos figuras arrancadas de algún convento de la edad media. Los dos tienen alma e impulsos de inquisidor. Frente a estas dos figuras gemelas no sólo por la identidad de su rango e idiosincrasia, sino por la respectiva función social y la influencia que ejercen, surgen otras dos figuras psicológica y socialmente mellizas. Ambos son coadjutores. Tanto el padre Martínez en *Los fracasados*, como el padre Reyes, en *Al filo del agua*, son sacerdotes liberales y progresistas, desprendidos ya de rancios fanatismos y de fobias anticristianas. Ambos son, en realidad, más piadosos y comprensivos que sus respectivos superiores jerárquicos. Cierto que estas dos figuras difieren en detalles de menor cuantía, pero en lo esencial coinciden, tanto en la actitud como en el carácter y la función. Todavía podrían aducirse otras varias coincidencias curiosas entre estas dos obras. ¿Cómo explicarlas? No es probable que la novela de Azuela haya sugerido a Yáñez nada y aun es posible que ni siquiera la haya leído. Más verosímil nos parece la idea de que ambos autores se inspiraron en la realidad histórica y social del mismo pueblo jalisciense. Los dos nacieron en aquel estado y

22

no sería raro que ambos hayan novelado con distinta técnica y propósito, y a cuarenta años de distancia, el mismo ambiente. Sería curioso aclarar esta interesantísima coincidencia. Como la de Yáñez, la acción de *Los fracasados* tiene lugar también en las postrimerías de la época porfiriana, si bien no alcanza la caída del déspota. *Al filo del agua*, en cambio, culmina con la algarada maderista en 1911, pero nada en esta obra nos autoriza a clasificarla como novela de la Revolución.

Por último, señalemos la importancia estética que en la novela de Yáñez tienen la noche, las mujeres y las campanas. Es probable que cada uno de estos elementos —el primero y el último, sobre todo—, estén usados aquí en función discretamente simbólica.

Acotaciones a las novelas de Asunción Izquierdo Albiñana

El "caso" de Asunción Izquierdo Albiñana es uno de los más curiosos que se descubren en la novelística mexicana contemporánea. Concurren en ella una serie de circunstancias tan opuestas y hasta contradictorias, que el lector común y corriente, si posee una mediana sindéresis, no puede menos de sentirse atraído y a la vez hastiado por sus novelas. Entre las treinta o más mujeres que en México cultivan este género en la actualidad, no hay ninguna que la supere en cultura, en imaginación y en capacidad descriptiva y, al mismo tiempo, es dudoso también que exista otra narradora que menos respeto haya demostrado por la lógica artística, por la realidad psicológica y ambiental, y aun por la gramática y la ortografía de nuestra lengua. Sus obras atraen la atención del lector a ratos, pero con más frecuencia lo invitan a saltar páginas o a dejarlas definitivamente de lado. Después de haber leído sus cinco novelas con no escaso acopio de buena voluntad y de paciencia, me encuentro perplejo y me es difícil decidir si en ellas predominan los valores positivos o los negativos. Procuraré señalar ambos.

Lo primero que hay que apuntar tratándose de esta peregrina autora es el tenaz empeño con que ha procurado ocultar su identidad. Cada dos novelas ha cambiado de nombre y aún de editor. En la última mudó hasta de sexo en el seudónimo que adoptó. Este inocente ardid podrá despistar al lector que no conozca más que uno de sus libros o que los haya leído despreocupadamente y a gran distancia uno del otro; pero no a quien los hojee con espíritu crítico y sin espaciar demasiado su lectura. No existe otro novelista mexicano a quien sea más fácil identificar por sus defectos que Asunción Izquierdo Albiñana. Para ello no se necesita de gran perspicacia crítica ni de poderes adivinatorios. Cualquier estudiante de preparatoria podría develar el misterio de los tres nombres con que esta talentosa escritora ha querido encubrir su personalidad real. Basta leer sus obras con atención.

Debo confesar, ante todo, que no conozco personalmente a esta autora y que tengo muy escasas nociones de su vida y ninguna de su personalidad humana. Muy recientemente supe que está casada con cierto personaje político, pero su vida social y su individualidad física no me interesan. Para mí lo único importante es su obra, y ésta revela de manera muy acentuada su idiosincrasia, sus ideas sobre la mujer y el sexo "fuerte", sus prejuicios y sus simpatías. Por más que un escritor, quiera esconder su personalidad moral, ésta palpita siempre en cada uno de sus libros. La de Asunción Izquierdo Albiñana se descubre íntegra en su obra.

Empezaré por reconocer lo que es evidente en cada una de sus novelas: su talento, su fantasía y su poco común bagaje cultural. Por lo mismo que la reputo una de las mujeres más generosamente dotadas para el cultivo de la novela que México tiene actualmente, me detendré a señalar los graves defectos de que su obra adolece. Si no estuviera convencido de las magníficas posibilidades que en ella existen, no me interesaría el señalamiento de las muchas fallas que hasta el presente invalidan todas y cada una de sus novelas.

Ignoro la edad de la autora, pero me la imagino orillando los cuarenta —ese cumpleaños tan temido y tan diligentemente ocultado por casi todas las mujeres. Si no ando muy errado en esta suposición, a Asunción Izquierdo Albiñana le restan todavía unos veinte años de labor creadora en los que podrá superar cuanto hasta ahora ha publicado. Mas para ello necesita de una total revisión y rectificación de sus métodos de trabajo y de su concepción de la novela. Indispensable le es también adquirir el dominio de la composición de que hasta la fecha carece y, sobre todo, aprender a podar la frondosa selva de su estilo y conocer siquiera los rudimentos de la gramática, la ortografía y la construcción de nuestra lengua.

De antemano sé que esta nota va a revestir un antipático tonillo de dómine y una puntillosidad gramatiquera que detesto, y que me hará aparecer como un Valbuena soporífero y pedante. No titubeo, sin embargo, en apechugar con este riesgo porque estimo que el arte y la corrección del lenguaje tienen sus fueros

que deben respetarse. Izquierdo Albiñana ha vulne-
rado ambos y lo mismo la realidad psicológica, y en
ello consiste la endeblez de su labor. Toda obra de
arte —y sobre todo de arte literario— implica un problema de forma, de técnica y de contenido. Y en las
novelas de esta autora, los tres salen bastante maltrechos
de sus manos. En esta nota sólo se podrán indicar aquellas máculas de más bulto ya que un análisis detenido
y comprobado con citas requeriría cuando menos un
folleto de muchas páginas. Muchos de los errores gramaticales y ortográficos y no pocos manerismos o giros
e incorrecciones de locución se repiten en sus cinco novelas, y lo mismo su escaso dominio de la técnica y su
divorcio de la realidad humana y social. Con las notas
que he puesto al margen de cada uno de sus libros,
podría escribirse otro.

Antes de entrar en estos detalles, conviene identificar las obras de la autora ya que debido al hecho de
que las tres últimas fueron publicadas con dos seudónimos, la mayoría de los lectores y hasta algunos críticos mexicanos creen que se trata de tres personas distintas; mas como en el misterio trinitario son tres nombres diversos y una sola autora verdadera. De la lectura de sus libros se infiere que nació —o pasó su
infancia— en San Luis Potosí; que sus padres eran
españoles; que el progenitor abandonó el ministerio a
que pensó consagrarse y se hizo librero en aquella ciudad; que la autora —probablemente— se educó en los
Estados Unidos y allí absorbió algunas de sus nociones
sobre la libertad de la mujer, sobre las relaciones sexuales, etc. Si esta hipótesis es correcta, tendríamos
ya en cierto modo explicada su defectuosa preparación
gramatical y su autodidacticismo cultural. Su obra novelística hasta el presente consiste de cinco libros: *Andréida* (El tercer sexo), 1938; *Caos*, 1940, ambas publicadas con su nombre auténtico; *La selva encantada*,
1945, y *Taetzani*, 1946, dadas a luz bajo el seudónimo
de Alba Sandoiz, y *La ciudad sobre el lago*, 1949, que
firma Pablo María Fonsalba. En esta última se anuncia
como de próxima aparición, *MajaKuagymouKeia*. Confiemos en que el libro resulte más grato de leer que el
título de pronunciar.

Los defectos que se descubren en la obra de esta
escritora, pueden clasificarse en tres grupos: 1o. de lenguaje; 2o. de composición o técnica y 3o. de gusto, de
educación, de mentalidad y de temperamento. Los tres

están íntimamente relacionados entre sí y es difícil aislarlos.

Lo que primero se percibe por ser lo más evidente, es el escaso dominio que de la gramática y la acentuación castellanas tiene Asunción Izquierdo Albiñana. Confieso que no he leído ningún autor mexicano en el que tanto se prodiguen las fallas del lenguaje. Esto se condice mal con su empeño de escribir en formas literarias y en un estilo campanudo y académico. Señalaré sólo aquellas pifias de mayor monto por lo elementales y, por ende, más inexcusables. De los defectos de gusto y de estilo me ocuparé después.

Hay varias imperdonables confusiones en esta autora que se repiten centenares de veces en varias de sus novelas. La más común, quizá, es la acentuación de los demostrativos neutros "esto", "eso" y "aquello". Izquierdo Albiñana no parece haberse enterado todavía de que los pronombres demostrativos "éste", "ése", "aquél" y sus otras nueve variantes son los únicos que se acentúan. Con igual regularidad se repite la confusión entre la conjunción adversativa "sino" con la condicional "si no". La autora es consistente consigo misma y repite ad infinitum el "si no" allí donde la construcción correcta demanda "sino". Con frecuencia le suprime el acento a la expresión exclamatoria o interrogativa "cuánto", "cuánta", etc., y al demostrativo pronominal "éste" y sus derivados, pero se lo añade a la conjunción "que"; en cambio la suprime a vaces en las formas interrogativas o exclamatorias en las que el acento es indispensable. Cosa similar ocurre con ciertas terminaciones en dos vocales fuertes, tales como "vea", "deseo", "barbacoa", etc., que la autora escribe "véa", "deséo" y "barbacóa". No se ha enterado, por lo visto, de que dos vocales fuertes, no forman diptongo nunca y, por consiguiente, no es necesario separarlas por el acento. Otras veces separa indebidamente las sílabas al escribir "culpeís", "teneís", "sabeís", etc., o "heróico", "heróica", etc. A veces confunde el adjetivo "solo" o "sola", con el adverbio "sólo" y le suprime el acento al último. Lo mismo ocurre con el adverbio "más" y la conjunción "mas". No faltan tampoco las palabras agudas terminadas en zeta como "feliz", acentuadas en la última sílaba. Es de justicia reconocer que *La ciudad sobre el lago*, su última novela, aparece ya purgada de gran número de estos errores impropios de un escritor que aspire a que se le respete.

De orden distinto es otra serie de máculas que el lector medianamente educado percibe en todas sus novelas. El más común y persistente, reiteradísimo hasta en su última obra, es un idiotismo que acaso tenga su origen en la fabla vernácula de San Luis Potosí. Refiérome al innecesario empleo del artículo "el" en construcciones como ésta: "Mientras cantaba, mi ojo experto y alerta examinaba *el que* el brassiere, tono durazno, ajustase a la espalda sin defecto; *el que* el "step-in" ni hiciese la menor arruga; *el que* las medias, etc." (El subrayado aquí como en los demás ejemplos es mío.) De tales construcciones ingratas al oído hay muchos centenares en las cinco novelas. Similar es el uso de la conjunción "y" cuando la construcción la rechaza, o el empleo de una preposición por otra, principalmente "en" por "sobre" o viceversa, o el uso —y abuso— de cualquiera de ellas cuando la construcción correcta las repele. Así esta sentencia: "Pero era precisamente, *del* hedor de Europa, *del* cataclismo de su desequilibrio, *del* caos de sus cimientos excavados, lo que ahora me producía náuseas y amenazaba trasmutarme, etc." O esta otra: "Era agradable esta vuelta a poseer *de* mi ciudad vieja." La autora —como ya se indicó— fué probablemente educada en los Estados Unidos. De ahí el absurdo empleo de ciertos verbos y algunas construcciones de evidente filiación anglosajona, tales como *"Yo resté —por permanecí—* anhelante", "Yo *resté* —por me quedé— un instante fuera." "Me coloqué a la cabecera en la forma que ya había *tomado* costumbre hacerlo..." y otras análogas.

Tampoco escasean los pleonasmos inútiles que no añaden vigor a la frase: "El *nuevo* día *siguiente* no presentó para mí..." ..."Con colocar sobre él una linda venda, del todo conveniente y aséptica, o *aun todavía* mejor,...""; "..."y originada por la *nieve de plata* de los años." "En la *inconmensurable distancia infinita*". Y así otros muchos. Tales redundancias y solecismos afean no pocos pasajes de sus novelas.

Y sin embargo, la protagonista de *La selva encantada, alter ego* indiscutible de la autora, se indigna ante las faltas de ortografía de su hermanita. He aquí sus palabras:

"Inexplicablemente las faltas de ortografía habían subsistido siempre las mismas. En cierta ocasión yo me había entretenido en hacer una lista de errores y se los había enviado a la pequeña con una filípica a la manera paterna, pero sin ningún resultado práctico. Los errores florecían impertinentes, hasta que acabaron por caerme en gracia, a mí, que una falta de tal naturaleza me sacaba de quicio".

Pero más importante que los deslices señalados —rectificados muchos de ellos ya en su última obra— y más arduos de corregir por tratarse de un problema de temperamento, de hábitos mentales ya formados y de una cuestión de estilo, son los defectos de composición y forma a que voy a referirme. En primer lugar, algunas de las novelas de la autora son innecesariamente extensas. *La selva encantada,* por ejemplo, excede de las 500 páginas, en tanto que *Andréïda* alcanza 446. Todo lo que en ambas hay de material novelable pudo haberse reducido a 250 con gran ventaja para las novelas y para el lector. En todas sus obras, Asunción Izquierdo Albiñana hace "literatura" —en el sentido peyorativo en que Verlaine empleaba el término. En armonía con la injustificada extensión y con esta proclividad a la huera palabrería, descubrimos una marcada tendencia al párrafo largo, de varias páginas a veces, y a la sentencia retórica, castelariana, casi ilegible en alta voz por lo interminable. ¡Sentencias hay en esta autora que alcanzan más de veinte líneas! Por esto y por la propensión sensual y erótica de estas novelas, las obras de la autora se aproximan más a las de don Federico Gamboa que a las de los contemporáneos mexicanos. El doctor Azuela le marcó un nuevo rumbo a este género en México y desde 1915 se vienen escribiendo novelas cortas —unas 250 páginas— en un estilo, directo, conciso y enérgico, de párrafos y sentencias breves, despojadas de toda aquella hojarasca retórica que antes se creía de muy buen gusto. Pero Izquierdo Albiñana no se ha beneficiado del cambio. Ni siquiera su conocimiento de la lengua inglesa en la que ya no se escribe en la forma en que Emerson, Carlyle y Dickens lo hacían en el siglo pasado, le ha revelado el secreto —y la belleza— de la concisión.

En cuanto a la técnica novelística, la autora está poco menos que horra de ella. El enredo o argumento de casi todos sus libros, principalmente el de los tres que mejor la representan —*Andréïda, La selva encantada y La ciudad sobre el lago*— es difuso, irreal, sin alcanzar la categoría de novela fantástica, caprichoso y carente de lógica y de raíz humana. La absurda trama

de *La selva encantada,* por ejemplo, es un galimatías
en el que todo ocurre como por arte de birlibirloque
y un poco estilo comedia de capa y espada. Las libertades que con la lógica y la realidad psicológica y social
se toma la autora, van mucho más lejos aún en la
última de sus novelas. A veces cae en un romanticismo anacrónico ya, que se aviene mal con su afán
realista y con su desaforado sensualismo. La autora se
proyecta ella misma demasiado en las tres novelas
antes aludidas e impide que sus caracteres se desarrollen
y vivan. De ahí que ninguno se defina lo suficiente
ni viva su propia vida. Todos ellos permanecen uncidos
a los prejuicios y a las ideas de su creadora. Por lo
general no los vemos actuar ni siquiera hablar. Casi
todo lo que en estas tres novelas sucede, lo percibimos
a través de la autora. Ella es la única que nunca
desaparece de la escena ni puede dejar de hablar y fungir
de trujamán para interpretar la conducta y las palabras de sus personajes. En lugar de la acción y el diálogo directos mediante los cuales sus caracteres podrían
definirse, Izquierdo Albiñana prefiere contar ella misma los sucesos y resumir el diálogo. La lectura de estas
novelas nos recuerda a esas madres dominantes cuyo
ego y cuya voluntad se proyectan demasiado en la vida
de los hijos y los mantienen en perenne dependencia
y minoría de edad. Secuela de este procedimiento: no
hay desarrollo psicológico, por una parte, y por la
otra, el lector se cansa y se siente tentado a saltar
páginas y páginas. En estas obras hay más "literatura"
que novela, más elucubraciones sin trascendencia que
vida. Y no es que las suyas sean novelas ensayísticas,
a lo Mallea, por ejemplo, o de índole filosófica, como
Belarmino y Apolonio, para no salirnos de nuestra lengua. No. El contenido ideológico de la autora es muy
parco. Lo que en las tres novelas precitadas predomina
es el narcisismo desbordado y sin médula de la autora,
de índole puramente literario, que la induce a rego-
dearse en torrentes verbales en detrimento de la acción
y de los caracteres. La embriaguez de las palabras
adquiere en ella proporciones alarmantes.

Otra tara de la que Izquierdo Albiñana no ha sabido
redimirse es el pueril afán de exhibir su cultura. De este
ingenuo prurito de ostentación quedan significativa-
mente convictas y confesas sus tres heroínas predilectas
—sus tres *alter egos*— Andréïda, Cecilia Santurce y
Marina de México. Es por boca de las tres que la autora

luce el caudal de sus lecturas. Las tres se afanan por
mostrarse muy enteradas, pesadamente eruditas y marisabidillas. La segunda de estas tres heroínas, con la que
tan identificada parece estar la autora, derrocha citas
en inglés, francés, latín, alemán, italiano, catalán, etc.
Por su parte, en la última novela, Marina de México,
no resiste la tentación de exhibir sus avalorios libres-
cos y en su visita al doctor Montaigne se muestra tan
pedante e irreal como sus hermanas mayores. Esto es
doblemente lamentable porque Izquierdo Albiñana ha
leído mucho, pero no ha descubierto todavía el secreto
de ocultarlo. Sus heroínas sienten la urgencia beligerante que aqueja a muchas mujeres —y a no pocos
hombres— atiborradas de libros, pero de muy limitado
meollo, de demostrar que son muy leídas y sabihondas,
epidemia que rarísima vez ataca a las personas realmente
cultas y de gusto formado. No recuerdo otra novela mexicana en la que tan evidente sea esta falla. Sobre todo
que son citas traídas por los cabellos, impertinentes y
fuera de lugar en novelas que nada tienen de filosóficas.

Este regodeo y ostensible vanidad literarios en
las tales heroínas se aduna y se armoniza perfectamente con el desaforado narcisismo físico que a las tres
caracteriza. ("Preciosas ridículas", llamó Moliere a tales
parlanchinas). La autoadoración en que estas incorregi-
bles charlatanas caen, es prueba de su anemia intelectual tanto como de la arbitrariedad y ausencia de lógica
con que la autora procede. La autocomplacencia que
en las tres provoca su propia belleza da en lo morboso. Es una autodelectación tan extrema que las tres
caen en ridículo. He aquí como Cecilia Santurce se
juzga:

"La vista de mi propia y maravillosa belleza que me devol-
vían en un júbilo de luz los grandes espejos del boudoir..."

"Una mirada llena me dejó satisfecha. Los espejos me de-
volvían ahora una figura impecable... De todo mi cuerpo partía
un fulgor viviente..."

"Sonreí satisfecha de mi propia belleza..." "Con una curiosa
mirada de engreimiento propio encendí un cigarrillo y resté de
pie, soberbiamente elegante y mundana".

Y por el estilo en centenares de pasajes descriptivos de las tres marisabidillas hasta provocar el hastío
del lector.

Pero junto a esta enfermiza y pueril vanidad de la

que jamás sufrió ninguna mujer realmente superior por
el talento, se descubre una total ausencia de feminidad. Estas tres heroínas serían seres monstruosos y an-
dróginos, si no fuesen pedantes, artificiales y falsas.
El regodeo con que la autora las describe reiteradamente y el énfasis que pone en múltiples pasajes en la
pintura de su belleza física y de sus pujos culturales, son
en extremo reveladores... Izquierdo Albiñana parece
incapaz de crear una figura rica en feminidad. Ni siquiera cuando pinta a la madre de Cecilia Santurce,
cuyo modelo fué sin duda su progenitora, logra dotarla
de esa máxima virtud femenina: la ternura.

Los defectos de estilo son muchos y aquí sólo
se aludirán algunos. Ya se hizo mención de su tropicalismo, de su ausencia de sentido de limitación y de
autocrítica, de su ampulosidad y de la embriaguez pala-
brera. Habría, además, que señalar el tono mayor de
su prosa, esa especie de do de pecho sostenido a lo
largo de los centenares de páginas de cada una de sus
novelas. (En la primera parte de *Caos* aparece atenuada
esta proclividad, pero reincide en ella en la segunda mitad). Hay en esta autora una constante propensión a los
superlativos y los prodiga con fatigosa frecuencia hasta
hacerlos inexpresivos e innocuos. Véase, por ejemplo, la
carencia de gusto en la adjetivación favorita con que
describe a sus heroínas: "prodigioso instinto", "belli-
sima boca", "magníficos ojos", "maravillosos ojos", "prodigioso cuerpo", "adorable cabecita", "peinado glorioso",
"ultra exquisitamente femenina" (sic), "bellísimos ojos",
"maravillosa boca", "maravilloso cuerpo", "maravillosa
palabra", "sublime forma", "deliciosas piernas", y así
ad nauseam. Por vía de ejemplo del huero tropicalismo
antes aludido, de la hinchazón retórica, del énfasis pa-
labrero, del tono mayor en que están escritas sus novelas,
léase esta sentencia entre otras mil:

"Mientras tanto, Andréida, sobre la viril efervescencia que la
envolvía en una sublime adoración gloriosa, pisoteaba, inexorable
e indómita, las leyes fundamentales de la vida, y de entre las ce-
nizas de su destrucción erigía con sus propias manos su sueño
triunfal, su creación de sí misma, esplendente y soberbia, con una
impunidad temeraria y magnífica que se antojaba fuera de la posibilidad humana".

O este modesto parrafito inicial del "Propósito" de
Caos:

"Queremos ser locamente audaces. Pretendemos cristalizar lo difuso y lo diverso, lo nebuloso y lo antagónico, lo ineluctable y lo quebradizo. Deseamos plasmar las cosas dispares que ya lo son y aquellas que intentan serlo. Darle perfiles a lo indeterminado, marcar los límites a lo fluctuante, encerrar lo disociado y lo distante. Aún más: abrazar lo universal y lo local".

Después de leer párrafos como los transcritos, dan ganas de gritar ¡Bravo! ¡Bravo! Esta tesitura aguda —agudísima— se sostiene inalterable y sin piedad para el lector. La autora desconoce la belleza del tono menor, de los matices, de la suavidad y de la limitación. Así, el mamarracho arquitectónico que es el Palacio de Bellas Artes, se le antoja una "majestuosa sinfonía marmórea", el "maravilloso Palacio de Bellas Artes"; al mediocre y sentimental Gregorio Martínez Sierra, lo califica de "insigne"; el vehículo que maneja el héroe de *Andréida* (probablemente un "fotingo" o un "chevi") lo llama "maravilloso coche". Los ejemplos podrían espigarse por miles. Por desdicha, de este mal gusto no está exenta ni siquiera su última novela.

Esta nota se alarga demasiado y hay que ponerle término aunque aún faltan por comentar otros muchos defectos de forma y contenido. Sólo quisiera referirme al desdén con que Asunción Izquierdo Albiñana trata el ambiente social lo mismo que la psicología individual. La acción y los personajes de sus novelas flotan en el vacío porque carecen de raigambre humana. Si en lugar de hacer "literatura", la autora observara agudamente la realidad social mexicana y procurara reflejarla con fidelidad; si en vez de permitir que su fantasía eche por los cerros de Ubeda para engendrar despropósitos, estudiara la naturaleza humana y procurara emularla, Izquierdo Albiñana podría llegar a ser una de las legítimas glorias de la novela hispanoamericana. Para ello le sobran talento, imaginación y cultura. Lo que necesita es mejorar el gusto y la técnica, trabajar con método y sin premura y, sobre todo, podar la maleza del estilo y desechar como floración dañina todas esas baratijas de adjetivación cursi, indignas de su talento. Una atenta lectura de algunos de nuestros buenos estilistas —Alfonso Reyes, Pedro Henríquez Ureña, Enrique José Varona, Ramón Pérez de Ayala o Gabriel Miró— le haría mucho bien. Necesitaría, además, poner coto al sensualismo y al erotismo que la obsesionan y ahondar en la idiosincrasia de sus personajes tan incoloros y borrosos hasta ahora.

Para concluir quisiera citar el único juicio que sobre la autora he leído. Es una nota inédita que me deparó la casualidad, pero que reputo penetrante y justa. Conversaba yo cierto día con un amigo sobre las mujeres novelistas de México y me recomendó la lectura de *La selva encantada*. Ambos ignorábamos entonces que la autora era Asunción Izquierdo Albiñana. Dime a buscar esta obra y no encontrándola en las dos librerías en que la procuré, se la pedí a un notable escritor cuyas opiniones, por lo firmes y bien orientadas, he admirado siempre. Al terminar la lectura encontré al final, un apunte a máquina en el que el generoso amigo había resumido el juicio que la novela le había merecido. Tan acertado me parece y tan cabalmente sintetiza mi personal criterio, que no resisto la tentación de transcribirlo. Helo aquí, en parte:

"Novela producto de una gran inteligencia, de una buena cultura y de fogosa imaginación. No sólo he podido leerla, sino leerla con interés, como jamás me había ocurrido con ninguna novela mexicana. No sabría discernir si ese interés se funda en mi curiosidad por una mujer literata de un snobismo rabioso, extraordinariamente pedante y vanidosa o en la fuerza vital que corre en todas sus páginas. Desde luego la protagonista del libro me es profundamente antipática. Es justamente el tipo que más detesto. De un narcisismo odioso, es la admiración de su belleza física, intelectual y hasta moral (?) la dominante en su carácter. Palas Atenea con una mirada de compasión para los mortales entre quienes vive. Todos se enamoran de ella y ella los ama a todos. Mujer cálida, de una feminidad enfermiza, su honestidad de mero artificio es más repugnante que la de los lascivos con quienes en pensamiento peca.

"La narración no es de un novel, revela conocimiento del arte. Por instantes su charlatanería me aturde. Hace dialogar a sus personajes en inglés, en francés, en alemán, en un afán de exhibicionismo chocante.

"Abundan los episodios de relleno y las tiradas de mera literatura, de filosofía y sociología baratas. Raras veces incurre en vulgaridades y mucho menos en tonterías como la de formularse esta pregunta: "¿Es una necesidad, una ley de conveniencia o una debilidad del hombre amar al bello sexo?

"Careciendo en absoluto de datos sobre esta autora, pienso que si todo es artificio en esta novela, incuestionablemente hay en ella toda una gran novelista; si son meras confesiones que se le escapan es una divertidísima charlatana, simuladora, mentirosa, exhibicionista, de un sentimentalismo llorón y chocante.

"Sea como fuese, su novela es superior a infinidad de las que se publican en México como de primerísimo orden, pese a los defectos que para mí he señalado".

Magdalena Mondragón

Difícilmente podría encontrase otra novelista más diametralmente opuesta a Asunción Izquierdo Albiñana que Magdalena Mondragón. Mientras aquélla se escapa de la realidad por la vía de la "literatura", ésta se hunde en la vida y procura aprisionarla en sus novelas con transida angustia; en tanto la primera pretende retratar —por lo menos en sus tres novelas más representativas— al mundo de la alta burguesía, Magdalena Mondragón vinculó sus simpatías y su obra de novelista con los humildes de las más ínfimas capas sociales. Izquierdo Albiñana se entretiene en la creación de *dermiviérges* cosmopolitas, narcisistas, coquetas, pedantes y sin nexo alguno con su ambiente, mientras Magdalena Mondragón desciende a los basureros, a las colonias de obreros misérrimos y a los ejidos de los indios y los campesinos en donde los niños mueren de hambre y las madres se consumen en el dolor y la indigencia, y capta enérgicamente la tragedia y la injusticia de estos desvalidos. En tanto la primera se embriaga en su exhuberante barroquismo verbal de dudoso gusto, Magdalena Mondragón se preocupa por recrear, en un estilo vigoroso, correcto, sencillo, de gran fuerza expresiva y hasta poética a veces, la vida que siente palpitar en su torno. El contraste podría prolongarse en varios otros aspectos de su respectiva labor.

No se vea en este parangón el propósito de deprimir a una y exaltar a la otra. Aquí se apuntan hechos y nada más. A Izquierdo Albiñana le sobra talento y probablemente su cultura libresca es muy superior a la de esta otra compatriota. Pero Magdalena Mondragón conoce mejor la verdadera realidad social mexicana, no la incolora vida de los *clubs*, *cabarets*, saraos y altos círculos políticos y financieros, sino la real, la auténtica vida mexicana que es la de las grandes masas desposeídas. Ha sabido, además, encontrar su procedimiento guiada por su profunda sinceridad y por su simpatía hacia los menesterosos. Este es otro punto importante en que las dos narradoras difieren: Izquierdo

Albiñana ha tocado también el tema de la miseria y el de los indios en *Caos* y en *Taetzani,* pero en ambas se percibe que la autora no está emocionalmente vinculada al tema, que lo ve en perspectiva y a distancia. Es decir como asunto novelable, sin identificarse ella misma con el dolor y la miseria que dramatiza. Magdalena Mondragón, por el contrario, está inmersa en la tragedia de los obreros y campesinos, y su hambre y su dolor los siente ella como propios. Por eso sus dos novelas mejor calibradas nos dejan la sensación de lo auténtico, vivido y sufrido. Otro aspecto divergente entre ambas, es la importancia que en la obra de esta novelista adquiere la ternura, lo mismo en los caracteres femeninos principales que en algunos masculinos, en tanto que en las obras de Izquierdo Albiñana brilla por su ausencia o poco menos.

De Magdalena Mondragón sólo sé que nació en Torreón, Coahuila, en 1913, que ha escrito cuatro novelas, cinco comedias, un libro titulado *Souvenir* (1938) que no conozco, y un curioso tomito titulado *Los presidentes dan risa* (1948), pletórico de datos útiles sobre los mandatarios mexicanos que la autora ofrece adobados en la salsa picante de su ironía. Magdalena Mondragón parece haber empezado a cultivar la novela y el drama simultáneamente, pues en tanto que su primera novela data de 1937, la primera comedia se publicó en 1938, y alternativamente ha seguido frecuentando ambos géneros y en ambos ha tenido notable éxito. Para el teatro ha escrito *Cuando Eva se vuelve Adán* (1938), *No debemos morir* (1940), *La tarántula* (1942), *Torbellino* (1947) y *Mundo perdido* (1948). Algunas de estas piezas, le han valido a la autora halagüeños triunfos al ser llevadas a la escena y actualmente está considerada por los críticos como una de las mujeres que con más acierto han cultivado la literatura dramática en México.

En 1937 se dió a conocer Magdalena Mondragón como novelista con una corta narración de 121 páginas titulada *Puede que l'otro año... Novela de la Laguna.* Publicó esta primicia una insignificante editorial de pomposo nombre: "Alrededor de América". La carencia de prestigio de la editorial, la humilde apariencia del tomito impreso en papel de ínfima calidad, unido al nombre desconocido de la autora, hizo que esta primera tentativa no tuviera resonancia ninguna y que los críticos no pararan mientes en ella. A pesar

del panegírico con que Eutiquio Aragonés la apadrina
y presenta al público en una nota preliminar, la obrita
pasó poco menos que desapercibida. Y sin embargo,
cualquier lector inteligente hubiera podido descubrir en
esta corta narración, la sinceridad y la transida vehemencia con que la autora se enfrenta a las injusticias
sociales, el vigor de su estilo y hasta la capacidad para
crear caracteres de recia contextura. En esta especie
de cuento largo, de tan pobre apariencia, están ya en
potencia todas las calidades de novelista que Magdalena
Mondragón evidenciará en sus obras ulteriores. Las palabras de loa con que el prologuista la presenta — "admirable y luminoso espíritu; sinceridad firme; riqueza cordial; fuerza de expresión; brío descriptivo, ímpetu de
alma..."— pudieron parecer hipérbólicas en 1937, pero
la labor posterior de la autora las ha sacado valederas
y ha hecho buena la profecía de Aragonés.

Ya en este primer esbozo de novela se nos muestra
Magdalena Mondragón como batalladora y soldado de
primera fila en la milenaria guerra contra la injusticia
social. Ignoro la filiación política de la autora. Es posible que sea socialista, comunista, anarquista o cualquiera otra cosa; pero nada de esto se revela en sus
novelas. Lo que sí prueban es que la autora hace suyos
el dolor y la iniquidad de que son víctimas los desheredados de la fortuna, y que sufre como propias las desdichas de los indigentes. En sus filas militó desde que
empezó a escribir y en ellas se mantiene firme y beligerante como pocos. No son las suyas novelas al servicio
de ninguna ideología partidarista sino recios pilares de
la causa del pobre y valiente denuncia de la arbitrariedad y el egoísmo de los poderosos. Su militancia no
obedece a consignas de partido sino a su propio y generoso impulso en pro de los desvalidos. Ni siquiera de
proletarias podrían tildarse sus novelas. Su posición y su
ideología, son personales y muy suyas. Su honda sinceridad y su insobornable capacidad de *sympathy* constituyen su fuerza y prestan brío y eficacia descriptiva a sus
obras.

En 1944 apareció la segunda novela de Magdalena
Mondragón, *Norte bárbaro* que no he podido conseguir porque según me informan los libreros, está agotada. El mismo año publicó *Yo, como pobre*... que se
comenta en este mismo capítulo como la más importante
novela de ambiente arrabalero hasta ahora publicada en
México en las últimas décadas. Es curioso anotar aquí

el hecho inexplicable e inexplicado de que ni esta
fuerte narración ni la siguiente, publicada en 1947,
merecieron ser laureadas con ninguno de los varios
premios que en la capital se otorgan, en tanto que
han recibido tal galardón varias otras novelas canijas
muy inferiores. Diríase que al delicado olfato y al pu-
dibundo espíritu de los señores que forman estos jurados, ofenden las miasmas de los basureros, los andrajos
que cubren a los miserables que en sus alrededores
y en las colonias obreras habitan y el desgarrado
y crudo realismo con que la autora los retrata. Mas
contradiciendo el laudo de estos remilgados señoritos de
la crítica, se da el hecho inusitado de que *Yo, como
pobre...* fué traducida al inglés, y la circunstancia
más insólita todavía, de haber sido ésta una de las
pocas novelas mexicanas recientemente traducidas que
han tenido éxito en los Estados Unidos y se ha vendido
bastante. Buena prueba de la perspicacia crítica tanto
como del riguroso espíritu de justicia que guía a los
señores arcontes que otorgan los tales premios...

En 1947 publicó Magdalena Mondragón su última
novela, *Más allá existe la tierra,* probablemente la más
rica en valores psicológicos, en matices poéticos y en
contenido social de cuantas hasta la fecha ha dado a
luz. Así como en *Yo, como pobre...* nos da un cuadro
pavoroso de los extremos de la miseria en los arrabales
de la gran ciudad, en *Más allá existe la tierra* nos lleva
a las colonias obreras, a los pueblos yaquis de Sonora
y a los distritos rurales de Querétaro, y en todas partes nos muestra el horror de la miseria, del hambre y
de la injusticia que corroen el organismo social mexicano.

Con el mismo vigor y valentía con que antes había
pintado la inmundicia de los basureros, la indigencia
de los pepenadores y la desvergüenza de los políticos y
los líderes obreros, retrata ahora el desamparo y la pobreza suma que privan en las colonias obreras, la ignorancia y el fanatismo de los campesinos, la avaricia y
la crueldad de los jefes militares, el descoco del cura
taimado —el mejor y más eficaz aliado de los ricos—
la carencia de escuelas y los errores del gobierno central
al repartir las tierras sin darle a los campesinos los
elementos indispensables para hacerlas productivas. El
cuadro de penuria, de ignorancia, de suciedad y desva-
limiento frente al egoísmo de los poderosos, de fana-

tismo craso, y de insensibilidad que la autora nos pinta en esta obra, es realmente anonadante.

Pero Magdalena Mondragón no es fatalista ni pesimista. Cierto que en sus novelas capta las más grandes injusticias que en la sociedad mexicana se cometen y las formas de vida más inicuas y desesperadas, pero en medio de tanta angustia y de tanta desolación, descubre ella grandes energías morales y posibilidades redentoras. No todo en sus obras es degeneración y entrega fatalista. La misma inmundicia y lacería en que viven sus personajes, engendran la rebeldía y el deseo de mejoramiento. El obrero y el campesino mexicano atesoran grandes reservas de energía y en ellos descubre la autora las fuerzas ideológicas y vitales que han de renovar la sociedad mexicana sobre bases de equidad y de justicia. Tampoco se crea que Magdalena Mondragón idealiza a estas clases sociales. Con frecuencia denuncia su estupidez, su cobardía, su alcoholismo, su suciedad...

En lo que sí se trasluce cierta dosis de idealismo de buena ley es en la pintura de sus caracteres centrales, los que generalmente le sirven de portavoz. Así Julia en *Yo, como pobre*... Rosa, Margarito y Simón en *Más allá existe la tierra* y hasta doña Eustaquia en *Puede que l'otro año*... A través de estos fuertes caracteres nos revela la autora sus propias ansias redentoras, su fe y sus ideales. Por eso aparecen estos protagonistas un poco idealizados porque dentro de su concepción novelesca de la realidad, ellos encarnan los anhelos superadores y alcanzan categoría de símbolos, muy especialmente los dos maestros y el indio Simón de su última obra.

La creación de este indio Simón debió ser lenta y muy elaborada. Rara vez se descubre en la novela mexicana un carácter tan trabajado y de tan robusta individualidad. La autora debió realizar un arduo esfuerzo para plasmar de manera tan cabal y sostenida, este carácter introvertido, tímido, silencioso, con firmeza granítica y a la vez dotado de honda ternura, que habla siempre mediante símiles y metáforas, en forma indirecta y simbólica, sin que en la ficción de la novela se traicione nunca. Simón Gutiérrez es una de las creaciones más robustas y bien logradas que la novela mexicana nos ha deparado.

Rosa de Castaño

Entre las tres o cuatro mujeres que con mayor dedicación y acierto han cultivado la novela en México en años recientes, hay que colocar a Rosa de Castaño. Ignoro la edad y procedencia de esta autora. Me han informado que nació en el estado de Tamaulipas pero no he podido confirmarlo. A juzgar por sus novelas, diríase que es norteña, ya que nadie en los últimos años ha captado la vida rural, las costumbres y el folklore de aquella región nórdica, tan cabalmente como esta narradora.

Como "Facundo", Rosa de Castaño hace de la descripción costumbrista el centro de gravitación de sus obras y principio y fin de su arte. Este propósito costumbrista lo lleva ella quizás demasiado lejos, ya que a él subordina todos los otros aspectos de sus novelas: estilo, argumento, caracteres, composición, todo en fin, aparece supeditado a la intención descriptiva de la vida rural del nordeste mexicano. No se regatea aquí el mérito de sus libros como "documento" para conocer la vida campesina de esta importante región, ni se desconoce tampoco la eficacia con que la retrata, pero una buena novela no puede concretarse al mero retrato de los hábitos, prácticas y estilo de vida de una región determinada. En tal limitación incurrieron Pereda, en España, y sus imitadores mexicanos de la era porfiriana. Sin embargo, dada la ausencia de novela rural de alguna valía que se advierte en la producción mexicana actual, las obras de esta autora tienen el mérito de subsanar —en parte— esta deficiencia.

Es curioso notar el hecho de que el novelista provinciano actual, por lo general, es un "escapista" de su propio ambiente y rehuye reflejar la vida campera. Quizás no la conoce suficientemente bien o sufre de un complejo de inferioridad que necesita compensar. Hay excepciones honrosas como las de Agustín Yáñez, Miguel N. Lira y otros, que ubican sus obras en la atmósfera provinciana de que proceden, pero tales excepciones no invalidan la premisa antes sentada ni desvirtúan el hecho inexplicable de que sean mujeres las que más elocuentemente nos han retratado la vida rural de México en los últimos dos lustros. De ello son prueba incontrovertible, Magdalena Mondragón que se dió a conocer con una novela ranchera, Alba Sandoiz que en *La seiva encantada* penetra también en el clima campero de la Huasteca, Sara García Iglesias con *El jagüey de las ruinas* y, sobre todo, Rosa de Castaño, la más fiel y enamorada pintora de la vida ranchera. Hay otras que han tratado el tema, pero sin el relieve y la perseverancia con que Rosa de Castaño lo ha hecho. Por el momento esta autora es el novelista mexicano que más atención ha consagrado a la vida rural y el que mejor la ha reproducido.

Cinco novelas nos ha dado hasta ahora Rosa de Castaño. En 1934 se dió a conocer con *La gaviota verde;* dos años más tarde, en 1936, apareció *Rancho Estradeño;* en 1939 publicó *Transición;* al año siguiente *El torrente negro* y *El coyote* en 1944. Tiene en su haber también una pieza teatral: *Pulque.*

La obra toda de esta autora se caracteriza por su filiación folklorista, por su aguda observación de los hábitos, del ambiente y de la idiosincrasia de las gentes del campo norteño y por el desnudo realismo de lenguaje con que los copia. El procedimiento de la autora consiste en el calco literal —acaso demasiado literal— de la realidad psicológica, lingüística y social que tanto ama y tan bien conoce. En su empeño por reproducir fielmente el clima campirano, descuida o desdeña la legítima parte que le cabe a la imaginación creadora en toda obra de arte trascendente. Al plegarse de modo tan literal a la realidad, limita la fantasía y le recorta el vuelo a sus caracteres. En cambio, sus obras constituyen documentos inapreciables para conocer la vida y la lengua de la región. Todas sus novelas tienen un innegable valor filológico y folklórico. En ellas abundan las canciones y corridos más o menos anónimos, la lengua popular con su pronunciación contrahecha y defectuosa, un gran cúmulo de refranes que expresan la filosofía del pueblo y todos los demás elementos que contribuyen a definir al hombre y las costumbres del campo. En la hora presente, nadie supera en México a Rosa de Castaño en este empeño de recrear literariamente la vida rural.

De sus cinco novelas, quizás la más ambiciosa y

la que más arduo empeño representa es *Transición*. Es
lo que pudiera llamarse una novela cíclica que comprende unos treinta años de la vida mexicana —las primeras tres décadas del presente siglo— enfocado el
devenir histórico desde el ángulo provinciano. La obra
se divide en tres "Epocas". La primera se titula "Tiranía". — "Analfabetismo". — "Superstición." La segunda
"La Revolución".—"El caos", y la tercera, "Reconstruc-
ción".—"Transición." Como se ve, el libro abarca desde los años postreros del porfirismo hasta mediada la
administración del general Lázaro Cárdenas. Un período
tan largo, tan dinámico y tan trágico, difícilmente puede compendiarse en una novela de 309 páginas. Balzac, Zola o Galdós lo hubieran hecho en quince o veinte
tomos.

Esta novela, a pesar del generoso esfuerzo que implica, es muy defectuosa en cuanto a composición. Por
sus páginas desfilan centenares de personajes, pero son
muy pocos los que logran definirse. En este maremág-
num de seres humanos, de episodios, sucedidos y desdichas públicas y privadas, se pierde y se marea el
lector y necesita de una aguja de marear para no ex-
traviarse y de una verdadera contabilidad para "llevarle
el apunte" a los personajes principales y no perder la
cuenta. Otro defecto de esta novela —de índole gramatical esta vez— es el inadecuado empleo del imperfecto
de indicativo allí donde la construcción correcta demanda el pretérito. Este error se nota en otras novelas, pero no tan reiterado como en *Transición*.

Desde el punto de vista técnico su novela más perfecta es la última. *El coyote*. Sólo alcanza 160 páginas,
pero la trama está mucho mejor urdida y los caracteres
alcanzan un mayor desarrollo. Elaborada a base de materiales costumbristas y folklóricos también, la autora
logra aquí dar más relieve psicológico a sus personajes,
precisamente porque no se ve constreñida a dispersarse
en una multitud como en *Transición*. Lo que no se explica fácilmente es el título. Coyote es el apodo de un
carácter secundario y casi episódico en la obra. La autora no lo trabaja ni desarrolla tanto como a los cinco
o seis más importantes que por estas páginas desfilan.
Su función dentro del argumento es secundaria también.

Francisco Rojas González

Francisco Rojas González (1904) se dió a conocer en el campo de las letras a los veintiséis años con una narración que tituló *Historia de un frac* (1930). En 1931 apareció otro pequeño volumen titulado *...y otros cuentos,* de sabor y de contenido campesino. En estas narraciones se pinta con simpatía y vivo colorido el dolor y la miseria del paria mexicano en los grandes latifundios de la época porfirista. Los temas de la vida rural y la injusticia con que se trataba al indio y al mestizo que trabajaban en el campo, están aquí retratados con evidente comprensión hacia las víctimas del régimen. *El pajareador* se publicó en 1933, según unos, en 1934, según otros. La última fecha parece ser la correcta. Contiene ocho relatos o cuentos de la vida campesina también. *Sed. Pequeñas novelas* apareció en 1937 o en 1938 —otra vez están en desacuerdo los señores críticos en punto a fecha, pero la primera es la exacta— y contiene cuentos de la vida rural y urbana. En 1944 publicó *La negra Angustias,* su primera novela de cierta extensión. Dos años más tarde, la Editorial Arte de América dió a luz una antología en la que recogió veinticinco relatos bajo el título de *Cuentos de ayer y de hoy.* Su última novela, *Lola Casanova,* apareció en 1947.

Rojas González está considerado en México como uno de los más capaces e interesantes cuentistas del momento actual. (El que escribe sólo ha podido leer *...y otros cuentos* y la antología precitada, por encontrarse ya agotados los otros volúmenes.) El autor cultiva de preferencia la narración corta y ubicada en los distritos rurales. Su técnica es dinámica y escueta. La acción en sus cuentos es muy parca y el desenlace se precipita con ritmo acelerado. A veces casi no hay enredo ninguno, sino unos párrafos ambientales para luego, sobre este telón de fondo, colocar el desenlace imprevisto y sin trama previa. En tales casos, más que cuentos son "motivos" para cuentos los que nos da. No hay en ellos —ni puede haber en relatos tan sobrios y esquematizados— desarrollo psicológico. Más que cuentos son especie de "instantáneas", close-ups, de un hecho trágico casi siempre, del cual sólo percibimos el climax. Pero junto a esta peculiar manera, hay otra de más aliento, más trabajada y de mayor relieve psicológico y artístico, o de ambiente más nítidamente diseñado. Tales los cuentos titulados "Silencio en las sombras", "Voy a cantar un corrido", "Trigo de invierno", "Chirrín", "Sed", "La restitución" y otros similares. El desenlace en los cuentos de Rojas González es con frecuencia inesperado, ya sea humorístico o dramático. El diálogo de buena ley abunda y lo mismo la plasticidad en los párrafos paisajistas. En los cuentos de Rojas González se conjuga una prosa y un estilo refinados, pletóricos de metáforas y símiles originales y poéticos, con el empleo de las formas populares del lenguaje campero que el autor conoce bien y emplea diestramente. Es éste un maridaje que recuerda un poco el empleado por Ricardo Güiraldes en sus mejores momentos. La preocupación estilística es evidente en todas sus narraciones cortas, más aún que en sus novelas.

En 1944, cuando el tema revolucionario había perdido interés y vigencia artística, Rojas González lo resucitó con la primera de sus novelas bien calibradas: La negra Angustias, que mereció el Premio Nacional de Literatura correspondiente a dicho año. De estos premios se otorgan varios en México cada año y son un estímulo y una ayuda económica para escritores y artistas en un país en donde el intelectual no puede vivir de su pluma todavía. Sin embargo, no han logrado promover la aparición de ninguna gran novela desde que se establecieron. Hasta hoy ni Azuela, ni Guzmán, ni Rubén Romero, ni López y Fuentes han sido superados por la más reciente promoción. Es posible —y hasta probable— que lo sean en las próximas dos décadas porque actualmente se cultivan la novela, el teatro y el cuento, con asiduidad y con interés crecientes por gran número de escritores de la parvada a que pertenece Rojas González. Pero sigue predominando la improvisación, el impresionismo anecdótico, episódico, y el costumbrismo sin hondura psicológica ni filosófica.

La negra Angustias es fruto tardío del tema revolucionario, pero no desmerece junto a la inmensa mayoría de las novelas en el tema inspiradas. La técnica o "montaje" que el autor emplea difiere bastante de la usada por sus congéneres de la década 1930-1940. Lo primero que en ella se echa de ver es que el protagonista en este caso es una mujer, excepción poco menos que única entre las muchas novelas revolucionarias que he leído. La excepción, más conspicua es *La revancha* de Agustín Vera. En esto como en todo, los novelistas se ajustaron al hecho histórico y prescindieron en sus creaciones de la mujer y el amor, porque en la realidad revolucionaria la mujer apenas tuvo intervención. Por lo general eran "soldaderas" —ni siquiera alcanzaban el rango de la antigua cantinera española— que seguían a sus "juanes" o maridos, los humildes soldados víctimas de las levas que todos los facciosos —y los federales— imponían. Con la pasividad y el fatalismo ínsitos de la raza indígena, estas pobres mujeres acompañaban a "su hombre" por llanuras y montañas, de día y de noche, en los intervalos de paz como en el fragor de los combates, y realizaban en los campamentos y en las fatigosas jornadas, la misma misión consoladora que en el jacal de su triste hogar campesino. Con frecuencia "su hombre" quedaba sin vida en un combate y entonces ella transfería su afecto y su lealtad a cualquiera otro superviviente que quisiera hacerla suya, y su piadosa misión continuaba junto al nuevo dueño. Tal es el quehacer más noble a que se consagraron muchas humildes indias durante la Revolución y a esa labor "casera" y personal quedó reducida su intervención en el conflicto. El otro tipo de mujer más común que aparece en las novelas de este género —también tomado de la realidad histórica— es el de la meretriz, depravada, procaz, que sigue a los ejércitos para sobrevivir a su amparo.

Por eso la mujer no cuenta y casi ni aparece en las novelas revolucionarias más que en episódicos relatos de francachelas y estupros. Es esta una limitación del tipo de novela a que aquí se alude, impuesta por la realidad que trata de reflejar y por su propia ausencia de imaginación creadora que la mantiene uncida a un historicismo demasiado literal. De ahí el parvo contenido psicológico y la ausencia de amor y de ternura que definen estas novelas.

En *La negra Angustias*, Rojas González rompe con esta tradición y nos ofrece una novela revolucionaria en la que el protagonista central es una mujer a la que se presenta en un doble rol o papel: como jefe de

una partida de facciosos, primero, y como esposa y madre hacia el final. También difiere esta novela de sus
semejantes en el enfoque y el desarrollo de la trama.
La negra Angustias fué concebida y escrita con nítido
carácter biográfico. Es la vida de la protagonista, desde
su infancia hasta que, ya vencida su montaraz naturaleza por el amor y la maternidad, la vemos resignada y
feliz en un humilde tugurio de la capital en el último
capítulo, lo que al autor interesa principalmente. Sus andanzas revolucionarias entre los zapatistas y las esca-
ramuzas bélicas que aquí se describen, no son más que
telón de fondo, ambiente y episodios castrenses que le
sirven como de reactivo para ir perfilando la idiosincrasia de la figura central que es el verdadero tema de la
narración. Compárese *La negra Angustias* con *Tierra*,
de Gregorio López y Fuentes, por ejemplo, y se notará
cuán distinto es el montaje de estas dos novelas y cuán
diferente el tratamiento del tema revolucionario. Ambas
se inspiran en la revolución del sur, en el agrarismo o
zapatismo. Pero en tanto López y Fuentes se ciñe a los
hechos históricos sin apenas desvirtuarlos con el tenue
velo de su fantasía de novelista, Rojas González aprovecha el tema revolucionario sólo en la medida necesaria para definir los relieves psicológicos de su heroína
y en el grado en que ésta intervino directamente en
ellos. En López y Fuentes, la revolución agraria constituye el tema, el protagonista mismo. Ni siquiera Emiliano Zapata es aquí el héroe de su novela sino el zapatismo, cuya evolución y tragedia final nos da en sendos capítulos que llevan por título el año en que los
hechos tuvieron lugar. En Rojas González, la ideología
y el devenir revolucionario pasan a un segundo término y sólo los percibimos a través del limitadísimo sector
o actividad en que la coronela Angustias Farrera intervino. Por eso esta novela no nos da idea de lo que fué
el zapatismo ni de su importancia dentro del fenómeno
total que llamamos Revolución mexicana.

Sin alcanzar el rango de gran novela, *La negra
Angustias* es una obra bien planeada y desarrollada con
talento. Tanto la protagonista como el gran número de
caracteres secundarios y hasta los meramente episódicos
que por sus páginas desfilan, están bien observados y
retratados con pinceladas rápidas y crudamente realistas. ¿Existió en la realidad histórica la coronela Angustias Farrera? Lo ignoro, pero es probable o, cuando menos, posible. Mas aunque tal personaje militara en las

filas zapatistas, esta obra no es ni podría clasificarse como novela histórica. De hecho ninguna novela revolucionaria puede considerarse como tal, en el sentido tradicional y académico del término, ni siquiera *El Aguila y la serpiente* o los *Apuntes de un lugareño*, de José Rubén Romero, y mucho menos el *Ulises Criollo*, de Vasconcelos, que son las tres creaciones en que más desnuda de ornamentos imaginativos aparece pintada la realidad revolucionaria.

Asistimos en esta novela a la triple evolución de la protagonista desde los doce años hasta los veinte y tantos: la fisiológica, la psicológica y la sentimental, además de sus aventuras y desventuras como jefe de un grupo insurrecto. Con habilidad de novelista nato, nos pinta Rojas González la "experiencia" psicológica de la protagonista en sus años adolescentes, especie de trauma que desarrolla en ella un complejo y una adversión irreprimible hacia los hombres que la convierte en marimacho o "sexófoba" por largos años. La forma en que el subconsciente y el instinto sexual operan en ella para vencer los estragos del trauma psicológico y el complejo "contra natura" que de aquél se derivó, es lógica y sigue los postulados de los principios freudianos. El mismo hecho de que esta marimacho, forzuda y valiente, cuya feminidad y cuyo instinto sexual se han inhibido artificialmente por obra de las circunstancias, se deje ganar por un catrín enclenque, pero superior a ella en el orden del saber libresco, y la forma en que se le revela su sexualidad estrangulada, son de una lógica incontrovertible. No menos diestro se muestra el autor al revelarnos el inverso proceso que sufren los dos personajes principales de los últimos capítulos: Angustias y el lechuguino despreciable de quien se enamoró. Angustias, devuelta a su sexo y a su función biológica mediante el amor y la maternidad, se nos convierte en esposa y mujer seducida y sometida. La antigua marimacho ha muerto. En tanto el pusilánime mentecato de antaño, se nos transforma en bribón altanero —altanero y mandón sólo ante la mujer que se le rindió— y explotador de la ejecutoria revolucionaria de ella, sin dejar de ser el "lambiscón" despreciable que siempre fué.

La segunda y última novela hasta ahora publicada por Rojas González, *Lola Casanova*, es muy diversa en el contenido y de más amplias proporciones. En tanto la primera contiene sólo 228 páginas, *Lola Casanova* alcanza 275. Aquélla puede y debe clasificarse como novela de la Revolución; ésta, en cambio, habría que ubicarla en el género indianista.

Francisco Rojas González es hombre culto, especializado en estudios étnicos y sociológicos que ha realizado en el Instituto de Investigaciones Sociales de la Universidad Nacional. Producto de esta labor es *Lola Casanova* y de esto más que de ningún defecto formal se resiente la novela. El origen erudito de la misma es evidente para cualquiera que la lea con espíritu crítico. En ella dramatiza el autor una tradición o leyenda que en torno a la heroína existía en la ciudad de Guaymas, en la costa del Pacífico, en la segunda mitad del siglo pasado. Según esta tradición, los indios seris o Kunkaaks secuestraron a la joven Lola Casanova y nunca más se volvió a saber de ella. Sobre esta frágil tradición, borda Rojas González toda una trama amorosa que recuerda un poco a las muchas imitaciones que de *Atala*, de Chateaubriand, se escribieron en América durante el siglo XIX. *Lola Casanova* está horra de los miriñaques y de la retórica romántica empleados por los émulos de *Atala*, pero el idilio entre la joven cautiva y Coyote, el jefe indio, no desmerece junto a los que Echeverría, Juan León Mesa, Isaacs, y tantos otros nos dejaron.

Durante la primera mitad de la novela, la acción se bifurca en dos direcciones o tramas paralelas que se van desarrollando simultáneamente en capítulos alternados. Por una parte se nos da el ambiente social y doméstico de Guaymas visto a través del hogar de don Diego Casanova y sus contertulios; por la otra, se describe la vida primitiva de los indios seris que son víctimas de la crueldad y el egoísmo del capitán Néstor Ariza, aspirante a la mano de Lola. A partir del secuestro de Lola hacia la mitad del libro, Rojas González se consagra a describir la modalidad de vida, las costumbres, las guerras, las armas, las supersticiones y creencias de los bárbaros y, sobre todo, el idilio del jefe y la cautiva que va a ejercer influencia decisiva en los destinos de la tribu.

La pintura que de la vida y milagros de los Kunkaaks en la Bahía Kino nos deja Rojas González no convence. Deja la impresión de que su conocimiento de esta tribu es de segunda mano, libresco, no "vivido" y "respirado" directamente. Lo mismo ocurre con la transformación que se opera en el alma y en la vida de la heroína. Muchos hechos son demasiado inverosímiles y novelescos. La atmósfera es ficticia, artificial. Hay en el libro un marcado empeño —reiterado muchas veces— por describir las costumbres, los hábitos, los alimentos, las leyendas, los ritos de magia, los preparativos guerreros, etc., innecesarios al dinamismo del argumento, que denuncia el origen culto y erudito y traiciona la intuición creadora del autor. Estas descripciones son como paréntesis fuera del acontecer novelesco e innecesarios al mismo. En tales ocasiones el sociólogo y el investigador suplantan al novelista.

Por otra parte, es muy difícil para un novelista que sólo conoce mediante estudios el ambiente, la psicología y la mentalidad de estas razas y estos modos de vida primitivos, escribir una novela convincente y que los refleje tal cual son. Veamos el problema del estilo, por ejemplo. Estos indios no hablaban español y es en extremo dudoso que Rojas González hable la lengua aborigen que ellos empleaban. Para resolver este problema, el autor hace un evidente esfuerzo imaginativo para hacerlos hablar en castellano en la forma aproximada en que él supone que se expresarían en su lengua vernácula. De ahí la riqueza de metáforas, símiles, símbolos y demás recursos retóricos que emplea. El autor inventa, supone, imagina, trata de adentrarse en estas almas y en estas mentalidades tan primitivas que aún no han rebasado el período de la economía extractora —la pesca, la caza y los frutos silvestres—. Pero en este arduo proceso, su mentalidad de hombre culto lo traiciona y el lector no puede olvidarse en ningún momento de que está leyendo una novela, es decir, una invención de la fantasía. Por el primitivismo de las formas de vida que en *Lola Casanova* se describen, el lector experimenta a ratos la sensación de que está leyendo una novela arqueológica. El capítulo final —y acaso la novela toda— contiene una evidente intención simbólica y aleccionadora: la admisión palmaria y sin complejos de inferioridad de que México es étnicamente mestizo; la salvación de México estribará en el trabajo honrado y fecundo, en la asimilación por su pueblo indio y mestizo de la técnica y la cultura que hicieron a los *yoris,* es decir, a los blancos, dueños del país.

Lola Casanova representa un esfuerzo imaginativo mucho mayor que *La negra Angustias* y, no obstante, no acaba de convencer. Esto plantea el problema de si es posible escribir una buena novela a base del ambiente

indígena sin haberlo vivido y sin conocerlo directamente. Estimo que no. Salvando las diferencias de enfoque,
estilo, etc., todavía la lectura de *Lola Casanova* nos deja una impresión hasta cierto punto similar a la que nos
producen *Tabaré* o *Cumandá*, por ejemplo. El mismo año
que la novela de Rojas González se publicó *Donde crecen los tepozanes,* de Miguel N. Lira, y dos años más
tarde, *El callado dolor de los tzotziles,* de Ramón Rubín.
Ambos autores pertenecen a la generación de Rojas González y las sendas novelas representan la primera tentativa que en este género hicieron. Sin embargo, las dos
nos dejan la sensación de cosa auténtica, genuina, fresca
y realizada sin el barniz erudito que se percibe en *Lola
Casanova.* No se trata aquí de un problema de técnica
ni de talento, sino de simple conocimiento directo y de
primera mano del ambiente, de la psicología y de la
mentalidad indígenas. Sólo el que haya convivido con
el indio y hable su lengua y conozca íntimamente sus
peculiares maneras de reaccionar, de pensar y de sentir, podrá retratarlo y hacer obra de arte de cierto
calibre a base de él.

Miguel N. Lira

Miguel N. Lira (1905) es una de las figuras literarias más proteicas del México contemporáneo. Es abogado de profesión, pero ha ejercido la cátedra de literatura también y es tipógrafo de gusto muy depurado. En el campo de las letras ha cultivado principalmente la poesía, la novela, el drama y la biografía, y en todos los géneros ha sobresalido.

Lira se dió a conocer como poeta a los veinte años, en 1925, y como tantos otros jóvenes bardos de aquella época, fué influído en sus inicios por el genio de Ramón López Velarde. Luego encontró su propio rumbo y durante unos veinte años, nos ha dejado una de las ejecutorias líricas más originales, más bellas y más genuinamente mexicanas del último cuarto de siglo. La lírica de Miguel N. Lira propende a lo popular, a lo terrígeno y autóctono, lo mismo que su obra teatral y sus novelas. El busca en la autenticidad mexicana su fuente de inspiración. En su labor poética abundan los temas y las formas populares, y hasta regionales, —como en López Velarde—, pero él sabe elevarlos y dignificarlos mediante el arte y la emoción honda hasta darles sentido y rango universal, humano.

En 1940 empezó Lira a escribir para el teatro influído por García Lorca, pero luego se desprendió de andaderas y nos ha dado una media docena de comedias que le permiten figurar dignamente entre los más destacados dramaturgos del México actual. Pero lo que ahora me interesa comentar no es su producción lírica ni teatral sino su labor novelística, tanto más interesante por cuanto el autor es poeta por definición —y poeta lírico, además— lo cual hace mucho más significativo el hecho de que haya podido sobresalir en un género tan diverso como es el narrativo.

Hasta el presente, Miguel N. Lira no ha publicado

más que dos novelas: *Donde crecen los tepozanes*
(1947), y *La escondida* (1948). La primera, sobre todo,
más que la obra de tanteo, insegura y de técnica deficiente, propia de todo autor que por primera vez se
aventura en un género nuevo, es una novela bien lograda que debe figurar entre las mejores que de la
variante indianista se han producido en México hasta
ahora.

Miguel N. Lira nació en Tlaxcala y parece familiarizado con la lengua, la vida, la cultura y las tradiciones y leyendas de los indios tlaxcaltecas. Conoce las
supersticiones indígenas de la región, sus ritos de ma-
gía, su sincretismo religioso en el que se mezclan y
confunden por igual las creencias en el dios y los santos católicos con los dioses paganos y las ceremonias
de las religiones precortesianas. Con esta novela, Miguel N. Lira parece haberse anticipado a la invitación
que Alejo Carpentier hacía dos años más tarde a los
escritores americanos para que exploraran las ricas posibilidades estéticas de "lo real maravilloso" que el mundo
americano contiene. Decía Carpentier en 1949, en el
"Prólogo" a *El reino de este mundo:*

"Y es que, por la virginidad del paisaje, por la formación,
por la ontología, por la presencia fáustica del indio y del negro,
por la revelación que constituyó su reciente descubrimiento, por
los fecundos mestizajes que propició, América está muy lejos de
haber agotado su caudal de mitologías",

Por este mundo de misterio y de magia, de superstición y de leyenda, se adentra Lira con paso firme
en esta novela y nos lo devuelve transformado en obra
de arte mediante la fidelidad y la difícil sencillez con
que lo evoca. Magia y realidad, lo fantástico y lo verosímil concreto, lo soñado y lo vivido, se entremezclan
y confunden en esta obra —lo mismo que en la vida
de estas razas primitivas— de tal manera y con tal arte
que el lector nunca sabe dónde termina la copia de la
realidad psicológica limitada, y dónde comienza la imaginación a urdir el canevá de lo maravilloso. Sobre
la tosca urdidumbre de "lo real maravilloso", de la
tradición y la leyenda, de las supersticiones y la magia
indígenas, borda Lira un drama de amor, de muerte
y de conjuros en los que se amalgaman las preces de
los eucologios católicos con las invocaciones a los dio-

ses primitivos. Todo en esta novela está admirable y sencillamente fundido en una trama de ficción y de verdad, de vida, de imaginería y de hechizo.

El tema o creencia en la existencia del *nahual* lo compaiten varios grupos étnicos mexicanos y es lugar común del folklore primitivo de la región central del país. No recuerdo ahora si alguien lo ha llevado a la novela antes de Miguel N. Lira. A principios del siglo, otro excelso poeta, Manuel José Othón, lo hizo objeto de uno de sus mejores cuentos, pero allí carece del relieve y de la dimensión trágica que Lira ha sabido imprimirle en esta obra. Ignoro si en ella recogió el autor alguna leyenda o tradición concreta de su tierra, tlaxcalteca, o si sobre el tema del *nahual* en abstracto, fraguó el argumento de su novela. Pero a los fines artísticos importa poco averiguar si los detalles y personajes que en la obra se dramatizan son reales o fingidos, tomados de la tradición o producto de la fantasía. Lo que sí monta es el hecho de que Lira ha sabido infundir vida artística a esta superstición y animar esta humilde arcilla humana con el aliento creador de su imaginación poética hasta entregárnosla palpitante de verosimilitud, de amor y de dolor. La evocación del tema central —el nahual—, lo mismo que las liturgias de magia que realiza la Tía Gregoria y las tradiciones y costumbres de los indios de Tlaxcala, la realiza Lira con rara destreza en esta su primera tentativa novelística. Entretejido con estos elementos fantásticos y folklóricos, aparece un idilio amoroso desenvuelto con aguda intuición estética y con verdad psicológica.

A pesar del ambiente de misterio, de magia y de superstición en que nos movemos a lo largo de las 239 páginas del libro, en ninguna de ellas tiene el lector la sensación de falsedad, de cosa ficticia y absurda que se recibe al leer muchas novelas de esta índole. Es que Lira está íntimamente familiarizado con la idiosincrasia y con el ambiente que retrata. El ha escuchado seguramente estas consejas sobre el *nahual* y la magia de labios indígenas para quienes eran realidad concreta y verdadera; él tiene un conocimiento directo, de primera mano, del sincretismo religioso y cultural que predomina entre los indígenas de su tierra y conoce sus hábitos, tradiciones y costumbres. Por eso *Donde crecen los tepozanes* nos impresiona como algo auténtico, real, vivido, lo mismo los personajes que en la tragedia intervienen que la atmósfera social que respiran, su nigromancia y aún las artes semi oníricas con que la bruja Tía Gregoria trata de conjurar los peligros y adivinar los sucesos. Lira se ha adentrado en el alma primitiva y supersticiosa de estos personajes y la retrata desde adentro, como verdad psicológica, como vivencias actuales, no como un tema objetivo novelado desde afuera y distanciado él mismo del drama que relata. Así es como la novela indianista ha cobrado alcurnia y prestigio artístico en México en los últimos años. El mismo procedimiento han empleado Ramón Rubín y Miguel Angel Menéndez en sus respectivas creaciones sobre temas similares.

La acción de *Donde crecen los tepozanes* es atemporal. Es decir, está ubicada fuera de ninguna dimensión de tiempo. Lo mismo podría colocarse en el siglo pasado que en el presente. La noción de tiempo, de temporalidad, es ajena a estas razas que viven con los ojos vueltos al pasado, sumidas en sus leyendas y regidas por tradiciones y costumbres inmutables y antiquísimas. La conquista detuvo el reloj del tiempo para ellas y desde entonces viven en un estado atónito, vegetativo, paralizadas por la miseria y el dolor eternamente renovados, sin mutación y sin esperanza. Su vida apenas se ha modificado en los cuatrocientos años de predominio cristiano. Abúlico, fatalista, ensimismado, introvertido y mudo, el indio vive su tragedia sin esperanza de redención. Su actividad es puramente biológica como la del reino animal o el vegetal. Nace, crece, se reproduce y muere sin que el transcurso de los siglos haya modificado en nada su vida ni alterado su ambiente. Las generaciones que se suceden traen consigo la misma herencia de hambre y de sufrimiento. En esta especie de pavor o de "pasmo" en que su vida se ha "petrificado" por así decir, permanece desde hace cuatrocientos años. El indio ni siquiera desespera. Porque en la desesperación hay siempre un germen de rebeldía, un átomo de fe, un rayito de ilusión, un aliento de vida por tenue que sea. Pero el indio en su total aniquilamiento espiritual y en su abulia total ha renunciado hasta a la esperanza. Esa es su tragedia y la tragedia de México también. Devolver a este importante sector de su población la fe en la vida constructiva, inyectarle confianza en sí mismo y en sus victimarios —el blanco y el mestizo— despertar en él la ambición y el deseo de un mejoramiento en su género de vida, educarlo en fin, y devolverlo a la vida, tal es la ímproba tarea de las futuras generaciones de gobernantes.

Con la segunda y última novela de Miguel N. Lira, *La escondida*, reaparece el tema de la Revolución. Esta novela representa, según mis noticias, la última creación, inspirada en el ambiente de la Revolución y le fué concedido el Premio Lanz Duret en 1947 a cuyo concurso fué enviada antes de su publicación. No es fácil de explicar para mí el hecho de que *Donde crecen los tepozanes* no recibiera éste ni ningún otro galardón en tanto que *La escondida* fué laureada, a pesar de que la primera es superior en todos sentidos y representa un esfuerzo artístico mayor y más logrado.

La escondida, sin embargo, es una obra bien planeada, entretenida, y escrita con arte y agudo sentido de los valores, tanto psicológicos como históricos y sociales. Como su hermana mayor, *Donde crecen los tepozanes*, la acción de esta novela está localizada en tierras tlaxcaltecas y en el período que va de las postrimerías del porfirismo a la caída de Victoriano Huerta. Por ella desfilan tres figuras revolucionarias admirablemente delineadas por Lira —Felipe Rojano, Máximo Tépal y el manco Domingo Arenas, si bien éste último no tiene en la novela todo el reliéve que merecía. Tanto Arenas como Tépal fueron tema de Corridos por su coraje y por sus hazañas de facciosos de temple heroico. En pocas novelas de ambiente revolucionario encontraremos un carácter tan enérgicamente perfilado como el de Máximo Tépal. Tan robusta es esta personalidad y con tan vigorosos trazos la pinta Lira que en realidad opaca y relega a un segundo plano al protagonista central que en la intención del autor debía ser el general Felipe Rojano. Otros muchos caracteres menores o episódicos aparecen bien diseñados, aunque por su función incidental y subordinada dentro de la trama novelesca, no están suficientemente desarrollados. La acción de la obra se mueve con gran dinamismo y con ritmo acelerado sin que en ningún momento decaiga el interés del lector. Las escenas y los diálogos son cortos, enérgicos y están relatados en un estilo rápido, ágil, nervioso y casi lacónico. El empleo de la lengua popular con sus giros y construcciones peculiarísimos y de gran capacidad expresiva o sugeridora, es afortunado y añade fuerza e interés a la obra. Todo ello prueba que en Lira coexisten excelentes aptitudes de novelista junto a la ya bien

probada capacidad lírica, y es de esperar que no abandone el género novela ya por él enriquecido con estas
dos obras.

Dicho lo anterior, debo señalar ahora una serie de
curiosas coincidencias que he descubierto entre *La escondida* y otra novela ya comentada: *La revancha*, de
Agustín Vera. Tan estrechamente vinculadas aparecen
estas dos novelas en ciertos detalles, y tan numerosas
son las "coincidencias", que un espíritu suspicaz o poco
generoso se creería autorizado para lanzar una acusación de plagio o, cuando menos, la sospecha de una poderosa sugerencia por parte del dramaturgo y novelista
potosino. No es tal mi intención ni en tal sentido quisiera que se interpretara este comentario, pero estimo
interesante señalar el paralelo innegable que entre algunos aspectos de estas dos obras se percibe sin concederle más alcance que el de una "coincidencia" acaso
fortuita.

Ya al aludir a *La revancha* expliqué la circunstancia
de ser una novela poco menos que desconocida entre
la gente de letras de la capital y es posible que Miguel
N. Lira ni siquiera tenga noticia de su existencia. Por
eso precisamente me ha sorprendido aun más la serie
de detalles en que ambas obras concuerdan. Veámoslos.

Ante todo, y contrariamente a lo que ocurre con
casi todas las novelas inspiradas en la Revolución, *La
escondida* es una novela de amor, desarrollada sobre un
fondo o ambiente revolucionario, igual que *La revancha*.
En ambas la protagonista es una mujer de clase superior y más culta; en ambas la heroína aparece ya unida
sentimentalmente a un hombre —comprometida en *La
revancha* y casada en *La escondida*—; en ambas, la
protagonista se enamora de un general carrancista que
se redime de su tosquedad mediante el amor y la influencia de ella; en ambas las respectivas heroínas pierden al hombre a quien originalmente se sentían ligadas,
los dos, víctimas de la Revolución; en ambas las dos
mujeres juran vengar la muerte del hombre querido;
en las dos novelas, las protagonistas cumplen su juramento matando a mansalva una, y a traición, la otra,
a los homicidas; en las dos obras, el novio de una y el
marido de la otra, son porfiristas —hacendado aquél y
general éste—, y los dos poco simpáticos al lector por
su conducta desalmada y cruel; tanto en una obra como
en la otra, los homicidas Abundio Guerrero y Máximo
Tépal tienen agravios personales que vengar y matan

frente a frente y como hombres corajudos. En las dos novelas la pintura del idilio amoroso es romántica en demasía.. El enfoque de las relaciones amorosas entre Felipe Rojano y Gaby es de pura sepa romántica y muy semejante al de Vera. Durante casi dos años que Felipe mantiene secuestrada a Gaby y vive bajo el mismo techo con ella, no ocurre nada, ni siquiera un beso. Algo muy parecido a la manera en que Vera trata el mismo tema en *La revancha*. Y así otros detalles coincidentes. No hay en toda la larga serie de novelas de ambiente revolucionario, dos que más puntos de contacto guarden entre sí.

Lluvia roja, por Jesús Goytortúa Santos

En el capítulo consagrado a la novela de la guerra cristera se comentó la primera obra de Jesús Goytortúa, *Pensativa*. En 1947 publicó este autor su segunda y última novela hasta ahora: *Lluvia roja*, también honrada con el Premio Ciudad de México, correspondiente a 1946. La composición empleada en esta novela es la misma que usó en *Pensativa* y todo lo que del aspecto técnico se dijo antes es aplicable al montaje de *Lluvia roja*. Dese por hecho, pues, el comentario sobre esta faceta de la obra.

Goytortúa es uno de los novelistas de más acentuada filiación romántica que en México podrían descubrirse hoy. Un análisis detenido de sus dos únicas novelas revelaría trucos, actitudes y procedimientos de legítima tradición romántica. Esta proclividad se subraya aun más quizás en *Lluvia roja* que en *Pensativa* y es, probablemente, una de las razones por las cuales ambas gozan de tanto favor entre los lectores ingenuos y poco exigentes. De lo dicho no debe sacarse la conclusión injusta de que Goytortúa es un adepto de esta escuela. No; el romanticismo del autor es muy atenuado y hasta discreto, y se conjuga perfectamente con un realismo descarnado y una visión directa y cruda de la realidad psicológica y política de su país. Estoy por creer que esta dosis romántica con que él adoba sus novelas no es temperamental —como en el caso de Gamboa, por ejemplo— sino muy premeditada para granjearse las simpatías del gran público lector. Más que una actitud inconsciente, una ínsita manera de enfocar la vida, creo que es un elemento cuidadosamente calculado como parte de su técnica de fuerte narrador.

En *Lluvia roja* —como en *Pensativa*— se combina una trama de marcada filiación romántica con la dramatización de un acontecimiento político que hasta ahora ha tenido escasa resonancia en la novela mexicana. Refiérome a la revuelta política, de limitada duración pero sangrienta, que tuvo lugar al finalizar la presidencia de Alvaro Obregón en 1924 cuando su ministro de hacienda, Adolfo de la Huerta, lanzó su candidatura a la presidencia de la República, frente a la de Plutarco Elías Calles que era el candidato apoyado por Obregón. Parte del ejército se sublevó en favor de De la Huerta, pero Obregón y Calles dominaron rápidamente la "bola" con excesivo rigor.

En *Lluvia roja* aparece el carácter más vigoroso que hasta ahora ha creado Goytortúa: Enrique Montero, el protagonista de la obra. Es éste un personaje arriscado, valiente hasta la temeridad, carente en absoluto de escrúpulos morales, individualista y predatorio, pero no exento de ciertas cualidades simpáticas, entre las cuales sobresalen el valor, la prestancia física, la lealtad y la generosidad para con los que quiere o le son adictos. Enrique Montero, a quien llaman "El Tigre de la Huasteca", es un personaje bastante común en la novelística mexicana del último cuarto de siglo, lo mismo que en la realidad social posterior a la Revolución. El héroe de "La feria de las flores", una canción mexicana que es casi un "corrido", canta con mexicanísima intuición:

> En mi caballo retinto
> he venido de muy lejos;
> *traigo pistola al cinto*
> *y con ella doy consejos.*

Las dos últimas líneas por mí subrayadas valen por un tratado de psicología social. Así Enrique Montero. Hombre gallardo, resuelto, con una irresistible voluntad de poder, toma lo que le gusta o ambiciona donde lo encuentra y si alguien intenta oponerse a su capricho, entra en juego la pistola que maneja con diabólica destreza e innarrable puntería. Para este hombre sin conciencia moral, la vida carece de valor y la arrebata o la ofrenda con serena impetuosidad. Por su temperamento volcánico, por la violencia de sus pasiones, por el desprecio de la vida, por la facilidad con que la quita y la serenidad con que se enfrenta a la muerte, diríase que este carácter es un símbolo de México. He aquí el concepto que su país le merece, el cual, dicho sea de paso, es acertadísimo:

"Adoro a México, pero lo adoro porque es violento, porque es favorable a las audacias, porque aquí el hombre puede sentirse completamente hombre. Lo adoro porque aquí cada día se rehace y se inventa la vida, porque cada quien construye su propio freno, porque aquí la vida es como debe ser: dura y cruel".

Tal es la filosofía que guía a este audaz temperamento y que él pone en práctica cotidianamente. Su carácter tiene firmeza granítica. Ni siquiera cuando en la revuelta delahuertista le volvió la suerte la espalda y lo van a fusilar, no flaquea su ánimo ni se arrepiente. Al sacerdote que se empeña en que confiese y se arrepienta, lo manda a paseo con estas palabras en las que, *in artículo mortis,* ratifica la filosofía que ha regido su vida:

"Todo lo que he hecho ha estado bien hecho. He despojado a los sinvergüenzas, he colgado a los enemigos del general y a los míos, he quemado las casas de los revoltosos. Cuantas veces he sido duro, es porque era necesario ser duro. La vida es guerra y en la guerra hay que proceder como en la guerra".

Inflexible en sus venganzas, Enrique Montero no conoce la piedad que le parece atributo de los débiles, y apocados. Diríase que Nietzsche fué su mentor y su guía.

Formando contraste con este carácter corajudo y desalmado —típica antítesis romántica— encontramos a Elisa, su esposa, candidata al convento antes de conocerle, delicada y pura como un ángel. Por exceso de idealización Elisa carece de levadura humana.

Goytortúa, cuya edad ignoro, es sin duda uno de los novelistas que más prometen en México. Probablemente el que mejor domina la técnica del género entre los que han surgido en los últimos diez o quince años, y no sería extraño que llegase a ser uno de los grandes novelistas de Hispanoamérica.

Nayar, por Miguel Angel Menéndez, 1941

Miguel Angel Menéndez nació en Yucatán, en 1905. Entre 1932 y 1936 publicó tres libros de versos. Antes, en 1926, había dado a luz *Hollywood sin pijamas*, y en 1941 su única novela hasta ahora: *Nayar* que fué laureada con el Premio Nacional de Literatura. Desde entonces parece haber enmudecido.

En Miguel Angel Menéndez predominan la capacidad lírica y la imaginación plástica sobre todas las demás facultades. Los pasajes más bellos de esta novela son sus estupendas descripciones que a veces alcanzan un tono épico-lírico de muy subido mérito literario. Quizás el estilista —el poeta en prosa— supera al novelista. La preocupación por la forma es evidente a lo largo del libro todo. Hay en Menéndez una potencialidad plástica inusitada y una riqueza de imágenes, símiles y metáforas que denuncian de inmediato al poeta que en él prevalece sobre el novelista. Privan en este libro los valores estéticos sobre los psicológicos o sociales. En él prepondera el artista de la palabra sobre el creador de caracteres. Tan bellas son estas prosopopeyas que no resisto la tentación de transcribir algunos ejemplos. Nótese la capacidad descriptiva de estas metáforas que le permiten una extrema concisión al autor sin que la plasticidad del cuadro se opaque ni disminuya el vigor de la imagen que copia:

"Agazapándome, reptando sigilosamente, llegué, bajo los árboles frondosos, con el pecho miserable untado en lodo menos impuro que el de mi corazón, hasta la orilla de un pequeño lago, en cuyo cristal lucían belleza indescriptible centenares de garzas dispuestas de manera que parecían brotar del agua ramazones de pluma. Garzas en idilio, blancas y rosadas y morenas; fiesta de ingenuidad bajo el mañanero cielo cálido; garzas hieráticas, hundiendo el aguzado pico en el plumón del pecho, detenidas en una sola pata; garzas en aliño, tocándose con esmero de doncellas".

He aquí un drama de la selva tropical descrito con un mínimo de palabras y no obstante con insuperable

eficacia. Es la tragedia de la palmera atrapada por el
camichín, una planta trepadora y parásita que vive adherida y de la savia de otros árboles:

"El camichín —fuerte, voraz, imperialista— toca y sube a
la palma como una caricia. Con tientos de ternura, lenta, dulce-
mente, se abraza a ella. Poco a poco la envuelve en tupida red
y la conquista. Ya conquistada del todo, la oprime, la absorbe, la
seca, y sobre las ramazones exhaustas, amarillas, se yergue potente
y triunfal".

De más amplias proporciones es el siguiente "paisaje" ejecutado con la misma economía y con igual
elocuencia:

"Ibamos al Salto del Agua. Veíamos quebrarse los cristales
en la joyante caída del rocoso lecho; escuchábamos el murmullo
imponderable del arroyo que se vierte en el río; o subíamos a
presenciar, desde lo alto del cresterío, el panorama vertebrado por
las montañas de lomos espléndidos, de cuchillas pelonas, de ca-
ñadas rebosando abetos y pinos. Como si presidiéramos un congreso de cumbres hasta el horizonte levantadas. Cumbres ardidas por
lámparas de crepúsculos inolvidables. Aquélla, la del enorme pe-
druzco solitario que apuntala el infinito, parece que levanta su
brazo pidiendo la palabra. La de junto, mueve su alborotada pe-
lambre de pinos y niega. Las demás, silenciosas y graves como
los indios, se acomodan sobre su vieja indiferencia y asisten sin
atender a la asamblea de ancianos y fuertes gigantes".

Por último esta lacónica prosopografía del jefe indio
que en trance de hacer justicia se torna ídolo implacable, porque la tradición de su raza así lo ordena:

"Vi los ojos del ídolo: eran fríos, opacos; sus labios fuertemente cerrados, eran más que nunca una terrible cicatriz. Ni una
emoción, ni un parpadeo. Era piedra, piedra dura con pátina de
tiempo; era la tradición que no puede cambiar, que ha de ser
siempre la misma: inflexible, ciega, sorda, muda, brutal".

Nayar es también novela indianista. El tema central
es la vida, costumbres, tradiciones, leyendas, supersticiones y magia de los indios coras de las montañas de
Nayarit. Las primeras cien páginas están consagradas
a pintar el ambiente de la selva tropical del estado, su
embrujamiento, su belleza salvaje y su fuerza aniquila-
dora. Estas primeras cien páginas recuerdan vagamente

La vorágine de José Eustasio Rivera y *Canaima* de Rómulo Gallegos en las que el mismo tema adquiere un más amplio y trascendente desarrollo. Luego ascendemos a las montañas áridas y heladas donde el cora se ha refugiado huyendo de la crueldad y el egoísmo del blanco y del mestizo, y penetramos en el mundo de misterio y de magia, de hechicería y de tradición implacable, hierática y rígida como la muerte misma. Menéndez no se detiene a dibujar caracteres que se destaquen nítidamente por sus aristas psicológicas. Quizás el tema indianista no se presta para escribir este género de novelas. El indio vive su sueño de muerte, impasible, inmutable, siempre igual a sí mismo, siempre vertiéndose hacia dentro, aprisionado por sus viejas creencias, por sus dioses y sus ritos. Un quietismo fatalista lo domina. Hoy como ayer. Mañana como hoy. Las ideas de evolución, de cambio, o de superación carecen de sentido para él. Es un ser clavado en una dimensión temporal a la que de antemano ha renunciado. El vive fuera —o al margen— de toda noción temporal. Y la novela que en él se inspire tiene que ser necesariamente ambiental porque estas idiosincrasias primitivas, infantiles y simples como la naturaleza misma no dan para más. En cambio, el mundo mágico en que su imaginación y su espíritu se han refugiado, el misterio de sus creencias, el esoterismo de sus divinidades, sus prácticas de brujería y todas las formas exóticas de su vida espiritual y material, constituyen incitaciones y temas novelables que necesariamente tienen que seducir al artista que haya penetrado su secreto.

Miguel Angel Menéndez alude con frecuencia en esta novela al problema capital que México confronta: el étnico. Y el problema étnico lleva implícito una larga serie de secuelas de índole psicológica, social, económica, cultural, religiosa, etc. En la obra se confrontan al indio, al mestizo y al blanco. No es éste el tema de la novela, sino un problema incidental, y es lástima que el autor no haya ahondado más en este conflicto que hasta ahora no ha sido debidamente tratado en ninguna novela mexicana. Menéndez coloca a un blanco y a un mestizo en la atmósfera vital de los indios coras y nos permite observar la reserva, la desconfianza con que éstos ven a los dos intrusos, pero no ahonda lo suficiente en las reacciones que en los tres personajes produce el reactivo de la vida en comunidad. Al indio nos lo presenta huraño, suspicaz, introvertido y protegido por su coraza

de desconfianza y de temor frente al blanco y al mestizo —sus enemigos y victimarios— y en actitud regre-
siva, más apegado a sus ídolos, tradiciones y liturgias
paganas que a las prácticas y creencias católicas con las
cuales asocia todos los sufrimientos, miserias e injusticias que durante cuatrocientos años les han infligido
los cristianos. Al mestizo, en cambio, lo pinta como un
alma torturada, emparedada entre dos mundos que no
pueden fundirse, solicitado su espíritu y su imaginación
por dos órdenes espirituales —dos culturas— dos modos
de entender la vida, de signo contrario e inconjugable.
Es un ser que fluctúa en equilibrio inestable entre dos
polos magnéticos de opuesta imantación. Es un ser casi
tan trágico como el indio porque aún no ha encontrado
su propio centro de gravedad. En una pasajera alusión
de tonalidad épica, lo presenta Menéndez simbolizado
en la figura de Ramón con estas palabras que parecen
tomadas de los salmos bíblicos:

"Pudo ser que la tempestad se hubiera metido en el cuerpo
de Ramón. Pudo ser que en su sangre se alzaran las dos inmensidades que el mestizo lleva dentro; pudo haber sido que en su
cerebro chocaran las dos inmensidades y que del choque sobrevi-
niera un rayo que desquició su pensamiento.

"Porque es bueno decir que una vez se toparon la noche y el
día. El sol vino contra la noche y no pudo del todo con ella. En
la negrura se astilló la luz; en la luz se astilló la negrura. Tem-
bló el cielo; cayeron los dioses; se hundió la tierra.
....
"Vinieron contra sí dos inmensidades. Dos inmensidades que
luchan aún, mordidas, enredadas, ya sin saber dónde comienza y
acaba la una; ya sin saber cuál es la otra. Pero aquí están, luchando en el alma mestiza, dos inmensidades. A jalones de sombra, a jalones de aurora, hacen oscilar los horizontes; forman una
marea que sube y que desciende en espiral o que se mueve como
un péndulo que se hubiera vuelto loco entre los muslos de la
eternidad.

"A veces, lo recóndito hierve, se hincha en el hervor, estalla,
y lo que oprime salta en pedazos que rebotan contra el horizonte
para regresar contra lo recóndito, que había creído liberarse. Y
se inicia de nuevo la lucha feroz, a jalones de sombra, a jalones
de aurora".

De lamentar es que el autor no haya profundizado
más en este tema que espera todavía por el gran novelista que lo dramatice en toda su honda trascendencia.

Siendo el problema raigal de México, no ha logrado, sin embargo, inspirar ninguna gran novela. Muchos se han asomado a él, pero todos lo han soslayado o se han contentado con rápidas alusiones, como ocurre en *Nayar*.

El callado dolor de los tzotziles por Ramón Rubín.
México, 1949

Con humildad no exenta de contrición confieso que
no tenía noticia de la existencia de Ramón Rubín.
Sin embargo, éste parece ser su sexto libro. Los cinco
anteriores deben ser primicias dignas de leerse si hemos
de juzgarlos por la excelencia del que aquí acoto. Y
aunque no los conozco todavía, estimo pertinente señalarlos al interés del lector: *Cuentos del medio rural
mexicano,* 1942; *Cuentos mestizos,* 1948; *Tercer libro
de cuentos mestizos,* 1948; *Ese rifle sanitario,* 1948, y
Diez burbujas en el mar. (Sarta de cuentos salobres),
acaso inédito todavía este último pues aparece sin fecha
en el índice de "obras del mismo autor" reproducido en
la solapa de la cubierta de esta novela.

Con excepción del cuarto, cuya filiación no se define, los otros cuatro volúmenes son recopilaciones de
cuentos. De ello se deduce que el autor ha consagrado
especial atención al género y particularmente al cuento
del ambiente rural mexicano. Sin enjuiciar estos cinco
volúmenes, puedo afirmar que Ramón Rubín es un estupendo cuentista, basado únicamente en el primer capítulo de esta novela. Leílo antes de percatarme de la
labor previa por el autor realizada y al terminarlo lo
reputé como una perfecta síntesis o narración corta
—sólo ocho páginas— con su trama, desarrollo, nudo
y desenlace, y con mérito muy subido e independiente
del resto de la obra. Es, por consiguiente, un cuento
acabado. Algún otro capítulo de esta novela podría desglosarse también del conjunto de la obra y leerse con
igual sentido de unidad y de interés independiente, como
el primero. Esto lo mismo podría significar una peculiar y característica aptitud para la narración corta que lo
confinaría en este género, o influjo inadvertido de toda
su labor anterior, pero que no invalida sus posibilidades
para el cultivo de la novela. De esto último no cabe
duda cuando se ha leído *El callado dolor de los tzotziles.*

Los tzotziles, según el autor, constituyen una tribu
india de remoto origen maya que habita en las serra-

nías del estado de Chiapas. El autor parece familiarizado con la vida, la psicología, los hábitos, costumbres,
tradiciones y supersticiones de esta tribu, y sabe utili-
zarlos con habilidad artística en esta notable creación.
Para verificar la autenticidad de todos estos elementos
aquí utilizados, se requiere una preparación antropoló-
gica de la que el que escribe carece en absoluto. De lo
único que en este comentario se da fe, es de la eficacia con que Ramón Rubín los emplea para con ellos
escribir una de las mejores novelas indianistas que hasta
ahora han aparecido.

Lo que en este libro es más patente es la capacidad del autor para el retrato psicológico. Rara vez en este
tipo de novela rural —o indianista— nos encontramos
con caracteres tan bien definidos como en esta obra de
Ramón Rubín. El alma adolorida y humillada, leal y
férvida, pero hermética, introvertida y silenciosa de
María Manuela, está aquí develada con suma destreza
y con una simpatía y comprensión de la naturaleza
humana, exentas de idealizaciones románticas. Ramón
Rubín posee una excepcional capacidad de síntesis
—acaso debido a su largo cultivo del cuento. Unas
cuantas líneas le bastan para diseñar un carácter, darnos un pastel paisajista, o dotar de alma y sentimientos
humanos a cualquier animal —un perro o un cordero.
Esta última aptitud se hace evidente en varios episodios
del libro.

Con una gran economía de elementos, el autor ha
escrito una novela de extraordinario interés. Todo aquí
es simple, elemental y primitivo, como los tzotziles mismos, y tanto el estilo como el léxico empleados, se acoplan perfectamente con la humildad del tema. Ramón
Rubín debe estar íntimamente familiarizado con la vida
y costumbres de estos indios, o de lo contrario, poseer
una inusitada habilidad para adentrarse en el alma de
sus personajes, identificarse con ellos e infundirles aliento
y vida artísticos.

Con rara destreza en el empleo de sus materiales,
Ramón Rubín consigue darnos un cuadro de conjunto
de la vida de esta tribu, sus hábitos, su idiosincrasia
y su economía, su sincretismo religioso y las huellas que
el "impacto" de la cultura y la técnica del "ladino" —el
blanco y el mestizo— dejaron en el alma y la vida de
la tribu. Todo ello está subordinado y sirve como de
"background" al desarrollo de una trama o enredo sim-
plísimo que le permite dibujar con mano maestra los li-

neamientos psicológicos de María Manuela y su marido,
José Damián. Pero al mismo tiempo que trabaja la arcilla de estas dos almas, incorpora en su corta narración
el espíritu de todos los elementos que integran la vida
de la comunidad, de los cuales José Damián y María
Manuela vienen a ser algo así como símbolos o arquetipos.

A través de la insignificancia de estas dos vidas y
de las relaciones que los unen, regidas por la férrea
tradición y las costumbres de la tribu, percibimos el panorama completo de la vida comunal en sus varias
dimensiones —cultural, económica, social y étnica. Ramón Rubín es un diestro alfarero que sabe aprovechar
con gran sentido artístico las cualidades y hasta los defectos del pobre barro humano con que trabaja. De sus
manos sale esta rústica materia transformada en rica
cerámica que en nada desmerece de la elaborada con elementos urbanos. Y esto sin idealizarla ni transgredir
los límites del realismo de buena ley. Al autor le bastan
su intuición artística y su talento de novelista genuino,
su familiaridad con el tema y su actitud comprensiva
—sympathetic— hacia estas formas de cultura soterradas desde hace siglos, y hacia el indio, tan vilmente
explotado y maltratado por el capitalismo cristiano.

La evolución o cambio que en el alma de José
Damián opera el contacto con los "ladinos" y sus
costumbres, el complejo de culpabilidad que en él se
desarrolla y el sadismo que revela en la comisión de lo
que según la tradición de su raza son crímenes imperdonables, están aquí magistralmente pintados por Ramón Rubín y revelan la sutil intuición psicológica y artística que lo guía. Pocas veces en nuestra América
ha logrado un novelista adentrarse en el alma indígena
en forma tan veraz y desnudarla para devolvérnosla
íntegra y sin adulteraciones ni procacidades repugnantes
como ocurre en ciertas novelas similares del Ecuador,
por ejemplo.

Una última referencia a la técnica del autor, indirectamente aludida ya. El *metier* de esta novela es de
gran sencillez. Parece estar concebida y realizada frag-
mentariamente —quizás sin que el autor se haya percatado de ello— como una sucesión, acumulación o superposición de episodios o cuentos —treinta en total— con
valor intrínseco e independiente muchos de ellos, entrelazados por el hilo de los dos protagonistas y el ambiente de la tribu. La división en capítulos numerados

quizás facilite o sugiera esta interpretación. Pero me inclino a creer que la capacidad narrativa de Ramón Rubín es más sintética que analítica, y encuentra su más perfecta expresión en el cuento. Esto, por supuesto, es un criterio provisional y sin base suficiente. Habría que leer las colecciones de cuentos ya publicadas por el autor y esperar a que aparezcan otras tentativas en el campo de la novela. Casi de lamentar sería que no fuera así. Hasta ahora México nos ha dado algunos novelistas de talla, pero no tiene un solo cuentista que pueda hombrearse con Horacio Quiroga, Hernández Catá, Baldomero Lillo, Manuel Rojas y otros varios que han prestigiado este género en Hispanoamérica. Acaso sea Ramón Rubín el llamado a darle alta jerarquía estética en México.

Post scriptum

Ya listo para ir a la imprenta este manuscrito, leí *Diez burbujas en el mar* (1949) y *La Loca* (1950) aparecida esta misma semana. He podido leer también algunos de los cuentos del autor, pero no los suficientes como para formarme un juicio definitivo.

Estas dos novelas son inferiores a *El callado dolor de los tzotziles.* La primera es una narración de aventuras marinas en muchos puertos y en diferentes latitudes y continentes. No alcanza la categoría de novela fantástica, pero tampoco podría clasificársele de realista. Más adecuado me parece calificarla como de "aventuras". Este género necesita de una gran imaginación para hacerlo interesante y amable, y Ramón Rubín carece de las condiciones indispensables para cultivarlo con éxito.

Lo mismo podría decirse de *La loca*, el esfuerzo creador más arduo y sostenido que hasta el presente ha realizado el autor. Las dos novelas anteriores dejan la impresión de haber sido concebidas a retazos y como cuentos añadidos, y entrelazados por ciertos caracteres; no así *La loca*. Esta obra fué engendrada como un todo novelesco, visualizada y planeada como novela y en un conjunto totalizador. En cierto modo se parece a *Diez burbujas en el mar,* en el sentido de que en ambas predomina la imaginación sobre el intento de reproducir la realidad observada directamente. *La loca* es novela de filiación —o por lo menos de intención— psicológica. Los dos personajes que el autor estudia y analiza de preferencia —el narrador y la protagonista, Teresa Montaño— son dos entes de ficción, producto de la fantasía del autor más que de la observación directa. La mayor parte de la trama carece de verismo y es utópica en demasía. El autor se adentra aquí en los vericuetos de la psiquiatría, de la entomología y de la psicología, pero el empeño es más tenaz que convincente. Casi cuatrocientas páginas —393 para ser exacto— emplea Ramón Rubín para dramatizar el complejo de culpabilidad de la heroína que necesita redimirse mediante las prácticas altruístas, y el de inferioridad del narrador. El procedimiento empleado es lento, de autointrospección —en el caso del protagonista— y de análisis en el de Teresa. Pero el resultado no corresponde al laudable esfuerzo —por lo menos desde un punto de vista artístico. Este género de novelas es quizás el más difícil de cultivar con éxito y requiere aptitudes excepcionales, además de conocimientos técnicos. Ramón Rubín se mueve con más libertad y acierto cuando intenta recrear la realidad concreta por él observada que en el terreno resbaladizo de la pura imaginación. Cuando copia tipos y ambientes directamente observados, es verídico, vigoroso, sintético y convincente; pero cuando escribe a espaldas de modelos vivos, divaga, elucubra, rellena y resulta difuso e innecesariamente prolijo. Por eso *El callado dolor de los tzotziles* es la más lograda de las tres novelas que hasta ahora nos ha dado.

El médico y el santero por José María Dávila, 1947

A pesar de la trascendencia que César Garizurieta le atribuye a esta novela, José María Dávila dista mucho de ser un novelista genuino y dudo que sea este género su más adecuado medio de expresión.

José María Dávila nació en Mazatlán, estado de Sinaloa, en 1897. Su homónimo progenitor era médico de profesión, y escritor por vocación. Por eso ha podido decir Enrique González Martínez que a este escritor "el talento y el amor a las letras le vienen de abolengo". Su vida ha sido muy movida, inquieta y rica en experiencias, y todo ello se refleja en esta novela. Ha sido político y ha ocupado importantes cargos legislativos y ejecutivos, tanto en el gobierno local como en el federal; fué embajador en el Brasil y en Guatemala y más tarde banquero. Al margen de esta febril actividad, ha escrito ya ocho libros sobre diversas materias, entre ellas dos novelas: *Yo también fuí revolucionario* (1945) y la que aquí se comenta por ser la más lograda. Tiene, además, una fecunda labor periodística dispersa en no pocos diarios y revistas.

En su libro *Realidades mexicanas,* César Garizurieta le atribuye a *El médico y el santero* una importancia en el devenir de la novela mexicana que me parece excesiva. La camaradería literaria o política, la gratitud o la simple amistad personal, suelen incurrir en hipérbole en Hispanoamérica cuando intervienen en el juicio de libros y autores. Ignoro si en el siguiente laudo de Garizurieta se mezcló la relación personal con el autor enjuiciado, pero cualquiera que haya sido la causa de tanta generosidad, el dictamen me parece desproporcionado. El lector inteligente podrá decidir una vez que conozca la obra que lo motivó:

"Y como para muestra no basta un botón, deseo citar otra obra que los críticos, no el público, la han recibido con cautela, me refiero a "El médico y el santero", de José María Dávila. Hablo de dicha novela porque viene a cubrir una etapa en nuestra literatura; marca nueva ruta, un rumbo, una referencia a nuestra

naciente novelística que podemos llamar mexicana. Ha salido a su
debido tiempo, correspondiendo a nuestra evolución social, ha res-
pondido a la etapa histórica del mundo nuevo de México, equivalente a la novela picaresca, tal como sucedió, en igualdad de
circunstancias, con su hermano de España, "El Lazarillo de Tormes", que responde a parecidos estímulos económicos, semejantes
al que nos toca vivir. Dicho libro es todo el reflejo de nuestra
vida sencilla de la provincia, que se arrecia en la gran ciudad
llena de tentaciones; es la más pura dicción popular tratada con
mano maestra. Dibuja con colores subidos de tono, la sufrida vida
doméstica de la clase media. Aporta como rico capital lo desarticu-
lado y sintético del modo de hablar del mexicano. Introduce la
lengua elíptica, atrevida, procaz y donairosa de la conversación
cotidiana de la taberna, de la política y del burdel. Es un libro
mexicano hasta las cachas; ojalá sea el anuncio de una nueva
era en el arte literario mexicano que debe ser realista por excelencia".

Confieso que no conozco más que dos novelas mexicanas a las que en sana y ponderada crítica se les pueda
atribuir tal trascendencia: *El Periquillo Sarniento* y *Los
de abajo*.

Mucho más exacto me parece el criterio del gran
poeta precitado cuando al definir la personalidad literaria de José María Dávila, afirma:

"Narrador fácil, ameno y colorido, mexicano hasta la médula,
pinta lo que se presenta a sus ojos, sin que le arredre la crudeza del asunto. Con su prosa al desgaire y su audacia para
llamar las cosas por su nombre, crea y describe tipos desenfadados
y cínicos que hablan y obran movidos por instintos irrefrenables
y que, lejos de ocultar sus lacras morales, las exhiben con impru-
dente regocijo. Dentro de los libros de este vigoroso novelista, hay
mucha vida propia y mucha observación directa del "documento
humano", y de tal modo lo subjetivo y lo objetivo se mezclan
y confunden, que no atina el lector por boca de cuál personaje
expresa el novelista su íntimo pensamiento. Al correr del esca-
broso relato, se describen escenas evocadoras de aquellos sitios
a donde han llevado al autor sus andanzas, y con ello se revelan
sus dotes nada comunes de observador costumbrista. Novela es
ésta de hoy, ruda y vigorosa, manjar tal vez difícil para estóma-
gos delicados. Es la obra de un escritor nato que ha visto mucho
y que cuenta sus experiencias con la sinceridad con que se las
refiriera a sí mismo. Como todas las de Dávila esta obra es un
trozo palpitante de vida mexicana".

"Narrador fácil, ameno y colorido, mexicano hasta
la médula", pero no precisamente novelista auténtico.
La lectura de *El médico y el santero* deja la impresión
de que Dávila es "un hombre de mundo", decidor y sim-
pático, dotado de una generosa dosis de excelente sentido de humor, volteriano, ameno narrador de chascarrillos divertidos, culto, despreocupado, epicúreo, escéptico y sensual, que gusta de la buena mesa, de los vinos
generosos y de los placeres de la carne tanto como de
los del espíritu. Uno de esos *bon vivant* —como él mismo
llama al personaje central de esta novela— que tanto
se prodigan por tierras de América.

Pero ni el realismo de buena ley en que esta
novela abunda es nuevo en México ni siquiera podría
equipararse en rudeza y fuerza expresiva con el empleado
por otros varios colegas mexicanos de las últimas tres
décadas, y mucho menos con el de Lizardi. *El médico y
el santero*, sin embargo, se deja leer sin esfuerzo por
el sano humorismo de su autor, por su capacidad satírica, por sus ideas renovadoras, por su fina observación de la realidad psicológica y social mexicana, y por
su desenfado de gozador sano de todo lo que de bueno
y deseable nos ofrece la vida.

Especial mención merecen los conceptos vertidos
en los consejos finales que el protagonista da a su ahi-
jado, Ramoncito, especie de testamento o confesión de
fe de este personaje que por lo crudos, francos, sinceros y escépticos, bien podemos interpretarlos como la
desilusionada visión que de la realidad social tiene el
propio autor. En esto —en la respectiva filosofía de la
vida, muy afín, y en el hecho de que ambas novelas ter-
minan con esta especie de testamento— coincidieron
José Rubén Romero y José María Dávila. El *Pito Pérez*
del primero se publicó un año después de *El médico y
el santero*, pero Romero no tenía noticia de la existencia de esta última novela cuando escribió la suya. Es
una simple y curiosísima coincidencia de las muchas
que la vida literaria ofrece y que con frecuencia inducen
a los críticos a sacar conclusiones injustas por falta de
información o exceso de suspicacia.

El *ventrílocuo* por Antonio Magaña Esquivel, 1944

Magaña Esquivel es uno de los más autorizados
críticos teatrales que México posee actualmente. Aparte
un gran número de crónicas publicadas en los periódicos de la capital y no recogidas en volumen todavía,
ha publicado dos tomos de ensayos sobre el tema: *Imagen del teatro* (1940) *y Sueño y realidad del teatro*
(1949). En el campo de la novela, que yo sepa, sólo ha
publicado *El ventrílocuo*.

Es ésta una novela de factura moderna, intencio-
nalmente arbitraria en su montaje y de filiación psicológica. El autor se revela familiarizado con las formas
de la novela europea que se cultivaron entre las dos
guerras mundiales y con los estudios psicológicos del
subconsciente.

La figura central de esta bien desarrollada trama
es Baltasar, el ventrílocuo, especie de auténtico don
Juan de burdel que sin proponérselo ni de ello tener
conciencia, ejerce una fuerte fascinación sobre las mujeres non santas que lo rodean. Pero si la personalidad
de Baltasar constituye el foco principal de atención para
el autor, y en su delineamiento se detiene más que
en el de ningún otro personaje, no faltan en la obra
otros caracteres bien diseñados tales como doña Chole,
la jamona que no se resigna con sus años, y María
Estela.

La creación del protagonista Baltasar es uno de
los estudios psicológicos más logrados de la novela
mexicana reciente. El autor nos lo presenta en el
instante en que, adolescente aún, asiste al asesinato
de su madre y hermano mayor por las tropas federales.
En un rápido *film,* lo vemos sirviendo con los zapatistas, los carrancistas y los villistas durante el torbellino
revolucionario, para encontrarlo después como apun-
tador en una carpa teatral en los suburbios de la capital, y luego actuando en su capacidad de ventrílocuo
con la misma farándula. Los complejos y traumas psicológicos que han amargado el carácter de Baltasar,
se complican ahora con la degeneración y las alucina-

ciones que le producen el alcohol y la mariguana. Magaña Esquivel ha penetrado en el mundo del subconsciente del protagonista y en su imaginación desorbitada
por el efecto combinado de la droga y el alcohol y nos lo
pinta en su total decadencia y ruina. El ambiente de
sordidez y miseria física y moral que circunda a Baltasar está igualmente bien sorprendido y retratado con
realismo crudo. La obra toda revela el empeño del autor
por salirse de los caminos trillados —tanto en el tema
como en la manera de enfocarlo— y hacer una obra inusitada y original. *El ventrílocuo* no alcanza el rango de
gran novela, pero sí es un experimento bien ideado y
desarrollado con talento. Esperemos que el autor vuelva
algún día a cultivar el género.

Ciudad por José María Benítez, 1942

José María Benítez nació en Zacatecas en 1898.
Es fundamentalmente poeta. Desde 1922 viene cultivando
este género y sólo veinte años más tarde publicó *Ciudad*,
la primera y más conocida de sus dos únicas novelas
hasta ahora.

Esta obra fué laureada con el Premio Lanz Duret,
en 1941 y tal circunstancia le valió cierta notoriedad.
Ciudad es un libro bien escrito, pero casi no merece
el título de novela, pues carece de acción, de argumento
de protagonistas y casi de diálogo. El montaje se aproxima más al género de memorias que al novelesco. En
forma de memorias o recuerdos fué concebida y realizada, es decir, como una visión retrospectiva de las experiencias de un niño en la ciudad de México durante
los años trágicos de la Revolución. El título mismo es,
en cierto modo, inapropiado, ya que el énfasis, más que
en la descripción del ambiente capitalino durante aquellos años epónimos, lo pone el autor en las experiencias
del niño que relata los acontecimientos. No es tanto una
relación de las tribulaciones de la ciudad como el recuento
de las desdichas de la familia de este párvulo y sus
propias aventuras y desventuras.

El libro todo es descriptivo y cuánto en él ocurre
está visto a través del prisma infantil del relator. En
sus andanzas por la urbe capitalina, este rapaz entra
en contacto con gran número de personas, pero el autor
no se detiene a dibujar el carácter de ninguna de ellas.
Ni siquiera los padres del narrador aparecen aquí ade-
cuadamente diseñados. Todas son figuras borrosas, sin
personalidad bien diferenciada ni consistencia.

En esta obra, el autor se nos revela más poeta que
novelista. Hay en ella más preocupación estilística que
esfuerzo por desarrollar una acción o un argumento, o
por la creación de caracteres. El poeta, en cambio, está
presente en cada una de sus páginas y se denuncia en
la abundancia de metáforas, imágenes y símiles de corte
nuevo y de carácter lírico y plástico. La lectura de esta

así llamada novela, deja la impresión de que el asunto no es más que un pretexto para hacer filigranas de estilo. Y en esta subordinación del contenido —acción, caracteres, etc.— a la forma consiste principalmente la endeblez de la obra.

Novelas de ambiente arrabalero

La novela de ambiente arrabalero contaba ya con algunas manifestaciones valiosas. En los comienzos del siglo, Angel del Campo se inspiró en esta atmósfera para escribir algunos de sus "cuadros" llenos de simpatía y de piedad hacia los humildes. Hace ya unos diez años, el doctor Azuela la enriqueció con la mejor obra con que el género cuenta hasta ahora: *Nueva burguesía,* en la que si bien es cierto que no desciende a los más ínfimos fondos de la sociedad urbana que el arrabal comporta, ni pinta en ella el ambiente criminoso al que este género de novela hace relación con frecuencia, si está ubicada en los aledaños del arrabal y se aproxima a su tónica de vida. Hay otras tentativas, pero son ya de menor cuantía artística.

En el año de 1948, aparecieron sendas obras de dos escritores noveles que con ellas hicieron acto de presencia en este campo: *El sol sale para todos,* de Felipe García Arroyo, y *La barriada,* de Benigno Corona Rojas. Creo que ambas constituyen la primera tentativa novelística de sus respectivos autores. Es de esperar que no se repita con ellos lo acaecido a Lizardi, Delgado y a López Portillo y Rojas, cuya primera novela fué la mejor que escribieron. En el caso de estos dos incipientes narradores, *there is room por improvement,* como dicen en inglés en ocasiones semejantes.

Este tipo de narración no es tan fácil de cultivar como generalmente se cree porque esconde dos peligros en los que con frecuencia encallan los que por sus laberintos se aventuran sin un agudo instinto artístico: el cuadro costumbrista y ambiental, la tentación de caer en lo pintoresco y anecdótico, por una parte, y por la otra, la incitación a reincidir en lo chabacano o chocarrero, en la pintura excesivamente realista y de mal gusto. Ambos defectos desdoran la obra de García Arroyo que se agota en una cansada reiteración de nimiedades sin trascendencia, en un esfuerzo demasiado sostenido por dibujar la atmósfera física y el ambiente moral arrabalero, pretiriendo o desdeñando tanto el dibujo de

los caracteres, como la acción y el movimiento que prestan agilidad e interés a las buenas narraciones. Tampoco escasean los "cuadros" de innecesaria crudeza.
Véase un ejemplo entre los muchos que podrían citarse:

"Pero los olores le indicaban por dónde iban pasando. Olor a
pulque, a fruta podrida, a pescado frito, a carne cruda, a pulque,
a papeles viejos, a orines, a lavazas, a nabos, a papayas a pulque, a chile pasilla, a zapatos viejos, a orines, a pulque, a hipazote".

El sol sale para todos es una novela de técnica
deficiente, de ritmo lento que somete a dura prueba el
interés y la intención del lector. A veces da la impresión
de que está escrita en forma de "diario" —y aun de "ho-
rario"— de una vida intrascendente en la que nada o casi
nada ocurre de positivo interés. El protagonista, Juan
Mendoza, mejor conocido en el bajo mundo que frecuentaba por Juanito o Juanillo, es un joven veinteañe-
ro de humilde extracción, dotado de cierta personalidad y de cualidades varoniles que la miseria y el ambiente de ignorancia y de vicio malogran. Juanito y sus
andanzas, su quehacer en la ferretería en que trabaja
como dependiente, sus aventuras nocturnas en tugurios,
cafés y cabarets barrioteros, entre mujeres de vida alegre y compañeros despreocupados, sus anhelos de ganar dinero para redimir a Maruca, su hermana, del fin
inexorable que le espera, los cuales le inducen a distri-
buir mariguana, primero, y a tentar la suerte como tore-
ro, después, constituyen el tema central de esta novela.
Pero las desventuras de esta vida vulgar están íntimamente enlazadas y condicionadas por el miserable ambiente de conventillo o vecindad y del arrabal en que vive y
de los cuales tanto él como todos los personajes que en el
libro figuran son víctimas. Es ésta una atmósfera de sordidez, de ignorancia, de vicio y de miseria, de corrupción y
de concupiscencia, de suciedad y de crimen como la que
por lo general predomina en las novelas de este género
tan abundante en todas las literaturas. Y como todas
las novelas similares, ésta de García Arroyo es deprimente, triste, porque en ella aparece el alma humana
develada y retratada en toda su angustia y en toda su
fealdad —egoístas unos, abyectos otros, criminales y
explotadores muchos. El tema es trágico como la vida
misma, pero el autor no domina la técnica novelística
lo suficiente como para hacer con él obra de arte dura-

dera. El ambiente zafio, sórdido y maleante está bien sorprendido, pero la multitud de caracteres que en él se mueve, no cobra el relieve suficiente como para hacerlos vivir con vida robusta y propia. Por eso esta novela es más ambiental que psicológica, más un "cuadro" que un argumento bien urdido y desarrollado.

En el prólogo, el autor nos dice: "Han sido revisados cuidadosamente los diálogos y su ortografía no debe achacarse al camarada linotipista ni a mí, sino a los personajes que lo hablan". Y en el colofón reitera que la impresión estuvo "al cuidado del autor y de Luis Alfaro Hernández". Pues a pesar de tales precauciones, en el libro se han deslizado centenares de erratas y fallas de puntuación —principalmente acentos— que lo afean, y de los cuales no son responsables los personajes sino los señores correctores, linotipistas y el autor mismo, si como se afirma en el colofón, vigiló la impresión.

En García Arroyo hay un buen novelista en potencia. Esta primicia que aquí se comenta es prueba irrecusable de ello, a pesar de las máculas que se han señalado.

Casi todas las deficiencias señaladas en la obra de García Arroyo, son imputables también a la obra de Corona Rojas. En ambos casos, los defectos son hijos de la incipiencia más que de carencia de aptitudes. A esta luz hay que juzgarlas si el lector desea ser justo con los respectivos autores.

El ambiente de *La barriada* es aproximadamente el mismo que el de *El sol sale para todos*, pero en tanto García Arroyo hace hincapié en la atmósfera nocturna de cafés, tugurios y cabarets, y en las aventuras y desventuras del protagonista con sólo ocasionales referencias a la inmoralidad oficial y a la corrupción de la policía, Corona Rojas hace de esta inmoralidad y de esta corrupción la *raison d'etre* de su novela. *La barriada* fué concebida más como un ataque contra la ineptitud, la concupiscencia y el latrocinio que predominan en las esferas oficiales, desde los más altos cargos hasta los más modestos oficiales de policía, que como una novela de puro entretenimiento. Contra los estafadores del erario público y contra el cohecho de que se benefician todos los representantes de la ley en esta novela, contra el liderismo obrero igualmente corrompido y mendaz, enristra el autor en cada capítulo con encono pertinaz. Hay capítulos enteros como el que va de la página 105 a la 156 que más semejan un largo memorial de cargos

contra la rapiña y el soborno oficiales, contra el liderismo procaz y contra la "mordida", que parte de una
narración novelesca. A lo largo de la obra hay gran
número de páginas que más parecen escritas como editoriales de un periódico de oposición que como parte de
una obra de entretenimiento. El cinismo y la procacidad oficiales que aquí se describen, justifica el vigor
con que el autor los ataca, pero el propósito satírico y
docente le resta valía estética al libro. Es una falla artística en que han incurrido gran número de novelistas
mexicanos contemporáneos, tales como Azuela, López
y Fuentes, Jorge Ferretis, Magdaleno, los dos que aquí
acoto y otros muchos.

Por eso esta novela, más que una obra de arte
viene a ser lo que en la jerga "hollywoodense" denomi-
nan un "documental". En su afán de "probar" su caso
y demostrar la miseria y la injusticia de que son víctimas los humildes, lo mismo que el desbarajuste y la tra-
pacería gubernamentales, el autor acumula desdichas
y tragedias sobre Chonita y los demás caracteres buenos
y honrados hasta herir la sensibilidad del lector y hacerle
casi irresistible la lectura por exceso de angustia. Corona Rojas, a pesar del conservadorismo que se trasluce
en esta obra, reserva sus simpatías para los desvalidos,
especialmente para los niños y las mujeres —madres
y esposas— sufridas, abnegadas, resignadas con su miseria y su trabajo agotador, con el cual sostienen a sus
hijos y hasta los vicios del marido.

Desde el punto de vista técnico, la novela es en
extremo endeble. Hasta la página 107, no hay protagonista ni argumento definido, sino una serie de episodios arrabaleros, cómicos unos, trágicos los más, descritos sin gran preocupación por la forma. El héroe durante
la primera mitad del libro es el barrio, su ambiente, su
gente, sus pulquerías, tortillerías, tendajones, etc. El
autor se dirige personalmente al lector como si estuviera
relatando un cuento entre un grupo de contertulios.
Véanse algunas muestras: "Cuando dijimos que en esta
barriada no hay ni siquiera un líder, mentimos." (p.
107.) "Nosotros creemos cumplir con nuestro deber per-
geñando un somero retrato de don Canuto, es indispensable. Ustedes dirán si lo merece" (p. 116.) "No se
vayan ustedes a reír que es cosa seria" (idem). "Para
nosotros —se refiere a sí mismo— lo verdaderamente
importante es el progreso social que, con un marco
de podredumbre, como todo lo que se desarrolla en

nuestro México..." (p. 158). "Vamos llegando al an-
siado momento por ustedes y por mí, en que al dar
vuelta a una de estas hojas, encontremos la sedante palabra: Fin. No sé; tengo la sospecha de que ustedes
y yo, estamos igualmente fatigados y merecemos un
descanso".

"Me siento culpable. Creo que he matado demasiada gente." (p. 239). Por lo menos esta vez, autor
y lector han logrado ponerse de acuerdo...

Pero si el arte de novelar sale bastante maltrecho
de esta primera experiencia del autor, Corona Rojas
posee, en cambio, una abundante vena satírica, irónica
y de buen humor que, cultivados con más depurado
gusto, podrían hacer de él un novelista entretenido. Con
ironía zumbona alude a varios escritores, periodistas y
académicos, tales como Rafael Heliodoro Valle, Carlos
González Peña, Alejandro Quijano, Aldo Baroni, etc.,
cosa igualmente fuera de lugar en una novela.

De filiación arrabalera es también *Río humano* por
Rogelio Barriga Rivas, publicada en 1949. Esta parece
ser la segunda novela del autor. Dos años antes había
publicado *Guelaguetza. Novela oaxaqueña*. *Río humano*
fué laureada con el premio Lanz Duret correspondiente
a 1948 y esto le dió cierta notoriedad al novel autor.

El tema de esta obra es el mismo novelado en las
dos anteriores, pero enfocado desde un ángulo distinto
y con técnica mucho más firme y consciente. Ni García
Arroyo ni Corona Rojas tienen idea clara de la composición novelística. Ambos saben perfectamente lo que
quieren hacer y decir pero no el procedimiento que deben usar. Barriga Rivas, por el contrario, tiene conciencia definida de la técnica que desea emplear y la
pone en práctica sin titubeos ni fallas de principiante.

Río humano es el arrabal visto desde la atalaya de
una delegación de policía en una barriada pobre de la
capital. Imaginémonos al autor como un diestro *cameraman* instalado en la delegación policíaca con su aparato
fotográfico y otro reproductor de sonidos con los cuales
recoge cuanto allí ocurre y se dice, y tendremos una idea
cabal de la técnica empleada en esta novela.

En la ficción de la obra, el narrador de este bien
ordenado *film*, se supone ser un Agente Investigador
de las fuerzas de policía que va apuntando en su personal
cuaderno de notas toda la miseria y el dolor, la picardía
y el drama de las clases humildes de la barriada, a medida que desfilan por la delegación. La tragedia de los

humildes está vista aquí con honda simpatía y con espíritu
comprensivo. No falta tampoco la nota irónica y hasta
satírica cuando el autor señala la conducta de los ricos
y de los políticos influyentes, y el diferente trato que
reciben en la delegación.

Río humano es una novela intrascendente, escrita
con escasa preocupación estilística y sin grandes aspiraciones estéticas, psicológicas o sociales. Pero dentro
de la técnica que el autor se propuso emplear, está
bien urdida y revela capacidad narrativa en su autor
a quien supongo joven todavía. No creo aventurado au-
gurar que Barriga Rivas nos dará algún día obras de
mayor calibre que las dos hasta ahora publicadas.

A reserva de comentar con más amplitud en otro
capítulo la labor de Magdalena Mondragón, es necesario mencionar aquí aquélla de sus novelas que más resonancia ha tenido en México y fuera de él. Refiérome a
Yo, como pobre..., (1944). Por el tema que la inspiró,
esta novela puede y debe clasificarse entre las de ambiente arrabalero y es, quizás, la más importante que
dentro de esta filiación se ha publicado en México en
los últimos dos lustros.

En realidad Magdalena Mondragón excede a los
otros tres autores comentados en esta sección en cuanto
al tema se refiere, pues mientras éstos se mantienen
dentro del perímetro citadino y nos describen las vidas
y tragedias de las barriadas humildes de la capital, con
sus aspectos sórdidos y criminosos, ella desciende aún
más en la escala social y ubica la acción de su novela en
los basureros distantes en los que la urbe vuelca todos
sus desperdicios y residuos ya en descomposición. Los
héroes de este libro son los "pepenadores" que hurgan
y escudriñan entre las montañas de la basura putrefacta
para recoger todo aquello que pueda saciar su hambre o
convertirse en algunos centavos —papeles, trapos, vidrios,
pedazos de hierro o cobre, etc. Como los zopilotes —y
en competencia con ellos— esta gente de ínfima condición social, vive y se alimenta de los detritus de la ciudad
y aprovecha las sobras malolientes que la capital destina
a los basureros.

Pero con tan humilde ambiente y a base de tema
tan ingrato, Magdalena Mondragón ha sabido crear una
obra de subido mérito artístico y de fuerte contenido
social. La autora se ha aproximado a sus personajes
con gran simpatía y ha sabido retratarlos con vigor y
nobleza. En medio de tanta miseria repugnante a la

vista y al olfato, la autora descubre la virtud modesta y heroica que encarna principalmente el alma todo abnegación y bondad de Julia, la madre y esposa estoica y valiente en su infinita desdicha.

Sólo con una gran dosis de conmiseración y con una aguda conciencia de la injusticia social vigente, puede escribirse una novela de cierta talla a base de tan ínfimo tema. Mas por fortuna, en Magdalena Mondragón ambas se dan generosamente, y por ello y porque posee talento de auténtico novelista, *Yo, como pobre...* es una obra bien calibrada que se lee con indignado interés. Ella ha sabido dramatizar la horrible miseria y el dolor de estos desdichados, y contrastar sus vidas y su conducta con las de los políticos y líderes obreros canallescos, ladrones y desalmados. Y todo ello con un realismo tan crudo que a veces lastima la sensibilidad del lector. Cierto es que Magdalena Mondragón es una denodada defensora de las clases proletarias y de sus derechos a una vida mejor retribuída y más amable, pero esta obra no está escrita en función de propaganda como tantas otras. Su profunda sinceridad y simpatía, unidas a su fuerte talento narrativo, animan este ambiente y estos personajes y hacen de la acción algo tan interesante, dramático y verídico como la realidad misma.

Capítulo XXI

Nómina final.—La novela proletaria.—Otras mujeres novelistas.—Novelas de ambiente histórico.—Los colonialistas.—La novela fantástica.—La novela policíaca.—Otros nombres y títulos no mencionados

El número de novelas —mejor relatos novelescos porque la mayor parte de ellas apenas merecen tal clasificación— publicados en México durante la última década, asciende a varios centenares y de no pocas ni siquiera se consiguen ejemplares. Creo que los nombres —y los libros— de mayor significación que se han destacado en los últimos diez años, son los comentados en el capítulo anterior. Restan otras novelas no mencionadas aún que a falta de prestancia artística tienen el dudoso prestigio de haber sido agraciadas con el Premio Lanz Duret. Ya se ha dicho —y repetido— que los jurados que lo otorgan, por la generosidad con que lo disciernen, distan mucho de ser una garantía de selección y el galardón mismo no siempre constituye un índice de calidad. La mayoría de las obras premiadas ha sido ya aludida, pero quedan todavía otras que por la falta de espacio sólo puedo recomendar a la atención del lector. Tales *El jagüey de las ruinas* de Sara García Iglesias; *Las islas también son nuestras* por Gustavo Rueda Medina; *Playa paraíso* por Gilberto Chávez Jr.; *El hombre de barro* por Adriana García Roel; *Vainilla, bronce y morir* por Lilia Rosa, etc.

Dado el considerable número de obras que en este decenio han aparecido y las proporciones que este libro ha adquirido, aquí sólo podré dar una mínima nómina de títulos y autores. Procuraré reunir algunos de ellos en grupo para facilitar su estudio al investigador.

La novela proletaria o izquierdista, no cuenta con un solo creador de fuste en México. Es un hecho tan difícil de explicar como la ausencia de novela de la vida rural de cierta envergadura. En un país de grandes

masas obreras y de economía fundamentalmente agrícola, con una vida campera riquísima en matices de intenso
colorido, con variantes folklóricas, costumbristas, económicas y sociales en cada región, no ha producido todavía una novela proletaria ni rural de mediano calibre
como las que encontramos en otros países hermanos de
América. Lo mismo pudiera decirse de la ideología marxista, por ejemplo. Si se exceptúa a Vicente Lombardo
Toledano, cuya filiación comunista era muy dudosa hasta ahora, el comunismo no ha producido en México un
líder de la talla de los que se encuentran en otros
países como el Brasil, Chile y Cuba. Tampoco el partido
comunista ha tenido en México la importancia que reviste en las naciones precitadas. (Deseo prevenir falsas
interpretaciones. Aquí se consignan *hechos,* sin que ello
signifique ningún criterio personal respecto a la conveniencia o inconveniencia de que tal ideología arraigue
en México ni en el resto del mundo. Analizo fenómenos
culturales y hechos que son ya del dominio de la historia sin juzgar de su bondad intrínseca. La humanidad
se encuentra dividida en dos hemisferios ideológicos
de signo contrario y belicoso que se excluyen recíprocamente. El hombre de cultura que hasta muy recientemente se había ilusionado con la idea de que era libre, empieza a descubrir en todas partes la falacia de este espejismo...)

Dentro del ámbito de la ideología izquierdista, quizás el escritor que más tenaz y fervorosa tarea ha realizado en México es José Mancisidor (Veracruz, 1895).
El número de libros, ensayos, conferencias, folletos, etc.,
sobre variadísimos temas, desde Zola, Lenin y Henri
Barbusse hasta Miguel Hidalgo y Costilla, que Mancisidor ha publicado, es muy cuantioso y aquí sólo podré
mencionarlo. José Mancisidor es un marxista honrado y
sincero, al mismo tiempo que un patriota que se duele
de las lacras políticas y de las injusticias económicas que
corroen el organismo oficial mexicano. Estas virtudes
—honradez, patriotismo y sinceridad— se adunan en
él con el innegable valor cívico con que las sostiene.
Más que un artista o un creador, es un luchador perseverante y denodado. Al servicio de sus ideales político-
sociales ha puesto su talento durante más de veinte
años. Al propósito docente y proselitista ha subordinado
el interés artístico de sus novelas. De tal proclividad
adolecen todas.

He aquí sus novelas y relatos novelescos. *La aso-*

nada (1931), *El sargento* (1932), *La ciudad roja* (1932), *De una madre española* (1938) y *La rosa de los vientos* (1941). Además, en 1946, publicó una copiosa antología de cuentos mexicanos en dos gruesos volúmenes en los que reunió todo lo más valioso que en el género se ha producido allí. En los últimos nueve o diez años ha abandonado el cultivo de los géneros imaginativos y se ha consagrado a estudios de temas afines con su ideología.

Las dos novelas de Mancisidor que más resonancia han tenido son la primera y la tercera, particularmente *La ciudad roja*. "Novela proletaria" la subtituló su autor. Nada hay que objetar al tema. En torno a la lucha de clases puede escribirse una novela de mayor intensidad dramática y de más interés humano que sobre la anodina vida burguesa. Lo que se necesita es el talento necesario para sacar el problema del plano polémico, beligerante y didáctico, y enfocarlo con intención estética. Desdichadamente, todo en *La asonada* y en *La ciudad roja* es endeble y precario. El ambiente proletario de Veracruz y los esfuerzos de esta clase por organizarse para la defensa de sus intereses, carecen en esta última novela de validez artística. El tema es de intensa dramaticidad, pero el autor no logra conmovernos porque lo percibe y lo trata como "argumentos" de propaganda y no en función de arte —más como líder obrero que como creador. Los defectos de las novelas de Mancisidor son muchos y no se dispone de suficiente espacio aquí para señalarlos.

Lo mismo puede decirse de casi todos los demás novelistas y cuentistas de filiación proletaria, no sólo en México sino en la América toda. Todos supeditan el arte al interés clasista. Quizás así debe proceder el escritor de izquierda; acaso tiene que ser así. La lucha de clases es una forma peculiar de guerra —guerra cruenta y despiadada con frecuencia— y la guerra no se hace con filigranas de estilo ni con refinamientos, sino con armas. Sin embargo, es de lamentar que dentro de esta orientación no se haya dado un solo artista de talla en México ni una sola novela de calidad.

Entre las mejores habría que citar *Mezclilla* de Francisco Sarquis, autor también de *Grito*, un libro de cuentos que contiene algunas narraciones valiosas. Cuentistas proletarios son también Lorenzo Turrent Rozas, Enrique Barreiro Tablada, Germán List Arzubide, Mario Lavón, Solón Zabre, Alvaro Córdova y otros. Todos los citados son veracruzanos o se afiliaron al grupo que en Jalapa militaron en las filas de la revista *Ruta*.

Confeso y convicto marxista es también otro novelista de más reciente aparición que durante el presente verano de 1950 fué objeto de una "purga" o censura estilo ruso por sus camaradas que lo compelió a "rectificar" su línea, a semejanza de sus colegas moscovitas. Refiérome a José Revueltas (Durango 1914). Revueltas ha cultivado la novela y el teatro; ha sufrido persecuciones políticas por sus ideas y hasta creo que fué enviado a los presidios de las Islas Marías en cierta época. Sus novelas hasta ahora son: *Los muros de agua* (1941), *El luto humano* (1943), *Dios en la tierra* (1944) y *Los días terrenales* (1949). Esta última fué objeto de severas censuras públicas por parte de sus cofrades marxistas que estimaron que en ella se desviaba de la línea "stalinista" y lo constriñeron a entonar la palinodia y a retirarla del mercado, lo mismo que su última pieza teatral, *El cuadrante de la soledad*, que se representaba por los mismos días en el Teatro Arbeu.

El luto humano mereció elogios de los críticos y le valió al autor cierta nombradía. Sin embargo, ésta como las demás novelas de Revueltas, es una obra de muy precario y deficiente montaje. Revueltas no ha logrado dominar la técnica novelística todavía. El desarrollo de la trama en sus novelas es caótico, confuso y cansado. Deja la impresión de que no planea sus argumentos de antemano, que no medita el asunto ni trabaja los caracteres. (Apunto defectos artísticos sin relación ninguna con sus ideales). Repito que a los fines de este libro no interesan las ideologías, ya sean católicas o comunistas, fascistas, reaccionarias o liberales. La novela se considera aquí como expresión estética y nada más.

Como novela proletaria puede clasificarse también *El doble nueve. La vida en las minas de plata mexicanas*, por Rodolfo Benavides (1949). El autor nació en Pachuca en 1907. En el presente año de 1950, Benavides publicó su segunda novela, *Las cuentas de mi rosario*, de ambiente semihistórico de la época de Juárez y la intervención francesa. Como de próxima publicación se anuncia una tercera: *Evasión*.

La vida del autor es en extremo interesante y guarda ciertas analogías con la del cubano Carlos Loveira. Hijo de familia humilde, apenas pudo asistir a la escuela elemental por corto tiempo. Todavía adolescente —ca-

si un niño— tuvo que trabajar en las minas de plata de
Pachuca durante años para que su familia y él mismo
no murieran de hambre. Luego pasó a los Estados Unidos en donde parece habérsele revelado su vocación de
escritor. Allí conoció las mismas injusticias y los mismos horrores que el capitalismo cristiano perpetraba
en su patria y que él sufrió niño todavía. De vuelta
en México, militó en las organizaciones obreras y fué
perseguido. Rodolfo Benavides —como Loveira— es un
escritor nato, de raza, y como el gran novelista cubano,
es también un autodidacta, con un bagaje cultural escaso, pero con talento y con intuición novelística.

Los defectos que en sus dos obras se perciben son
producto de su deficiente educación y de su vida aje-
treada y angustiosa que no le ha permitido el reposo y
el vagar necesario para cultivarse en forma disciplinada.
El doble nueve es la más intensa de sus dos novelas. En
ella dramatiza un ambiente familiar y seguramente experiencias personales. El horror que es la vida de los míseros obreros en las minas de plata y las condiciones
en que trabajan, están expresados aquí con descarnado
realismo aunque con poco arte. El autor debe haber
leído a los novelistas rusos, en particular a Dostoiewski,
porque el procedimiento es muy similar —y también el
efecto que produce en el lector. El *tempo* lent, empleado
en esta obra es excesivo y acaba por fatigar al leyente.
Como en el caso del ruso citado, Benavides acumula
también incidentes y detalles acaso innecesarios para
producir la sensación de angustia y desesperación. Alguno de estos sucedidos, por lo criminales, resultan inverosímiles. Así, por ejemplo, la orden del gerente norteamericano de cerrar las salidas para de esta manera
sofocar el incendio en las profundidades de la mina a sabiendas de que los centenares de obreros en ella en-
terrados perecerán. Tal disposición, por lo inhumana y
salvaje, resulta inaceptable para el lector que la interpreta como una exageración tendenciosa del autor y
entonces pierde validez y eficacia. Si por el contrario,
tal crimen se cometió alguna vez en la realidad, entonces
estaría justificada y aun procedería que el autor lo
hiciera constar en una nota fuera de texto para prevenir
la conclusión de exageración y falsedad a que el lector
llega.

El procedimiento de acumulación de hechos trágicos es contraproducente también. Con el mismo tema
minero logró un cuentista chileno producir una sensa-

ción de tragicidad mucho más intensa en algunas de sus narraciones cortas. Refiérome a Baldomero Lillo y a los cuentos de *Sub terra*. Benavides necesita mejorar su técnica, concatenar de manera más hábil el argumento, y descubrir el secreto —y la elocuencia— de la concisión. Similares reparos podrían hacerse a *Las cuentas de mi rosario* que con mayor dominio de la composición pudo haberse abreviado. Mas a pesar de las máculas señaladas, en Benavides hay madera de novelista auténtico y con toda seguridad que algún día superará la labor hasta hoy realizada.

Además de las citadas quedan por mencionar otras muchas narraciones de filiación proletaria, pero es necesario pasar a otras formas y a otros temas que reclaman atención también.

Sólo será posible mencionar los nombres y títulos de algunas de las muchas mujeres que actualmente cultivan la novela en México. Ya se han citado las tres que reputo más valiosas aunque ninguna de ellas haya sido agraciada todavía con ningún premio. Más afortunadas en tal sentido han sido Adriana García Roel (Monterrey 1916) cuya única novela *El hombre de barro* (1943) recibió el premio Lanz Duret en 1942; Sara García Iglesias también autora de una sola novela, *El jagüey de las ruinas* (1944), a quien le correspondió el mismo laurel en 1943; Lilia Rosa de la que sólo conozco dos novelas: *La brecha olvidada* (1949) y *Vainilla, bronce y morir* (1950). Esta última fué la recipiente del mismo premio en 1949.

A Nellie Campobello se la comentó en el capítulo XVII; pero a las siete hasta ahora mentadas sería necesario añadir otros muchos nombres, tales como el de Indiana Nájera autora de *Tierra Seca* y *Pasajeros de segunda;* Corina Garza Ramos, *María o entre las viñas* y *Victimas;* Josefina Perezcano de Jiménez Arrillaga, *Mañana el sol será nuestro;* María Elena, *Amor de tierra;* Catalina D'Erzell más interesada en el teatro que en la novela ya que tiene en su haber unas doce comedias y sólo una novela, *La inmaculada;* Adela Formoso de Obregón Santacilia *Adolescencia;* María Teresa Borragán *Yacambó;* Elmira de la Mora, *Vida;* María Luisa Ocampo, también dramaturga, pero autora de *Bajo el fuego,* interesante novela de la Revolución y *La maestría;* Dolores Bolio, *Una hoja del pasado. En silencio, Un solo amor* y *Wilfredo el belloso;* Julia Guzmán, *Nuestros maridos* y *Divorciadas,* también autora de varias comedias

Enriqueta Parodi, *Luis es un don Juan;* Guadalupe Ma-
rín, *La única* y *Un día patrio;* Blanca Rosa Veyro, *El cu-
randero;* Adela Palacios, *Muchachos* y *El angelito;* Margarita Urueta, *Almas de perfil, Una conversación sencilla, El mar la distraía, Espía sin ser* y *Mediocre;* Tina
Sierra, *Oro negro.* Faltan todavía Consuelo Uranga,
Raquel B. de Santos y otras varias cuyas obras no conozco. Como se ve, las mujeres novelistas sobran, lo que
falta en ellas es calidad; pero lo mismo podría decirse
de la mayoría de los hombres que cultivan el género.

Desde hace años se viene cultivando en México un
género nuevo de carácter fluído y rebelde a la clasificación. Fluctúa entre la historia pura y la novela. Aunque todos estos libros se han escrito a base de sólida
documentación, de investigaciones serias y prolijas lecturas, todos rehuyen el aparato erudito y la fría objetividad de los estudios históricos. Se caracterizan principalmente por el propósito artístico. Todos ellos están
escritos en un estilo refinado, conciso y elegante. Cada
uno de estos autores ve en estos temas pretéritos un
motivo estético y sin desdeñar la verdad histórica, la
han embellecido con su imaginación poética. Todos
ellos parecen seguir el lema de Eça de Queiroz —sobre
la cruda desnudez de la verdad, el diáfano manto de
la fantasía. Los motivos son muy variados y van desde
las figuras rigurosamente históricas como Hernán Cortés hasta las míticas como Quetzalcóatl y las leyendas
indígenas. Es una novedosa y bella reinterpretación del
remoto pasado mexicano. Cada uno de estos libros, sin
ser novelas, se leen con el deleite que produce la obra
de imaginación —y con mucho más provecho cultural.
Constituyen también una demostración del transido empeño con que el mexicano actual busca las raíces —y
la definición— de su peculiar idiosincrasia, de su individualidad inconfundible. La profunda corriente indígena
y el aluvión hispánico que luego se fundió en ella, son
los motivos que inspiran a estos creadores. Citaré sólo
algunos.

El de mayor alcance, quizás, es *Cuauhtémoc. Vida
y muerte de una cultura,* por Héctor Pérez Martínez,
cuya prematura muerte arrebató a la cultura y a la política mexicanas una de sus figuras más limpias y pro-
misoras. Linderos por el tema y el instante histórico
con el anterior, son dos libros de Francisco Monterde:
Moctezuma el de la silla de oro (1945) y *Moctezuma II.
Señor del Anáhuac* (1948) dos versiones casi idénticas

del mismo personaje. Con una precisión y elegancia estilísticas realmente admirables, y con una ponderación y una objetividad dignas de encomio, Monterde se sitúa en este libro equidistante entre la patética figura del emperador y la granítica de Cortés, sin tomar partido por ninguno de los dos símbolos que aun luchan en el alma del mexicano actual. Más atrás aún se remonta Ermilo Abreu Gómez en su precioso libro *Quetzalcóatl. Sueño y Vigilia,* escrito en ese estilo apretado, meduloso y poético que Abreu Gómez emplea hasta en sus estudios más eruditos. Antes nos había dado esas dos filigranas de forma y de contenido tituladas *Canek* y los *Héroes mayas.* Anterior a todos los mencionados puesto que la primera edición data de 1922, es *La tierra del faisán y del venado* de Antonio Médiz Bolio, de filiación indigenista también, en el que el autor se propuso apresar el espíritu de la cultura maya. Como el propio autor dijo: está pensado en maya y escrito en castellano. La cultura zapoteca tiene en uno de sus hijos más ilustres, Andrés Henestrosa, a su máximo intérprete y en *Los hombres que dispersó la danza* su más cabal y fina exégesis. Henestrosa glosa en este deleitoso libro muchas leyendas y tradiciones populares que él ha recogido entre sus hermanos de sangre, de lengua y de cultura, y las interpreta en un castellano limpio, sencillo y hasta humorístico a veces. De más ajustada filiación histórica es *La ruta de Hernán Cortés,* por Fernando Benítez, pero se hermana con los precitados por la forma ceñida y elegante con que nos conduce este sabio Lazarillo por todos los puntos del itinerario cortesiano. Todos estos libros y otros similares, son diversos en cuanto a tema, pero a todos los emparenta el afán revalorador y la preocupación estilística. Ninguno de ellos es una novela formal, pero varios se aproximan por lo menos a la biografía novelada. Por esto y por su extraordinario mérito literario y exegético, se mencionan en este capítulo. Excusa deseo pedir por el título "Novelas de ambiente histórico" bajo el cual se agrupan. Bien sé cuán inadecuado y falaz resulta pero no encontré otro más apropiado. Más auténticamente novelesca es *Nimbe,* libro en que el doctor Rodolfo González Hurtado dramatiza una leyenda del Anáhuac precolombino.

La novela de ambiente colonial se cultivó en México durante el siglo anterior y ha resurgido en el presente. No ha producido, sin embargo, un creador de la talla de Ricardo Palma que sepa captarla en toda su

riqueza picaresca, en su variedad y en su miseria. El
más fiel y activo representante de esta variante es Artemio del Valle-Arizpe que la viene cultivando desde
1919, año en que publicó *Ejemplo*. Luego ha dado a las
prensas *El canillitas, La movible inquietud, Doña Leo-
nor de Cáceres y Acevedo* y otras varias. En 1949 dió
a luz *La güera Rodríguez*, la novela más discutida y que
más se ha vendido en México en años recientes. En los
pocos meses que lleva de vida, han aparecido ya cuatro
ediciones. Ha sido motivo de murmuración y escándalo
entre la "gente bien" y naturalmente, a río revuelto, ga-
nancia de pescadores. Don Artemio sonríe ante los aspavientos de los mojigatos y sigue lanzando ediciones
al mercado. En las novelas de Valle-Arizpe hay más
erudición que arte, más empeño por remedar las formas
clásicas y pintar tipos y costumbres —por mostrarse enterado— que genio creador. Ha querido imitar los mol-
des picarescos que con tanto acierto han cultivado en
América Lizardi, Palma y José Rubén Romero, pero carece de la intuición artística indispensable. El se pierde
en los meandros históricos y nos abruma con su erudición.

Entre los demás colonialistas podrían citarse a Genaro Estrada, Francisco Monterde, Julio Jiménez Rueda, Ermilo Abreu Gómez y otros varios. Fué ésta una
moda que floreció en los años post-revolucionarios, pero
ha decaído desde 1930, más o menos. En realidad, de
esta variante novelesca podría decirse con el evangelio
que fueron muchos los llamados a cultivarla y pocos los
elegidos, ya que no produjo ni una sola novela con vigencia permanente. El predio colonial, sin embargo, está
apenas explorado y es probable que algún día los creadores vuelvan a incursionar en él. Es un rico venero
que ofrece todavía grandes posibilidades.

La novela fantástica es un género que cuenta con
muy pocos y muy mediocres adeptos en Hispanoamérica.
En México son contados los que actualmente la fre-
cuentan. Su más legítimo representante es, quizás, el
"Doctor Atl" (Gerardo Murillo), fantástico él mismo
por su genio múltiple, por su figura valleinclanesca, por
su humor regocijado, por su ínsita bondad y por su pro-
digiosa capacidad de trabajo. Durante más de veinte años
el "Doctor Atl" ha venido publicando una larga serie
de cuentos y relatos novelescos que bien pueden figurar
en la categoría fantástica. Como tales pueden clasificarse
también *El coronel fué echado al mar*, de Luis Spota,

La noche anuncia el día, de "Diego Cañedo" y *Su nombre era muerte,* de Rafael Bernal, el más perseverante cultivador de la novela policíaca en México en la actualidad.

La modalidad policíaca es de reciente introducción en nuestro ambiente literario. Es de procedencia anglosajona y francesa. En México el que más la frecuenta es el ya aludido Rafael Bernal que lleva publicados unos seis libros más o menos extensos. En este género puede incluirse también *Humorismo en camiseta.* "Aventuras de Peter Pérez", por Pepe Martínez de la Vega, aunque más que novela, es ésta una serie de relatos en los que más que la inventiva y la complejidad que caracterizan a la novela policíaca genuina, predomina el humor jocoso. Hasta ahora esta modalidad no ha producido en nuestra lengua un creador que pueda hombrearse con cualquiera de los muchos que en inglés y en francés han prestigiado el género.

Sólo quisiera añadir algunos títulos que merecen la atención del estudioso, tales como *El dolor humano — Novela de un cirujano,* por el ya mentado doctor Rodolfo González Hurtado. El autor, ha publicado otras varias. *La estrella vacía* del consabido Luis Spota, tan abultada de formato como ambiciosa en sus aspiraciones simbólicas. Spota es periodista y conoce bien la capital mexicana que en esta obra pretende retratar. Por el realismo de rompe y rasga con que aquí se describe el mundo pecaminoso, *La estrella vacía* está llamada a merecer la preferencia del vulgo leyente. Ladislao López Negrete es, ante todo, dramaturgo, pero en los últimos años publicó dos novelas: *La mujer que quiere a dos* y *La venus azteca.* Dos novelas lleva publicadas también Alejandro Núñez Alonso: *Mujer de media noche* y *Konco,* con más paja que grano esta última. Julio Jiménez Rueda tiene en su haber una extensa hoja de servicios literarios, y una larga lista de títulos de trabajos eruditos. Ha cultivado el teatro, la novela y el cuento. Lo mismo exactamente hay que decir del ya recordado Francisco Monterde. Quizás los dos se han dispersado demasiado en tantos géneros y actividades disímiles. Carlos González Peña ha escrito también mucho y ha frecuentado diversos géneros. Entre sus novelas, las dos más conocidas son *La musa bohemia* y *La fuga de la quimera.* Eduardo J. Correa es un novelista caudaloso. Algunas de sus obras exceden de las seiscientas páginas, fecundidad que por fortuna va dejando de con-

siderarse como meritoria. Sólo José Vasconcelos lo supera hoy en México en facundia. Ha escrito entre otras,
*Las almas solas, La comunista de los ojos cafés, La cul-
pa de otros, El derecho de matar, El milagro de milagros, Lo que todas hacemos, La sombra de un prestigio*, etc. De Roque Estrada son *Idiota* y *Liberación*,
y de César Garizurieta, *Singladura, Resaca, El após-
tol del ocio*, y varias otras. Con elogios de González
Peña y Francisco Monterde publicó Raúl González Enríquez su única novela —según creo— en 1942, *San Antonio, S. A.* Jaime Torres Bodet, poeta, crítico y hombre
de aptitudes múltiples, ensayó la novela también entre
1927 y 1941. Eran los años del sarampión "vanguardista", surrealista, etc. Torres Bodet era uno de los pilotos
de *Contemporáneos*, la revista que polarizó las ansias
renovadoras de todo un grupo. Intentó un tipo de novela
inédito en México, más literario que eficaz y, en último
análisis, mimético. Dentro de esta modalidad desarraiga-
da del ambiente mexicano, publicó *Margarita de niebla,
La educación sentimental, Proserpina rescatada, Sombras* y otras varias. El intento no cuajó. Armando de
Maria y Campos es crítico teatral y escritor fecundísimo
en varios géneros. Ha cultivado el teatro, la poesía, la
novela, la crónica múltiple, la biografía, etc. En su juventud publicó tres novelas: *Fifí, El primer amor y Vida y pasión de don Juan de la noche.*

La nómina de títulos podría fácilmente decuplicar-
se. Aquí sólo he querido dar idea al estudioso extranjero
que se interese por el tema, de la proliferación del género en la hora actual. Con toda seguridad he omitido
inadvertidamente muchos nombres y títulos merecedores
a que se les tome en cuenta. Tales ausencias no impli-
can desdén por mi parte. A lo sumo olvido involuntario
o ignorancia. Confieso que no he leído ni conozco muchísimas novelas publicadas en México en los últimos
diez años, y dudo de que exista nadie tan heroico que
se las haya echado al coleto todas. Un recuento completo requeriría muchas páginas y este libro se ha exce-
dido ya bastante del número que le había prefijado.

Resumiendo, pues, mis impresiones un poco borrosas y vagas por tanta faramalla novelesca como he leído
en los últimos meses, diré que la calidad de los centenares de narraciones publicadas en los dos lustros precedentes, no guarda proporción con la cantidad. Exceptuados algunos de los autores comentados en el capítulo anterior, los demás cultivan el género con lamen-

table ausencia de dignidad artística. Quizás son demasiado jóvenes la mayoría de ellos para haber adquirido el dominio del arte de novelar. Nótase, sin embargo, una marcada propensión al realismo ramplón, sin jerarquía ni substancia, que rebaja el decoro del género y lo reduce a relatos pedestres. Hasta el presente, Azuela, Martín Luis Guzmán, José Rubén Romero y Gregorio López y Fuentes continúan siendo los cuatro sillares básicos de la novela mexicana contemporánea. De la chatura y mediocridad de la inmensa mayoría de las obras recientes, creo que es responsable, en parte, la generosidad con que se otorgan los varios premios en metálico, tantas veces aludidos, a obras de muy escaso relieve. Otro factor de importancia que probablemente estimula la fecundidad sin médula ni rango artístico, es la forma perniciosa en que se ejerce la crítica literaria en México y en toda Hispanoamérica. Esta necesaria función está viciada por la camaradería y el interés de grupo, y rarísima vez se desempeña con la independencia y el rigor indispensables para que su efecto sea beneficioso. El elogio inmerecido es tan dañino como la negación sistemática.

F I N

NOTA BIBLIOGRAFICA

Doy a continuación una biblografía mínima de carácter general que el lector interesado puede consultar con provecho. De ella he suprimido los miles de artículos, reseñas, libros y folletos que sobre autores mexicanos determinados o sobre sus novelas se han escrito en varias lenguas y en muchos países. Para incluirlos habría necesitado otro libro, pues la bibliografía pasiva de la novela mexicana es abundantísima. Tratándose de un libro panorámico como es el presente, estas sugerencias bibliográficas deben limitarse a estudios de carácter general que abarquen siquiera un período o una expresión particular del género.

Quizás debí añadir los títulos de los principales libros en que se ha estudiado la Revolución, ya que la novela de ambiente revolucionario constituye un aporte interesante y valioso. Mas esto se ha hecho ya por varios investigadores y basta referir al lector curioso a sus respectivos trabajos. En los 4 volúmenes de *Bibliografía de la Revolución mexicana* de Roberto Ramos y en otras compilaciones similares que más abajo se incluyen, el investigador ganoso de conocer el desarrollo histórico y el ambiente de la Revolución encontrará más que suficientes fuentes de consulta sobre el tema.

Durante el último cuarto de siglo se han desarrollado mucho los estudios hispanoamericanos en los Estados Unidos, en particular los históricos y literarios. Hasta ahora ningún país ha merecido tanta atención como México y son muchas las tesis de doctorado y de *Master* (M.A.) que en las universidades del país se han dedicado a la novela mexicana. Casi todos estos estudios permanecen inéditos, pero de ellos hay ejemplares encuadernados en cada una de las bibliotecas de las instituciones en que se realizaron, los cuales pueden consultarse mediante el *inter-library loan service* que allí existe. Quien se interese por conocer éstos y otros trabajos de investigación y crítica que sobre el tema se han hecho allí, puede consultar las siguientes fuentes:

Doctoral Dissertations accepted by American Universities. Compiled for the Association of Research Libraries por varios autores. New York, The H. W. Wilson Co., 1933-1950. 17 vols. publicados hasta ahora.

Jones, C. K. *A bibliography of Latin American bibliographies.* (Segunda edición). Washington, D. C., United States Government Printing Office, 1942.

Leavitt Sturgis, E. *Hispano-American Literature in the United States.* Harvard University Press, 1932.

Por último, el Profesor Sturgis E. Leavitt empezó a coleccionar hace años en la revista *Hispania* la bibliografía académica anual arriba mencionada, labor que actualmente continúa el profesor L. L. Barret en la misma publicación. A estos trabajos y a los que a continuación se indican remito al lector curioso.

Altamirano, Alberto I. *Influence de la littérature française sur la littérature mexicaine.* México, (s. f.).

Azuela, Mariano. *Cien años de novela mexicana.* México, Ediciones Botas, 1947.

Barbagelata, Hugo D. *La novela y el cuento en Hispanoamérica.* Montevideo, 1947. (Segunda parte, Capítulo Primero).

Castillo Ledón, Luis. *Orígenes de la novela en México.* México, 1922.

Gamboa, Federico. *La novela mexicana.* México, 1914.

Gamboa de Camino, Berta. "The novel of the Mexican Revolution". *Renascent Mexico.* New York, 1935.

González Obregón, Luis. *Breve noticia de los novelistas mexicanos en el siglo XIX.* México, 1889.

González Peña, Carlos. *Historia de la literatura mexicana.* México, 1928.

Henríquez Ureña, Pedro. *Apuntaciones sobre la novela en América.* Buenos Aires, 1927.

Icaza, Xavier. *La Revolución mexicana y la literatura.* México, 1934.

Iguíniz, Juan B. *Bibliografía de novelistas mexicanos.* México, 1926.

Jiménez Rueda, Julio. *Historia de la literatura mexicana.* México, 1928.

— *Letras mexicanas en el siglo XIX.* México, 1944.

López Portillo y Rojas, José. "La novela en México". *La República Literaria.* Guadalajara (México), tomo III, marzo 1887-marzo 1888.

Magdaleno, Mauricio. "Alrededor de la novela mexicana moderna". *El libro y el pueblo.* México, vol. XIV, N° 4, 1941.

Martínez, José Luis. "Las letras patrias. De la época de la independencia a nuestros días". *México y la Cultura.* México, 1946. pp. 387-472.

— *Literatura mexicana. Siglo XX.* vol. I. México, 1949.

— *Literatura mexicana. Siglo XX.* vol. II *Guias* bibliográficas. México, 1950.

McManus, Beryl J. M. "La técnica del nuevo realismo en la novela mexicana de la Revolución". *Memoria del IV Congreso del Instituto Internacional de Literatura Iberoamericana,* Habana, 1949.

Meléndez, Concha. *La novela indianista en Hispanoamérica.* Madrid, 1934. (Capítulos VII y IX).

Moore, Ernest. *Bibliografía de novelistas de la Revolución mexicana.* México (s.p. de i.), 1941.

— "Crítica de la novela de la Revolución mexicana". *Bibliografía de novelistas de la Revolución mexicana.* (pp. 119-190).

— "The novel of the Mexican Revolution". *Mexican Life.* XVI, julio, 1949.

— *Studies in the Mexican novel.* Cornell University, Ithaca, N. Y., 1940.

Morton, F. Rand. *Los novelistas de la Revolución mexicana.* México, 1949.

Ramos, Roberto. *Bibliografía de la Revolución mexicana.* México, 1931-19 ?, 4 vols.

Read, J. Lloyd. *The Mexican Historical novel. 1826-1910.* New York, 1939.

Salazar Mallén, Rubén.*Temas de literatura mexicana.* México, 1947. (Segunda parte, Capítulo II, "La novela").

Siller, Hildebrando. *Escritores mexicanos.* Semblanzas literarias. Saltillo (México), 1937.

Torres Bodet, Jaime. "Perspectiva de la literatura mexicana actual", *Contemporáneos,* México, septiembre, 1928.

Tyre, Carl A. "El medio a través de la novela mexicana", *Memoria* del I Congreso Internacional de Catedráticos de Literatura Iberoamericana, México, 1940.

Uribe-Echevarría, Juan. "La novela de la Revolución mexicana y la literatura hispanoamericana actual". *Anales de la Universidad de Chile,* Santiago, año XCIII, Cuarto trimestre, 1935.

INDICE